DER CRITISCHE MUSICUS AN DER SPREE

S0-BQX-529

KUNSTWISSENSCHAFTEN

DER CRITISCHE MUSICUS AN DER SPREE

Berliner Musikschrifttum von 1748 bis 1799
Eine Dokumentation

Herausgegeben von
Hans-Günter Ottenberg

1984

Verlag Philipp Reclam jun. Leipzig

Mit Notenbeispielen

© Verlag Philipp Reclam jun. Leipzig 1984

Reclams Universal-Bibliothek Band 1061
1. Auflage
Reihengestaltung: Lothar Reher
Gesetzt aus Garamond-Antiqua
Printed in the German Democratic Republic
Lizenz Nr. 363. 340/150/84
LSV 8384 – Vbg. 23,5
Gesamtherstellung:
Grafischer Großbetrieb Völkerfreundschaft Dresden
Bestellnummer: 661 187 8
00300

Aufklärung – auch durch Musik?

Vierundzwanzig Sätze zur Berliner Musiktheorie und -kritik zwischen 1748 und 1799

Der Begriff „Satz“ im Untertitel betont die konzise Problemdarstellung, die im folgenden versucht wird. An die Stelle einer systematischen Untersuchung des Berliner Musikschrifttums in der zweiten Hälfte des 18. Jahrhunderts, die an diesem Ort ohnehin nicht zu leisten ist, tritt eine punktuelle Sicht. Dem musikkulturellen Entwicklungsgang folgend, wechseln als Themen der „Sätze“ Details – das polemische Moment der Berliner Musiktheorie, Aversionen gegen das „Gemozarte“ und anderes – mit komplexen Zusammenhängen – Affektenlehre der Aufklärung, Geniediskussion des Sturm und Drang, frühromantische Musikanschauung usw. Am Ende eines jeden „Satzes“ findet der Leser Verweise auf die hauptsächlich diskutierten Schriften und Aufsätze, soweit sie in dieser Dokumentation enthalten sind.

1. Das tragische Schicksal des Komponisten Joseph Berglinger überdenkend, stellt der Erzähler in Wackenroders „Herzensergießungen eines kunstliebenden Klosterbruders" (1797) die folgenschwere Frage nach dem Wirken des Künstlers in der Gesellschaft: „Und muß der Immerbegeisterte seine hohen Phantasieen doch auch vielleicht als einen festen Einschlag kühn und stark in dieses irdische Leben einweben, wenn er ein ächter Künstler seyn will?“[1] Er läßt die Frage offen, schließt ihre Beantwortung im Sinne aufgeklärter Funktionsvorstellungen von Kunst, nämlich sie im gesamtgesellschaftlichen Maßstab wirksam werden zu lassen, nicht aus. Doch ebendieser Anspruch, dem auch Joseph Berglinger sich zunächst verpflichtet fühlte, kann in der nachrevolutionären Gesellschaft nicht eingelöst werden, im Gegenteil, im Künstlerdasein Berglingers erfährt er seine gründliche und brutale Desillusionierung. Schmerzhaft empfindet dieser Musiker die gestörten zwischenmenschlichen Beziehungen, den „ekelhaften Neid und hämische[s] Wesen“, die „widrig-kleinlichen Sitten und Begegnungen“, er leidet unter der „Subordination der Kunst unter den Willen des Hofes“[2], ist erschüttert vom geringen Musikinteresse und -verständnis des Publikums. Je-

doch kommt die Flucht Berglingers aus der „prosaischen“ Wirklichkeit in die idealen Regionen der Kunst keinesfalls einer Flucht nach Arkadien gleich. Es bleibt der quälende Zweifel unnützen Tätigseins, genährt durch nach wie vor in der Gesellschaft herrschendes Utilitarismus-Denken, das nun, nach vollzogener Revolution in Frankreich, endgültig seiner „heroischen Illusionen“ (Engels) enthüllt ist. Angesichts der Erfahrungen eines zertrümmerten Eudämonismus resigniert Berglinger. Ein Nervenfieber, typische Zeitkrankheit, befällt den gesundheitlich ohnehin Zerrütteten und führt schließlich zu seinem frühen Tod.
Diese Sachverhalte reflektierte Wilhelm Heinrich Wackenroder, Dichter der Frühromantik, seit 1794 gezwungenermaßen preußischer Justizbeamter, im Jahre 1797 und äußerte damit zugleich eigenes Erleben und Erfahren. Letztlich war auch er ein Stigmatisierter der Gesellschaft, dem die Erfüllung seines individuellen Glücksanspruchs versagt blieb. Ähnlich Berglinger unterlag er im „Kampf zwischen seinem ätherischen Enthusiasmus und dem niedrigen Elend dieser Erde“[3]. Wie soll sich der Künstler verhalten? Der kommentierende Freund sieht es so: „Er [Berglinger] gerieth auf die Idee, ein Künstler müsse nur für sich allein, zu seiner eignen Herzenserhebung, und für einen oder ein paar Menschen, die ihn verstehen, Künstler seyn. Und ich kann diese Idee nicht ganz unrecht nennen.“[4]
Mit welch anderen Vorstellungen waren die Berliner Musiktheoretiker fünfzig Jahre zuvor angetreten!
[Dokument 36]

2. Aus dem Jahre 1753 datiert eine der ersten größeren musiktheoretischen Untersuchungen innerhalb des Berliner Musiklebens; der Verfasser ist Friedrich Wilhelm Marpurg, der Titel lautet: „Abhandlung von der Fuge nach den Grundsätzen und Exempeln der besten deutschen und ausländischen Meister“. Im Vorbericht dieses Lehrwerks dokumentiert sich jener aufklärerische Standpunkt, der in Begleitung solcher Begriffe wie „Weltbürger“, „aufgeheiterte Zeiten“ immer wieder in den Veröffentlichungen anzutreffen ist: „Genung, wenn ein jeder das seinige so viel übet, als es ihm seine natürlichen Kräfte erlauben, wenn der übrigen Welt nur einigermassen ein Vortheil daraus erwächst.“[5]

Von einem solchen Optimismus erfaßt und im Gefolge des Wolffschen Rationalismus, schufen die Berliner Musiktheoretiker Schriften von imposanter Quantität und Qualität. In nur einem knappen Jahrzehnt (1748—1757) erschienen in Berlin 31 Buch- und Zeitschriftentitel musiktheoretischen und -kritischen Inhalts mit einem Gesamtseitenumfang von mehr als 5000 Seiten. Der englische Musikhistoriker Charles Burney fand im Jahre 1772 — zu einem Zeitpunkt, als sich in Berlin doktrinäre Tendenzen in Musikanschauung und -praxis bereits verhärtet hatten und originalen künstlerischen Schaffensdrang lähmten — Worte der Anerkennung für Autoren wie Carl Philipp Emanuel Bach, Johann Friedrich Agricola, Friedrich Wilhelm Marpurg, Johann Philipp Kirnberger und Johann Georg Sulzer, „deren musikalische Schriften, als das Resultat von ihren vieljährigen Erfahrungen und vorzüglicher Geschicklichkeit durch ganz Deutschland für classisch angesehen werden“[6].
Die Absicht, die die Berliner Theoretiker verfolgten, war von geradezu enzyklopädischer Tragweite. Was in diesen schöpferischen Dezennien nach 1750 entstand, ist als der ernsthafte und partiell auch geglückte Versuch zu bewerten, das Wissensgebiet „Musik“ unter Verwendung von Gedankengut der französischen und englischen Aufklärung in seinen mathematisch-naturwissenschaftlichen, ästhetischen, psychologischen, instrumentenspezifischen und anderen Aspekten zu systematisieren. Von Anfang an war dabei den theoretischen Unternehmungen ein pragmatischer Akzent eigen. Aufklärend in die Belange des Musiklebens einzugreifen, war ein ebenso erklärtes Ziel wie das Mittun an der generellen Zwecksetzung von Kunst, nämlich zur Formung und Bildung des „tugendhaften Menschen“ beizutragen. Daß sich hinter dem vielfach gebrauchten Begriffspaar „Kenner und Liebhaber“ oftmals ein Publikum bildungsaristokratischer Konvenienz verbarg, ändert nichts an der Tatsache, daß die Intentionen der Autoren auf Breitenwirksamkeit und leichte Faßlichkeit gerichtet waren. Dieser Umstand erklärt zu einem Gutteil die häufig anzutreffenden lapidaren, gelegentlich hausbackenen Argumentationen. Aber in diesem „für alle“ blieb zugleich ein großes Stück trockener Gelehrsamkeit (obwohl es auch solche gab) auf der Strecke. Denn über Mangel an Zündstoff und Polemik konnte sich der Le-

ser der damaligen Lehrwerke, Wochenschriften, der sogenannten „Briefe an…“ gewiß nicht beklagen.
[Dokumente 1–19]

3. Das Thema, das wie ein Paukenschlag und mit kaum überbietbarer polemischer Schärfe den Reigen der musikkritischen Schriften in Berlin eröffnete, nämlich die kontroverse Diskussion zwischen dem Critischen Musicus an der Spree und Flavio Anicio Olibrio, das sind Friedrich Wilhelm Marpurg und Johann Friedrich Agricola, sollte die Gemüter noch längere Zeit erhitzen: die Frage nach dem Vorrang der italienischen oder französischen Musik und deren Bedeutung für die Herausbildung einer sich als deutsch verstehenden Tonkunst. Die Entscheidung in diesem konkreten Falle war zunächst an die persönliche Erfahrungswelt und Interessenlage der beiden jugendlichen Autoren gebunden: Marpurg hatte einige Jahre in Paris gelebt und stand der Musiktheorie Rameaus sowie der klassizistisch-rationalistischen Ästhetik Batteux' nahe, Agricola hingegen war vorab ein Mann der Oper, der 1750 erfolgreich mit dem Intermezzo „Il filosofo convinto in amore“ debütierte. In die Waagschale des von ihnen bevorzugten Nationalstils warfen beide Theoretiker aus der Musikpraxis abgezogene Stilmerkmale, wobei als Richter die Instanz des „guten Geschmacks“ angerufen wurde: „Man untersuchet nicht bey ihnen [den Franzosen], ob dieses oder jenes Allegro nach dem italiänischen, sondern ob es in dem guten Geschmack geschrieben ist.“[7] Marpurg nannte die französischen Komponisten eifrige und glückliche Beobachter der Natur, er lobte den in ihren Werken herrschenden rührenden Gesang, die Ausgewogenheit und Originalität der harmonischen Faktur des Satzes, er hielt die französische Sprache ihrer Männlichkeit und Ausdrucksstärke wegen für geradezu prädestiniert zur musikalischen Umsetzung. Es nimmt nicht wunder, daß Agricola die gleichen Vorzüge für die italienische Musik geltend machte, nur daß er sie auf ein gänzlich anderes Musikideal bezog: „sangbare Sätze“ ja, aber „nach dem allerneuesten und reinesten italiänischen Gusto“[8], das bedeutete Melodiezentrizität und dadurch bedingte Zweitrangigkeit der Mittelstimmen, ferner ein hohes Maß an sängerischer Virtuosität…
Eine Einigung zwischen den Opponenten kam nicht zu-

stande. Voller Groll gingen sie auseinander. Aber beide Musiktheoretiker haben das Bewußtsein für die historisch herangereifte Fragestellung nach der Ausbildung einer eigenständigen nationalen Tonsprache geschärft. In diesem Zusammenhang erhält Marpurgs Forderung nach der Errichtung einer deutschen Singeschule ein besonderes Gewicht. Daß Agricola und Marpurg den Agens für diesen Prozeß vornehmlich unter dem Gesichtspunkt einer Assimilation von fremdem Stilgut sahen, rechnet mit der Möglichkeit des kulturellen Austausches im europäischen Maßstab, eine im 18. Jahrhundert tatsächlich gut funktionierende Praxis. Johann Joachim Quantz, einer der ersten Männer des Berliner Musiklebens, vermittelte zwischen den Standpunkten Marpurgs und Agricolas, indem er die Kategorie des „vermischten Geschmacks“ als Summe der Vorzüge der italienischen *und* französischen Musik in die theoretisch-ästhetische Diskussion einführte. [Dokumente 1–4]

4. Es ist nur zu bedauern, daß der Musikhistoriker dem polemischen Moment solcher Kontroversen, wie sie Marpurg und Agricola miteinander ausfochten, bislang keine Beachtung geschenkt hat. Denn was hier zu einer handfesten persönlichen Fehde auswuchs, muß auch als ein Reflex auf gesellschaftliche Vorgänge im Deutschland des 18. Jahrhunderts verstanden werden. Die Diffamierung des Gegners ging mit dem Sich-selbst-ins-rechte-Licht-Setzen einher, war also durch ein zuvorderst egoistisches Verhalten motiviert. Zwischenmenschliche Beziehungen wurden zunehmend geprägt durch die Stellung des Menschen im Prozeß der arbeitsteiligen Produktion. Auch im musikkulturellen Bereich begannen sich kapitalistische Warengesetze und Distributionsformen durchzusetzen und mit ihnen Faktoren wie Konkurrenzdenken und Monopolisierung von Wertvorstellungen, zum Beispiel der Ausschließlichkeitsanspruch des Quantzschen Musikideals.[9] Das, was Marpurg Agricola vorzuwerfen hatte (und umgekehrt), zielte nicht nur darauf ab, dem Rivalen fachliche Inkompetenz zu bescheinigen, sondern bezweckte auch, Zweifel an der Integrität seiner Persönlichkeit zu wekken, kurzum, er sollte in der Öffentlichkeit lächerlich und damit konkurrenzunfähig gemacht werden.
Wie boshaft solche Angriffe zuweilen waren, mag nur ein

Beispiel verdeutlichen: „Solte der gute Flavio Anicio Olibrio mit seiner Schrift nicht mehr, als etwann ein kleiner Pudel mit seinem Kleffen ausrichten; solte er darüber in Schwermuth gerathen, und solten verständige und ohne Partheylichkeit urtheilende mitleidige Personen ihm vielleichte einen Platz in dem für gewisse Personen durch eine mildreiche Stiftung eines klugen Swifts zu Dublin bestimten Hause anweisen: Himmel! was würde ich nicht zu verantworten haben?“[10]
Die Verwendung von Pseudonymen, eine damals verbreitete Praxis, bot zudem die Möglichkeit, aus der Anonymität heraus noch härter vom Leder zu ziehen. Daß die Absicht, unentdeckt zu bleiben, nicht immer von Erfolg gekrönt war, zeigt die Kontroverse Marpurg—Agricola. In einem Anagramm stellte Marpurg den Gegner bloß.[11]
Monopolisierung von Wertvorstellungen meint aber auch folgendes: Berlin begriff sich als Zentrum der deutschen Musiktheorie. Das, was hier unter „vermischtem Geschmack“ verstanden wurde, sollte auch in Wien oder Mannheim seine Gültigkeit und Vorbildwirkung besitzen. Die Berliner Musikschriften liefern zahlreiche Beispiele dafür, wie ihre Autoren abweichende theoretische Ansätze andernorts im Keime zu ersticken oder deren Verfechter in Mißkredit zu bringen versuchen. Es entbehrt einer gewissen Komik nicht, wenn Marpurg, der mit Georg Andreas Sorge wegen harmonischer Probleme im Streit lag (unter anderem stand die Frage, ob Nonen-, Undezimen- und Terzdezimenakkorde aus Septimenakkorden mit unten *oder* oben zugefügten Terzen gebildet werden), die Urteile von mehr als fünfzig deutschen Musiktheoretikern anforderte, um seinen Widersacher mundtot zu machen, und im Register der von ihm herausgegebenen „Kritischen Briefe über die Tonkunst“ in geradezu läppischer Weise eine Art „Fehlerkatalog“ aufstellte: „Sorge führt seine Streitigkeiten auf eine sehr plumpe Art“, „Sorge kritisirt gerne; mag aber nicht gerne kritisirt werden“, „Sorge fängt einer Kleinigkeit wegen grossen Lärm an“, „Sorge ist böse auf die Herren Rameau und Marpurg“ usw.[12]
Wenn wir hier auf einige Schattenseiten im Wirken der Berliner Musiktheoretiker hingewiesen haben, so ändert das nichts daran, daß ihr Beitrag zur theoretisch-ästhetischen Fundierung der Musikpraxis ihrer Zeit enorm und von immenser Ausstrahlung war. Berliner Musikkritik um 1750

zeigt sich in ihren besten Werken offensiv, pointiert und rückhaltlos, wirkt in die Breite, verfolgt ihren Gegenstand bis ins Detail. Daß diese Souveränität im Kleinen nicht gleicherweise auch für die großen Entwürfe von Kunst und Gesellschaft zutrifft, hängt mit spezifischen gesellschaftlichen Bedingungen in Preußen zusammen. (Wir werden uns damit an anderer Stelle beschäftigen müssen.)
[Dokumente 1–4, 14.2, 17.2]

5. Johann Joachim Quantz hatte in seinem „Versuch einer Anweisung die Flöte traversiere zu spielen“ – und damit greifen wir den Faden des vorletzten „Satzes“ wieder auf – gleichsam als Tertium comparationis den Begriff des „vermischten Geschmacks“ in die Diskussion eingeführt. Stilassimilation und Geschmacksbildung vollzogen sich seiner Auffassung nach auf der Grundlage von Selektionsprozessen. Man wähle, empfahl Quantz, und hierin erwies er sich als ein waschechter Rationalist, nur „das Beste“ „aus verschiedener Völker ihrem Geschmacke in der Musik, mit gehöriger Beurtheilung“[13]. Was „das Beste“ sei, erfuhr der Leser des „Versuchs” auf minuziöse Weise. Quantz verglich die italienische und franzöische Musik in dreifacher Hinsicht, in der Komposition, in der Sing- und in der Spielart. In der Komposition attestierte er den Italienern Uneingeschränktheit, Prächtigkeit, Lebhaftigkeit, Ausdruck, Tiefsinnigkeit, Erhabenheit in der Denkart; sie verkörperten ihm ein fortgeschritteneres kompositorisches Entwicklungsstadium, im Gegensatz zur französischen Musik, die allzu sklavisch und konventionell wäre. (Die autoritär-aristokratische Gesellschaftskunst Lullys, des Hofkomponisten Ludwigs XIV., stand in Frankreich nach wie vor hoch in der Gunst des Publikums.) In der Singart verdienten die Italiener, in der Spielart die Franzosen den Vorrang. Summiert man nun die Vorzüge beider Nationalstile – als Attribute nannte Quantz: natürlich, singend, schmeichelnd, zärtlich, rührend, reich an Erfindung, modest, deutlich, nett, reinlich im Vortrage –, dann erhält man einen „vermischten“ Stil, den Quantz für die deutsche Musik beanspruchte.[14]
Und tatsächlich wurden durch Quantz’ Überlegungen wichtige Seiten der um 1750 herrschenden Musikpraxis, ihrer norddeutschen Einflußsphäre muß man genauer sagen, erfaßt.

Die Konzerte des königlichen Lehrmeisters selbst, die Trios Johann Gottlieb Grauns, die Sonaten Christoph Nichelmanns prägt ein gefälliger Stil, der der Melodie das Primat zuerkennt, ohne sie jedoch aus ihrer harmonischen Verankerung zu entlassen (im Gegensatz zu den Italienern, die dies häufig versäumten), der ein launiges Spiel mit kleinen und kleinsten Motiven treibt. Eine so strukturierte Musik errichtete kaum Barrieren gegenüber breiten Liebhaberkreisen, und auch der Kenner fand seinen Verstand beschäftigt, denn: trotz aller Betonung des kantablen Elements mußte der Komponist streng nach den Regeln der Setzkunst verfahren.
Johann Joachim Quantz galt in Sachen des „vermischten [also des herrschenden] Geschmacks“ als Autorität. Sein „Versuch“, der dem preußischen König Friedrich II. gewidmet war, bildete so etwas wie die theoretische Plattform der „Berliner Schule“. Und seine Hinweise zum musikalischen Vortrag und zur Formung des Geschmacks, seine Lehre vom Akkompagnement und den Verzierungen stießen auch außerhalb der preußischen Hauptstadt auf nachhaltige Resonanz. Bezogen auf das propagierte Musikideal vertrat Quantz eher eine gemäßigte Position. Alles Bizarre, allzuheftige Leidenschaften wollte er aus der Musik eliminiert wissen. Doch ein solch enges Raster der „sanften Empfindungen reizender Töne“ mußte notwendigerweise mit bestimmten Entwicklungszügen in der zeitgenössischen Musikpraxis kollidieren. Man denke an Carl Philipp Emanuel Bachs c-Moll-Fantasie aus dem Jahre 1753, in der jähe Stimmungswechsel die musikalische Szenerie prägen, oder die ungestüme, kontrastreiche Tonsprache der Sinfonien des Mannheimer Komponistenkreises um Jan Václav Antonín Stamic und Franz Xaver Richter. Werke dieser Art bedurften einer neuartigen theoretisch-ästhetischen Fundierung, die allerdings in der Quantzschen Kategorie des „vermischten Geschmacks“ eine maßgebliche Ausgangsgröße vorfand. Die Diskussion – französisch oder italienisch? – war damit noch nicht ad acta gelegt. Im Gegenteil: 1752, in demselben Jahr, in dem der „Versuch einer Anweisung die Flöte traversiere zu spielen“ erschien, erhielt sie durch den sogenannten Buffonistenstreit in Paris neue Nahrung. Seine Rezeption durch die Berliner Musiktheoretiker wirft ein bezeichnendes Licht auf die in Preußen herrschende ideologische Situation.
[Dokument 6]

6. Was war vorgefallen? Als im Sommer 1752 eine italienische Operntruppe mehrmals erfolgreich Pergolesis „La serva padrona" in der französischen Hauptstadt aufführte, war das nur das auslösende Moment für einen Streit, der wohl einmalig in der Musikgeschichte sein dürfte und der weit mehr als nur einen fachlichen Disput im Bereich der Musik darstellte. In der heftigen Auseinandersetzung zwischen den Anhängern der klassizistischen höfischen Oper und der italienischen Opera buffa nahm die ideologische Konfrontation von Adel und aufstrebendem Bürgertum Gestalt an. Rousseau griff mit seinem „Lettre sur la musique française" (1753) in diesen Streit ein. Die rigorose Ablehnung der französischen Musik (sie war für ihn, der im bürgerlichen Lager stand, letztlich identisch mit der Musik der französischen Absolutismus) erfolgte aus vorrangig politischen Motiven. Wenn Rousseau in ihren Schöpfungen das Natürlich-Unverbildete vermißte, dann deshalb, weil er die Gesellschaft seiner Zeit für unfähig hielt, den Naturzustand als für ihn einzig annehmbare Existenzform gesellschaftlichen und individuellen Lebens zu verwirklichen. Jede „zivilisierte" Gesellschaft, argumentierte er in der 1750 von der Akademie zu Dijon preisgekrönten Abhandlung zur Frage, „Hat das Wiederaufleben der Wissenschaften und Künste zur Besserung der Sitten beigetragen?", verhinderte die wirkliche Entfaltung der Künste: „Die antiken Politiker sprachen unaufhörlich von den Sitten und der Tugend, die unseren nur vom Handel und Gold."[15] Berlin kann als Haupteinfallstor Rousseauscher Gedanken zur Kunst und Musik in Deutschland angesehen werden.[16] Während neuere und neueste Erkenntnisse der französischen Musiktheorie und -ästhetik von den Berliner Theoretikern kritisch verarbeitet wurden – neben Rousseau sind zu nennen Dubos, Batteux, Rameau, d'Alembert und viele andere –, waren diese nicht bereit, deren zum Teil radikalen politischen Standpunkte zu akzeptieren, im Gegenteil, sie äußerten Entrüstung: „Er [Rousseau] ist der Verfasser von einer Abhandlung, worinnen er zu beweisen gesuchet hat, daß die Künste und Wissenschaften der Gesellschaft unendlich nachtheiliger, als nützlich sind. [...] Diese paradoxe Meinung, die gerade der Unwissenheit und Dummheit Recht spricht, ist von vielen treflichen Gelehrten wider den Herrn Rousseau gründlich widerlegt worden."[17]

Es findet sich im gesamten Berliner Musikschrifttum der fünfziger und sechziger Jahre kein Beispiel einer politisch so brisanten Fragestellung, wie sie Rousseau und seine Anhänger diskutiert hatten. Der Theoretikerkreis um Marpurg sah keine Veranlassung, Kritik an den herrschenden gesellschaftlichen Verhältnissen zu üben. Der Kunstzustand ihrer Zeit erschien ihnen zwar in einzelnen Punkten veränderungsbedürftig, im großen und ganzen jedoch gesund und blühend, zumal Friedrich II. als zwei seiner ersten Regierungsmaßnahmen den Bau eines prunkvollen Opernhauses befahl[18] und die Hofkapelle, die über ausgezeichnete Musiker verfügte, erweiterte.
Woran sich Rousseaus oppositionelle Haltung unter anderem stieß, nämlich absolutistischer Kultur und Kunst Modellfunktion für die Ausbildung bürgerlicher Kunstformen und -traditionen zuzuerkennen – in Berlin fand diese Absicht zum Beispiel in Christian Gottfried Krause einen eifrigen Fürsprecher. In seiner Abhandlung „Von der musikalischen Poesie“ aus dem Jahre 1753 zeigte sich Krause als Verfechter der klassizistischen höfischen Tragödie Racines und propagierte deren Vorbildwirkung für den Bereich der Oper. Die Oper war hier jedoch ein Reservat aristokratischer Kreise, in das gelegentlich der Bürger (im dritten Rang!) Zutritt hatte. Mochte dieser auch fehlende Identifizierungsmöglichkeiten mit dem Bühnengeschehen des bevorzugten Opera-seria-Typs und mangelnde Sprachkenntnisse durch das Erlebnis großartiger sängerischer Leistungen und prächtiger Bühnenausstattung kompensieren, mochte er die schäfermäßige Welt anakreontischer Lieddichtung als amüsante Unterhaltung, vielleicht sogar als Gegenbild zu einer als drückend empfundenen Lebenssphäre auffassen, bürgerliches Selbst- und Weltverständnis konnte sich in diesen musikalischen Gattungen nur bedingt artikulieren. Trotz ungefährdeten absolutistischen Kunstanspruchs und seiner reglementierenden Übergriffe auf andere Sozialbereiche – man denke an den schweren Stand, den deutsche Literatur noch in den siebziger Jahren in Berlin hatte – entwickelten sich seit der Jahrhundertmitte, zunächst zögernd, bald jedoch in breiter Front und unaufhaltsam, spezifische bürgerliche Praktiken der Musikproduktion und -ausübung. Das Hillersche Singspiel faßte in Berlin Fuß, es entstanden zahlreiche Konzertunterneh-

men, das älteste unter ihnen war Janitschs „Musikalische Akademie".
Und auch das Berliner Musikschrifttum hatte wesentlichen Anteil an der Herausbildung einer bürgerlichen Musikkultur. Durch erzieherisches, „vernünftiges" Wirken erhofften sich die Theoretiker ein weiteres Gedeihen der Musikverhältnisse. Mit ihrer Absicht, Kenner *und* Liebhaber zu erreichen, sprachen sie vor allem bürgerliche Rezipientenkreise an, was wiederum ihre zentralen Themen bestimmte: der Affektausdruck von Musik, die Wort-Ton-Problematik, der „Endzweck" der Tugend usw.
[Dokumente 10.2., 10.5.]

7. Im Zentrum der Berliner Musikanschauung steht die musikalische Affektenlehre. Die Musik müsse, so argumentierte Carl Philipp Emanuel Bach und war sich in diesem Punkt einig mit anderen Zeitgenossen, die menschliche Natur abbilden, sie sei eine Sprache der Affekte, Spiegelbild der Gefühlswelt des Menschen. Ihre Aufgabe habe sie darin zu sehen, „das Hertz [...] in eine sanfte Empfindung zu versetzen"[19]. Christoph Nichelmann, wie Carl Philipp Emanuel Bach Cembalist in der Berliner Hofkapelle und Schüler von Johann Sebastian Bach, formulierte: „Der letzte Entzwek [der] durch die Kunst veranstalteten verschiedenen Mischungen und Verbindungen der Töne, geht dahin, das Gemüth, mittelst der dadurch auf die sinnlichen Werkzeuge des Gehöres verursachten verschiedenen Rührungen, einzunehmen, die sämmtlichen Kräfte desselben beschäftiget zu halten, und durch die Reinigung der Leidenschaften und Affecten, den innerlichen Wohlstand des Gemüths zu befördern."[20] Zwei Wesensmerkmale von Musik werden hier benannt: ihr Affektgehalt und ihre kathartische Funktion, mit deren Hilfe auch das ethische Hauptziel, die Erziehung des Menschen zur Tugend, realisiert werden soll. Denn schon Mattheson bekräftigte: „Wo keine Leidenschaft, kein Affekt zu finden ist, da ist auch keine Tugend."[21]
Im Affekt widerspiegelt sich nach Auffassung von Carl Philipp Emanuel Bach die Psyche, die seelische Disposition des Komponisten, die sich über die musikalische Darbietung des ebenfalls „gerührten" Interpreten dem Hörer mitteilt: „Indem ein Musickus nicht anders rühren kan, er sey dann selbst

gerührt; so muß er nothwendig sich selbst in alle Affeckten setzen können, welche er bey seinen Zuhörern erregen will; er giebt ihnen seine Empfindungen zu verstehen und bewegt sie solchergestallt am besten zur Mit-Empfindung."[22]
Hier wird eine Musikanschauung vertreten, die den Blick auf die Gefühle freisetzende und bewegende Funktion der Musik lenken will. Im rationalistischen Verständnis der Berliner Theoretiker sind sowohl die menschlichen Leidenschaften und Affekte als auch der sich in den Kompositionen niederschlagende affektuose Inhalt von Musik prinzipiell erkennbar und theoretisch exakt bestimmbar. Mit den zahlreichen zeitgenössischen Affektkatalogen verfolgen die Theoretiker nicht zuletzt didaktische Absichten. Dem Komponist steht – einer Gebrauchsanweisung ähnlich – ein Vorrat konventionell geprägter Affektmodelle zur Verfügung. Krause beschreibt unter 33 Affekten den Affekt der Reue so: „Die Reue wird mit einer klagenden, seufzenden, und manchmal sich selbst scheltenden Stimme vorgestellet, die zugleich eine Unruhe verräth."[23] Marpurg führt 27 Hauptaffekte und verschiedene Nebenaffekte an.[24] Dem Interpreten und Hörer sollen die Affektkataloge die Inhaltsdeutung erleichtern.
Die Beziehungen zwischen dem Realaffekt und seinem musikalischen Pendant werden also von den Theoretikern im Sinne unkompliziert ablaufender Transformationsprozesse erklärt, obwohl Affekte als musikalische Stilisierungen und Typisierungen menschlichen Fühlens und Verhaltens komplizierte psycho-physische Vorgänge und kommunikative Situationen verkörpern. Schöpferische Phantasie, Singularität der musikalischen Aussage und andere subjektive Faktoren des Schaffensprozesses sind für die Theoretiker irrelevante, nicht meßbare Größen. Die rationalistische Affektenlehre verfügt nicht über differenzierende Methoden und Termini, mit denen sich die im Kunstwerk vergegenständlichte Individualität seines Schöpfers umfassend erklären läßt. Die auf diese Problematik hinweisenden Begriffe Genie und Originalgenie werden erst in den siebziger Jahren von Reichardt, Sulzer und anderen diskutiert.
[Dokumente 5.2, 6–8, 19.1]

8. Für die Berliner Musiktheoretiker war insbesondere die Frage nach dem Verhältnis von Musik und Dichtung wichtig.

Quantz, Marpurg, Nichelmann, Agricola, Krause debattierten sie ausführlich in ihren Lehrwerken. Eine zentrale Formulierung lautete: „Die Singmusik hat gewisse Vortheile, deren die Instrumentalmusik entbehren muß. Bey jener gereichen die Worte, und die Menschenstimme, den Componisten sowohl in Ansehung der Erfindung, als der Ausnahme, zum größten Vortheile.“[25] Nur in scheinbarem Widerspruch hierzu standen die Überlegungen Agricolas. Bezugnehmend auf ältere Arientexte, hatte er geäußert: „Ob nicht die grossen Meister, aus deren Federn die Musik über diese Arien geflossen ist, das alte in den Worten, durch ihre sinnreichen Gedancken in der Musik erhoben, und allezeit auf eine gantz neue Art vorgestellet, dabey aber die Gemüthsbewegung der im Singspiel vorkommenden Person, so natürlich ausgedrückt haben, daß mann den Sinn derselben, auch ohne die Worte, schon hinlänglich würde haben errathen können“[26]. Der Inhalt der Musik bleibt auch in den instrumentalen Genres erkennbar, wenn auch nicht in jener Eindeutigkeit, die er nach dem Urteil der Theoretiker durch das Wort erhält. Dennoch machte sich in den ästhetischen Erörterungen eine gewisse Hilflosigkeit bemerkbar, wenn Ausdrucksbereiche und Bedeutungen in der Instrumentalmusik näher zu bestimmen waren: „Haben die Spielstücke nun diesen Vortheil der Vocalmusik nicht, ist es da nicht unbillig, einen andern Vortheil, wodurch sie diesen Mangel einiger massen ersetzen können, ausdrücklich von ihnen entfernen wollen?“[27] Marpurg empfahl, diesen „Mangel“ durch Vortragsbezeichnungen, die auf einen bestimmten Affekt hinweisen, auszugleichen. Schon Mattheson hatte unterschiedliche Wertigkeiten in der Musik festgestellt: „Eine Instrumental-Music ist erbaulich; eine Vocal-Melodie aber erbaulicher. So ist alles gut, wenn der Text gut ist.“[28] Auch Quantz konstatierte „den Mangel der Worte und der Menschenstimme“ in der Instrumentalmusik.[29]

Ernsthafte Bemühungen, dieses methodologische Dilemma zu überwinden, kamen bezeichnenderweise aus der kompositorischen Praxis selbst. Carl Philipp Emanuel Bach entwarf im „Versuch über die wahre Art das Clavier zu spielen“ (1753) das Bild des „singend denkenden“ Komponisten[30] und verwirklichte es in seinen Werken. Bach hatte diese Position mehrfach durch Aussagen bekräftigt: „Mein Hauptstudium

ist besonders in den letzten Jahren dahin gerichtet gewesen, auf dem Clavier [...] so viel möglich sangbar zu spielen und dafür zu setzen."[31] Darauf fußend, wandte Bach vor allem in seinen Klavierwerken das „redende Prinzip" an und entwikkelte eine prononciert individuelle musikalische Sprache, die ihrer Ausdruckskraft und Leidenschaftlichkeit wegen von den Zeitgenossen in den Jahren nach 1770 und in bewußter Inbeziehungsetzung zur literarischen Bewegung des Sturm und Drang als Resultat des Wirkens eines „Originalgenies" angesehen wurde. Es war deshalb nur folgerichtig, wenn Bach innerhalb seines Gesamtschaffens einige Instrumentalkompositionen als besonders gelungen hervorhob: „Unter allen meinen Arbeiten, besonders fürs Clavier, sind blos einige Trios, Solos und Concerte, welche ich mit aller Freyheit und zu meinem eignen Gebrauch gemacht habe."[32]
Trotzdem liegt in der Bevorzugung der Vokalmusik vor der Instrumentalmusik ein gesellschaftlich relevantes Problem begründet: Die Aufgabe der Musik, den Menschen nicht nur zu rühren und zu unterhalten, sondern ihn auch zur Tugend anzuhalten, kann nach Auffassung der Musiktheoretiker vornehmlich über das Medium des Wortes sinnvoll verwirklicht werden.
[Dokumente 6, 8, 11]

9. Grundsätzliche funktionelle und ästhetische Aspekte wurden in der Diskussion mit ethischen Fragestellungen verbunden. Die ausgesprochen didaktische Zielsetzung der Musikzeitschriften erhellt diesen engen Zusammenhang zwischen der Ethik und Ästhetik. Marpurgs aufklärerische Motivation, „nothwendige und nützliche Wahrheiten"[33] zu suchen und zu verbreiten, kann auch für das Wirken der anderen Berliner Theoretiker geltend gemacht werden. Krause definierte das Kunstschöne als das Nützliche. Werkimmanente Qualitäten, wie die sich in der Kunst widerspiegelnde „Liebe der Ordnung und der Proportion", würden die Sinnesart verbessern und die Tugend festigen, die selbst nichts anderes sei als „Liebe der Ordnung und Schönheit in der Gesellschaft"[34]. Das sich hier aussprechende Utilitarismus-Prinzip der deutschen Aufklärung identifizierte individuelles und allgemeines gesellschaftliches Interesse und subsumierte beide unter den Vernunftbegriff. Die Musikanschauung in Berlin läßt keine

Anzeichen erkennen, daß dieses Verhältnis von Individuum und Gesellschaft gerade im Hinblick auf den Nützlichkeitsstandpunkt gestört wäre; denn obgleich die tägliche Praxis genügend Formen von Egoismus, Piraterie usw. zeigte, gefielen sich die Theoretiker in der Aufstellung simplifizierender Analogien, wie das gleicherweise die Musik und die Gesellschaft bestimmende Prinzip der „Liebe und der Ordnung und Schönheit" oder in Pauschalisierungen solcherart: „Die Liebe [...] ist der besondere Affect, der die ganze Welt beherrschet."[35]

Die Musik müsse, um zu rühren, Leidenschaften „erregen" und „stillen". Ja erst über diese kathartische Wirkung von Musik sei die Gefühlswelt des Menschen positiv beeinflußbar. Das schließt auch ein, daß heterogene Leidenschaften im Perzeptionsprozeß einander aufheben können: „Mit Recht hat man [...] von der Musik gesaget, daß sie die Zornigen besänftige, die Betrübten aufrichte, den verdrießlichen übeln Humor, das Gegentheil der Leutseeligkeit und Wohlgewogenheit, die kränkende Sorgen, und die tödtende Traurigkeit verjage, das Gemüth in Ruhe setze, und alle sanfte Bewegungen, Liebe, Zufriedenheit, Hofnung und Mitleiden einflöße [...] Die sanften Empfindungen reizender Töne, machen die Sitten feiner, den Verstand biegsamer und das Herz empfindlicher. Ihre Eindrücke befördern die Fertigkeit, Liebe, Güte und Mittleiden zu empfinden, und geben unsern Leidenschaften die nüzlichste Mäßigung, als worinn das wahre Wesen der Tugend bestehet."[36] Theoretisch-konzeptionelle Angriffspunkte bieten sich allerdings, wenn wir nach den konkreten Erscheinungsformen des „tugendhaften Menschen" fragen: „Die weichen und biegsamen Gemüther sind in der Welt die besten und brauchbarsten; die trotzigen taugen zu wenig würklich edlen Dingen."[37] Unverkennbar sind die Paralellen zwischen dem sich hier äußernden Menschenbild und dem vertretenen Musikideal. Die „weichen und biegsamen Gemüther" finden ihre musikalische Entsprechung in den „rührenden Affekten" der „reizenden Natur", die zum bevorzugten Gegenstand musikalischen Gestaltens wurde.

Der Klasseninhalt dieser Äußerung ist offensichtlich: Zwar wurde der „tugendhafte Mensch" zum erklärten Ziel der Aufklärung in Berlin, aber nicht der Citoyen, sondern der

mehr oder weniger politisch inaktive Bürger – ein Symptom jener „Deformierung des gesellschaftlichen Bewußtseins“[38], die im friderizianischen Preußen des 18. Jahrhunderts die Entwicklung des Bürgertums kennzeichnete.
[Dokumente 5.1, 8]

10. Aus Krauses Auffassung von den „sanften Empfindungen reizender Töne“ blickt unverhohlen die Scheu vor allzuheftigen Leidenschaften hervor. In gleich zweifacher Richtung sah Krause Gefahren heraufbeschworen. Er dachte durchaus im staatserhaltenden Sinne, den Trotz zu verdammen, denn dieser war wirklich keine Tugend, die in Preußen geschätzt wurde. Und wollte Musik nicht verdächtig erscheinen, einem solchen Verhalten Vorschub zu leisten – denn daß der Musik handlungsaktivierende und Gefühle freisetzende Kräfte innewohnten, galt als selbstverständlich –, mußte sie sich mit dem ihr zugewiesenen Spielraum begnügen. Und dieser bot Platz sowohl für eine sich zierlich gebende galante Musik, die ihrem Wesen nach mit aristokratischen Lebenshaltungen kokettierte, als auch für die rührenden, lyrischen Ausdrucksqualitäten einer empfindsamen Musik, wobei Empfindsamkeit, nicht im Krauseschen Wortverstand genommen, auch zur extremen Gefühlsentäußerung tendieren konnte und somit die suspekte Kategorie des Trotzes durchaus wieder in ihrem Bereich lag. Doch letzteres war in Berlin die Ausnahme. Krauses Forderung der „Erhebung und Verschönerung des Sanften, des Anmuthigen, und des Reizenden“[39] wurde durch die Berliner Musikpraxis mehr bestätigt als widerlegt, aber es finden sich schon – vorerst noch wenige – Beispiele, in denen die Komponisten diese ästhetischen Normative zu durchbrechen suchten, was ihnen partiell auch gelang.
Lessing hatte sich gegen ein verzärteltes Menschenbild ausgesprochen; er wollte das „Artige“, „Zärtliche“, „Verliebte“ – das sind auch die bevorzugten musikalischen Affekte der Krauseschen Opernkonzeption – von der Bühne verbannt und durch starke Leidenschaften ersetzt wissen: „Wenn man die Meisterstücke des Shakespeare, mit einigen bescheidenen Veränderungen, unsern Deutschen übersetzt hätte, [...] es würde von bessern Folgen gewesen sein, als daß man sie mit dem Corneille und Racine so bekannt gemacht hat.“[40] Hier

wurde ein neues künstlerisches Leitbild benannt: der englische Dramatiker Shakespeare. Wenn der mit Carl Philipp Emanuel Bach befreundete Dichter Gerstenberg dessen im Jahre 1753 entstandener c-Moll-Fantasie eine Passage des Hamlet-Monologs von Shakespeare unterlegte, so setzte er damit das Vorhandensein vergleichbarer künstlerischer Intentionen voraus. Die „Forderung nach der aufrichtigen und durch Konventionen nicht behinderten Darstellung der Affekte"[41] kann als ein solcher, beider Schaffen gemeinsamer Impuls angesehen werden.
Die Tatsache, daß in Carl Philipp Emanuel Bachs Kompositionen abrupter Affektwechsel und fließender dynamischer Übergang häufig nebeneinanderstehen (was in Berlin nur noch bei Jiří Antonín Benda so exponiert ausgebildet war), erklärt sich aus dem für Bach maßgeblichen Prinzip des „Erregens" und „Stillens" von Affekten. Für seine künstlerische Umsetzung war ihm die Fantasie geradezu prädestiniert: „Das Fantasiren ohne Tackt scheint überhaupt zu Ausdrükkung der Affeckten besonders geschickt zu seyn, weil jede Tackt-Art eine Art von Zwang mit sich führet. Man siehet wenigstens aus den Recitativen mit einer Begleitung, daß das Tempo und die Tackt-Arten offt verändert werden müssen, um viele Affeckten kurtz hinter einander zu erregen und zu stillen."[42]
Die Dechiffrierung des Affektgehalts Bachscher Fantasien läßt eine Spannweite erkennen, die vom empfindsamen Ausdruck bis zur „Raserey, den Zorn oder ander[n] gewaltige[n] Affeckte[n]"[43] reicht, sich also weit von einem galanten Musikideal entfernt. Gerade diese heterogenen Ausdrucksbereiche können in der Fantasie, bedingt durch deren Gattungsspezifik, welche nicht dem Prinzip der Affekteinheit Rechnung zu tragen hat, auf engstem Raum realisiert werden. Carl Philipp Emanuel Bach spielte diesen Vorzug in seinen Fantasien rigoros aus und verschaffte sich so die in Berlin oft schmerzlich vermißte Freiheit künstlerischer Gestaltung – wenn man will, auch eine Art Trotzreaktion.
[Dokumente 7, 8]

11. Der Musiktheoretiker des 18. Jahrhunderts mußte bei der Wahl der Themen ein sicheres Gespür dafür entwickeln, was gefragt war oder womit er potentielle Bedürfnisse des

Lesers wecken konnte, und er mußte verlegerische Praktiken und die Gesetze des musikalischen Marktes beherrschen. (Genese, Strukturen und Funktion dieses Marktes sind im Hinblick auf die Berliner Musikkultur noch nicht untersucht worden, so daß hier nur in Ansätzen und bezogen auf einen Komponisten sowie ein Werk, nämlich Carl Philipp Emanuel Bachs „Versuch über die wahre Art das Clavier zu spielen“, Aussagen zu dieser Problematik erfolgen können. Systematisierungsstreben und Publikationsfreudigkeit, wie in Berlin beobachtbar, verdienten künftig auch unter marktwirtschaftlichen Gesichtspunkten betrachtet zu werden.)
Carl Philipp Emanuel Bach hatte durchaus eine „Marktlücke“ entdeckt, als er 1753 den „Versuch“ veröffentlichte, denn Couperins „L'Art de toucher le clavecin“ (1716) und Rameaus „Pièces de clavecin avec une nouvelle méthode pour la mechanique des doigts“ (1724) galten als veraltet, lagen zudem nicht in Übersetzungen vor, und die vorhandenen deutschen Klavierschulen (nur zwei sind vor 1753 nachgewiesen[44]) blieben ohne nachhaltigen Einfluß. Den Absichten Bachs förderlich war auch die Tatsache, daß seit der Mitte des Jahrhunderts Musikalien für Cembalo und Clavichord und schließlich für das zum führenden Tasteninstrument avancierende Hammerklavier massenhaft verbreitet waren. Bach konnte es deshalb wagen, den „Versuch“ im Selbstverlag herauszugeben, den Druck also selbst zu finanzieren und Verkauf und Vertrieb in eigener Regie zu übernehmen. Diesbezügliche Erfahrungen hatte er bereits seit Beginn der vierziger Jahre in Verhandlungen mit den Musikverlegern Schmid und Haffner in Nürnberg gesammelt, und das verhältnismäßig große Netz von Kollekteuren, über das die Subskriptionsangelegenheiten hinsichtlich des „Versuchs“ abgewickelt wurden, läßt darauf schließen, daß er solche Geschäftsverbindungen zielstrebig ausbaute. In einer Notiz der in Greifswald herausgegebenen „Critischen Nachrichten“ vom 29. März 1752 wurde zur Subskription auf das Bachsche Opus aufgefordert: „Auf dies Werck sollen bis Michaelis dieses Jahres 3 Rthlr. Vorschuß angenommen, und die Exemplarien auf Weihnachten drauf geliefert, hernach aber keines davon unter 5 Rthlr. gegeben werden. Die Collectores sind;
In Berlin, der Herr Verfasser.
[In Berlin], der Herr Organist Busse.

In Augspurg, der Herr Musik-Director Seifert.
In Cassel, der Herr Secretarius Robert.
In Eisenach, der Herr Organist Bach.
In Frankfurt am Mayn, Hr. Joh. Dan. Fey, Kauffmann auf die Zeyl.
In Halberstadt, der Herr Dom-Secretarius Gleim.
In Hamburg, der Herr Capellmeister Telemann.
In Leipzig, die Frau Capellmeistern Bachin.
In Naumburg, der Herr Organist Altnickol.
In Nürnberg, des sel. Balthasar Schmidts Wittwe.
In Stettin, der Herr Organist Wolf."[45]

Die erste Auflage des „Versuchs" muß ziemlich rasch vergriffen gewesen sein, denn Bach entschloß sich bereits 1759 zu einer Nachauflage. Zu seinen Lebzeiten erfuhr der erste Teil vier, der zweite Teil zwei Auflagen. Für das 18. Jahrhundert wurde eine Gesamtauflage von etwa 1000 bis 1500 Exemplaren für jeden Teil ermittelt,[46] für ein musiktheoretisches Werk eine erstaunlich hohe Auflage. Nimmt man für den Erstdruck aus dem Jahre 1753 eine Auflagenhöhe von nur 500 Exemplaren[47] und einen Erlös von 4 Talern je Exemplar an, den errechneten Mittelwert aus 3 Talern Subskriptions- und 5 Talern Verkaufspreis, dann belief sich der Gesamterlös auf 2000 Taler. Rechnet man von dieser Summe etwa ein Drittel für Druckkosten, ein Fünftel für Papier, Porto usw. und ein Zehntel für die Honorierung der Kollekteure ab, dann fiel auf Carl Philipp Emanuel Bach ein Reingewinn von annähernd 800 Talern, eine stattliche Summe. Doch war Bach auf solche Einnahmen angewiesen: Der Hof entlohnte ihn mit der entwürdigenden Summe von jährlich 300 Talern (seit 1756 500 Taler).
[Dokument 7]

12. Wer in den Berliner Musikzeitschriften blättert, wird zuweilen auf Artikel stoßen, die ihm Anlaß zum Schmunzeln geben werden. Da reichte im Jahre 1752 Johann Friedrich Unger der Königlichen Akademie der Wissenschaften zu Berlin ein in lateinischer Sprache verfaßtes Schriftstück ein, das die Beschreibung einer Fantasiermaschine enthielt, eines Gerätes, mit dem das Extempore-Spiel des „Clavieristen" graphisch aufgezeichnet werden konnte.[48] Dem mit der Anfertigung beauftragten Berliner Instrumentenbauer Hohlfeld ge-

lang es tatsächlich, eine funktionsfähige Apparatur herzustellen. Als Verkaufspreis gab Hohlfeld eine Summe von 20 Talern an. Doch die anfängliche Begeisterung für dieses Projekt hatte merklich nachgelassen. Bedenken wurden vor allem dahingehend laut, daß die auf Papier gezeichneten Figuren erst mühsam in gewöhnliche Notenschrift übertragen werden müßten. Die Fantasiermaschine soll später bei einem Brand der Akademie vernichtet worden sein.

Ohne Erfolg blieben die Bemühungen desselben Mechanikers, einen Bogenflügel populär zu machen, obwohl es auch hier zunächst nicht an Fürsprechern fehlte. Die Saiten wurden bei diesem Instrument nicht wie beim Cembalo angerissen, sondern durch einen sich bewegenden Bogen angestrichen, wodurch sich ein „der Menschenstimme desto ähnlicher schmeichelnd durchdringende[r] Ton“[49] erzeugen ließ. Von der Idee her kam ein solches Instrument der Vorstellung vom „singend denkenden“ Komponisten durchaus entgegen, und Carl Philipp Emanuel Bach bedauerte es, „daß die schöne Erfindung des *Hohlfeldischen Bogenclaviers* noch nicht gemeinnützig geworden ist“[50].

Der Leser der „Historisch-Kritischen Beyträge zur Aufnahme der Musik“ wird auch Zeuge einer musikalischen Hochstapelei, die schließlich durch das Eingreifen des königlichen Flötenlehrers Quantz wie eine Seifenblase platzte. Der in Hamburg ansässige Johann von Moldenit, ein Musikliebhaber, über dessen eigentliche berufliche Tätigkeit nichts bekannt ist, hatte unter anderem behauptet, den Tonumfang der Querflöte in der Tiefe und Höhe um eine Quarte erweitern zu können. Moldenit, von Quantz aufgefordert, seine Behauptungen öffentlich zu beweisen, erschien nicht zu dem anberaumten Termin. Marpurg konstatierte bitter: „Tag und Stunde sind vorbey. Die vermeinten tiefen Töne auf der Querflöte, nebst der künstlichen Unterlippe, und dem *pipi, mimi etc.* werden in der Geschichte der Musik eine elende Figur machen. Ich bedauere den Herrn von Moldenit. Marpurg.“[51]

Dem Erfindergeist waren in Berlin keine Grenzen gesetzt. Ein besonderes Kapitel stellen die musikalischen Rätselschriften dar. Den Anfang bildeten 1757 Kirnbergers „Der allezeit fertige Polonoisen- und Menuettencomponist“ und Carl Philipp Emanuel Bachs „Einfall, einen doppelten Contrapunct in der Octave von sechs Tacten zu machen, ohne die Regeln

davon zu wissen". Wir haben keine Kenntnis darüber, welchen Einfluß Kirnbergers originelles Würfelspiel — es wird hier als Neudruck vorgelegt — auf die Freizeitbeschäftigung der Musikliebhaber hatte. Neben Kurzweil und Zerstreuung konnte es einem angehenden Komponisten als „Sammlung eines Vorraths von Veränderungen der musikalischen Figuren" von Nutzen sein.[52] Die in den horizontalen Reihen enthaltenen Ziffern verweisen auf Takte gleicher harmonischer Funktion; auch hat Kirnberger Einleitungs-, Überleitungs- und Schlußwendungen in gleicher Weise zusammengefaßt. Daß Kirnberger Gefallen an solchen Formen musikalischer Kombinatorik fand (noch 1783 überraschte er das Publikum mit der „Methode Sonaten aus'm Ermel zu schüddeln"), war angesichts seiner rationalistischen Grundhaltung nicht verwunderlich. Er versäumte es auch nicht, sich im Vorwort seines „Polonoisen- und Menuettencomponisten" des Urteils des damals angesehenen Mathematikers Gumpertz zu versichern, der für das Spiels mit zwei Würfeln 1000 Billionen verschiedene Melosfälle errechnete. Sinn für Humor haben sich die Berliner Theoretiker wie Kirnberger und Marpurg durchaus bewahrt, er war eine weitere Seite ihres gegenwartsfreudigen Selbstbewußtseins.
[Dokumente 10.6, 12]

13. Berichte über feindselige militärische Aktionen der Österreicher sind in Berliner Tageszeitungen der frühen fünfziger Jahre nicht ungewöhnlich. Der öffentlichen Meinung mußte ein Feindbild suggeriert werden, schickte sich doch Friedrich II. an, seinen dritten, verheerendsten Krieg um schlesisches Territorium und Besitz zu führen, in dessen Folge der preußisch-österreichische Dualismus weiter zementiert wurde. Dieser Dualismus griff auch auf die Sphäre der Kunst über. Wenn Friedrich II. in seiner unmittelbar im Vorfeld des Siebenjährigen Krieges entstandenen Oper „Montezuma" beabsichtigte, „la barbarie de la R.C. [Religion chrétienne]" anzuprangern,[53] dann war dies auch eine Attacke gegen den Katholizismus, die herrschende Konfession des Hauses Habsburg, und somit indirekt ein Stück Propaganda.
Nicht minder angriffslustig ging es im Bereich der Musiktheorie und -kritik zu. Marpurg überwarf sich mit dem Wie-

ner Komponisten Wagenseil: „Es ist ein ewiges Getändel und Gespitzel; und wenn doch dieses Getändel nur ohne gewisse gar zu handgreifliche Unachtsamtkeiten wäre. Aber vermuthlich verträgt nach dem Herrn Wagenseil das Getändel keine Regeln."[54] Aber gerade das beanstandete „Getändel", im ganzen Ausdruck einer leichteren und gefälligeren Musizierhaltung Wagenseils, wurde zu einem wesentlichen Anknüpfungspunkt für die Wiener Klassiker. Haydns und Mozarts Cassationen und Divertimenti stehen ganz in dieser Tradition.

Für die Musikpraxis zeitigten die in Berlin anzutreffende ästhetische Voreingenommenheit sowie das Vorhandensein starrer rezeptiver Normen und Konventionen den Umstand, daß sich ein Großteil von Kompositionen außerhalb dieses unmittelbaren Wirkungsbereichs nicht durchzusetzen vermochte. Das noch in den siebziger Jahren beobachtbare Festhalten an älteren ästhetischen und stilistischen Prinzipien brachte den Berlinern schließlich andernorts den Ruf der Zopfigkeit ein.[55]

Die Stagnation im Musikleben der preußischen Hauptstadt war insbesondere durch den verheerenden Siebenjährigen Krieg verursacht worden. Die soziale Lage der höfischen Musiker hatte sich beträchtlich verschlechtert. Friedrich II. beharrte nach wie vor auf seinen einseitigen musikalischen Geschmackspositionen. Es fehlten große schöpferische Komponistenpersönlichkeiten (Jiří Antonín Benda hatte schon 1750, Carl Philipp Emanuel Bach 1768 Berlin verlassen), die bereit und in der Lage gewesen wären, neuestes Stilgut zu assimilieren und für eine bodenständige Entwicklung nutzbar zu machen. So wurde zum Beispiel von der fortschrittlichen Sinfonieproduktion Mannheims kaum Notiz genommen. Der einst produktiv-hinterfragende Geist der Berliner Musiktheoretiker schlug immer häufiger in Krittelei und Beckmesserei um. Dem weitgereisten englischen Musikhistoriker Charles Burney bot sich bei seinem Berlin-Besuch im Jahre 1772 ein ziemlich desolates Bild: „[...] Grauns Komposition war vor dreissig Jahren elegant und simpel, denn er war einer der Ersten unter den Deutschen, welche die Fugen und andre dergleichen schwerfällige Arbeiten bey Seite setzten und zugaben, daß wirklich ein Ding vorhanden sey, daß Melodie hiesse, welches die Harmonie unterstützen und nicht unter-

drücken sollte; allein, obgleich die Welt immer in ihren Kraysen fortgeht, so haben sich doch schon seit langer Zeit verschiedne berliner Musiker bemüht, solche in ihrem Laufe zu hemmen, und zum Stillstehen zu bringen."[56]
Wenn in den Jahren von 1763 bis 1770 in Berlin kaum musiktheoretische Schriften erschienen, so waren das zunächst direkte Folgeerscheinungen des Krieges. Der in gewisser Weise Neuanfang nach 1770 markierte eine veränderte Situation. Die Stafette kritischen Tuns ging an die junge Generation über. Johann Friedrich Reichardt verfocht am entschiedensten Ideen der Bewegung des Sturm und Drang in Berlin. Die Alten, für die stellvertretend Marpurg genannt sei, zogen sich auf fachlich enge Kritik zurück. Dem fünften Band der „Historisch-Kritischen Beyträge zur Aufnahme der Musik", der noch 1762 ein breites Spektrum musiktheoretischer Themen beinhaltete, ließ Marpurg 1778, nach sechzehn [!] Jahren, das sechste Stück mit den Aufsätzen „Lamberts Gedanken über die musikalische Temperatur", „Versuch in Temperaturtabellen" folgen, und stellte dann endgültig das Erscheinen dieser einstmals so populären Musikzeitschrift ein. [Dokumente 17.2]

14. Klingers Drama „Sturm und Drang" aus dem Jahre 1776 hatte jener einflußreichen literarischen Strömung in Deutschland, der sich Reichardt verpflichtet fühlte, ihren Namen gegeben. Die Anhänger dieser Strömung, die jugendlichen Lenz, Klinger, Goethe und Schiller, schufen die Gestalt des „Selbsthelfers", um gegen herrschende gesellschaftliche Mißstände zu protestieren, um die in seiner Bedingtheit als menschliches Gattungswesen begründeten Ansprüche des Individuums auf seine freie Entfaltung gegenüber einem noch allgewaltigen feudalabsolutistischen Machtapparat durchzusetzen. Despotismus, Soldatenverkauf, Standesdünkel und -privilegien, Kindesmord aus sozialer Not – alles dies fand seine schonungslose literarische Darstellung und Verurteilung. Die gleiche Uneingeschränktheit und Kompromißlosigkeit, die die Wahl der Themen bestimmte, wurde hinsichtlich der Art und Weise der künstlerischen Gestaltung geltend gemacht. Sie äußerte sich nachdrücklich in der Betonung des „originalen" künstlerischen Schaffens. Angeregt vor allem durch Youngs „Conjectures on Original Composition"

(1759), wurde der Forderung Nachdruck verliehen, daß das Genie von allen Regeln entbunden sein müsse: „Regeln sind wie Krücken, eine notwendige Hilfe für den Lahmen, aber ein Hindernis für den Gesunden. Ein Homer wirft sie von sich."[57] Hieraus ergab sich für die kunsttheoretischen Debatten die Notwendigkeit einer Präzisierung oder Neubildung solcher Begriffe, die auf die Bestimmung des Individuellen und Orginalen im Kunstwerk abzielen.

In Sulzers „Allgemeiner Theorie der Schönen Künste" markieren die Begriffe „Originalgeist" und „knechtische, ängstliche Nachahmer"[58] die Eckpunkte einer hierarchisch fixierten Wertskala. Die von Sulzer benutzten Begriffe veranschaulichen die für die Praxis wichtig gewordene Problematik der künstlerischen Individualität. Entscheidend am Geniegedanken ist das Schöpferische, das Schaffen aus eigenen Vorstellungen heraus.

Genialisch wirksam werden, setzt weitgehende Unabhängigkeit des Künstlers voraus: „Bald jeder Originalgeist verursachet in dem Reich des Geschmaks beträchtliche Veränderung, die sich auch wol bis auf die allgemeine sittliche Verfassung seiner Zeit erstreken kann. [...] In Sachen des Geschmaks [also dem Wirkungsfeld der Künstler] sind dergleichen Veränderungen noch viel leichter, weil da die Freyheit durch nichts eingeschränkt ist"[59] – eine widerspruchsvolle Behauptung Sulzers, die der künstlerischen Praxis in der Gesellschaft nicht standhielt.

Viele Künstler sahen die Diskrepanz zwischen den verfochtenen aufklärerischen Maximen und den realen Entfaltungsmöglichkeiten in der Gesellschaft. In dem Anspruch, alle Menschen mit ihrer Botschaft zu erreichen, stießen sie ständig auf soziale Schranken und Tabus; der Rückzug in die innere Freiheit wurde teuer erkauft und war zudem eine Fiktion: Er sanktionierte die Auffassung vom Originalgenie als einem exklusiven Individuum und schuf schließlich die Bedingungen, die Brücken zum Publikum mehr und mehr abzubauen. Im Kern war hier bereits jener Widerspruch angelegt, der das Schicksal des romantischen Künstlers bestimmte.

Doch – und das muß bekräftigt werden – hatte die Diskussion über Originalgenie und originales Schaffen eine progressive Bedeutung. Sie kann als ästhetisch spezifizierter Ausdruck des politischen Programms der Bewegung des Sturm

und Drang gelten, nämlich die Freiheit des Individuums herzustellen. „Genie“ verkörperte in den siebziger Jahren die höchste Stufe bürgerlicher Emanzipation. Soziale Funktionsvorstellungen gewannen in der Argumentation Sulzers ein schärferes Profil. Genies und Originalgeister müßten so wirken, daß die „Ausbreitung [der Künste] bis in die niedrigen Hütten der gemeinesten Bürger dringen, und ihre Anwendung, als ein wesentlicher Theil in das politische System der Regierung aufgenommen werden [...]“[60]. Wie die Mehrheit des deutschen Bürgertums erhoffte sich auch Sulzer eine Reformierung der gesellschaftlichen Verhältnisse sowie eine Beseitigung kunstfeindlicher Tendenzen durch das Wirken „aufgeklärter“ Fürsten: „Wo nicht irgendwo eine weise Gesetzgebung die Künste aus [ihrer] Erniedrigung herausreißt, und Anstalten macht, sie zu ihrem großen Zweke zu führen, so sind auch die einzelnen Bemühungen der besten Künstler, der Kunst aufzuhelfen, ohne merklichen Erfolg.“[61]
[Dokumente 21, 22, 25]

15. Rastlos in Sachen Musik tätig, seine Grundsätze leidenschaftlich und kompromißlos vertretend, kritisch die Zustände und Vorgänge in der Gesellschaft betrachtend – so sah und erlebte die Mitwelt Johann Friedrich Reichardt.[62] Inmitten einer sich stark auf höfische Kunstausübung orientierenden Ästhetikdebatte, die die Vorrangstellung der italienischen Opera seria Graunscher und Hassescher Prägung unterstrich (auch Reichardt sympathisierte anfänglich mit diesem Operntypus), seine Stimme für die Singspiele Hillers zu erheben, bedeutete durchaus ein Wagnis. Bemerkenswert ist, daß Reichardt in diesem Zusammenhang den Genie-Begriff nicht ausschließlich auf eine avancierte, das heißt einen hohen kompositionstechnischen Standard verkörpernde Musik bezieht, sondern genialisch wirksam werden auch als das Streben nach kunstvoller Popularität versteht. Der junge Komponist müsse den Gesang des „gemeinen Mannes“ studieren, schrieb Reichardt im Jahre 1774, wenn dieser ihn verstehen solle.[63] Hier deutet sich ein frühes Indiz für Reichardts spätere Hinwendung zum Republikanismus an.
Reichardt setzte sich für eine Verbesserung der sozialen Stellung des Musikers ein, er suchte ein Humanitätsideal zu verwirklichen, das die Entfaltung aller schöpferischen Kräfte

des Menschen, seiner Erkenntnis- und Genußfähigkeit, zum Ziel hat. An Umfang und Universalität war Reichardts musiktheoretisches Wirken nur noch mit dem Marpurgs vergleichbar. Er ließ kaum eine Form musikpublizistischer Mitteilung ungenutzt: Lehrwerk, Monographie, Biographie, Almanach, Reisebrief, Musikzeitschrift, Anekdote und anderes.
Reichardt eröffnete seine musikschriftstellerische Laufbahn mit der Abhandlung „Ueber die Deutsche comische Oper" (1774), jenem Plädoyer für die Singspiele Hillers. Das „Schreiben über die Berlinische Musik" (1775) verstand Reichardt zuvorderst als eine Replik auf Burneys negatives Urteil über die Musikverhältnisse in der preußischen Hauptstadt. Die Themen in den „Briefen eines aufmerksamen Reisenden die Musik betreffend" (1774 und 1776) kreisen um Opernaufführungen, um Kirchenmusik, Theaterreform, Carl Philipp Emanuel Bachs Klavierspiel und anderes mehr. In den achtziger Jahren waren es vor allem die Werke Händels und Klopstocks, die Reichardt faszinierten und für die er nachdrücklich im „Musikalischen Kunstmagazin" (1782) eintrat. Wenige Jahre später sprach er sich entschieden für die Opern Glucks aus. Im „Musikalischen Kunstmagazin", seinem journalistischen Hauptwerk, nahm Reichardt zu den Musik und Musiker seiner Zeit betreffenden Kernfragen Stellung: der gesellschaftliche Auftrag des Künstlers, die Vorbildwirkung des Volksliedes, die Notwendigkeit der Schaffung einer deutschen Nationaloper, die Errichtung von Singeschulen... In dem von Reichardt und Kunzen herausgegebenen „Musikalischen Wochenblatt" (1791) wurde der Leser mit Gedankengut der Französischen Revolution bekannt gemacht.
Neuartig ist die Art und Weise, wie die musikalischen Inhalte von Reichardt verbalisiert werden, in der Musikanschauung generell angezeigt durch die allmähliche Verdrängung des Terminus Affekt im ästhetischen Vokabular und seine Ersetzung durch die Wortverbindung „Ausdruck der Empfindung" oder das im Sinne von gefühlshafter Darstellung verwendete Wort „ausgedrückt".
Reichardts musikalisches Werturteil profilierte sich im Gegeneinanderabwägen der Elemente Konvention und Individualität, wie sie sich ihm im jeweiligen konkreten Kunstwerk darboten. Ein Beispiel: Am Beginn seiner Laufbahn standen

die Opern Grauns und Hasses hoch in Reichardts Gunst.[64] Doch ließ diese Wertschätzung in dem Maße nach, wie zwei neue Leitbilder, Carl Philipp Emanuel Bach und Christoph Willibald Gluck, als Exponenten fortgeschrittenster kompositorischer Entwicklungstendenzen Reichardts Aufmerksamkeit fesselten. Zum Zeitpunkt der Niederschrift des ersten Bandes des „Musikalischen Kunstmagazins" bedeutete ihm die ältere Berliner Oper schon ein weitgehend überwundenes Stadium der Musikgeschichte. Er hielt nun Glucks Opern hinsichtlich ihrer theatralischen Wirksamkeit für unnachahmliche Muster. Im Jahre 1791 benannte er das gravierende Merkmal, das Glucks dramatische Werke von dem von Friedrich II. bevorzugten Operntypus unterschied, nämlich den „Ausdruck der höchsten Leidenschaft", der „aber freylich allen sehr empfindlichen Nerven, die keine plötzliche und heftige Berührung ohne Schmerz ertragen können" – Reichardt hatte hier den preußischen König im Auge – „allemal beleidigend ist"[65].

Gefordert wurde von Reichardt auch ein neuartiges rezeptives Verhalten des Hörers, das von einer hauptsächlich auf „Tändeley", „Nervenkützel" und „Schönschmäklerey" bedachten Zwecksetzung von Kunst abrückt (die Produktion von Rondos, Charakterstücken, Tanzsätzen und anderen „leichten" Genres hatte im letzten Drittel des 18. Jahrhunderts enorme Ausmaße angenommen), von ihr hingegen Unmittelbarkeit und Expressivität des Ausdrucks verlangt. Nach dem Anhören der Passionskantate „Die letzten Leiden des Erlösers" von Carl Philipp Emanuel Bach schrieb Reichardt: „Das heftige Feuer, so durch das Werk flammt, kann ich Ihnen gar nicht mit Worten beschreiben; Ich wurde zuweilen bis zur Wuth erhitzt; und der Ausdruck des Schmerzes und der Klage war eben so heftig und stark."[66]

[Dokumente 22–25]

16. Reichardt hatte sein „Musikalisches Kunstmagazin" nicht, wie sonst üblich, einer Einzelpersönlichkeit gewidmet, sondern „Großguten Regenten" zugeeignet, in der Annahme, daß diese seine Reformideen tatkräftig unterstützten und durch umfassende Subskription bzw. Pränumeration den Verkauf dieses Periodikums beförderten. Reichardts Hoffnung erfüllte sich jedoch nicht. Das Pränumerandenverzeich-

nis weist nur drei Potentaten aus. Dem Wunsch, breitenwirksam zu werden, stand die geringe Verbreitung des Werkes gegenüber. Nur 327 feste Abnehmer fand Reichardt für den ersten Band, 500 wären nötig gewesen, um die Selbstkosten zu decken.[67] Deshalb verzögerte sich die Veröffentlichung des zweiten Bandes des Magazins um neun Jahre, das bald darauf mit dem achten Stück 1791 sein Erscheinen einstellte. Für einen Musiker, der wie kaum ein zweiter die Tätigkeit des Journalisten ausübte, um durch das Medium des Wortes dem Aufklärungsgedanken optimale Wirksamkeit zu verleihen, war dies eine bittere Erfahrung.
Pränumerandenverzeichnisse gestatten relative (da zum Beispiel den Freiverkauf nicht erfassende) Aussagen über die berufsmäßige und Sozialstruktur der jeweiligen Adressatenkreise. Statistische Anmerkungen sollen das in bezug auf den ersten Band des „Musikalischen Kunstmagazins“ veranschaulichen:[68]

Johann Friedrich Reichardt, Musikalisches Kunstmagazin, Band 1, Berlin 1782
Pränumerationspreis: 3 Reichstaler
Verkaufspreis: 4 Reichstaler
Gesamtzahl der Pränumeranden: 168
Gesamtzahl der pränumerierten Exemplare: 327
Pränumeranden weiblich: 11
Pränumeranden männlich: 149
Institutionen: 5
ungenannte Pränumeranden: 3
aus aristokratischen Kreisen: 21
aus bürgerlichen Kreisen: 147
mit Berufsangaben: 112
davon
- Musiker: 34
- Buch- und Musikalienhändler: 21
- Berufe des Verwaltungswesens: 13
- juristische Berufe: 10
- akademische Berufe: 9
- höhere Regierungsbeamte: 5
- Großkaufleute und Kaufleute: 5
- Offiziere: 4
- pädagogische Berufe: 2
- sonstige Berufe: 9

Das auffällige Desinteresse, das aristokratische Kreise diesem verlegerischen Unternehmen entgegenbrachten, bedeutete im konkreten Falle, daß sie als musiktragende Schicht an Repräsentanz verloren hatten, das Bürgertum hingegen offensichtlich zu wenig Anreiz verspürte, ein solches Periodikum finanziell zu unterhalten. Dem Profil des „Musikalischen Kunstmagazins", das auf Belehrung des Lesers abzielte, mochte ein stark ausgeprägtes Bedürfnis nach Zerstreuung und Unterhaltung entgegengestanden und somit potentielle Käufer abgehalten haben. Auch war der Pränumerationspreis von drei Talern niedrigen Einkommensgruppen nicht erschwinglich. Es ist festzustellen, daß neben den naturgemäß dominierenden Musikerberufen (Organist, Kammermusiker, Kammersänger, Musikdirektor, Konzertmeister, Kantor) auch Buch- und Musikalienhändler stark vertreten sind. Letztere subskribierten auf 58 Exemplare, die sie dann, gewissermaßen in ihrer Eigenschaft als „Multiplikatoren", weitervertrieben. Zuspruch fand die Zeitschrift auch in Kreisen des Verwaltungs- und Rechtswesens sowie bei Akademikern. Die Leser des „Musikalischen Kunstmagazins" rekrutierten sich also vornehmlich aus Angehörigen des mittleren und Großbürgertums. Das Pränumerandenverzeichnis weist auch renommierte Namen aus: den Philosophen und Dichter Friedrich Heinrich Jacobi, den Musiktheoretiker Forkel, die Buch- und Musikalienhändler Hartung in Königsberg, Hummel in Berlin und Westphal in Hamburg sowie die Dessauer „Buchhandlung der Gelehrten".
War auch Reichardt in seinen Erwartungen insgesamt enttäuscht worden, so fehlte es doch nicht an maßgeblichen Stimmen, die dem Magazin uneingeschränkt Lob zollten. Schubart sprach von der „unstreitig beste[n] musikalische[n] Zeitschrift, die jetzt im ganzen aufgeklärten Europa herauskommt. [...] Hieher deutscher Tonkünstler und schöpf aus diesem Borne, wenn du nicht ohne solides Studium deiner Kunst zum blosen grundlosen Fiedler, Klimperer und Leyersmann herabsinken willst."[69]

17. Schubart hatte sein Bild vom „blosen grundlosen Fiedler, Klimperer und Leyersmann" dem in der Klassengesellschaft des 18. Jahrhunderts wenig geachteten Stand der Spielleute und Volksmusikanten entlehnt. Das Milieu dieses Stan-

des nimmt in Reichardts Erziehungsroman „Leben des berühmten Tonkünstlers Heinrich Wilhelm Gulden“ literarsche Gestalt an. Geschildert wird der Weg des aus unterste sozialen Schichten stammenden Gulden, den sein Vater al musikalisches Wunderkind ausschließlich zum Gelderwer („nomen est omen“) ausnutzt, der, nach einem unstete Wanderleben, angefüllt mit entwürdigenden Erlebnissen schließlich – hier bricht der Roman ab – Musiker in der Kapelle eines Fürsten wird. Seinen an Rousseau geschulten und mit Lebensformen des schaffenden Landmannes sympathisierenden Erziehungsgedanken entwickelt Reichardt in de Hermenfried-Episode, dem positiven Gegenstück zur Gulden-Handlung. Hermenfried verlebt die Kindheit in sozialer Sicherheit, erhält eine umfassende Erziehung und Ausbildung, unternimmt eine längere Bildungsreise, auf der e Formen der Fürstentyrannei ächten und das Leben des einfachen Menschen schätzen lernt, und wird nach seiner Rückkehr Bediensteter des gleichen Fürsten.

Reichardts Roman beinhaltet einige bemerkenswerte soziale Aussagen. Er räumt die Möglichkeit ein, daß ein Angehöriger einer Gesellschaftsklasse, die noch unter der des zunftmäßig organisierten städtischen Musikers liegt, ein sozialer Aufstieg zum höfischen Musiker gelingen kann und daß in dieser Sozialsphäre durchaus urwüchsiges Musikantentum, verinnerlichtes Musizieren und enorme handwerkliche Fähigkeiten anzutreffen sind. So gelingt Gulden im Adagio, also jenseits der geforderten Virtuosität, die sich nach der Erfahrung des geldgierigen Vaters am besten in klingende Münze umschlagen läßt, jener empfindsame, beseelte Vortrag, der Reichardt als Musikideal vorschwebte.

Es fällt auf, daß Reichardt nicht für den Status des freischaffenden bürgerlichen Künstlers plädiert, weil er für diesen offenbar noch keine realen Entfaltungsmöglichkeiten in der Gesellschaft sah. Die literarische Figur Gulden (Jahrgang 1738) weist hier auf tatsächliche soziale Ambitionen von ebenfalls im vierten Jahrzehnt des 18. Jahrhunderts geborenen Musikern hin. Diese Generation – man denke an Joseph Haydn oder Johann Christian Cannabich – sah im Streben nach fürstlicher Gönnerschaft bzw. Anstellung am Hofe durchaus eine vernünftige Lebensmaxime. Und noch eines: Die gute Qualität zahlreicher höfischer Orchester bot einem

angehenden Musiker vorteilhafte künstlerische Entwicklungsbedingungen.
Reichardt läßt Gulden und Hermenfried in den Dienst eines Fürsten treten. Mit einem moralischen Appell an Hermenfried, in zweifacher Hinsicht in der neuen Funktion praktisch tätig zu werden, den Fürsten zum Guten anzuhalten und für das Gemeinwohl zu wirken, schließt der Roman: „Trägst du noch deshalb Bedenken, weil du [diesen Fürsten] für einen unedeln Menschen hältst, so erwäge daß es dem Künstler, dem seine Kunst Gewalt über das Herz des Menschen giebt, eine höchst erwünschte Lage seyn muß, bey einem mächtigen, reichen Manne, der Antrieb zu guten Thaten bedarf, dieß Werkzeug zu seyn, daß ihn zum Guten, Edlen lenkt. Du hast sein Herz gewonnen, gewinne nun auch von diesem das Glück vieler Hunderte deiner Nebenmenschen.“[70] [Dokument 26]

18. Mit der im Jahre 1780 veröffentlichten Abhandlung „Ueber die musikalische Malerey“ meldete sich ein Nichtmusiker zu Wort. Der philosophisch und ästhetisch ambitionierte Berliner Gymnasialprofessor, Dramatiker und spätere Oberdirektor des Königlichen Theaters Johann Jakob Engel erörterte darin den Gedanken des mimetischen Prinzips der Musik, der in Gestalt von Batteux' Hauptwerk „Les beaux arts“ (1746) schon in den fünfziger Jahren in die Diskussionen der Berliner Musiktheoretiker Eingang gefunden hatte. Batteux' Behauptung, daß das Wesen aller „schönen Künste“ in der Nachahmung der Natur bestehe, war seinerzeit nicht widerspruchslos rezipiert worden, sahen doch die Berliner Autoren die Gefahr einer Hierarchisierung der einzelnen Künste heraufbeschworen. Wenn Batteux „alle schönen Künste auf einen einzigen Grundsatz einschränken will“, so könnte diese Auffassung dazu führen, daß man von der Musik Dinge verlangt, „die ihrer Natur ganz zuwider sind“[71]. Caspar Ruetz, der sich in den „Historisch-Kritischen Beyträgen zur Aufnahme der Musik“ mit Batteux' These auseinandersetzte, wies auf Objekte in der den Menschen umgebenden Dingwelt hin, die dann bevorzugt nachgeahmt würden. Dies hätte wiederum eine Eskalation des tonmalerischen Elements in der Musik zur Folge.
Hier nun knüpfte Engel an: Nicht ein Teil oder eine Eigen-

schaft des zur künstlerischen Vorlage dienenden Gegenstandes in der Natur sei nachzuahmen, sondern der Eindruck, den dieser Gegenstand auf die Psyche des Komponisten macht. Damit verlagerte sich das Schwergewicht der Diskussion auf die subjektive Seite des künstlerischen Schaffens- und Rezeptionsprozesses. Denn erst in der Beziehung des schöpferischen (Komponist) und nachschöpferischen Subjekts (Interpret und Hörer) zum potentiellen Gegenstand seiner Aneignung – Engel prägt für diese Beziehung die Kategorie des subjektiven „Begehrungsvermögens" – entscheidet sich dessen Kunstwürdigkeit bzw. dessen Annehmbarkeit durch das Publikum.

Ein strittiger Punkt war auch hier das Problem der Affekteinheit. Engels Forderung, nur *eine* Leidenschaft darzustellen, lief angesichts des erreichten Materialstandes und Ausdrucksvermögens von Instrumentalmusik, das auch die Gestaltung von Konflikten zuließ, auf eine Einengung ihrer spezifischen Möglichkeiten hinaus, denn die Vorstellung des Berliner Popularphilosophen implizierte das Vorhandensein ungetrübter, einheitlicher, gleichsam destillierter Emotionen. Der Komponist müsse sich – so Engel – während des Schaffensprozesses von relativ homogenen „Ideenreyhen" leiten lassen, die nicht miteinander vermischt werden dürfen.

Wenngleich für Engel nur das Wort und der Begriff das Besondere und Individuelle einer Sache, die „Notionen des Verstandes", anzeigen, bot seine Erläuterung der Subjekt-Objekt-Relation auch für die Inhaltsdeutung von Instrumentalwerken neue Anhaltspunkte. Sie lagen im assoziativen Erfassen von „transzendentiellen Aehnlichkeiten", die zwischen den Tonfolgen und den abzubildenden, sinnlich und rational wahrnehmbaren Erscheinungen der objektiven Realität bestehen. Engel erläuterte diesen Sachverhalt anhand von bestimmten Bewegungsformen: Langsamkeit und Schnelligkeit seien sowohl in einer Folge von Tönen wie in einer Folge von sichtbaren Eindrücken anzutreffen.

Reichardt, dem diese Schrift gewidmet war, bezog einzelne Gedankengänge Engels auf die Musikpraxis: „Wenn aber Hiller in der Jagd,[72] während des Sturms eine wilde, rauschende Symphonie spielen läßt, so geschieht dieses nicht, um das Sausen und Brausen des Windes auszudrücken, sondern um bey dem Zuhörer dieselbe Empfindung zu erregen,

die ein Ungewittersturm bey ihm erregt."[73] Elemente der Tonmalerei und Figurenlehre wurden dann als Gestaltungsmittel akzeptiert, wenn sich durch sie geeignete Analogien zur menschlichen Gefühlswelt herstellen ließen.
Die Abhandlung „Ueber die musikalische Malerey" lieferte Diskussionsstoff für zwei divergierende ästhetische Richtungen im ausgehenden 18. Jahrhundert, die eine um Reichardt, Schulz, Zelter und Spazier fand ihre Auffassung von der Dominanz des Vokalmusikalischen bestätigt, die zweite, durch Tieck und Wackenroder repräsentiert, sah in der Unbestimmtheit der wortlosen Musik deren entscheidenden Vorteil.
[Dokumente 23, 27]

19. In der Stellungnahme zu Glucks dramatischen Werken wiederholte sich im kleinen und unter spezifischen Berliner Bedingungen der 1752 in Frankreich entbrannte Buffonistenstreit.[74] Glucks musikalische Gegenspieler in der preußischen Metropole waren Hasse und Graun, und die Aufführung einer Gluck-Oper im königlichen Opernhaus während der Regierung Friedrichs II. wäre undenkbar gewesen. Wir können konstatieren, daß die Gegner Glucks in den achtziger Jahren zugleich einen musikalischen Konservativismus verfochten. In einem Brief der Prinzessin Anna Amalia von Preußen an Johann Abraham Peter Schulz, geschrieben am 31. Januar 1785, sind folgende Passagen über Glucks Oper „Iphigenie auf Tauris" aufschlußreich: „Der Herr Gluck nach meinem Sinne, wird nimmermehr für einen habilen Mann in der Composition passiren können. Er hat 1. gar keine Invention, 2. eine schlechte elende Melodie und 3. keinen Accent, keine Expression, es gleicht sich alles. Weit entfernt von Graun und Hasse, dagegen*** sehr ähnlich. Die Intrade sollte eine Art Ouvertüre sein, aber der gute Mann liebt die Imitationes nicht; er hat Recht, sie sind mühsam. Hingegen findet er mehr Vergnügen an [der] Transposition. Sie ist nicht ganz zu verwerfen, denn wenn ein Takt oft wiederholt wird, behält ihn der Zuhörer desto leichter, es scheint aber auch, als wenn es Mangel der Gedanken wäre. Endlich und überhaupt ist die ganze Oper sehr miserabel, aber es ist der neue Gusto, der sehr viele Anhänger hat."[75]
Tatsächlich war die musikalische Fortschrittspartei in Berlin

zahlenmäßig groß und einflußreich. Ihre Wortführer Reichardt, Kunzen, Wessely, Schulz und Zelter diskutierten die wesentlichen Neuerungen der Opern Glucks, den dramatisch und psychologisch begründeten Handlungsaufbau, die tragende Bedeutung des dichterischen Wortes, die scharfe Erfassung der Charaktere, das Ersetzen der Da-capo-Arie durch Vokalformen wie einfaches und frei durchkomponiertes Lied (der Abschied von der italienischen Arie ist den Berlinern nicht leichtgefallen)[76], die Funktion des orchesterbegleiteten Rezitativs zur Zeichnung dramatischer Situationen. Die Diskussion betonte aber auch den gesellschaftlich funktionalen Aspekt. Spazier nannte jene Vorzüge des französischen Theaters, die letztlich zum Siegeszug der Opern Glucks beigetragen hatten und die er in Deutschland schmerzlich vermissen mußte: Nationalinteresse an Künstler und Kunstwerken, Theater als Staatsangelegenheit, Schaffung von Nationalwerken.[77]
Carl Friedrich Zelter erörterte am Beispiel der Opern Glucks und Melodramen Bendas Möglichkeiten der Einflußnahme auf die ästhetische Bildung des Menschen über ein vertieftes Musikerlebnis. Seine Behauptung, „daß jeder, der ein Kunstwerk genießen will, nothwendig seine eigne Imaginazion [...] mitbringen müsse"[78], besagt doch auch, daß ästhetischer Genuß im starken Maße aus der Fähigkeit des rezipierenden Subjekts erwächst, sich mit den agierenden Figuren der Oper – etwa mit dem Schicksal der Alceste – zu identifizieren, zu messen, zu vergleichen. Wichtig ist auch der Zeltersche Gedanke, daß die Größe und Einmaligkeit einer Bühnenrolle an das Vermögen des Schauspielers gebunden ist, wie er seine Individualität, den Reichtum seiner subjektiven Innerlichkeit in Hinblick auf die Anforderungen, die diese Rolle an ihn stellt, zu entfalten imstande ist. Von der Darstellerin der Alceste, der Sängerin Marchetti, war Zelter „fast überzeugt, daß ihr Spiel eine große Höhe erreichen könnte, wenn sie sich ganz ihrem individuellen Gefühl überlassen wollte"[79]. Lebenswahrheit der Figuren sei eine wesentliche Forderung an den Komponisten. Nicht der starre Affekt, sondern das „individuelle Leiden des Leidenden"[80] müsse gestaltet werden. Aus diesem Grunde geriet Zelters Plädoyer für Gluck zugleich zur Kritik an der engen Typenhaftigkeit der älteren italienischen Oper und – weiter gefaßt – an

dem „seelenlose[n], kunstwidrige[n] Manierwesen" in der Musik.[81]
[Dokumente 32–34]

20. Was war aus führenden Vertretern der älteren Berliner Musiktheorie geworden? Im Jahre 1793 machte Marpurg in der „Berlinischen Musikalischen Zeitung" pedantisch auf einen satztechnischen Fehler in einem Musikbeispiel aufmerksam,[82] das zur Erläuterung des Artikels „Verrückung" in Sulzers „Allgemeiner Theorie der Schönen Künste" herangezogen wurde. Der Lexikograph Johann Abraham Peter Schulz, durch diesen Angriff Marpurgs herausgefordert, nannte diesen kurzerhand einen „Arithmetiker".[83] Spazier verteidigte Marpurg in dieser Streitsache. In seiner „Rechtfertigung Marpurgs" erinnerte er an dessen Verdienste,[84] kam aber nicht umhin zu konstatieren, daß Marpurgs Anschauungen nicht mehr zeitgemäß sind. In diesem Punkt ging der Streit Marpurg–Schulz über fachliche Unstimmigkeiten hinaus: Zwei unterschiedliche Musikideale standen einander gegenüber. Das mußte auch Spazier bestätigen: Marpurg beuge sich vor dem „höhern Geiste", „welcher die Gluck und Reichardt und Schulz beseelt"[85]. Man habe aber „damals [gemeint ist die Zeit um 1750] von dem ästhetischen Theile der Musik weit weniger als von dem streng wissenschaftlichen harmonischen Theile derselben gewußt"[86]. Da Marpurgs Musikanschauung keine Korrektur erfuhr, machten sich Anzeichen der Entfremdung bemerkbar. Im Vorwort der „Neuen Methode allerley Arten von Temperaturen dem Claviere aufs bequemste mitzutheilen" (1790) schrieb er resignierend von „harmonieleeren Zeiten".
Auch Kirnberger, wie Marpurg einflußreicher theoretischer Kopf im Berliner Musikleben, formulierte ins Rationalistisch-Doktrinäre gewendete Postulate. In der „Anleitung zur Singekomposition" (1782) ordnete er mechanistisch den einzelnen Affekten kompositionstechnische Parameter wie Tonart, Bewegung, Melodie und Vortrag zu. Auf die zeitgenössische Musik bezogen, zeitigte sein am Schaffen Johann Sebastian Bachs orientiertes Musikideal fragwürdige Ergebnisse. Er tadelte den „Volkston" seines Schülers Johann Abraham Peter Schulz: „Schulz ist ein besonders tüchtiger Mensch, nur schade, daß er die gelehrte Musik verläßt, und

sich abgiebt mit solchen Narrereien wie die comische Operetten, obwohl mit Beibehaltung des reinen Satzes, wovon Hiller, Neefe und dergleichen absolut keinen Begriff haben."[87] Er rügte die ungleichmäßige Stimmbehandlung in einigen, dem süddeutschen Raum entstammenden Trios, „wo die erste Stimme die übrigen vollkommen verdunkelt"[88]. Kirnberger forderte für diese kompositorische Gattung einen polyphon-imitatorischen Stil. Anders stellte sich für Schulz die theoretische und praktische Auseinandersetzung mit dem Trio dar.[89] Seine Definition räumt die Möglichkeit ein, daß im Trio auch *eine* Melodie zum Träger des musikalischen Ausdrucks werden könne, diese aber zugleich eine reich entfaltete Binnenstruktur („fremde und künstliche Modulationen im Saz") bedinge. Damit erfaßte Schulz sowohl jene Oberstimmenmelodik, die Kirnberger mißbilligte, die aber in den frühen Streichquartetten Haydns ausgeprägt ist, als auch ansatzweise das Prinzip der durchbrochenen Arbeit, das zu einem charakteristischen Stilmittel der klassischen Kammermusik und Sinfonik avancierte.
[Dokumente 20, 21]

21. Doch Kirnberger war nicht der einzige in Berlin, der seinem Unbehagen über die „Narrereien" seiner Zeitgenossen in heftigen Attacken Luft machte. Als in Berlin zu Beginn der neunziger Jahre das „Gemozarte" und „Gepleyel" überhandzunehmen schien, sah sich ein nicht genannter Autor (vermutlich Johann Gottlieb Carl Spazier) veranlaßt, einen entrüstet-warnenden Artikel mit der Überschrift „Ueber Modekomponisten" in die Spalten der „Berlinischen Musikalischen Zeitung" einzurücken. In ihm bezeichnete er Mozart zwar als ein Genie, das – so relativierend der Verfasser – „mitunter vortrefliche Sachen" komponiert habe, aber das Duett „Bei Männern, welche Liebe fühlen" aus der „Zauberflöte" wurde wegen seines „poetisch unsinnigen" Charakters zum Stein des Anstoßes. Emphatisch beendete der verärgerte Anonymus seine Zeilen mit der Prophezeiung „Nur Geduld! die Zeit wird schon sichten und läutern und aufbehalten, was des Aufbehaltens werth ist"[90], ohne den ihm dabei unterlaufenden Fauxpas zu bemerken, hatte er doch mit diesen Worten die „Zauberflöte" schlechtweg als Machwerk rubriziert. Einzusehen, daß sie mehr war als nur Musik, die den

„Leuten des Tages“ gefiel,[91] hätte eines tieferen Verständnisses der Mozartschen Tonsprache bedurft.
Wenn sich Berliner Musiktheoretiker über Mozart äußerten, mischte sich in ihr Urteil häufig ein distanzierendes Moment ein. Man glaubte sogar, ihm Verfehlungen im Musikdramatischen nachweisen zu müssen und tadelte Szenen, „die den Geschmack, selbst des ungebildetsten Haufens empören müssen“[92]. Es waren der gleiche ästhetische Dünkel, von einer eigentümlichen Warte bildungsaristokratischer Natur aus zur Schau gestellt, sowie das Verhaftetsein in überlebten ästhetischen Normen und Konventionen, die den Blick für die Neuerungen in der süddeutschen und österreichischen Musikpraxis verstellten, wie wir sie bei Marpurg und Quantz beobachten konnten. Den zahlreichen „Bizarrerien“ der Musik Mozarts mußte sich das Simplizitätsideal der Berliner Theoretiker verschließen.
Vorbehalte wurden auch gegenüber der Instrumentalmusik geltend gemacht. Spazier sprach sich gegen die Verwendung des Menuetts als Sinfoniesatz aus.[93] Reichardt hielt den Affektwechsel innerhalb eines Instrumentalsatzes für unzulässig (nur den „Originalkomponisten“ Haydn und Carl Philipp Emanuel Bach sei hierin die Ausnahme gestattet) und behauptete damit Positionen der älteren Musikanschauung.[94] Verständnislos, ja schockiert stand Reichardt den Beethovenschen Erstlingswerken gegenüber. In einer Rezension der Szene und Arie „Ah perfido!“ für Sopran und Orchester op. 65 (1796) des Wiener Meisters kritisierte er den ständigen Wechsel der Tempi: „Es ist in jedem Betracht das grellste Schwarz und Roth, das je in Tönen nebeneinander gestanden hat.“[95] Doch erklärt sich diese ablehnende Haltung Reichardts zu einem Gutteil aus seinen aufklärerischen Vorstellungen von der Funktion der Musik. Demzufolge würde die Musik erst in Verbindung mit dem Wort konkret-bedeutungsvoll und damit kommunikativ und ethisch wirksam.
[Dokumente 31.1, 33, 35]

22. „Se Königl: Majestät von Preussen etc. Unser allergnädigster Herr! Ertheilen hiemit dem Capellmeister Reichardt den Abschied, dessen bekantes Betragen, besonders in Hamburg ist die Haupt-Veranlaßung dazu.
Gegeben Potsdam den 28. October 1794 Fr. Wilhelm.“[96]

Der königliche Beschluß traf einen Mann, der als potentieller Umstürzler gefährlich geworden war (es wurde sogar behauptet, er habe den Kartenkönigen eines Kartenspiels die Köpfe abgeschnitten und dies mit den Worten „So müßte man es mit allen Königen machen!" kommentiert[97]).
Reichardt hatte aus seiner Begeisterung für die Ziele der Französischen Revolution kein Hehl gemacht. Er, der viele Male nach Frankreich gereist war, die Verhältnisse und Gesinnungen zu studieren, bezeichnete sich selbst als „enragirten Democraten"[98]. Seine im Nachbarland gewonnenen Eindrücke fanden auch im musikjournalistischen Bereich ihren Niederschlag. So nimmt es nicht wunder, wenn im Umfeld der revolutionären Ereignisse in Frankreich der sonst gemäßigt-liberale Ton mancher Musikzeitschriften in einen geradezu politisch-leidenschaftlichen umschlug. Reichardts „Musikalisches Wochenblatt" (1791) spiegelte diesen Stimmungsumschwung sehr deutlich wider. In Augenzeugenberichten wurde der Fall des französischen Staatsdespotismus und Aristokratismus begrüßt und mit ihm die Gesundung der Theater- und Musikverhältnisse. Aus anderen Meldungen ging hervor, daß die unmenschliche Kastrierung von Knaben bei Todesstrafe verboten war. Demokratische Reden Mirabeaus wurden auszugsweise wiedergegeben: „Der Despotismus fesselte, erniedrigte das Genie und machte es zu einem Werkzeuge der Knechtschaft. [...] Die Freiheit wird besser wirken."[99]
Mit solchen Standpunkten und Zielen identifizierte sich Johann Friedrich Reichardt. Ihre Verwirklichung sah er an eine Umgestaltung des Staatswesens gebunden. Wie Mirabeau war er ein Anhänger der konstitutionellen Monarchie. Aber das ging in preußischen Landen schon zu weit. Der König verfügte per Kabinettsordre die fristlose und entschädigungslose Entlassung Reichardts. Nach Giebichenstein im Hallischen zurückgezogen, dort seit 1797 in der Funktion eines Salineninspektors tätig, wurden die großangelegten Konzepte und Pläne einer Reformierung des Musiklebens von Reichardt nicht weiter verfolgt.
[Dokumente 29.1, 29.5, 29.6]

23. In Wackenroders Kunsttheorie vollzog sich weitgehend ein Bruch mit der Gedankenwelt der Aufklärung. Kunstleben

und Wirklichkeit begannen in seinem Schaffen als antinomische Bereiche einander gegenüberzutreten. In den poetisch-sensiblen und überaus stimmungsvollen „Phantasien über die Kunst“ läßt Wackenroder die stark autobiographische Züge tragende literarische Gestalt des Komponisten Berglinger über das Hören von Musik sprechen: „[...] so schließ' ich mein Auge zu vor all' dem Kriege der Welt, – und ziehe mich still in das Land der Musik, als in das *Land des Glaubens*, zurück, wo alle unsre Zweifel und unsre Leiden sich in ein tönendes Meer verlieren, – wo [...] alle Angst unsers Herzens durch leise Berührung auf einmal geheilt wird.“[100]

Reichardt verpflichtete den Musiker Hermenfried in seinem Roman „Leben des berühmten Tonkünstlers Heinrich Wilhelm Gulden“ zu produktivem Tätigsein für das Gemeinwohl. Wie Hermenfried für seine Mitmenschen nützlich wird, wie er seinen gesellschaftlichen Auftrag erfüllt, erfährt der Leser nicht, da Reichardt den Roman, möglicherweise aus der Erkenntnis des illusionären Charakters dieser Fragestellung heraus, nicht vollendet hat. Berglinger in Wackenroders Erzählung wirkte bereits einige Jahre als Kapellmeister in einer bischöflichen Residenz. Die Erfahrungen, die er in dieser Tätigkeit sammelte, waren denkbar schlechte. Oberflächlichkeit und Gefühlskälte als Symptome der ihn umgebenden kunstfeindlichen Wirklichkeit begünstigten eine Entwicklung, die schließlich zur Ausbildung von elitären Momenten im Denken und Handeln Berglingers führte.

Das Schicksal Berglingers ist symptomatisch für das eines Komponisten, der, durch den „irdischen Jammer“ ernüchtert, an der Entfaltung seiner künstlerischen Individualität scheitert. Die von Wackenroder an den Künstler gerichtete Aufforderung, sich in das „Land des Glaubens“ zurückzuziehen, stellt die unmißverständliche Gegenposition zum Aufbegehren und Auflehnen gegenüber den herrschenden Mißständen in der Gesellschaft dar.

Wackenroder, mit dem Bildungsgut und den Idealen der Aufklärung aufgewachsen, mußte ihre schrittweise Deformierung und Zerstörung in der gesellschaftlichen Praxis erfahren. Was umgab ihn in Preußen im ausgehenden 18. Jahrhundert? „Ein der Umgestaltung von Grund auf bedürftiger Staat, ein ungelöste soziale Probleme vor sich herschiebendes

Regiment, eine wachsende Mißstimmung und Opposition unter den Bürgern und Bauern hart begegnende Bürokratie und Armee."[101] Die zunehmende Technisierung und der Ausbau kapitalistischer Produktionsformen bedingten einen Wirkungsmechanismus, den das Individuum, da es ihn nicht zu durchschauen vermochte aber seine zerstörerischen Kräfte wahrnahm (Wackenroders Motiv vom sich unaufhaltsam bewegenden „Räderwerk"[102]), als bedrohlich empfand. Der Paralysierungsprozeß im „prosaischen Leben" mit seinen gestörten zwischenmenschlichen Beziehungen ist nach Auffassung Wackenroders schon so weit fortgeschritten, daß dem Menschen nur noch die Alternative bleibt in Kunst und Religion zu leben. Die Kunst „richte den Blick des Menschen nach innen, zeige ihm, was groß und edel ist, so daß man in den Werken der Künstler leben und atmen könne. Kunst eröffnet demnach einen von der äußeren Wirklichkeit abgesonderten Lebensbereich, in dem die Sehnsucht nach harmonisch ausgeglichenem Dasein erfüllt wird. Zur höchsten Form menschlicher Existenz erhebt Wackenroder ein kontemplativ kunstsinniges Leben."[103]
In diesem Verständnis der Funktion von Kunst rangiert die Musik in der Hierarchie der einzelnen Kunstgattungen an oberster Stelle. Nun kehrt sich die in der Musikanschauung der Aufklärung geforderte Verknüpfung des musikalischen Ausdrucks mit dem Wort in ihr Gegenteil um. Nun findet die Instrumentalmusik uneingeschränkte Anerkennung, denn indem sie des Wortes entbehrt, bricht sie auch ihre letzten Bindungen zur „prosaischen" Wirklichkeit ab, deren Verständigungsmittel Sprache ist.
[Dokument 36]

24. Wackenroder stellt die Musik und ihre Komponenten in ein neues Bezugssystem, dessen zentrale Kategorie „das Göttliche" ist. Er verneint die Frage nach der Erkennbarkeit des Wesens der Tonkunst und kritisiert die „sogenannten Theoristen und Systematiker"[104] – der Seitenhieb soll möglicherweise Musiktheoretiker der Aufklärung wie Marpurg, Krause, Kirnberger und Quantz treffen–, denen unklar bliebe, „was die größesten Meister der Kunst[...] nur durch göttliche Eingebung erlangt haben"[105]. Mit dem Hinweis auf die „göttliche Eingebung" wird für Wackenroder nicht nur

jede wissenschaftlich exakte Analyse von Musik bedeutungslos; er leugnet zugleich den komplizierten Vorgang künstlerischer Aneignung der Wirklichkeit und die dabei ablaufenden differenzierten Transformationsprozesse: „Der Kunstgeist ist und bleibet dem Menschen ein ewiges Geheimniß, wobey er schwindelt, wenn er die Tiefen desselben ergründen will.“[106]
Bleibt zwar das „eigenthümliche innere Wesen der Tonkunst“[107] dem Betrachter verschlossen, so werden dennoch andere spezifische musikalische Probleme in ihrem Bezug zur menschlichen Gefühlswelt erklärt. Dabei greift Wackenroder auf den Affektbegriff der Aufklärung zurück, modifiziert ihn aber stark. Musik müsse in der „Abschilderung menschlicher Empfindungen“[108] eine ihrer primären Aufgaben sehen. Diese Empfindungen werden von Wackenroder, in gewisser Weise den Affektkatalogen der fünfziger Jahre vergleichbar, klassifiziert. Er nennt die „männliche, jauchzende Freude, die bald das ganze Labyrinth der Töne in mannichfacher Richtung durchläuft“[109], den „tiefe[n] Schmerz, der bald sich wie in Ketten daherschleppt, bald abgebrochene Seufzer ächzt; bald sich in langen Klagen ergießt“[110]. Nur handelt es sich hier nicht mehr um fest umrissene und mittels rationalistischer Methoden eindeutig bestimmbare Affektinhalte. Der Wackenrodersche Affektbegriff betont das Subjektiv-Stimmungshafte und bezeichnet damit etwas rein ästhetisch Genießbares.
Wackenroders Überlegungen zur Instrumentalmusik werden der kompositorischen Praxis der Klassiker Haydn, Mozart und Beethoven bis zu einem gewissen Grad gerecht, da sie im Gegensatz zur Theorie von der Empfindungseinheit Hinweise auf die im musikalischen Kunstwerk gestaltete Dynamik des menschlichen Gefühlslebens enthalten und das Vermögen von Musik hervorheben, Konflikte auszutragen. Sinfonien beinhalteten „ein ganzes Drama menschliche[r] Affekte“ in ihrer Spannweite von „bittern Quaalen des Schmerzes“ bis zur trotzig-stolzen „Lebenskraft“.[111] Allerdings geht dieses größere Verständnis der Spezifik der klassischen Tonkunst im Hinblick auf die ihren Werken innewohnenden Wirkungsabsichten verloren. Aus der esoterischen Position des romantischen Künstlers läßt sich keine „Durch-Nacht-zum-Licht“-Konzeption formulieren. So löst sich Wackenro-

ders sinfonische Idee, nachdem sie mannigfache „Labyrinthe“ des musikalischen Ausdrucks durchlaufen hat, „in's unsichtbare Nichts“ auf.[112]
[Dokument 36]

Die zusammenfassende Feststellung, daß Berlin nach vorausgegangener Führung Hamburgs zum Zentrum der deutschen Musiktheorie und -kritik im 18. Jahrhundert aufrückte, lenkt noch einmal den Blick auf die Ausgangssituation um 1750. Eine Gruppe theoretisch ambitionierter Köpfe hatte in Anlehnung an den philosophischen Rationalismus Christian Wolffs und in Befolgung seiner wissenschaftstheoretischen Grundsätze, beispielsweise des Axioms vom ausgeschlossenen Widerspruch, eine breit angelegte Musikdiskussion entfacht, die von Anfang an stark praxisorientiert war. Im Wandel der historischen Verhältnisse und Bedingungen veränderten sich die ästhetischen Anschauungen und Ideale, einige schieden als produktive, die Musikpraxis stimulierende Theorie aus, andere wiederum erfuhren tiefgreifende Korrekturen und Modifikationen oder setzten gänzlich neuartige theoretische Prämissen. Insgesamt gesehen bewahrte sich jedoch der Entwicklungsgang theoretisch-ästhetischen Denkens in Berlin seine Kontinuität. Selbst die von uns gewählte obere zeitliche Begrenzung bedeutet keinen Abbruch dieser Entwicklung, sondern signalisiert das Entstehen neuer einflußreicher ästhetischer Strömungen. Wackenroders „Herzensergießungen eines kunstliebenden Klosterbruders“ fanden in den Kapellmeister-Kreisler-Erzählungen Ernst Theodor Amadeus Hoffmanns eine Fortführung, der „Berlinischen Musikalischen Zeitung“ (1793/94) folgte Reichardts gleichnamiges Periodikum (1805/06), auf dieses die von Adolf Bernhard Marx redigierte „Berliner Allgemeine Musikalische Zeitung“ (seit 1824) und schließlich Ludwig Rellstabs „Iris im Gebiet der Tonkunst“ (seit 1830).
Das Berliner Musikschrifttum verstand sich mit seinen profunden und streitbaren Beiträgen zu Grundfragen des musikalischen Schaffens- und Rezeptionsprozesses, angefangen bei der psychologisch untermauerten Forderung nach dem „Erregen“ und „Stillen“ von Affekten bis hin zur Kenner-und-Liebhaber-Problematik, mit seinen Überlegungen zur Stellung der Musik im Ensemble der Künste, zur Ästhetik

und Soziologie der Gattungen Oper, Singspiel, Lied und Instrumentalmusik und anderem mehr gleichsam als das kritische Bewußtsein der Musikkultur seiner Epoche. Es trug wesentlich zum Selbstverständnis musikalischer Aktivität schlechthin im Zeitalter von Aufklärung, Sturm und Drang, Klassik und Romantik bei. Dem Betrachter von heute ermöglicht es substantielle Einsichten in den Prozeß der Herausbildung bürgerlicher Musikverhältnisse in Deutschland im 18. Jahrhundert unter den Bedingungen feudalabsolutistischer Herrschaftsformen.

Obwohl von der musikhistorischen Forschung als maßgebliche Erkenntnisquelle vielfach zitiert und befragt, steht eine systematische Untersuchung des Berliner Musikschrifttums noch aus. Doch die Diskussion ist in Fluß geraten, nicht zuletzt dank einiger in den vergangenen Jahren erschienener Neudrucke. Ein Verständnis so spezifischer Leistungen wie die Breitenwirksamkeit des Carl Philipp Emanuel Bachschen „Versuchs über die wahre Art das Clavier zu spielen", der Generationen von angehenden Musikern (auch Beethoven!) als Lehrwerk diente, wie die mit wahrem Feuereifer verfolgte Absicht Friedrich Wilhelm Marpurgs, ein System der Tonkunst zu entwerfen, oder wie die feinsinnigen poetischen Äußerungen eines der Musik aufgeschlossenen Künstlerkreises um Tieck und Wackenroder setzt Kenntnis der Quellen voraus, erfordert Wissen um die vielfältigen, oft einander widerstrebenden Aspekte eines hinsichtlich der Universalität seiner Themen großartigen theoretisch-ästhetischen Gedankengebäudes, wie es in den Dezennien nach 1750 in Berlin errichtet wurde. Die vorliegende Textauswahl folgt den Schwerpunkten der damaligen Debatten, bezieht aber auch „Außenseiter"-Themen ein, sucht in dieser weiteren Optik wesentliche Aussagen über Profil und Entwicklungstendenzen der Berliner Musiktheorie und -kritik im 18. Jahrhundert zu vermitteln.

Anmerkungen

Die vollständigen bibliographischen Angaben der hier verkürzt wiedergegebenen Titel sind im Abschnitt „Chronologie und Bibliographie des Berliner Musikschrifttums von 1748 bis 1799“ enthalten.

1 Wackenroder, Herzensergießungen, 1797, S. 274.
2 Ebenda, S. 261.
3 Ebenda, S. 272f.
4 Ebenda, S. 267.
5 Marpurg, Fuge, 1753, S. X.
6 C. Burney, Tagebuch seiner Musikalischen Reisen, Bd. 3, Hamburg 1773, S. 57.
7 Critischer Musicus an der Spree, 1749, S. 2.
8 Agricola, Schreiben eines reisenden Liebhabers, 1749, S. 3.
9 Zur Klärung dieser Fragen hat M. Havlová in der Dissertationsschrift „Galant-empfindsame Kontrapunkte. Illustrationen zur Musiksoziologie des 18. Jahrhunderts“, Humboldt-Universität Berlin 1983, wesentlich beigetragen.
10 Critischer Musicus an der Spree, 1749, S. 25.
11 Ebenda, S. 65.
12 Kritische Briefe über die Tonkunst, Bd. 1, 1759/60, Register.
13 Quantz, Versuch, 1752, S. 332.
14 Ebenda, S. 323.
15 J.-J. Rousseau, Frühe Schriften, Leipzig 1970, S. 47f.
16 Bereits kurz nach dem Erscheinen des Rousseauschen „Lettre“ wurde 1754 im ersten Band von Marpurgs „Historisch-Kritischen Beyträgen zur Aufnahme der Musik“ eine Rezension dieser Streitschrift abgedruckt. Später fanden Rousseaus Werke in J. F. Reichardt einen maßgeblichen Fürsprecher.
17 Historisch-Kritische Beyträge, Bd. 1, 1754/55, S. 162, Fußnote.
18 Das Königliche Opernhaus wurde im Dezember 1742 mit C. H. Grauns Oper „Cesare e Cleopatra“ eröffnet.
19 Bach, Versuch, 1753, S. 115.
20 Nichelmann, Melodie, 1755, S. 11.
21 J. Mattheson, Der Vollkommene Capellmeister, Hamburg 1739; zit. nach A. Schering, Die Musikästhetik der deutschen Aufklärung, in: Zeitschrift der Internationalen Musikgesellschaft VIII (1907), S. 271.
22 Bach, Versuch, 1753, S. 122.
23 Krause, Musikalische Poesie, 1753, S. 95.
24 Vgl. Kritische Briefe über die Tonkunst, Bd. 2, 1761/63, S. 273ff.
25 Quantz, Versuch, 1752, S. 294.
26 Agricola, Schreiben an den Herrn***, 1749, S. 31.

27 Historisch-Kritische Beyträge, Bd. 1, 1754/55, S. 34.
28 J. Mattheson, Critica Musica, Teil 2, Hamburg 1725, S. 299.
29 Quantz, Versuch, 1752, S. 294.
30 Vgl. Bach, Versuch, 1753, S. 121 f.
31 Zit. nach Burney, a. a. O., Bd. 3, S. 209.
32 Ebenda, S. 209.
33 Historisch-Kritische Beyträge, Bd. 1, 1754/55, S. 357.
34 Krause, Musikalische Poesie, 1753, S. 43.
35 Ebenda, S. 89.
36 Ebenda, S. 39.
37 Ebenda, S. 39 f.
38 Vgl. G. Vogler/K. Vetter, Preußen. Von den Anfängen bis zur Reichsgründung, Berlin 1970, S. 126.
39 Krause, Musikalische Poesie, 1753, S. 433.
40 G. E. Lessing, Briefe, die neueste Literatur betreffend, in: Gesammelte Werke in zehn Bänden, hrsg. von P. Rilla, Bd. 4, Berlin 1955, S. 137.
41 D. Zoltai, Ethos und Affekt. Geschichte der philosophischen Musikästhetik von den Anfängen bis zu Hegel, Berlin/Budapest 1970, S. 167.
42 Bach, Versuch, 1753, S. 124.
43 Ebenda, S. 118.
44 F. A. Maichelbeck, Die auf dem Klavier lehrende Caecilia, 3 Bde., Augsburg 1738; F. W. Marpurg, Die Kunst das Clavier zu spielen, Berlin 1750. Vgl. H. Hering, Artikel „Klavierspiel", in: Die Musik in Geschichte und Gegenwart, Kassel/Basel usw. 1958, Bd. 7, Sp. 1184 ff. Bibliographie.
45 Critische Nachrichten, hrsg. von J. C. Dähnert, Bd. 3, Greifswald 1752, S. 100.
46 Vgl. W. J. Mitchell, C. P. E. Bach's Essay. An Introduction, in: The Musical Quarterly XXXIII (1947), S. 461 f.
47 Die Anzahl der Exemplare ist wahrscheinlich erheblich höher, da C. Ph. E. Bach zum Beispiel von der Erstauflage des zweiten Teils (1762) dem Leipziger Verleger Schwickert im Jahre 1780 noch 540 Restexemplare anbot.
48 Vgl. P. Schleuning, Die Fantasiermaschine. Ein Beitrag zur Geschichte der Stilwende um 1750, in: Archiv für Musikwissenschaft XXVII (1970), S. 192 ff.
49 Historisch-Kritische Beyträge, Bd. 1, 1754/55, S. 169 f.
50 Bach, Versuch, 1762, S. 1.
51 Historisch-Kritische Beyträge, Bd. 4, 1758/59, S. 330.
52 Kirnberger, Polonoisen- und Menuettencomponist, 1757, S. 5.
53 Brief Friedrichs II. an Algarotti, Oktober 1753, zit. bei A. Meyer-Reinach, Vorwort zur Ausgabe der Oper „Montezuma" von C. H. Graun, neu hrsg. von H.-J. Moser, in: Denkmäler

Deutscher Tonkunst, 1. Folge, Bd. 15, Wiesbaden 1958, S. IX.
54 Kritische Briefe über die Tonkunst, Bd. 2, 1761/63, S. 142.
55 Besonders bei G. J. Vogler, Betrachtungen der Mannheimer Tonschule, 3 Bde., Mannheim 1778/81 und Chr. F. D. Schubart, Ideen zu einer Ästhetik der Tonkunst, Wien 1806.
56 Zit. nach Burney, a. a. O., Bd. 3, S. 174.
57 Zit. nach Erläuterungen zur deutschen Literatur: Sturm und Drang, Berlin 1964, S. 27. Zur Problematik des literarischen Sturm und Drang vergleiche ferner Geschichte der deutschen Literatur. Vom Ausgang des 17. Jahrhunderts bis 1789, Berlin 1979, S. 437 ff., sowie W. Stellmacher, Vorwort zu „Komödien und Satiren des Sturm und Drang", Leipzig 1976, RUB 662.
58 Sulzer, Allgemeine Theorie, 1771/74, Bd. 2, S. 795.
59 Ebenda, Bd. 2, S. 862.
60 Ebenda, Bd. 2, S. 615.
61 Ebenda, Bd. 2, S. 622.
62 Zu Reichardts Wirken vgl. die Standardwerke von W. Salmen, Johann Friedrich Reichardt. Komponist, Schriftsteller, Kapellmeister und Verwaltungsbeamter der Goethezeit, Freiburg i. Br./Zürich 1963 und G. Hartung, Johann Friedrich Reichardt als Schriftsteller und Publizist, Phil. Diss. Halle 1964.
63 Vgl. Reichardt, Deutsche comische Oper, 1774, S. 62.
64 Vgl. Reichardt, Briefe eines aufmerksamen Reisenden, 1774, 1. Brief, S. 1 ff.
65 Reichardt, Kunstmagazin, 1791, S. 66, Fußnote.
66 Reichardt, Briefe eines aufmerksamen Reisenden, 1774, S. 124.
67 Vgl. Salmen, a. a. O., S. 173.
68 Das Pränumerandenverzeichnis sowie ein ergänzendes Verzeichnis sind abgedruckt im ersten Band des „Musikalischen Kunstmagazins", 1782, S. X–XII, und im zweiten Band, 1791, S. IV.
69 Zit. nach Salmen, a. a. O., S. 174.
70 Reichardt, Gulden, 1779, S. 257.
71 Historisch-Kritische Beyträge, Bd. 1, 1754/55, S. 275.
72 Singspiel von J. A. Hiller, 1770 in Weimar uraufgeführt.
73 Reichardt, Deutsche comische Oper, 1774, S. 115.
74 Vgl. den „Satz" 6.
75 Zit. nach Artikel „Amalia", in: K. v. Ledebur, Tonkünstler-Lexicon Berlins von den ältesten Zeiten bis auf die Gegenwart, Berlin 1861, S. 7.
76 Vgl. Spazier, Gluckische Musik, 1795, S. 19.
77 Vgl. Spazier, Gluckische Musik, S. 11.
78 Zelter, Ausstellung einer Szene, 1797, S. 141.
79 Zelter, Ueber die Aufführung der Gluckschen Oper Alceste, 1796, S. 268.

80 Ebenda, S. 287.
81 Ebenda, S. 268.
82 Vgl. Berlinische Musikalische Zeitung, 1793/94, S. 157ff.
83 J. A. P. Schulz, Über die in Sulzers Theorie angeführten zwey Beyspiele der Verrückung, in: Allgemeine Musikalische Zeitung II (1799/1800), S. 258.
84 J.G. Spazier, Rechtfertigung Marpurgs und Erinnerung an seine Verdienste, in: Allgemeine Musikalische Zeitung II (1799/1800), S. 553.
85 Ebenda, S. 573.
86 Ebenda, S. 593.
87 Brief Kirnbergers an J. N. Forkel im Frühjahr 1780, mitgeteilt bei O. Rieß, Johann Abraham Peter Schulz' Leben, in: Sammelbände der Internationalen Musikgesellschaft XV (1913/14), S. 219.
88 Kirnberger, Kunst des reinen Satzes, 1771, S. 160, Fußnote.
89 Vgl. Artikel „Trio", in: Sulzer, Allgemeine Theorie, 1771/74, S. 1180f.
90 Berlinische Musikalische Zeitung, 1793/94, S. 148.
91 Mozarts „Zauberflöte" gehörte 1794 zu den meistgespielten Opern in Berlin. Vgl. Salmen, a.a.O., S. 80.
92 Über das große Mozartsche Theaterkonzert, 1796, S. 365.
93 Musikalisches Wochenblatt, 1791, S. 91f.
94 Vgl. Reichardt, Kunstmagazin, 1782, S. 24ff.
95 Berlinische Musikalische Zeitung, hrsg. von J. F. Reichardt, Berlin/Oranienburg 1805, S. 379.
96 Zit. nach Salmen, a.a.O., S. 80.
97 Ebenda, S. 74.
98 Ebenda, S. 82.
99 Musikalisches Wochenblatt, 1791, S. 102.
100 Tieck/Wackenroder, Phantasien, 1799, S. 149f.
101 Vogler/Vetter, a.a.O., S. 132.
102 Vgl. E. Rietzschel, Nachwort zu W. H. Wackenroder, Herzensergießungen eines kunstliebenden Klosterbruders, Leipzig 1981, S. 113.
103 Ebenda, S. 111.
104 Wackenroder, Herzensergießungen, 1797, S. 11.
105 Ebenda, S. 14.
106 Ebenda, S. 275.
107 Tieck/Wackenroder, Phantasien, 1799, S. 181.
108 Ebenda, S. 183.
109 Ebenda, S. 197.
110 Ebenda, S. 198.
111 Ebenda, S. 200f.
112 Ebenda, S. 202.

Editorische Vorbemerkung

Die vorliegende Dokumentation beinhaltet Schriften und Aufsätze zur Musik aus der Feder von Berliner Musiktheoretikern und Komponisten des 18. Jahrhunderts. Eine Begrenzung auf den Zeitraum von 1748 bis 1799 hielt der Herausgeber deshalb für gerechtfertigt, weil in Berlin in der ersten Hälfte des Jahrhunderts keine nennenswerten Abhandlungen erschienen sind und mit der Veröffentlichung von Wackenroders und Tiecks „Phantasien über die Kunst“ im Jahre 1799, einem kunsttheoretischen Zeugnis der Frühromantik, eine gewisse Grenzsituation angezeigt ist. Erfaßt wurden ausschließlich publizierte Beiträge. In Zeitschriften allgemeineren Inhalts (zum Beispiel in der „Allgemeinen Deutschen Bibliothek“) verstreute Musikkritiken blieben unberücksichtigt, da sie den Umfang der Dokumentation um ein wesentliches erweitert hätten.
Um die enorme Produktivität der Berliner Autoren auf musiktheoretischem Gebiet zu verdeutlichen und dem Leser zugleich eine leicht verfügbare Bibliographie in die Hand zu geben, hat der Herausgeber die Titel der Theoretica, bei Zeitschriften ferner eine Auswahl darin enthaltener Aufsätze in einer „Chronologie und Bibliographie des Berliner Musikschrifttums von 1748 bis 1799“ zusammengestellt. In ihr werden – nach Erscheinungsjahren und innerhalb dieser alphabetisch nach Verfassernamen geordnet – Autor, Titel, Erscheinungsort und -jahr des jeweiligen Erstdruckes mitgeteilt. Spätere Auflagen finden keine Erwähnung; Hinweise auf vorhandene Neudrucke zu geben hielt der Herausgeber indes für zweckmäßig. Zweifelhafte Autorschaften sind mit einem Fragezeichen versehen. Bei Zeitschriftenaufsätzen stehen Autorzuweisungen sowie in einigen Fällen notwendig werdende Titelneuprägungen in eckigen Klammern. Titel von im Dokumententeil wiedergegebenen Texten wurden mit einem Sternchen * gekennzeichnet. Der Nachweis der Provenienzen der Quellen, hauptsächlich in der Deutschen Staatsbibliothek Berlin (DDR Bds) und – wenn dort nicht vorhanden – in anderen Bibliotheken, wird für den sich um-

fassender mit dieser Materie beschäftigenden Leser nützlich sein. (Die Verwendung der Bibliothekssigel basiert größtenteils auf den Angaben des Repertoire International des Sources Musicales [RISM], hrsg. von der Internationalen Gesellschaft für Musikwissenschaft und der Internationalen Vereinigung der Musikbibliotheken.)

Bibliothekssigel

A	WgM	Wien, Gesellschaft der Musikfreunde in Wien
	Wn	Wien, Österreichische Nationalbibliothek
B	Bc	Bruxelles, Conservatoire Royal de Musique, Bibliothèque
	Br	Bruxelles, Bibliothèque Royal Albert 1er
BW	Bhm	Berlin (West), Staatliche Hochschule für Musik und Darstellende Kunst
CH	Zz	Zürich, Zentralbibliothek, Kantons-, Stadt- und Universitätsbibliothek
D	Cl	Coburg, Landesbibliothek
	Hs	Hamburg, Staats- und Universitätsbibliothek
DDR	Bds	Berlin, Deutsche Staatsbibliothek
	Buh	Berlin, Universitätsbibliothek der Humboldt-Universität
	Dlb	Dresden, Sächsische Landesbibliothek
	HAu	Halle, Universitäts- und Landesbibliothek Sachsen-Anhalt
	LEm	Leipzig, Musikbibliothek der Stadt Leipzig
F	Pc	Paris, Bibliothèque du Conservatoire national de musique
GB	Lbm	London, British Museum
I	Vnm	Venezia, Biblioteca nazionale Marciana
US	Wcg	Washington, Library of Congress, Music Division

Der Abschnitt „Dokumente“ enthält jeweils nach dem Erstdruck zitierte Texte. Nur in einigen Fällen mußte auf spätere Auflagen zurückgegriffen werden. Die den Textpassagen beigefügten Seitenzahlen ermöglichen deren schnelle Auffindbarkeit in der Quelle. Ursprüngliche Orthographie, Interpunktion und Lautung wurden konsequent beibehalten, offensichtliche Druckfehler stillschweigend verbessert. Originale Fußnoten und Marginalien wurden in den Anmerkungsteil eingearbeitet und dort besonders ausgewiesen. Auslassungen des Herausgebers sind mit [...] gekennzeichnet, Ergänzungen ebenfalls in eckige Klammern gestellt. In der Quelle durch abweichenden Schriftsatz hervorgehobene Begriffe (außer Personennamen), Satzteile oder längere Textabschnitte sind kursiv wiedergegeben.

Für zahlreiche Ratschläge und helfende Kritik danke ich Frau Dr. Ingeborg Allihn, Berlin, Frau Barbara Fleischhauer, Halle, Frau Dr. Ortrun Landmann, Dresden, sowie Herrn Dr. sc. Günter Fleischhauer, Halle. Für die Bereitstellung der Quellen sage ich insbesondere den Musikabteilungen der Deutschen Staatsbibliothek Berlin und der Sächsischen Landesbibliothek Dresden Dank.

Dresden 1983 *Hans-Günter Ottenberg*

Chronologie und Bibliographie des Berliner Musikschrifttums von 1748 bis 1799

1748

[Christian Gottfried Krause(?)], Lettre à Mr. le Marquis de B*** sur la différence entre la musique italienne et françoise, Berlin 1748
A Wgm - B Bc - I Vnm

1749

* [Johann Friedrich Agricola], Schreiben eines reisenden Liebhabers der Musik von der Tyber, an den critischen Musikus an der Spree, Berlin 1749
DDR Dlb

* [Johann Friedrich Agricola], Schreiben an Herrn*** in welchem Flavio Anicio Olibrio, sein Schreiben an den critischen Musikus an der Spree vertheidiget, und auf dessen Wiederlegung antwortet, Berlin 1749
DDR Dlb

Der Critische Musicus an der Spree, hrsg. von Friedrich Wilhelm Marpurg, 1. bis 44. Stück, Berlin 1749 (Neudruck: Hildesheim 1970)
DDR Buh
[enthält u. a.:]

> * [Friedrich Wilhelm Marpurg], Fortsetzung der Gedeutsche und französische Musik], S. 1–8
>
> * [Friedrich Wilhelm Marpurg, Entgegnung auf das Schreiben von Johann Friedrich Agricola], S. 25–31
>
> * [(...), Schreiben an den Verfasser des Critischen Musicus an der Spree], S. 33–34
>
> * [Friedrich Wilhelm Marpurg, Fortsetzung der Entgegnung auf das Schreiben von Johann Friedrich Agricola], S. 34–38, 49–54, 58–65

* [Friedrich Wilhelm Marpurg, Aufklärung und Musik], S. 173–175

[Friedrich Wilhelm Marpurg, Gedanken über den musikalischen Vortrag], S. 207–210

* [Friedrich Wilhelm Marpurg], Fortsetzung der Gedancken über den musicalischen Vortrag, S. 215–218

[Friedrich Wilhelm Marpurg, Gedanken über den musikalischen Geschmack], S. 311–315

1750

[Johann Friedrich Agricola], Sendschreiben an die Herren Verfasser der freyen Urtheile in Hamburg, das Schreiben an den Herrn Verfasser des kritischen Musikus an der Spree betreffend, Berlin 1750
GB Lmb

[Friedrich Wilhelm Marpurg], Die Kunst das Clavier zu spielen, Durch den Verfasser des critischen Musicus an der Spree, Berlin 1750
DDR Bds

Der Critische Musicus an der Spree, hrsg. von Friedrich Wilhelm Marpurg, 45. bis 50. Stück, Berlin 1750 (Neudruck: Hildesheim 1970)
DDR Buh
[enthält u. a.:]

[(...), Über die Beschaffenheit des Operntheaters in London], S. 359–366

1751

[Friedrich Wilhelm Marpurg], Gedanken über die welschen Tonkünstler. Zur Beantwortung des im sieben und dreißigsten Stücke der hamburgischen freyen Urtheile befindlichen Schreibens an den Herrn Verfasser des kritischen Musikus an der Spree, Halberstadt 1751
DDR Bds

1752

Johann Carl Conrad Oelrichs, Historische Nachricht von den akademischen Würden in der Musik und öffentlichen musikalischen Akademien und Gesellschaften, Berlin 1752
DDR Bds

* Johann Joachim Quantz, Versuch einer Anweisung die Flöte traversiere zu spielen; mit verschiedenen, zur Beförderung des guten Geschmackes in der praktischen Musik dienlichen Anmerkungen begleitet, und mit Exempeln erläutert, Berlin 1752 (Neudruck der 3. Auflage, Breslau 1789: Kassel/Basel 1968)
DDR LEm

1753

* Carl Philipp Emanuel Bach, Versuch über die wahre Art das Clavier zu spielen mit Exempeln und achtzehn Probe-Stücken in sechs Sonaten, Teil 1, Berlin 1753 (Neudruck: Leipzig 1957)
DDR Bds

* Christian Gottfried Krause, Von der musikalischen Poesie, Berlin 1753 (Neudruck: Leipzig 1973)
DDR Bds

* Friedrich Wilhelm Marpurg, Abhandlung von der Fuge nach den Grundsätzen und Exempeln der besten deutschen und ausländischen Meister, Teil 1, Berlin 1753 (Neudruck: Hildesheim 1970)
DDR Bds

Friedrich Wilhelm Riedt, Versuch über die Musikalische Intervallen, in Ansehung ihrer wahren Anzahl, ihres eigentlichen Sitzes, und natürlichen Vorzugs in der Composition, Berlin 1753
DDR Bds

Johann Friedrich Agricola/Carl Philipp Emanuel Bach, Nekrolog Johann Sebastian Bachs, in: Musikalische Bibliothek, oder Gründliche Nachricht nebst unpartheyischem Urtheil von alten und neuen musikalischen Schriften und Büchern [...], hrsg. von Lorenz Christoph Mizler, Bd. 4, Teil 1, Leipzig 1754, S. 158–176
DDR Dlb

Historisch-Kritische Beyträge zur Aufnahme der Musik, hrsg. von Friedrich Wilhelm Marpurg, Bd. 1, 1. und 2. Stück, Berlin 1754 (Neudruck: Hildesheim 1970)
DDR Bds
[enthält u. a.:]

∗ [Friedrich Wilhelm Marpurg], Vorbericht, S. I bis XIIX

[Christian Gottfried Krause (?)], Schreiben an den Herrn Marquis von B. über den Unterscheid zwischen der italiänischen und französischen Musik, S. 1–23

∗ [Rezension:] Lettre sur la musique françoise, par I. I. Rousseau. Sunt verba & voces praetereaque nihil. 1753. d. i. Schreiben über die französische Musik von J. J. Rousseau, S. 57–68

∗ [...], Nachricht von dem gegenwärtigen Zustande der Oper und Musik des Königs, S. 75–84

∗ Scherzlied vom Herrn M. Leßing und componirt vom Herrn C. P. E. Bach, S. 88

[Rezension:] Thusnelde, ein Singspiel, in vier Aufzügen. Mit einem Vorbericht von der Möglichkeit und Beschaffenheit guter Singspiele begleitet von Johann Adolph Scheiben ... Coppenhagen. 1749, S. 93–141

[Rezension: weitere Gegenschriften zu Rousseaus „Lettre sur la musique française"], S. 145–148

[(...), Lebenslauf von Johann Friedrich Agricola], S. 148–152

[(...), Lebenslauf von Johann Gottlieb Janitsch], S. 152–156

* […], Schreiben aus Paris über den Streit daselbst zwischen den französischen und welschen Tonkünstlern. Aus dem Französischen übersetzt, S. 160–166

* [(…), Über die Erfindung des Hohlfeldschen Bogenklaviers], S. 167–172

Friedrich Wilhelm Marpurg, Abhandlung von der Fuge, Teil 2, Berlin 1754 (Neudruck: Hildesheim 1970)
DDR Bds

1755

Francesco Algarotti, Saggio sopra l'opera in musica, Berlin[?] 1755
DDR Bds

[Carl Philipp Emanuel Bach(?)], Gedanken eines Liebhabers der Tonkunst über Herrn Nichelmanns Tractat von der Melodie, Nordhausen 1755
DDR Bds

Historisch-Kritische Beyträge zur Aufnahme der Musik, hrsg. von Friedrich Wilhelm Marpurg, Bd. 1, 3. bis 6. Stück, Berlin 1755 (Neudruck: Hildesheim 1970)
DDR Bds
[enthält u. a.:]

Johann Joachim Quantz, Lebenslauf, von ihm selbst entworfen, S. 197–250

[Caspar Ruetz], Sendschreiben eines Freundes an den andern über einige Ausdrücke des Herrn Batteux von der Musik, S. 273–311

[Adolph Friedrich Wolff], Entwurf einer ausführlichen Nachricht von der Musikübenden Gesellschaft zu Berlin, S. 385–413

Friedrich Wilhelm Riedt, Beantwortung der in des Herrn Capellmeisters Scheibe historisch-critischen Vorrede zu seiner ohnlängst von ihm herausgegebenen Abhandlung von dem Ursprung der Musik §. 9. befindlichen Anmerkung, über F. W. Riedts Versuch über die musikalischen Intervallen, S. 414–430

[(...), Lebenslauf von Wilhelm Friedemann Bach], S. 430–431

[(...), Lebenslauf von Christoph Nichelmann], S. 431–439

[Auszüge:] Das zweyte, fünfte und sechste Capitel aus Prinzens Historie der Tonkunst. Von den vornehmsten Wiederherstellern und Ausübern der Tonkunst, von der Sündfluth bis auf Christi Geburth, S. 479–500

[...], Fortsetzung der Nachricht von dem berlinischen Opertheater, S. 500–504

[...], Nachricht von verschiednen Tonkünstlern in Berlin, S. 504–507

Johann Adam Hiller, Abhandlung von der Nachahmung der Natur in der Musik, S. 515–543

[...], Lebensnachrichten von einigen Gliedern der Königl. Preußischen Capelle, S. 544–550

[...], Gedanken von der Musik aus dem siebenten Bande des Schauplatzes der Natur, S. 550–559

Friedrich Wilhelm Marpurg, Anleitung zum Clavierspielen, der schönern Ausübung der heutigen Zeit gemäß, Berlin 1755 (Neudruck der 2. verbesserten Auflage, Berlin 1765: Hildesheim 1970)
DDR Bds

Friedrich Wilhelm Marpurg, Handbuch bey dem Generalbasse und der Composition mit zwey – drey – vier – fünf – sechs – sieben – acht und mehrern Stimmen. Nebst einem vorläufigen kurzen Begriff der Lehre vom Generalbasse für Anfänger, Teil 1, Berlin 1755 (Neudruck: Hildesheim 1973)
DDR Bds

Christoph Nichelmann, Die Melodie nach ihrem Wesen sowohl, als nach ihren Eigenschaften, Danzig 1755
DDR Bds

[Christoph Nichelmann], Die Vortreflichkeit der Gedancken des Herrn Caspar Dünckelfeindes über die Abhandlung von

der Melodie ins Licht gesetzet von einem Musick Freunde, o. O., nach dem 1. Juni 1755
DDR Dlb

1756

Ernst Gottlieb Baron, Abriss einer Abhandlung von der Melodie: eine Materie der Zeit, Berlin 1756
DDR Bds

Historisch-Kritische Beyträge zur Aufnahme der Musik, hrsg. von Friedrich Wilhelm Marpurg, Bd. 2, 1. bis 6. Stück, Berlin 1756 (Neudruck: Hildesheim 1970)
DDR Bds
[enthält u. a.:]

> [Rezension:] Reflections on Antient and Modern Musick, with the application to the cure of diseases, to which is subjoined an essay to solve the question, wherein consisted the difference of antient Musick from that of modern time. d. i. Betrachtungen über die alte und neue Musik, mit derselben Anwendung zur Heilung der Krankheiten, nebst einem Versuche die Frage aufzulösen: Worinn der Unterschied der alten und neuen Musik bestanden hat. London, 1749, S. 16–37
>
> Ernst Gottlieb Baron, Beytrag zur historisch-theoretisch- und practischen Untersuchung der Laute, S. 65–83
>
> Karl Wilhelm Ramler, Vertheidigung der Opern, S. 84–92
>
> Friedrich Wilhelm Riedt, Betrachtungen über die willkührlichen Veränderungen der musikalischen Gedanken bey Ausführung einer Melodie. Zur Beantwortung der Frage: Woran ein guter Veränderer von einem schlechten eigentlich zu unterscheiden sey?, S. 95 bis 118
>
> Ernst Gottlieb Baron, Abhandlung von dem Notensystem der Laute und Theorbe, S. 119–123
>
> Ernst Gottlieb Baron, Zufällige Gedanken über verschiedene musikalische Materien, S. 124–144

* […], Fortsetzung der Gedanken von der Musik, S. 145–180

* […], Vermischte Gedanken, S. 181–224

[…], Ob und was für Harmonie die Alten gehabt, und zu welcher Zeit dieselbe zur Vollkommenheit gebracht worden, S. 273–322

Friedrich Wilhelm Riedt, Tabellen über alle drey- und vierstimmige in der vollständigen diatonisch-chromatisch-enharmonischen Tonleiter enthaltne drey- und vierstimmige Grundaccorde, ihre wahre Anzahl, Sitz und Vorzug in der Composition daraus zu erkennen, S. 387–413

Jean Baptiste Abbé Du Bos (Dubos), Von den theatralischen Vorstellungen der Alten, S. 448–464

[…], Die Königl. Capell- und Cammer-Music zu Dreßden. 1756, S. 475–477

[…], Die Churfürstl. Pfälzische Capell- und Kammermusik zu Mannheim. im Jahre 1756, S. 567–570

Friedrich Wilhelm Marpurg, Principes du clavecin, Berlin 1756
DDR Bds

1757

Johann Friedrich Agricola, Anleitung zur Singkunst. Aus dem Italiänischen des Herrn Peter Franz Tosi […] mit Erläuterungen und Zusätzen von Johann Friedrich Agricola, Berlin 1757 (Neudruck: Leipzig 1966)
DDR Bds

Historisch-Kritische Beyträge zur Aufnahme der Musik, hrsg. von Friedrich Wilhelm Marpurg, Bd. 3, 1. bis 4. Stück, Berlin 1757 (Neudruck: Hildesheim 1970)
DDR Bds
[enthält u. a.:]
Carl Philipp Emanuel Bach, Einfall, einen doppelten

Contrapunct in der Octave von sechs Tacten zu machen, ohne die Regeln davon zu wissen, S. 167–181

[...], Nachricht von dem gegenwärtigen Zustande der Musik Sr. Hochfürstlichen Gnaden des Erzbischoffs zu Salzburg im Jahr 1757, S. 183–198

[...], Verzeichniß deutscher Opern, S. 277–298

[...], Herzogl. Mecklenb. Schwerinische Hof-Capelle, S. 339–340

* Johann Philipp Kirnberger, Der allezeit fertige Polonoisen- und Menuettencomponist, Berlin 1757
DDR Bds

* Friedrich Wilhelm Marpurg, Anfangsgründe der Theoretischen Musik, Leipzig 1757 (Neudruck: New York o. J.)
DDR Bds

Friedrich Wilhelm Marpurg, Hrn. d'Alemberts [...] Systematische Einleitung in die Musicalische Setzkunst, nach den Lehrsätzen des Herrn Rameau. Aus dem Französischen übersetzt und mit Anmerkungen vermehret, Leipzig 1757 (Neudruck: Leipzig 1980)
DDR Bds

Friedrich Wilhelm Marpurg, Handbuch bey dem Generalbasse und der Composition mit zwey – drey – vier – fünf – sechs – sieben – acht und mehrern Stimmen, Teil 2, Berlin 1757 (Neudruck: Hildesheim 1973)
DDR Bds

1758

Historisch-Kritische Beyträge zur Aufnahme der Musik, hrsg. von Friedrich Wilhelm Marpurg, Bd. 4, 3. bis 6. Stück, Berlin 1759 (Neudruck: Hildesheim 1970)
DDR Bds
[enthält u. a.:]

Friedrich Wilhelm Riedt, Zwo musikalische Fragen, Liebhabern der Wahrheit zu gefallen, S. 371–387

Johann Friedrich Agricola, Sammlung einiger Nachrichten von berühmten Orgelwerken in Teutschland, mit vieler Mühe aufgesetzt von einem Liebhaber der Musik, S. 486–518

Christian Gottfried Krause, Vermischte Gedanken, S. 523–543

[…], Historisch-kritische Nachrichten von den geistlichen und weltlichen Opern in Engelland, S. 17–91

Friedrich Wilhelm Marpurg, Anleitung zur Singcomposition, Berlin 1758 (Neudruck: New York o. J.)
DDR Bds

Friedrich Wilhelm Marpurg, Handbuch bey dem Generalbasse und der Composition mit zwey – drey – vier – fünf – sechs – sieben – acht und mehrern Stimmen, Teil 3, Berlin 1758 (Neudruck: Hildesheim 1973)
DDR Bds

1759

Historisch Kritische Beyträge zur Aufnahme der Musik, hrsg. von Friedrich Wilhelm Marpurg, Bd. 4, 3. bis 6. Stück, Berlin 1759 (Neudruck: Hildesheim 1970)
DDR Bds
[enthält u. a.:]

Johann Joachim Quantz, Antwort auf des Herrn von Moldenit gedrucktes so genanntes Schreiben an Hrn. Quanz, nebst einigen Anmerkungen über dessen Versuch einer Anweisung die Flöte Traversiere zu spielen, S. 153–191

Johann Joachim Quantz, Schreiben des Herrn Quanz an den Verfasser, S. 319–320

[…], Abhandlung von den Liedern der alten Griechen, S. 427–486

∗ [Rezension:] Sechs Sonaten fürs Clavier mit veränderten Reprisen; […] von Carl Philipp Emanuel Bach. Berlin 1760, S. 560–561

* [Rezension: Kompositionen von Baldassare Galuppi], S. 561–563

Kritische Briefe über die Tonkunst, hrsg. von Friedrich Wilhelm Marpurg, Bd. 1, 1. bis 28. Brief, Berlin 1759 (Neudruck: Hildesheim 1974)
DDR LEm
[enthält u. a.:]

* [Friedrich Wilhelm Marpurg, Nachricht an die Leser], S. 1–8

* [Friedrich Wilhelm Marpurg, Über die Odenkomposition], S. 17–23

[Friedrich Wilhelm Marpurg], Vergleichung der italiänischen und französischen Musik, aus dem Französischen des Herrn Raguenet, S. 66–71

* [Friedrich Wilhelm Marpurg, Verzeichnis deutscher musikalischer Odensammlungen], S. 159–164

[Friedrich Wilhelm Marpurg, Analyse einer Fuge von Johann Philipp Kirnberger], S. 175–181

* Friedrich Wilhelm Marpurg, Kritische Einleitung in die Geschichte und Lehrsätze der alten und neuen Musik, Berlin 1759
DDR Bds

1760

Historisch-Kritische Beyträge zur Aufnahme der Musik, hrsg. von Friedrich Wilhelm Marpurg, Bd. 5, 1. Stück, Berlin 1760 (Neudruck: Hildesheim 1970)
DDR Bds
[enthält u. a.:]

[...], Vermischte Gedanken, S. 1–19

Karl Wilhelm Ramler, Auszug aus der Einleitung in die schönen Wissenschaften, nach dem Französischen des Herrn Batteux, S. 20–44

Kritische Briefe über die Tonkunst, hrsg. von Friedrich Wilhelm Marpurg, Bd. 1, 29. bis 64. Brief, Berlin 1760 (Neudruck: Hildesheim 1974)

DDR LEm
[enthält u. a.:]

[Friedrich Wilhelm Marpurg, Kritik der Sorgeschen Lehre von der Temperatur], S. 279–283

[...], Unterricht vom Vocalsatze, S. 462–467

Friedrich Wilhelm Marpurg, Anhang zum Handbuche bey dem Generalbasse und der Composition; worinnen, zur Uebung der gewöhnlichern harmonischen Dreyklänge und Septimenaccorde, Probeexempel vorgeleget werden, und hiernächst dasjenige, was ein jeder Componist von dem doppelten Contrapunct und der Verfertigung einer Fuge wissen muß, gezeiget wird, Berlin 1760
DDR Bds

Friedrich Wilhelm Marpurg, Herrn Georg Andreas Sorgens Anleitung zum Generalbaß und zur Composition, Berlin 1760
DDR Bds

[Moses Mendelssohn (unter dem Namen Johann Philipp Kirnberger veröffentlicht)], Construction der gleichschwebenden Temperatur, Berlin 1760 (Neudruck: Hildesheim o. J.)
DDR Bds

1761

Historisch-Kritische Beyträge zur Aufnahme der Musik, hrsg. von Friedrich Wilhelm Marpurg, Bd. 5, 2. und 3. Stück, Berlin 1761 (Neudruck: Hildesheim 1970)
DDR Bds
[enthält u. a.:]

[Moses Mendelssohn], Versuch, eine vollkommen gleichschwebende Temperatur durch die Construction zu finden, S. 95–109

[Rezension:] Herrn Georg Andreas Sorgens Anleitung zum Generalbaß und zur Composition. Mit Anmerkungen von Friedrich Wilhelm Marpurg [...] Berlin, 1760, S. 110–120

[Friedrich Wilhelm Marpurg], Untersuchung [...] der sorgischen Lehre von der Entstehung der dißonirenden Sätze, S. 131–184

Kritische Briefe über die Tonkunst, hrsg. von Friedrich Wilhelm Marpurg, Bd. 2, 65. bis 91. Brief, Berlin 1761 (Neudruck: Hildesheim 1974)
DDR LEm
[enthält u. a.:]

* [Friedrich Wilhelm Marpurg], Siebente Fortsetzung des Verzeichnisses deutscher Odensammlungen mit Melodien, S. 49–52

* [Friedrich Wilhelm Marpurg], Erste Nachricht. Von neuen und alten musikalischen Schriften, S. 140–142

[Friedrich Wilhelm Marpurg], Von der Setzart einiger Tonkünstler. Aus dem funfzehnten, sechszehnten und siebzehnten Jahrhundert, S. 196–206

Friedrich Wilhelm Marpurg, Die Kunst das Clavier zu spielen. Zweyter Theil, worinnen die Lehre vom Accompagnement abgehandelt wird, Berlin 1761 (Neudruck: Hildesheim 1970)
DDR Bds

Johann Friedrich Wenckel, Schreiben an die Herren Tonkünstler in Berlin, über die dem Vorberichte der ersten Graunischen Odensammlung von einem Ungenannten entgegen gesetzte Anmerkungen, Berlin 1761
A Wgm – B Bc – BW Bhm – F Pc

Musikalisches Wochenblatt, Berlin 1761
(Exemplare dieser Zeitschrift konnten nicht nachgewiesen werden; es ist fraglich, ob sie je erschienen ist. Der Titel ist enthalten in der Bibliographie zum Artikel „Zeitschrift" von

I. Fellinger, in: Die Musik in Geschichte und Gegenwart, Bd. 14, Kassel/Basel usw. 1968, Sp. 1081.)

1762

* Carl Philipp Emanuel Bach, Versuch über die wahre Art das Clavier zu spielen. Zweyter Theil, in welchem die Lehre von dem Accompagnement und der freyen Fantasie abgehandelt wird, Berlin 1762 (Neudruck: Leipzig 1957)
DDR Bds

Historisch-Kritische Beyträge zur Aufnahme der Musik, hrsg. von Friedrich Wilhelm Marpurg, Bd. 5, 4. und 5. Stück, Berlin 1762 (Neudruck: Hildesheim 1970)
DDR Bds
[enthält u. a.:]

> [...], Anmerkungen über drey Lieder der Irokesen, S. 341–346
>
> [Johann Friedrich Agricola], Allerhand zur Geschichte der Harmonie und Figuralmusik, S. 356–380

Kritische Briefe über die Tonkunst, hrsg. von Friedrich Wilhelm Marpurg, Bd. 2, 92. bis 125. Brief, Berlin 1762 (Neudruck: Hildesheim 1974)
DDR LEm
[enthält u. a.:]

> [...], Beytrag zur Historie der Musik, S. 239–246
>
> * [...], Zweyte Fortsetzung des Unterrichts vom Recitativ, S. 273–276

1763

Kritische Briefe über die Tonkunst, hrsg. von Friedrich Wilhelm Marpurg, Bd. 2, 126. bis 128. Brief, Berlin 1763 (Neudruck: Hildesheim 1974)
DDR LEm

Friedrich Wilhelm Marpurg, Anleitung der Musik überhaupt, und zur Singkunst besonders, mit Uebungsexempeln erläutert, Berlin 1763 (Neudruck: Leipzig 1975)
DDR Bds

1764–1765

[kein Nachweis von Musikschrifttum]

1766

Leonhard Euler, Conjecture sur la raison de quelques dissonances généralement reçues dans la musique, in: Histoire de l'Académie Royale des Sciences et Belles-Lettres, Berlin 1766, S. 165–173
DDR Dlb

Leonhard Euler, Du véritable caractère de la musique moderne, in: Histoire de l'Académie Royale des Sciences et Belles-Lettres, Berlin 1766, S. 174–199
DDR Dlb

1767–1768

[kein Nachweis von Musikschrifttum]

1769

Friedrich Wilhelm Riedt, Antwort, auf Herrn Sorgens Verantwortung gegen Ihn, so in des letztern Anleitung zur Fantasie S. 76 befindlich ist, in: Wöchentliche Nachrichten und Anmerkungen die Musik betreffend, hrsg. von Johann Adam Hiller, Bd. 3, Leipzig 1768/69, S. 331–336 (Neudruck: Hildesheim 1970)
DDR Bds

1770

Johann Heinrich Lambert, Sur quelques instrumens acoustiques, in: Histoire de l'Académie Royale des Sciences et Belles-Lettres, Berlin 1770, S. 87–124
DDR Dlb

Johann Heinrich Lambert, Sur la vitesse du son, in: Histoire de l'Académie Royale des Sciences et Belles-Lettres, Berlin 1770, S. 70–79
DDR Dlb

Johann Joachim Quantz, Anweisung, wie ein Musikus und eine Musik zu beurtheilen sei, in: Unterhaltungen, hrsg. von Daniel Schiebeler und Johann Joachim Eschenburg, Bd. 9, 6. Stück, Hamburg 1770
D Cl, Hs

1771

* Johann Philipp Kirnberger, Die Kunst des reinen Satzes in der Musik aus sicheren Grundsätzen hergeleitet und mit deutlichen Beyspielen erläutert, Teil 1, Berlin 1771 (Neudruck: Hildesheim 1968)
DDR Bds

* Johann Georg Sulzer, Allgemeine Theorie der Schönen Künste in einzeln, nach alphabetischer Ordnung der Kunstwörter auf einander folgenden, Artikeln abgehandelt, 2 Teile, Leipzig 1771/74 (Neudruck der 4. Auflage, Leipzig 1792/99: Hildesheim 1967/70)
DDR Dlb

1772

[kein Nachweis von Musikschrifttum]

1773

Johann Philipp Kirnberger, Die wahren Grundsätze zum Gebrauch der Harmonie, darinn deutlich gezeiget wird, wie alle möglichen Accorde aus dem Dreyklang und dem wesentlichen Septimenaccord, und deren dissonirenden Vorhälten, herzuleiten und zu erklären sind, als ein Zusatz zu der Kunst des reinen Satzes in der Musik, Berlin/Königsberg 1773 (Neudruck: Hildesheim 1970)
DDR Bds

Johann Georg Sulzer, Description d'un instrument fait pour noter les piéces de musique, à mesure qu'on les exécute fur les clavecins, in: Nouveaux Mémoires de l'Académie Royale des Sciences et Belles-Lettres, Berlin 1773, S. 538–546
DDR Dlb

1774

* Johann Friedrich Reichardt, Briefe eines aufmerksamen Reisenden die Musik betreffend. An seine Freunde geschrieben, Teil 1, Frankfurt (Main)/Leipzig 1774 (Neudruck: Hildesheim o. J.)
DDR Bds

* Johann Friedrich Reichardt, Ueber die Deutsche comische Oper nebst einem Anhange eines freundschaftlichen Briefes über die musikalische Poesie, Hamburg 1774 (Neudruck: München 1974)
DDR Dlb

1775

Johann Heinrich Lambert, Observations sur les Flûtes, in: Nouveaux Mémoires de l'Académie Royale des Sciences et Belles-Lettres, Berlin 1775, S. 13—48
DDR Dlb

* Johann Friedrich Reichardt, Schreiben über die Berlinische Musik an den Herrn L. v. Sch. in M., Hamburg 1775
DDR Bds

1776

Johann Philipp Kirnberger, Die Kunst des reinen Satzes in der Musik aus sicheren Grundsätzen hergeleitet und mit deutlichen Beyspielen erläutert, Teil 2, Abteilung 1, Berlin/Königsberg 1776 (Neudruck: Hildesheim 1968)
DDR Bds

Johann Heinrich Lambert, Remarques sur le tempérament en Musique, in: Noveaux Mémoires de l'Académie Royale des Sciences et Belles-Lettres, Berlin 1776, S. 55—73
DDR Dlb

Friedrich Wilhelm Marpurg, Versuch über die musikalische Temperatur, nebst einem Anhang über den Rameau- und Kirnbergerschen Grundbaß, und vier Tabellen, Breslau 1776

(Neudruck: New York o. J.)
DDR Bds

* Johann Friedrich Reichardt, Briefe eines aufmerksamen Reisenden die Musik betreffend. An seine Freunde geschrieben, Teil 2, Frankfurt (Main)/Breslau 1776 (Neudruck: Hildesheim o. J.)
DDR Bds

Johann Friedrich Reichardt, Ueber die Pflichten des Ripien-Violinisten, Berlin/Leipzig 1776
DDR Bds

1777

Johann Philipp Kirnberger, Die Kunst des reinen Satzes in der Musik aus sicheren Grundsätzen hergeleitet und mit deutlichen Beyspielen erläutert, Teil 2, Abteilung 2, Berlin/Königsberg 1777 (Neudruck: Hildesheim 1968)
DDR Bds

1778

Historisch-Kritische Beyträge zur Aufnahme der Musik, hrsg. von Friedrich Wilhelm Marpurg, Bd. 5, 6. Stück, Berlin 1778 (Neudruck: Hildesheim 1970)
DDR Bds
[enthält u. a.:]

> Johann Heinrich Lambert, Gedanken über die musikalische Temperatur, S. 417—450
>
> [Friedrich Wilhelm Marpurg], Versuch in Temperaturtabellen, S. 451—500
>
> [Friedrich Wilhelm Marpurg], Gebrauch der Temperaturtabellen, S. 501—520
>
> [Friedrich Wilhelm Marpurg], Ueber die geometrischen Verhältnisse der vier und zwanzig musikalischen Intervalle, S. 521—527

1779

Johann Philipp Kirnberger, Die Kunst des reinen Satzes in der Musik aus sicheren Grundsätzen hergeleitet und mit deutlichen Beyspielen erläutert, Teil 2, Abteilung 3, Berlin/Königsberg 1779 (Neudruck: Hildesheim 1968)
DDR Bds

* Johann Friedrich Reichardt, Leben des berühmten Tonkünstlers Heinrich Wilhelm Gulden, nachher genannt Guglielmo Enrico Fiorino, Berlin 1779 (Neudruck: Leipzig 1967)
DDR Bds

1780

* Johann Jakob Engel, Ueber die musikalische Malerey, Berlin 1780
DDR LEm

1781

Johann Philipp Kirnberger, Grundsätze des Generalbasses als erste Linien zur Composition, Berlin 1781 (Neudruck: Hildesheim 1973)
DDR Bds

Johann Friedrich Reichardt, Musikalisches Handbuch auf das Jahr 1782, Alethinopel (= Winterthur) 1781
A Wn – B Br – CH Zz – GB Lbm – US Wcg

Johann Friedrich Reichardt, An den Verfasser des Aufsatzes über Kirchenmusiken, in: Deutsches Museum, hrsg. von Heinrich Christian Boie, Bd. 2, 9. Stück, Leipzig 1781, S. 351–359
DDR Bds

1782

Johann Philipp Kirnberger, Anleitung zur Singekomposition

mit Oden in verschiedenen Sylbenmaassen begleitet, Berlin 1782
DDR Bds

Johann Philipp Kirnberger, Gedanken über die verschiedenen Lehrarten in der Komposition, als Vorbereitung zur Fugenkenntniß, Berlin 1782 (Neudruck: Hildesheim 1973)
DDR Bds

Musikalisches Kunstmagazin, hrsg. von Johann Friedrich Reichardt, Teil 1, 1. bis 4. Stück, Berlin 1782 (Neudruck: Hildesheim 1969)
DDR Bds
[enthält u. a.:]

* [Johann Friedrich Reichardt], An junge Künstler, S. 1–7

[Johann Friedrich Reichardt], Ueber Klopstocks komponirte Oden, S. 22–23

[Johann Friedrich Reichardt], Instrumentalmusik, S. 24–25

[Johann Friedrich Reichardt], Merkwürdige Stücke großer Meister verschiedener Zeiten und Völker, S. 34–45

* [Rezension:] Thirza und ihre Söhne, ein musikalisches Drama, in Musik gesetzt und als ein Auszug zum Singen beym Klavier herausgegeben von Johann Heinrich Rolle, Leipzig 1781, S. 82–84

* [Rezension:] Ariadne auf Naxos, ein Duodrama, von Georg Benda in Partitur, Leipzig bey Schwickert, S. 86–87

[Johann Friedrich Reichardt], Nazionaltänze, S. 95 bis 98

[Johann Friedrich Reichardt], Volkslieder, S. 99–100

[Johann Friedrich Reichardt], Hermenfried oder über die Künstlererziehung, S. 105–117

[Johann Friedrich Reichardt], Ueber die musikalische Ausführung. (Execution.), S. 153

[Johann Friedrich Reichardt], Johann Sebastian Bach, S. 196—201

1783

Johann Philipp Kirnberger, Methode Sonaten aus'm Ermel zu schüddeln, Berlin 1783
DDR Dlb

1784

Christian Carl Rolle, Neue Wahrnehmungen zur Aufnahme und weitern Ausbreitung der Musik, Berlin 1784
DDR Bds

1785

Johann Friedrich Reichardt, Georg Friedrich Händel's Jugend, Berlin 1785 (Neudruck: Leipzig 1977)
DDR Bds

1786

Johann Friedrich Agricola, Beleuchtung der Frage von dem Vorzuge der Melodie vor der Harmonie, in: Magazin der Musik, hrsg. von Carl Friedrich Cramer, Bd. 2, Hamburg 1786, S. 809—829 (Neudruck: Hildesheim 1971)
DDR LEm

[Friedrich Wilhelm Marpurg], Legende einiger Musikheiligen. Ein Nachtrag zu den musikalischen Almanachen und Taschenbüchern jetziger Zeit, von Simeon Metaphrastes, dem jüngern, Breslau 1786 (Neudruck: Leipzig 1977)
DDR Bds

Johann Carl Friedrich Rellstab, Versuch über die Vereinigung der musikalischen und oratorischen Declamation, hauptsächlich für Musiker und Componisten mit erläuternden Beyspielen, Berlin 1786
DDR Bds

Johann Abraham Peter Schulz, Entwurf einer neuen und leichtverständlichen Musiktabulatur, Berlin 1786
DDR Bds

1787

Johann Heinrich Lambert, Sur le son des corps élastiques, in: Nova Acta Helvetica, Bd. 1, Basel 1787, S. 42–75
DDR Bds

Johann Friedrich Reichardt, An das musikalische Publicum seine französischen Opern Tamerlan und Panthée betreffend, Hamburg 1787
DDR Bds

1788

[kein Nachweis von Musikschrifttum]

1789

Christian Kalkbrenner, Theorie der Tonkunst, Berlin 1789
DDR Bds

Johann Carl Friedrich Rellstab, Ueber die Bemerkungen eines Reisenden die Berlinischen Kirchenmusiken, Concerte, Oper und Königliche Kammermusik betreffend, Berlin 1789
DDR Bds

1790

Abel Burja, Beschreibung eines musikalischen Zeitmessers, Berlin 1790
DDR Bds

Friedrich Wilhelm Marpurg, Neue Methode allerley Arten von Temperaturen dem Claviere aufs bequemste mitzutheilen, Berlin 1790 (Neudruck: Hildesheim 1970)
DDR Bds

Johann Carl Friedrich Rellstab, Anleitung für Clavierspieler,

den Gebrauch der Bachschen Fingersetzung, die Manieren und den Vortrag betreffend, Berlin 1790
DDR Bds

1791

Musikalisches Kunstmagazin, hrsg. von Johann Friedrich Reichardt, Teil 2, 5. bis 8. Stück, Berlin 1791 (Neudruck: Hildesheim 1969)
DDR Bds
[enthält u. a.:]

[Johann Friedrich Reichardt], Wichtigkeit ächter Musikanstalten, S. 54

[Johann Friedrich Reichardt], Anekdoten von Friedrich dem Grossen, S. 40

Gotthold Ephraim Lessing, Nachrichten von der ehemaligen Hamburger Oper, S. 85–86

Immanuel Kant, [Auszüge aus der Kritik der Urteilskraft], S. 87–89

Johann Friedrich Reichardt, Geist des musikalischen Kunstmagazins, Berlin 1791
DDR Dlb

Musikalisches Wochenblatt auf das Jahr 1791, hrsg. von Johann Friedrich Reichardt und Friedrich Ludwig Aemilius Kunzen, 1. bis 24. Stück, Berlin 1791
DDR Buh
[enthält u. a.:]

[(...), Aus einem Brief aus Paris], S. 23

* Honoré Gabriel Victor Riqueti, Comte de Mirabeau, [Aus einer Rede über die Nationalerziehung], S. 25
[(...), Über eine Aufführung von Mozarts „Don Giovanni" im Berliner Nationaltheater], S. 30–31

* Fischerlied aus Klopstock's Hermans Tod. Mit Musik von F. L. A. Kunzen, S. 32

Johann Gottlieb Carl Spazier, [Über die Aufführung einer Sinfonie von Haydn], S. 79

* Johann Gottlieb Carl Spazier, Über Menuetten in Sinfonien, S. 91–92

* [(...), Nachricht über Mozarts Tod], S. 94

* Honoré Gabriel Victor Riqueti, Comte de Mirabeau, Über den Werth der schönen Künste, S. 102

Charles Burney, Pergolesi, S. 113–115

* Honoré Gabriel Victor Riqueti, Comte de Mirabeau, [Über die Funktion der Musik], S. 134

1792

Christian Kalkbrenner, Kurzer Abriß der Geschichte der Tonkunst, zum Vergnügen der Liebhaber der Musik, Berlin 1792
DDR Bds

Musikalische Monathsschrift für das Jahr 1791, hrsg. von Johann Friedrich Reichardt und Friedrich Ludwig Aemilius Kunzen, 1. bis 6. Stück, Berlin 1792
DDR Buh
[enthält u. a.:]

* [...], Stärke des Königl. Preussischen Orchesters im Jahre 1791, S. 19–21

[Rezension:] Allgemeine Geschichte der Musik, von Johann Nicolaus Forkel [...] Leipz. im Schwikertschen Verlage. 1788, S. 43–46

[...], Etwas über musikalische Poesie, S. 61–65

* Johann Friedrich Reichardt, Berichtigungen und Zusätze, zum Gerberschen Lexicon der Tonkünstler u.s.w., S. 65–77.

Johann Friedrich Reichardt, Vertraute Briefe über Frankreich auf einer Reise im Jahr 1792 geschrieben, Teil 1, Berlin 1792 (Neudruck: Berlin 1980)
DDR LEm

Johann Friedrich Reichardt, Vertraute Briefe über Frankreich auf einer Reise im Jahr 1792 geschrieben, Teil 2, Berlin 1792 (Neudruck: Berlin 1980)
DDR LEm

Wilhelm Ferdinand Rong, Versuch einer Elementar-Lehre für die Jugend am Clavier, in Frage und Antwort aufgelöst, mit Tabellen, Potsdam 1793
F Pc – GB Lbm

Studien für Tonkünstler und Musikfreunde. Eine historisch-kritische Zeitschrift mit neun und dreissig Musikstücken von verschiedenen Meistern fürs Jahr 1792, hrsg. von Johann Friedrich Reichardt und Friedrich Ludwig Aemilius Kunzen, Berlin 1793 (Zusammenfassung der Zeitschriften „Musikalisches Wochenblatt auf das Jahr 1791“ und „Musikalische Monathsschrift für das Jahr 1791“) (Neudruck: Hildesheim 1979)
DDR Buh

Berlinische Musikalische Zeitung historischen und kritischen Inhalts, hrsg. von Johann Gottlieb Carl Spazier, 1. bis 50. Stück, Berlin 1793
DDR Buh
[enthält u. a.:]

Christian Friedrich Daniel Schubart, Seltsame Charakteristik Sebastian Bachs, S. 17

[...], Das berühmte Stabat mater von Pergolesi und das noch unberühmte von Rodewald, S. 33–34

[...], Woher die abweichenden Geschmacksurtheile?, S. 45

[...], Ueber Künstler und Dilettanten, S. 57–58

[...], Mozart auf dem Operntheater in Paris, S. 77

[...], Ist musikalische Kritik überhaupt nöthig, und was nützt sie?, S. 93–95

[...], Etwas über den Charakter der Tonstücke und vorzüglich über die Bewegung, S. 117–119

Carl Friedrich Zelter, Etwas zur Vertheidigung Kirnbergers, S. 129–131

Christian Friedrich Daniel Schubart, Einige Urtheile und Winke über Musik, S. 141

* [...], Ueber Modekomponisten, S. 148

[Friedrich Wilhelm Marpurg], Ueber die Verziehung eines Tonfusses in dem Pergolesischen Stabat mater, S. 157–159

[Johann Friedrich Reichardt], Winke und Regeln für Anführer der Musik in Concerten, S. 161–162

1794

Berlinische Musikalische Zeitung historischen und kritischen Inhalts, hrsg. von Johann Gottlieb Carl Spazier, 51. bis 52. Stück, Berlin 1794
DDR Buh

1795

Johann Friedrich Reichardt, Etwas über Musik, in: Berlinisches Archiv der Zeit und ihres Geschmacks, hrsg. von Friedrich Ludwig Wilhelm Meyer, Bd. 1, Berlin 1795, S. 75–78
DDR HAu

Johann Friedrich Reichardt, Wanderungen und Träumereien im Gebiete der Tonkunst. Tischgespräch über Kirchenmusik, in: Berlinisches Archiv der Zeit und ihres Geschmacks, hrsg. von Friedrich Ludwig Wilhelm Meyer, Bd. 1, Berlin 1795, S. 355–365
DDR HAu

* [Johann Gottlieb Carl Spazier], Etwas über Gluckische Musik, und die Oper Iphigenia in Tauris auf dem Berlinischen Nationaltheater, Berlin 1795
DDR Bds

* Carl Bernhard Wessely, Gluck und Mozart, in: Berlinisches Archiv der Zeit und ihres Geschmacks, hrsg. von Fried-

rich Ludwig Wilhelm Meyer, Bd. 1, Berlin 1795, S. 435–440
DDR HAu

1796

Musikalischer Almanach, hrsg. von Johann Friedrich Reichardt, Berlin 1796
DDR Dlb
[enthält u. a.:]

> [Johann Friedrich Reichardt], Neue deutsche Lieder, kritisch angezeigt
>
> [Johann Friedrich Reichardt], Verzeichnis der vorzüglichen Komponisten, Virtuosen, Instrumentenmacher udgl.
>
> [Johann Friedrich Reichardt], Ein Vorschlag, ein Verzeichnis der berühmtesten Tonkünstler des letzten Jahrhunderts zu entwerfen

* [Carl Friedrich Zelter], Ueber die Aufführung der Gluckschen Oper Alceste, auf dem Königlichen Operntheater zu Berlin von 1796, in: Deutschland, hrsg. von Johann Friedrich Reichardt, Bd. 2, Berlin 1796, S. 267–293
DDR Bds

* […], Über das große Mozartsche Theaterkonzert im Berlinischen Opernhause, in: Deutschland, hrsg. von Johann Friedrich Reichardt, Bd. 2, Berlin 1796, S. 363–368
DDR Bds

1797

Johann Friedrich Reichardt, Ueber Hildegard von Hohenthal, in: Lyceum der schönen Künste, hrsg. von Friedrich Schlegel und Johann Friedrich Reichardt, Bd. 1, 1. Teil, Berlin 1797, S. 169–196
DDR Dlb

Johann Friedrich Reichardt, Karl Fasch, in: Lyceum der schönen Künste, hrsg. von Friedrich Schlegel und Johann Friedrich Reichardt, Bd. 1, 2. Teil, Berlin 1797, S. 129–132
DDR Dlb

Johann Friedrich Reichardt, An die Freunde der edlen Musik, in: Lyceum der schönen Künste, hrsg. von Friedrich Schlegel und Johann Friedrich Reichardt, Bd. 1, 2. Teil, Berlin 1797, S. 187–192
DDR Dlb

Wilhelm Heinrich Wackenroder, Herzensergießungen eines kunstliebenden Klosterbruders, Berlin 1797 (Neudruck: Leipzig 1981)
DDR Dlb
[enthält u. a.:]
Das merkwürdige musikalische Leben des Tonkünstlers Joseph Berglinger, S. 228–275

Carl Friedrich Zelter, Ausstellung einer Szene aus dem musikalischen Drama Romeo und Julie von Georg Benda, in: Lyceum der schönen Künste, hrsg. von Friedrich Schlegel und Johann Friedrich Reichardt, Bd. 1, 1. Teil, Berlin 1797, S. 132–144
DDR Dlb

1798

[kein Nachweis von Musikschrifttum]

1799

* Ludwig Tieck/Wilhelm Heinrich Wackenroder, Phantasien über die Kunst, für Freunde der Kunst, Hamburg 1799 (Neudruck: Leipzig 1975)
DDR LEm

Dokumente

1. Der Critische Musicus an der Spree, hrsg. von Friedrich Wilhelm Marpurg, 1. bis 44. Stück. Berlin 1749 (Neudruck: Hildesheim 1970) [enthält u. a.:]

1.1. *[Friedrich Wilhelm Marpurg, Plädoyer für die deutsche und französische Musik]*[1]

Das Vorurtheil ist doch allmählich bey uns verschwunden, als ob die schöne Musick nur in Welschland zu Hause sey. Die Ehrfurcht gegen die erlauchten Namen in *ini* und *elli* verlieret sich, und die ehemals mit den schamhaften Mittelstimmen beschäftigten Deutschen haben sich bis zum ersten Platz in dem Orchestre der Fürsten erhoben. Man giebt den Prahlereyen der Ausländer nicht weiter Gehör, und unsere Copisten, die sonsten so bemüht waren, die öfters windigen Hirngespinste eines nichts denckenden Italiäners durch die saubersten Abschriften fortzupflantzen, streiten itzo miteinander um die Wette, die Wercke ihrer Landsleute bekandt zu machen.
Vordem wurde vielleicht kein Stück eines besondern Beyfalls gewürdigt, wofern es nicht aus dem Kiel eines Neapolitaners geflossen war; ja, unsere Componisten waren so demüthig, daß sie, um ihren Symphonien einiges Ansehen zu verschaffen, sich der schmeichelhaften Empfehlungsworte: *nach italiänischem Geschmack,* in den Aufschriften zu bedienen pflegten. Sie bedürfen dieses Hülfsmittels anitzo nicht mehr, und würde man bey den heutigen aufgeheiterten Zeiten wohl schwerlich seine Sachen damit an den Mann bringen, woferne die Güte der Arbeit nicht selbst von der Stärcke des Meisters ein Zeugniß ablegte.
Wir folgen hierinnen den Frantzosen nach. Man untersuchet nicht bey ihnen, ob dieses oder jenes Allegro nach dem italiänischen, sondern ob es in dem guten Geschmack geschrieben ist. Ein unvergleichlicher Leclair oder Mondonville, diese in der Kunst, die Hertzen zu rühren, so erfahrnen Meister, würden gerne die Ehre einem andern überlassen, wenn man

ihnen die Beynamen der Frantzösischen Veracini oder Paganelli gäbe; und ein Calviere oder Daquin würde nur drüber lachen, wenn man die ihnen eigene glückliche Art, die Orgel zu schlagen, die Scarlattische betiteln wollte. [...] Ja, da es gewiß ist, daß die neuern Italiäner gar ofte auszuschweiffen, und sich von den Vorschriften der Natur zu entfernen pflegen, die Frantzosen hingegen weit eifrigere und glücklichere Beobachter derselben sind: so pflegen diese letztern vielmehr einen flatterhaften, und eine seichte Harmonie zum Grunde habenden Gesang, einen italiänischen Gesang zu nennen.
Indem ich dieses sage, so gerathe man nicht auf die Meinung, daß ich ein Feind von dem Ruhme einer Nation sey, welche würcklich Leute erzeuget, die sich durch ausnehmenswürdige Verdienste um die Thonkunst unsterblich gemacht. [...] Ich billige alles, was wahrhaftig schön ist, wenn es auch aus dem Lande der Zobelfänger herstammet. Daß ich aber nicht bekennen sollte, daß die meisten Italiäner das wahre verlassen, daß sie ihrer Einbildung zuviele Freyheit erlauben, daß sie sich gar zu oft vergessen, und ein dunckles Nichts schreiben, daß sie nach einem prächtigen und erhabenen Ausdruck durch einen jähen Fall ins matte und kriechende gerathen, daß sie sich immer wiederholen, und wenn sie einen artigen Einfall erschnapfet, denselben in allen Verwechselungen der Thöne bis zum Eckel gebrauchen, daß sie dasjenige, was sie gedacht, selten durch ordentliche Ziefern[2] auszudrücken wissen, und folglich den Grund ihrer eigenen Harmonie nicht kennen, daß endlich ihre meiste Compositionen unmethodisch und nachläßig aussehen; dieses wird man von mir nicht fordern.
Ich halte dafür, daß, so sehr die Eigenliebe die Welschen bishero verblendet hat, sie nunmehr den Söhnen unsers Vaterlandes Recht wiederfahren lassen müssen. Ich glaube nicht, daß sie die ungelenckigen Notenwürger, womit dasselbe vielleicht ehedessen angefüllet gewesen, einen Violinzwitschrer, einen Flötenheuler, und andere dergleichen Instrumentenhencker für unsere Virtuosen halten sollten. Ich kan mir nicht einbilden, daß sie die Clavierpaucker, die weiter nichts als eine schnarrende Murki[3], einen knasternden Bärentantz, oder etwan eine lahme Bierarie mit einem trommelnden Baße zu radebrechen, gewohnt sind, mit den feurigen Clavizinisten unsers Landes verwechseln werden. Die Wercke des un-

schätzbaren Händels, eines Mannes, der in den Schulen unsrer Nachkommen ein Vorbild der wahren und unverfälschten Harmonie werden wird, sind ja längstens an dem Ufer der Tyber bekandt, und die gelehrten Bachen, bey denen die tiefste Einsicht in die verstecktesten Geheimniße der Musick sich durch Erbgangsrecht fortzupflantzen scheinet, und welche durch ihre sinnreichen Thöne das ausgearbeiteste Ohr mit Vernunft zu überraschen, allein berechtigt sind, haben die Welt ja längst überführt, daß das kunstreiche auch disseits der Gebürge hervorzukeimen wisse. Wenn ich [...] auch des durch die lebhaften Einfälle einer flüchtigen Cantate das Ohr noch immer belustigenden, in seinen Quattuors aber unvergleichlichen Telemanns nicht gedencke, und die Vorzüge eines unsterblichen Haßens, eines Mannes, dem die Musen selbst ihre Gedancken mitzutheilen scheinen, verschweige: sollten uns wohl die eifersüchtigen Welschen nicht schon längstens die Graunen, diese durch den feinsten Geschmack, durch die anmuthigsten Wendungen des Gesanges, durch einen unerschöpflichen Witz, und durch die reichste Harmonie ein zartes Gefühl bezaubernden Meister der Kunst, misgegönnet haben? Was soll ich von einem sich nur selber ähnlichen, und durch die schmeichelnden Thöne seiner Flöte die frostigsten Sinnen unvermerkt überschleichenden Quantzen sagen, dessen vollkommne Ausarbeitungen längst den Ausländern zum Muster der Nachahmung dienen, und wie sehr bemühen sich nicht diese, der Meisterstücke der durch die männlichen Züge ihres lieblichen Bogens die Scheelsucht selber fesselnden Benda, habhaft zu werden? [...]
Bey einer so großen Anzahl vortreflicher deutschen Musicorum, dürfte nur die deutsche Sprache durchgängig den Singespielen gewidmet seyn. [...] Denn, daß der Thon unsers Landes nicht so geschickt zur Musick seyn sollte, als etwann der italiänische oder frantzösische, und daß die Schuld an unserer Muttersprache läge, wenn hin und wieder Misgeburten zum Vorschein kommen: dieses habe ich mir noch nicht einreden lassen. Man schreibe nur natürlich und singbar, ohne gemein und trocken zu werden; angenehm, ohne läppisch; männlich, ohne frech zu seyn; ausdrückend, ohne Zwang, und künstlich, ohne auszuschweiffen. Man höre einmahl auf, zu lärmen, und bestrebe sich etwas mehr der Zärtlichkeit, und suche nicht das Ohr zu übertäuben, sondern zu

kützeln, und nicht sowohl das Ohr zu kützeln, als die Neigungen zu lenken; [...] man betrachte die überflüßigen Zierrathen, als ein Ueberbleibsel des Gothischen Geschmacks[4]; man lasse nicht die Stimmen arpeggiren, und schaffe die ungeheuren Sprünge ab, bey deren Anhörung sich mancher einbilden mögte, als ob er sich in einer cabriolirenden Seiltäntzerbude befände; man bediene sich der chromatischen Gänge nicht zur Unzeit, und benehme einem unmusicalischen Sänger die Gelegenheit, seine falsche Cadentzen so oft anzubringen, und den Sinn der Worte durch seinen ungleichen mekkernden Triller alle Augenblicke zu unterbrechen; man suche endlich vor allen Dingen, die wahre Art und Eigenschaft der deutschen Sprache zu treffen: ich bin versichert, daß die Vorurtheile wider die Unfüglichkeit derselben von sich selbst wegfallen werden.

Mich deucht, daß es einem tüchtigen Componisten nicht sogar schwer fallen sollte, alles dieses in Obacht zu nehmen. Es lieget an nichts, als daß er von einer hohen Hand hiezu angereitzet werde. Denn es ist wohl nicht zu vermuthen, daß, so lange man einer fremden Sprache den Vorzug giebt, die Meister der Kunst aber mehr auf das nöthige, als nützliche zu dencken haben, an der Einrichtung einer deutschen Singeschule gearbeitet werden wird. Es würde bey Veränderung dieser Vorfälle keine Theurung an geschickten Sängern bey uns seyn. Sie würden durch ihre abgeschmackte und unförmliche Auf- und Ablauffung der Intervallen nicht mehr den Gesang zu verstellen suchen, und nichts mehr, als dasjenige, was der Componist zu Papier gebracht, und zwar alles rein und manierlich abzusingen, sich bestreben. Man würde mercken, daß es auf kein rauhes Geschrey ankömmt, und die unbeugsamen Bierkählen, die ieden Thon zu rücken, und mit einem gewaltsamen aus einer fetten Gurgel sich herauswältzenden Hahehihohu zu begleiten pflegen, würden in die Dorfschencken zur Ergötzung der Kirmeßfreunde verwiesen werden.

[S. 1-4]

Die Erfahrung lehret, daß, sobald man in einem Lande den Werth einer Kunst oder Wissenschaft überhaupt einzusehen, angefangen: die Theile derselben auch nach und nach zur Vollkommenheit gediehen sind. Wie hoch schätzen wir aber nicht die Musick bey uns, und wie wenige finden sich unter den artigen, und durch einen feinen Geschmack sich besonders unterscheidenden Personen, die nicht wöchentlich ein paarmahl die L'ombretische mit einem Musickpulte vertauschen, und einem wohlklingenden Concerte Gehör geben sollten. Es giebt ja unter den liebenswürdigen Freunden der Flöte, oder der Violine, die reitzendesten Exempel einer gantz besondern Stärcke, und dürften manche mit einem Virtuosen um den Vorrang streiten. In Ansehung unsers schönen Geschlechts aber haben die zum Schertz geneigten Pariserinnen durchaus Unrecht, daß sie glauben, man wiese dasselbe zu weiter nichts an, als wie es eine Küchenschürtze um den Leib binden, und wie man etwann eine Kraftsuppe kochen müsse. Die häußlichen Angelegenheiten verhindern dasselbe im geringsten nicht, einen Geschmack an der Musick zu finden, und die Mütter sehen die gründliche Erlernung derselben als einen wesentlichen Theil einer anständigen Erziehung an. [...] [S.5]

2. [Johann Friedrich Agricola], Schreiben eines reisenden Liebhabers der Musik von der Tyber, an den critischen Musikus an der Spree, Berlin, 11. März 1749

Mein Herr,

Sie haben in dem ersten Stück Ihres herausgegebenen Wochen-Blattes, *denenjenigen Federn die sich die Mühe nehmen dürfften Ihnen etwan einige muntere Anmerkungen über lächerliche* mit der Musik sich beschäfftigende *Personen, schrifftlich mitzutheilen,* versprochen, dieselben in Ihren Blättern auf dem Schauplatz zu bringen.

Ich gebe also dieser Einladung Gehör, und nehme mir die Freyheit, hierdurch an Ihnen selbst den Anfang zu machen. Doch sind meine Anmerkungen weder wieder Ihre Person, noch wieder Ihre Arbeit überhaupt abgefasset, sondern ich will Ihnen nur meine Gedanken über einige Stellen Ihres ersten Bogens mittheilen, und zu weiterer Prüfung überlassen. [...] [S.1]

Ich habe alle Bücher die von der Geschichte der Tonkunst

handeln mit genauer Sorgfalt durchgelesen; habe aber noch in keinem gefunden, daß iemahls weder in Deutschland noch in Italien, *das Vorurtheil,* über dessen *Verschwindung* Sie jauchzen, bey vernünftigen Leuten geherrschet habe, als ob *die schöne Musik nur in Welschland zu Hause sey.* Ich könnte Ihnen aus des Lotti eigenen Worten das Gegentheil beweisen. Hat denn niemahls kein Christoph Bernhard in Italien seine Messen mit besondern Beyfall aufgeführet? Hat niemahls kein Stradel mit seinem Oratorio[5] in Rom so gar die Mörder beweget? Hat denn niemahls kein Rosenmüller mit seinen Kirchenstücken, die *Scheelsucht* derer Welschen so gar bis zu seiner eigenen Lebens-Gefahr sich zugezogen? Ist nicht Fux selbst, durch die Vorsprache eines Italiäners zu seinem ansehnlichen Amte gelanget? Wie ist denn Händels, *Alimira*[6] aufgenommen worden.
Haben denn aber auch die Deutschen in denen vorigen Zeiten, selbst nicht die Verdienste ihrer eigenen Lands-Leute zu schätzen gewust? Sind es denn jederzeit nur Deutsche gewesen die sich *mit denen schamhafften Mittelstimmen*[7] beschäfftiget haben? Welchen *Platz* haben denn Biber, Strunk, Vogler, Hebenstreit, in denen *Orchestern derer Fürsten* behauptet? Froberger, Kerl, Weckmann, Krieger, waren gewiß die letzten unter der Musik ihrer Patronen? Wer kann denn davor, wenn Sie, mein Herr, vielleicht ehedem, und zwar selbst unter denen Deutschen nur immer *die Bratsche haben spielen müssen?* [S. 2]

Meine Landsleute lassen sich es gar gerne gefallen, wenn an statt derer Nahmen: in *ini* und in *elli* inskünfftige auch welche in *ix* und in *utsch* denen musikalischen Stücken den Werth ertheilen sollten, wofern anders bey Ihnen, iemahls ein kluger Mensch, die Güte der Arbeit nach denen Endigungs-Buchstaben des Nahmens des Verfassers beurtheilet hat.
Wenn ist denn die Zeit gewesen, da man denen *Kielen der Neapolitaner* das Vorrecht eingeräumet hat, allein gute Compositionen hervor zu bringen? Corelli, Vivaldi, Albinoni, Marcello, Gasparini, etc. waren keine Neapolitaner.
Nur neulich aber noch hat ein Deutscher nach dem allerneuesten und reinesten italiänischen Gusto in sangbaren Sätzen, Clavier-Stücke an das Licht treten lassen.[8] Mit was vor Recht

können Sie also mein Herr, über ihre heutigen aufgeheiterten Zeiten so stark Triumph schreyen?
Würde Ihr *unvergleichlicher Leclair, dieser in der Kunst die Herzen zu rühren, so erfahrne Meister, die Ehre einem andern überlassen ein Französischer Verracini zu heissen;* so wird ein Zuccari sich gewiß auch nicht darum schlagen, um *der welsche Leclair* genennet zu werden. Leclair hat doch denen Welschen nicht wenig abgeborget, und nur mit einem kürzern Strich und Bogen abgespielet. Hingegen würde es Ihnen schwer fallen in Zuccaris Violin-Sonaten so viel Französisches zu finden.
Haben die Franzosen das Recht, *einen flatterhafften Gesang einen italiänischen zu nennen,* so hätten meine Landsleute gewiß eben so wenig Unrecht, wenn sie einen altväterischen, abgetroschenen, schon 10mahl gehörten, der Natur öffters bis zur niederträchtigen Einfalt nachäffenden Gesang, einen Französischen zu betiteln Lust hätten.
Ich bekenne, ohne daß man es von mir verlanget, daß die meisten Französischen Setzer, so lange sie nicht die Ausländer ausschreiben, *ihrer Einbildung in der Musik allzuwenig Freyheit erlauben,* dem Lully aber gar zu sclavisch folgen, *sich gar zu selten vergessen,* sondern heute bey nahe eben dasselbe wieder setzen, was sie vor dem Jahre gesetzt, oder was ihre Groß-Väter schon vor langer Zeit gesetzt haben: und daß es ihnen sehr leicht vorkommen muß, ihre meistentheils sehr gemeinen Gedanken durch ihre *eigensinnigen Ziffern*[9] auszudrucken, weil sie sich immer nur in denen gewöhnlichsten Gängen herum drehen. [S. 3—4]

Sie thun recht mein Herr daß sie *alles billigen was wahrhaftig schön ist.* Allein in diesem Stück thun Sie nichts besonders, sondern eben dasselbe, was alle vernünfftige Leute in allen Ländern und zu allen Zeiten schon lange vor Ihnen gethan haben. Die Welschen machen es nicht anders, wenn sie sich bemühen, wie Sie selbst schreiben, der *Meisterstücke* grosser Künstler *habhafft zu werden,* und ihren *Ausarbeitungen nachzuahmen.*
Daß es grossen Componisten nicht gelingen sollte, in allen Sprachen *Meisterstücke der Singkunst* zu machen, hat noch niemand geläugnet. Dieselben haben es schon längst gezeiget. Und daß der *Ton Ihres Landes,* mein Herr, eben *so ge-*

schickt zur Musik sey als *der Ton des meinigen,* daran hat noch kein Mensch gezweiffelt. Die Werckzeuge der menschlichen Kehle, welche den Ton bereiten, sind ja in einem Lande wie in dem andern. Allein ob *Ton und Sprache einerley,* und ob die *Worte Ihrer Muttersprache* zum *guten Singen eben so bequem* seyn als die *Worte der italiänischen* und *lateinischen,* solches liegt Ihnen zu erweisen ob. Ich will Ihnen ein Mittel darzu vorschlagen. Uebersetzen sie zum Exempel folgende Arie:

Gemo in un punto, e fremo:
Fosco mi sembra il giorno:
O' cento larve intorno:
O' mille furie in sen.

Con la sanguinea face
M'arde Megera il petto:
M'empie ogni vena Aletto
Del freddo suo velen.[10]

auf das genaueste, nach dem Sinn ihres berühmten Verfassers, in deutsche Verse, und setzen sie nach allen von Ihnen selbst vorgeschriebenen Regeln in Musik, doch so, daß weder der Nachdruck der Worte, noch die Bequemlichkeit und Schönheit der Stimme, noch *das nicht zu übertäubende Ohr,* das geringste darunter leide, sondern daß sie eben die Würckung thue, als wenn ein grosser Meister die italiänischen Worte in Musik gebracht hätte; so werden sie zum wenigsten den Leuten Ihre Meynung desto leichter einreden können.
Sie schrencken die *Ausdehnung der Sylben,* und *die Wiederhohlung der Worte* mit einer gesetzgebermäßigen Strenge ein. Allein wenn nun in einer deutschen Arie zum Unglück keine andern Worte *von einem gewissen Umstand characterisiret* würden, als etwan: *pfeiffen, zischen, zwitschern, singen, brummen, knirschen, brüllen, murren, küssen , entzücket,* und dergleichen, wie wird denn da zu rathen seyn? Doch alsdenn *dehne* und *wiederhole man gar kein Wort, und bringe gar kein Lauffwerk an:* So werden die prächtigsten Arien, auch denen ungeschicktesten Frantzösischen Hälsen, wenn sie sich nur bemühen wollen, nach ihrer Gewohnheit, Parodien darauf

zu machen, bey einem Glaß Wein zu den artigsten Trinkliedern dienen können, und eine jede Deutsche Köchin wird sogleich die Arien der besten Sängerin aus der Oper nachzusingen im Stande seyn. Welche Freude!
Die Deutschen hätten bißher, sich vor eine besondere Ehre rechnen, und als einen Vorzug vor andern Nationen zueignen können, daß sie unter denen mancherley Sprachen, welche viele unter Ihnen zu erlernen sich die Mühe nehmen, diejenige zu ihrem Singen erwehlen, welche sie vor die bequemste dazu halten, und daß sogar gekrönte Häupter ihres Reichs im italiänischen so gut singen, als wenn sie zu Florentz gebohren und erzogen worden wären. In England, in Spanien, in Portugal, in Rußland, ja in Italien selbst, hätte man bey sogestalten Sachen, die Singspiele deutscher Componisten beständig ohne Hinderniß und Bedenken aufführen können. Allein der critische Musikus an der Spree mißgönnet seinen Landsleuten diese Ehre. Sie sollen *denen Franzosen nachfolgen,* welche keine andere Sprache vor schön halten als ihre eigene; [...]
Es lasse sich doch ja nicht ungefehr jemand den Zweiffel einfallen, als ob der Herr Kunstrichter keine andere als die deutsche Sprache verstünde. Nein, es geschiehet pur aus Liebe zu Seinem Vaterlande, daß er nur *deutsche Singspiele* hören will. Eben als ob eine Sprache in allen Stücken vollkommen seyn, und alle Vorzüge allein besitzen müste. Sobald er wird gezeiget haben wie man *die wahre Art und Eigenschafft, der deutschen Sprache treffen muß,* daß ist, wenn er wird *die Teutschen deutsch gelehret haben, werden die Vorurtheile wieder gedachte Sprache von sich selbst wegfallen.* Alsdenn wird auch das Wort *Clavizinist* Mode werden. [S. 4—7]

So viel ist mir nun, mein Herr, bey Durchlesung Ihres ersten Bogens eingefallen. Ich hätte Ihnen aber doch mehr Lebens-Art zugetrauet als Sie in der That bezeigen. Sie fangen an mit solchem Ungestüm wieder die Welschen loßzudonnern, und zwar zu einer Zeit, da die Bononienser Gottscheden und Hundertmarken in ihre gelehrte Gesellschafft aufgenommen haben, und da ich immer gehofft, daß die deutsche musikalische Gesellschafft[11] etwann auch einen Italiäner mit zu ihrem Mitgliede erwehlen würde; weil doch eine Höflichkeit die andere erfordert. Ich dächte auch es würde zum wenigsten einer zu finden gewesen seyn, der so gut *componirt* als *der vernünftige* Mitzler. Und Sie, mein Herr, würden es eben wohl nicht übel genommen haben, wenn man Ihnen eine *Einladung* mit *in die filarmonische Academie*[12] zu treten, zugeschickt hätte, weil doch Ihre hochtrabenden Ausdrücke die Leute bey nahe glauben machen, daß sie kein schlechter Componist seyn müssen. Allein, Sie sind der critische Musikus an der Spree, und dieser Nahme rechtfertiget Sie hinlänglich wegen alles dessen was Sie geschrieben haben. [S.7]

Wollen Sie die Irthümer verbessern, und die Thorheiten ausrotten, so können Sie an mir jederzeit einen getreuen Gehülffen finden. Und weil Sie begierig sind sich über die *haselierende Tonpfuscher* und *Phantasten* lustig zu machen, so würde ich auch auf meinen künfftigen Reisen, Ihnen mit Vergnügen darzu allen möglichen Beytrag zu thun suchen, wenn ich nicht mutmassete, daß Sie, mein Herr, allbereit der Rede so voll sind, daß fremde Gedanken wohl wenig Platz in Ihren Blättern werden finden können. Deswegen nehme ich auf immer von Ihnen Abschied, und empfehle mich Ihrer Freundschafft, als

Ihr ergebenster Diener
Flavio Anicio Olibrio.[13]

In *Berlin*, den 11. Merz 1749. [S.8]

3. Der Critische Musicus an der Spree, hrsg. von Friedrich Wilhelm Marpurg

3.1. *[Friedrich Wilhelm Marpurg, Entgegnung auf das Schreiben von Johann Friedrich Agricola]*

Schreiben eines reisenden Liebhabers der Musick von der Tyber, an den critischen Musicus an der Spree.
Man wird sich wundern, daß ich mir die Freyheit nehme, eine wider mich herausgekommene Schrift selber bekandt zu machen. Meine Ursach ist diese. Es hat der Herr Verfasser derselben, der gewiß in der gantzen Abhandlung zeigt, daß er zu leben weiß, und kein unhöflicher, murrischer und schmähsüchtiger Mensch ist, sich verbunden erachtet, mir seine *Einfälle*, wie er aus Bescheidenheit spricht, *gedruckt zu überliefern*, und mir folglich *die Druckerkosten zu ersparen.*

Eine Höfligkeit erfodert die andere. Ich mache seine Schrift dafür bekandt. Es ist billig, daß er das auf den Druck derselben verwendete Geld nicht nur wieder heraus bekomme, sondern, wo es sonsten mit rechten Dingen zugehet, noch wohl dazu einen Ducaten Ueberschuß zu einem Freudenschmause erhalte. Nur rathe ich ihm im Vertrauen, daß er eine Flasche von dem besten Champagner, wofern er sonst kein Erbfeind von den Frantzosen ist, dabey ausleere, um sein in Unordnung gebrachtes Geblüte wiederum in den gehörigen Gang zu bringen. Die Medici haben längst erwiesen, daß der Zorn den menschlichen Körper sehr anzugreiffen pfleget. Ich verbitte es würcklich beym Apollo, daß mein unschuldiges Wochenblatt dazu Gelegenheit gegeben. Solte der gute Flavio Anicio Olibrio mit seiner Schrift nicht mehr, als etwann ein kleiner Pudel mit seinem Kleffen ausrichten; solte er darüber in Schwermuth gerathen, und solten verständige und ohne Partheylichkeit urtheilende mitleidige Personen ihm vielleichte einen Platz in dem für gewisse Personen durch eine mildreiche Stiftung eines klugen Swifts zu Dublin bestimten Hause anweisen[14]: Himmel! was würde ich nicht zu verantworten haben? [...]
Sagen sie mir, Herr Olibrio, ohne böse zu werden, was hat Sie bewogen, so gleich vom Anfange Ihrer *Schrift,* Ihre Stärcke in einer gewissen Sprache, die sonsten die Creaturen bey den Plumpen und am Fischmarckte nur zu sprechen pflegen, zu verrathen? Konnten Sie Ihre *Einfälle* nicht ein wenig artiger einkleiden? Eine Critick wider mich kan Ihr Blatt unmöglich seyn. Sie entdecken durchgängig ein durch eine Art von Rachgier erregtes, ich will nicht sagen, niederträchtiges Hertz. Dies ist eines von den Hauptkennzeichen einer Schmähschrift. Ihre Schmähschrift aber gehet wider alle diejenigen Personen, die das gute billigen, und das verwerfliche verabscheuen. Sie greiffen nicht so wohl mich, als alle vernünftigen Liebhaber eines gereinigten Geschmackes an. Sie setzen der Wahrheit das Messer an die Gurgel und wollen die Thorheiten auch durch Ihren Kiel fortgepflantzet wissen. Konnten Sie aber alles dieses nicht behutsamer ins Werck richten? *Ich hätte Ihnen doch mehr Lebensart zugetrauet, als Sie in der That bezeigen.* Warum haben Sie eine Maske entlehnet, um mit mir zu sprechen? Denn daß Sie würcklich ein Italiäner seyn sollen: dieses suchen mir einige gute Freunde, in de-

ren Aufrichtigkeit ich nicht das mindeste Mistrauen setze, beständig aus dem Sinn zu reden. [...] [S. 25–26]

Sie wollen die Leute bereden, es habe weder in Deutschland, noch Italien, jemahls das Vorurtheil geherrschet, als ob die schöne Musick nur Welschland zum Vaterlande habe. Mich deucht aber, daß Sie wohl darinnen ein wenig zu weit gehen. [...] Die geringsten Bänckgensänger, welche Italien, so wie die Murmelthiere, hecket, blasen sich ja wie angefeuchtete Erdschwämme auf; und kommen wir gar auf würckliche Virtuosen, wie unleidlich ist ihr Stoltz nicht ihren eigenen Freunden? Verachten sie nicht alle andere gegen sich, und, wenn man sich mit ihnen über die Geschicklichkeit der Ausländer einläßt, suchen sie da nicht jedermann zu bereden, daß man sie, die Welschen, nur allein, mit Ausschliessung aller andern Nationen, für die Bewohner des Musenberges betrachten müsse? Itzo pflantzet ein jeder Meister seine Art zu gedencken und zu urtheilen auch auf seinen Lehrling fort. Die Sprache des Stoltzes wird allgemein, und wer für keinen Ketzer in der Musick angesehen werden will, darf sich nicht unterstehen, eine andere Meinung zu hegen. Da haben Sie, mein Herr, den Ursprung der Vorurtheile der Italiäner wider die Fremden. [...] Solte aber die so grosse Anzahl der welschen Meister, die zu einer Zeit, wo so wenig als ietzt in Deutschland ein Mangel an geschickten Leuten war, insbesondere im vergangnen Jahrhundert, und zum Anfang des itzigen, unterschiednen Deutschen Capellen vorgestanden, nicht ein Zeugniß ohne Ausnahme von dem damahligen tiefen Vorurtheile der Deutschen für die Italiäner abgeben können? Ich will Ihnen nur allhier den Liberati, Marini, Farinelli, Bontempi, Battista Pinelli, Antonio Scandelli, Torri, Prioli, Bertaldi, Pistocchi, und unter den gantz neuern, den Venturini nennen. Ich könnte noch einige Kammerorganisten, als den Giovanni Valentini, Capellini, und andere mehr, hinzufügen. *Allein, mein Herr, Sie sind einmahl der Rede so voll, daß fremde Gedancken wohl wenig Platz bey Ihnen finden können.* Indessen werden Sie doch gerne zugeben, daß, so lange die Welschen am Regiment in einer Capelle gewesen, die Deutschen ohne Zweifel nachstehen müssen. Und da ist es denn wohl nicht anders gewesen, als daß die Deutschen die *Bratsche*, von der Sie, mein Herr, etwas verächtlich zu reden scheinen, spielen musten. Warum aber wollen Sie hier denen Leuten, die sich mit diesem Instrument beschäftigen, zu Leibe? Hat man in einem wohlbestellten Orchestre nicht sowohl der Bratsche, als einer ersten Violine vonnöthen! [...] Wo Sie aber es erfahren, daß ich die Bratsche spiele, weiß ich nicht. Haben Sie es durch cabbalistische Künste herausgebracht? Oder haben Sie diesen Einfall bey einem Gläßchen Lebenswasser erschnappet? Lernen Sie doch, mein Herr, die Leute besser kennen, um zum wenigsten keine handgreifliche Unwahrheiten in den Tag hineinzuschreiben. [...] [S. 29–31]

3.2. *[(...), Schreiben an den Verfasser des Critischen Musicus an der Spree]*

Hochzuehrender Herr Criticus,
Es war im geringsten nicht nöthig, daß sie eine so weitläuftige Vertheidigung ihres ersten Stücks übernahmen. Kein verständiger konnte jemahls die Schrift ihres unbefugten Gegners billigen. Sie zeiget nichts mehr, als daß es, trotz der gesunden Vernunft, noch alle Tage Leute giebt, welche Stoltz und Eigenliebe verhindert, die Schwäche ihrer Fittiche zu erkennen, und die, da ihre Kräfte nicht zureichen, etwas eigenes der Welt vor Augen zulegen, zu weiter nichts fähig sind, als die Bemühungen ihrer Mitbürger anzugräntzen. [...] Man hat mir gesagt, daß er kein unebner Poete ist, und noch dazu in zehn bis zwölf Sprachen. Er kann mit seiner poetischen Gelehrsamkeit gar grossen Nutzen unter unsern Herren Cantoribus in der Provintz stiften. Es haben diese insgemein die gar löbliche Gewohnheit, die theatralischen Stücke in geistliche Jahrgänge zu verwandeln, und habe ich, mit nicht geringer Erbauung, vor einiger Zeit an einem gewissen Orte, ein lustiges Operettgen an einem Adventssonntage zur Communion aufführen gehöret. Diesen ehrlichen Leuten solte der Herr Olibrio mit seiner poetischen Feder zu Hülfe kommen. Er solte geistliche Texte unter die vielen *Opernarien* legen, die er sein *Tage* gesehen, und ohne Zweifel mit eigner *welschen Hand* abgeschrieben. Das würde ihm Ehre machen, und auch Nutzen bringen. [...] Ich wünsche nichts heftiger, als daß derjenige Kunstschnitt, womit die Welschen ihren Sängern die Stimme zu erhalten pflegen, sich auch beym Haupte anwenden liesse. Es könnte derselbe un-

serm Herrn Olibrio sehr wohl statten kommen. Er würde alsdenn für einen Welschen nach einem neuern und reinern Gusto passiren können. Ich bin mit vieler Hochachtung

Dero ergebner
Wahrmund.

den 29. Martii 1749 [S. 33–34]

3.3. *[Friedrich Wilhelm Marpurg, Fortsetzung der Entgegnung auf das Schreiben von Johann Friedrich Agricola]*

Mein Briefsteller scheinet etwas hitzig zu seyn. Ich bin ihm zwar verbunden, daß er meine Partey nimt. Aber das Bild meines Gegners hätte er nicht sollen mir so frey unter die Augen setzen. Es ist mir nur um die Sache, nicht aber um die Person zu thun. So viel ist gewiß, daß ich mich wohl inskünftige nicht mehr entschliessen mögte, Schriften nach *Olibrischem Geschmack* zu beantworten. [...] [S. 34]

Sie meynen, mein Herr Olibrio, daß niemahls in Deutschland so viele Opern gemacht sind, als seit *zwantzig Jahren* geschehen ist. Nehmen Sie mir es nicht ungütig, Sie stellen sich entweder, als ob Sie ein gar kurtzes Gedächtniß haben, oder Sie müssen die *Geschichte der Thonkunst* nicht mit *so vieler Sorgfalt,* wie Sie doch zu schreiben belieben, *überlesen haben.* Hat denn ein Händel erst vor zwantzig Jahren angefangen, Opern zu verfertigen? Hat man nicht schon länger, als vor viertzig Jahren seine theatralischen Arbeiten bewundert? Es werden ja dem Herrn Olibrio die häuffigen Singespiele des vortreflichen Kaysers, der schon zum Ausgange des vorigen Jahrhunderts die Ehre der Deutschen gegen die Welschen gerettet, nicht unbekandt seyn. Ich übergehe allhier den *ernhaften* Fux, [...] den geübten Schürmann, und andere, die sich nicht erst vor zwantzig Jahren durch Sachen für die Singebühne hervorgethan. [...]
Es ist wahr, mein Herr Olibrio, daß Sie ungemein geschickt sind, einen Dolmetscher abzugeben. Ich habe gesagt, daß sich die Hochachtung für die Namen in *ini* und *elli* verliert. Welcher gescheute Mensch aber wird auf den ungesunden Einfall gerathen, man wolle damit sagen, daß die Endungssylben in ini und elli jemahls der Musick dem Werth erthei-

let? Nur ein Olibrio ist fähig, also zugedencken. Ein andrer siehet gar leichte, daß hiemit auf die Meister eines Landes gezielet sey, deren Namen insgemein auf solche, oder ähnliche Sylben auszugehen pflegen. Wie froh muß der gute Olibrio nicht gewesen seyn, da er die Sylben in *ix* und *utsch* erfunden, um sie den in *ini* und *elli* entgegenzusetzen. Auf diesen Fund, mein Herr Olibrio, gehörte ein Glaß Wein. Warum haben Sie diesen Endungssylben nicht noch die in *ola* hinzugefüget? Das Dreyblatt wäre vollkommen gewesen. Haben Sie es aus Bescheidenheit weggelassen? [S.36]

Die Beywörter, womit Sie, mein Herr, den frantzösischen Gesang beleget, haben ihre Geburt einer starcken Ueubereilung zu dancken. Sie werden ohne Zweifel auf einen sogenannten Pontneuf gezielet haben. Diesem rede ich nicht das Wort. Doch traue ich Ihnen so viele Unparteylichkeit zu, daß Sie zum wenigsten die Gassenlieder an der Tyber in eben den Rang setzen werden. Sprechen Sie aber von Wercken grosser frantzösischen Meister, von Wercken, die für Kenner ausgearbeitet sind, so glaube ich, daß eine Person, die sich mit der frantzösischen Musick bekandt gemacht, und bey der die sinnlichen Werckzeuge in gutem Stande sind, keinen so ungegründten Ausspruch thun könne. Die Ohren zu Paris schnappen gar zu sehr nach der Veränderung, als daß sie bey einem schon zehnmahl gehörten Gesange in die Hände klatschen solten. So wenig sich daselbst eine Schöne entschliessen würde, einen zur Zeit Carls des neunten erdachten Kopfputz zum Leibmuster zu erwehlen: so wenig dürfte einem Geschmackverständigen mit den staubigten Compositionen eines Orlandus Lassus gedienet seyn. Sollten denn die zur Veränderung der Moden von Natur so geneigten Frantzosen nur allein die Musick zu verbessern, vergessen haben, da die übrigen Künste und Wissenschaften durch ihre vortheilhafte Bemühungen in den grösten Flor gesetzet sind? [...] [S.49]

Der Eifer, der unter den Componisten an der Seine herrschet, rühret ohne Zweifel von der guten Unterscheidungskraft der Einwohner ihres Landes her. Sie wissen gar wohl, daß bevor z. E. ein Singespiel, ein Kirchenstück, eine Cantate, und dergleichen, einen allgemeinen Beyfall erhält, es eine genaue Durchmusterung so vieler hundert öfters ungebetnen Richter durchgehen muß. Je häuffiger die Anzahl der Kenner und Richter aber ist, desto vollkommnere Ausarbeitungen müssen an das Licht kommen, weil man sich leicht einbilden kann, daß da, wo man alles blindlingshin für ausnehmenswürdig und schön hält, die Künstler sich nicht eben grosse Mühe geben werden. Dieses ist ein Satz, der keines Beweises bedarf.

[...] Woher kommt es, daß man unter so vielen hundert unterschiednen Symphonien und Arien so gleich diejenigen, die einem unschätzbaren *Deutschen Amphion* zugehören, erkennet? Ohne Zweifel daher, weil er sich eine Schreibart gemacht, die andere nur vergebens nachzuahmen bemüht sind, da er allein aus seinem Witze schreibet, und nichts als Vollkommenheiten, die diesem ähnlich sind, hervorbringen kann. Auf diese Art hat ein preißwürdiger Rameau einen von allen neuern parisischen Opercomponisten, als dem Royer, Mion, Grenet, Niel, Rebel, und Francoeur, unterschiednen Styl, und würde es einem Kenner unmöglich fallen, nicht durchgängig seinen Geist, auch in den Stücken, die ihm nicht gelungen sind, zu spüren. So wenig das Publicum mit einigen Auftritten aus dem *Dardanus*[15] zu frieden gewesen, vielleicht weil zu viele Kunst darinnen war, und er den Sängern und Spielern zuviel zu schaffen machte, so verkennet man darinnen so wenig den sich immer ähnlichen Rameau als in *Hypolite und Aricie*[16], den *galanten Indianern*[17], und andern Singespielen. Wie bald würde man ihn aber verkennet haben, wenn er auch nur das geringste von einem welschen Kopfe hätte erborgen, und in seine Schriften hinein zwingen wollen. [...] Nun mögte ich aber gerne sehen, wo ein Rameau, der in einer Sprache componirt, die weit männlicher als die italiänische ist, sich des welschen Flittergoldes bedienet, und auf der parisischen Schaubühne etwas von der venetianischen erborgtes absingen lässet. Man findet seine Gedancken durchgängig ausdrückend, und der Sprache sowohl, als den darinn vorgetragenen Gedancken, gemäß. [...] [S. 51–52]

Nun nähert sich der Herr Olibrio allmählich seinem Hauptzwecke. Nachdem er vorher sein Misvergnügen darüber bezeugt, daß ich das Wort *Thon* in uneigentlichem Verstande für *Sprache* genommen: so verbannet er mit einmahl die deutsche Sprache aus dem Munde der Musen. Er giebt sich zwar nicht die Mühe zu beweisen, daß sie zum Singen unbequem sey. Man soll es ihm aber auf sein Wort glauben. Er bringet eine welsche Arie zum Vorschein, und wenn diese, meint er, dergestalt in deutsche Verse übersetzet werden kann, daß der Componist nichts dawider einzuwenden hat, und gleichwohl der Sinn des Verfassers aufs genaueste getroffen ist, so will er die deutsche Sprache noch so mit paßiren lassen. Aber, wie wenn nun ein deutscher Dichter die Gedancken dieser welschen Feder, ohne sich dem Zwang einer buchstäblichen Uebersetzung zu unterwerfen, auf eine andere ungezwungne Art ausdrückte, und zwar dergestalt, daß, wenn der Italiäner in deutscher Sprache gedacht und geschrieben hätte, er es eben so und nicht anders hätte thun können: würde dieses ein Nachtheil für die deutsche Sprache seyn? Setzen Sie z. E. daß man ohngefähr folgender massen spräche:

Ich fluche seufzend meiner Quaal;
Ich seh die Nacht am Tage.
Gespenster! häuft die Plage,
Die mich unendlich trift!
Megärens blutger Fackel Glut
Durchdringt mein Hertz voll Wuth.
Alecto füllt die Adern
Mit ihrem kalten Gift.[18]

würde da der Sinn des Urbildes einigermassen erreicht seyn? Doch, da es hier auf Uebersetzungen ankommen soll, so nehmen Sie sich doch die Zeit, mein Herr Olibrio, die folgende Operarie, die mir eben in die Hände geräth, und worinnen nichts gekünsteltes ist, in die Ihnen doch so geläuffige Tybersprache zu übersetzen:

Dem Gott der Liebe will ich weichen:
Auf! Myrthenkränze mir zu reichen,
Ich flehe dich, o schöne Hand!
Mit solchen Blättern werd ich prangen;
Kein Lorbeer soll mein Haar umfangen,
Der durch den Mars es ehmals band.

Da Capo.

Findet es sich alsdenn, daß der Sinn des Verfassers in der welschen Sprache durch nachdrücklichere Worte gegeben ist; so will ich sogleich mein bisheriges Vorurtheil ablegen, als ob die deutsche Sprache eben so geschickt zur musicalischen Dichtkunst sey, als die welsche. [...] Die Vorurtheile für eine fremde Sprache erweisen nicht die Unbequemlichkeit der deutschen. So lange wir uns in dieser nicht über Armuth an Wörtern beschwehren können, und so lange ein Dichter, der dieselbige in seiner Gewalt hat, einen Gedancken auf mehr als eine Art auszudrücken im Stande ist: so lange darf man nicht zweifeln, daß die deutsche Sprache eben so bequem zum guten Singen seyn solte, als die welsche, und so lange ist von der Seltenheit guter musicalischen Poesien auf die Unmöglichkeit besserer kein Schluß zu machen. Ein geschickter musicalischer Dichter wird die mit *i* und *u gepropften* unmusicalischen *Wörter,* da wo sie sich nicht schicken, mit andern in *a, e,* und *o* zu vertauschen, die *einsylbigen* sparsam anzubringen, und diejenigen Wörter, bey welchen, nach dem Vorgeben der Verächter der deutschen Sprache, die *Muskeln des Halses so angestrengt* seyn sollen, mit gelindern und fliessendern zu vertauschen wissen. Wer weiß aber nicht, daß viele an sich leichten Wörter nur in gewissen Hälsen rauh und hart werden? Und fliessen denn die welschen Wörter: *sguardare, sforzarsi, fregolare, smosciare,*[19] nebst vielen andern, so gar leichte aus dem Munde heraus?

[S. 52–54]

[...] [Die] unvernünftige Sylbendehnung und Wiederhohlung der Worte, (denn von der vernünftigen spreche ich nicht) ist vielen Opernfeinden beständig ein Stein des Anstosses mit gewesen. Da sie schon die Stimme durch die Begleitung so vieler Instrumente geschwächet sahen, und nichts als etwann die in einem Worte herrschenden Vocalen unterscheiden konnten, selten aber den Text zu vernehmen, im Stande waren, und sie gleichwohl keine dazu geschickten acustischen Werckzeuge bey der Hand hatten: so riß ihnen ohne Zweifel bey den unnöthigen Wiederhohlungen und Dehnungen die Gedult gäntzlich aus. Es scheinet aber, daß der Herr Olibrio die Verschwendung dieser Zierrathen aus diesem Grunde für schön hält, weil eine Arie dadurch etwas *schwerer* wird, und weil man, meint er, dieselbe nicht so leichtlich *parodiren,* und ausser dem ihr bestimmten Orte, nirgends singen wird. Was die Schwürigkeit des Gesanges betrift, so kan derselbe auch auf andere Art, als durch blosse Lauffwercke, und springende Manieren, schwer gemachet werden. Es ist aber die Frage, ob dasjenige, was schwer, und öfters durch die Kunst übertrieben ist, allezeit schön sey. Hieran haben vernünftige Leute jederzeit gezweifelt. Daß aber einige Nationen, insbesondere die Frantzosen die Gewohnheit haben, singbare Arien zu parodiren: dieses scheinet eben nicht so lächerlich zu seyn. Es ist ein Zeichen, daß eine Arie mit Beyfall aufgenommen seyn muß, wenn man dieselbe auch ausser dem ihr eignen Orte, zu hören, und durch einen andern der Musick ähnlichen Text bekandt zu machen suchet. Welcher gescheute Dichter wird sich den Kopf zerbrechen, einen dummen Gesang zu parodiren, und welche angenehme Freundinn der Thonkunst wird sich mit Absingung desselbigen eine Gesellschaft zu verbinden, glauben? Geben aber die Parodien erlesner Arien nicht ein Mittel ab, den guten Geschmack allgemein zu machen? Soll etwann ein Gesang dergestalt beschaffen seyn, daß keine Leute als Musici, daran Vergnügen haben? und sollen die übrigen artigen Leute, die die Geheimnisse der Musick nicht gäntzlich zu erschöpfen, Gelegenheit gehabt, keinen Theil daran nehmen? Sie verfahren, mein Herr, etwas hart gegen die Freunde der Musick. Sie wollen nur, daß die Virtuosen in Entzückung gerathen sollen. Daß man aber zu Paris aus Operarien Trinck- oder Küchenlieder macht, habe ich mein Tage nicht gehöret, es müste denn ein kauderwelscher Biercomponist solche Arien für die Singebühne gesetzet haben, welche die Kenner für untauglich halten, und die auf den Lippen eines vernünftigen Sängers so ungereimt klingen würden, als natürlich sie einem Bratenwender oder taumelnden Bachusfreunde seyn dürften.

[S.60–61]

So viel habe ich nun auf das Sendschreiben des Herrn Olibrio zu antworten für nöthig erachtet. Meine geneigten Leser rechnen es nicht sowohl mir, als der verwegnen Feder eines unbesonnenen Gegners zu, daß viele andre Materien, die man während dieser Zeit hätte abhandeln können, diesem Streite Platz machen müssen. Man müste mehr als stoisch gesinnet seyn, woferne man nicht bey dem Bisse eines Lästerzahnes etwas aufschreyen, und alles mit einer gleichgültigen Mine verschmerzten wollte. So viel ist gewiß, daß ich meines

Wissens keine Gelegenheit zu diesem Federkriege gegeben. Hat der Hr. Olibrio einige Stellen aus meinem ersten Blatte auf sich gedeutet, so ist es meine Schuld nicht. Es könen mehrere, als einer; die Flecken ihrer Stirne in einem Spiegel sehen. Ich kenne den Herrn Olibrio so wenig als den Kettenhund des Barrabas. Nimt er sich der elenden Thonpfuscher an, wider welche man alle Tage eine neue Critick erdencken sollte: so verräth er sich ja auf eine niederträchtige Weise selbst, und zeiget, zu welcher Classe er gehöret. Ich werde in meinen Blättern die vortreflichen Musicos, davon ich bereits unterschiedene genennet, beständig zu erheben, die musicalischen Großsprecher und Lärmblaser aber bey aller Gelegenheit zu demüthigen suchen. [...] [S. 64]

4. [Johann Friedrich Agricola], Schreiben an Herrn*** in welchem Flavio Anicio Olibrio, sein Schreiben an den critischen Musikus an der Spree vertheidiget, und auf dessen Wiederlegung antwortet, Berlin, 6. Juli 1749

Mein Herr,
Ich weiß, daß Sie mein Schreiben an den Herrn critischen Musikus, an der Spree, gelesen haben: und ich hoffe, daß Ihnen seine Beantwortung desselben nicht unbekannt seyn wird. Die Art, mit welcher er sich verantwortet hat; wie sein Herz und sein Geblüte beschaffen seyn muß; und ob er nicht selbst diejenige Rachgier zeiget, der er mich beschuldigen will; dieses alles überlasse ich den Freunden der Vernunfft, der Wahrheit, und der Tugend, zu beurtheilen. Ich befinde vor nöthig, mein Blat, wegen einiger Stellen, gegen ihn zu vertheidigen. [...] [S. 3]

[...] Die französischen Opern-Componisten sind eingeschränckt, wegen der Ungeschicklichkeit, und der unbiegsamen Hälse, der meisten von ihren Sängern. Sie sind eingeschränckt, wegen ihrer Liebhaber der Musik, welche, ohne sich Mühe zu geben, gleich alle Arien nachsingen wollen, und welche nicht gern weitläuftige Stücke hören. Die Componisten müssen sich folglich, wenn sie nicht, wie Herr Rameau in einigen Auftritten aus dem *Dardanus*[20], mißfallen wollen, bemühen, in möglichster Kürtze und Einfalt zu schreiben. Sie können sich derer Figuren, derer Auszierungen, derer Wendungen der Melodie nicht bedienen, welche, ausser Franckreich, andere Componisten, die fertigere Sänger und gedultigere Zuhörer haben, anwenden. Sie müssen viel Gänge vermeiden, welche im singen etwas schwer zu treffen sind. Ist es also wohl möglich, daß sie sich, bey diesen Einschränckungen ihrer Gedancken, nicht endlich erschöpfen, und wieder auf das vorige gerathen sollten? Ist es wohl möglich, daß sie, bey Melodien, welche nothwendiger Weise, bey ihnen so leicht gemacht werden müssen, nicht öffters, in das gemeine und trokene zu verfallen, genöthiget würden? Je weniger die harmonischen Sätze, durch musikalische Figuren ausgezieret werden, ie weniger Ausweichungen in fremde Töne darinne anzubringen erlaubt ist, ie mehr sehen die Melodien einander gleich.

Der Herr Kunstrichter fragt mich: *Was verstehen sie aber durch einen, der Natur biß zur niederträchtigen Einfalt nachahmenden Gesang?* Ich hatte geschrieben: *nachäffenden Gesang.* Wer siehet nicht hieraus meines Gegners Kunst, die Worte nach seinem Gefallen zu verdrehen? Durch das Wort *nachäffen,* verstund ich, in meinem ersten Schreiben, die leeren Klangspiele, welche die Franzosen offt auf gewissen Wörtern, sie mögen sich schicken oder nicht, anbringen. Ich verstund auch weiter, die, in ihren characterisirten Clavierstükken[21], offt angestellte Nachahmung gewisser Dinge, welche zwar an sich selbst natürlich sind, doch aber, wenn mann sie mit dem Clavier vorstellen will, der Musik unanständig zu seyn scheinen, z. e. wenn einer die Henne, die Lahme, das Stichelwort, die kleine Närrin, die Zigeunerin, durch Clavierstücke ausdrücken will. Ob dergleichen Ausdrücke unter die natürlichen Schönheiten der Musik gehören, überlasse ich dem Herrn Kunstrichter zu behaupten. [...] Im übrigen kenne ich die Schönheiten, welche eine natürliche Leichtigkeit, und *edle* Einfalt der Melodie an sich hat, viel zu gut, und bin von ihren Würkungen allzuwohl überzeuget, als daß ich sie iemahls hätte tadeln wollen. Ob aber der Herr Criticus den Vorwurff eines gemeinen und trockenen Gesangs, in welchen auch die grösten französischen Componisten, öffter als die Ausländer zu fallen scheinen, von ihnen wird ablehnen können, daran zweifle ich. [S. 16–17]

Ich setze demselben [„Castor et Pollux"[22] von Jean-Philippe Rameau] hierauf noch ein Clavier-Werck an die Seite, welches mit einem Freyheitsbrief, in saubern Stich, in Paris an das Licht getreten ist. Es sind *die Sviten von Mr. Marpourg*[23]. Den Anfang darinne machen *les Avantüriers*[24], zwey Zirckelstücke[25]. Ich begreiffe nicht, worinne hier die Eigenschafften eines Avantürier ausgedrückt sind. Man findet nichts gewagtes, keine seltsame Vorfälle. Die Gedancken sind sehr gemein. Wenn ein jedes Zirckelstück einen besondern Avantürier vorstellen soll, so haben sie beyde gleiches Schicksal: denn die Musik bestehet in dem einen wie in dem andern aus Triolen, aus sehr bekannten Gängen, aus allzuöfftern Versetzungen und Wiederholungen. Im zweyten Couplet des zweyten Rondeau ist gegen das Ende, ein Fehler wider das Metrum eingeschlichen: indem daselbst ein Tact zu wenig ist.

[S.23]

Auf der neunten Seite erblicken wir *le Coucou*[26]. Dieses Stück scheint mir mehr in sich zu enthalten, als sein Titel anzeigt. Weil noch niemahls ein Guckuck eine Baßstimme gehabt hat, so scheint es zugleich jemanden vorzustellen, der dem Guckuck mit der Baßstimme nachäffet. Sowohl der Guckuck, als sein Nachahmer, sind, so viel es sich mit dem Clavier thun läßt, gantz natürlich vorgestellt. Allein, mein Herr, kommt Ihnen dieses nicht als ein, der Natur, biß zur niederträchtigen Einfalt, nachäffender Gesang vor? [...]

[S.24]

Herr Marpourg ist in diesem gantzen Wercke, sehr offt in den Fehler gefallen, welchen der Herr Kunstrichter an den Welschen tadelt, nemlich, wenn er auf einen, seinem Bedüncken nach, artigen Einfall gerathen ist, so gebraucht er denselben in allen, auch offt nicht den geschicktesten Verwechselungen der Töne, nicht selten bis zum Ekel. Ich wünsche im übrigen, daß dieses Werck nicht etwan einem *unbarmhertzigen* Kunstrichter in die Hände fallen möge. Denn sonst würde der gute Herr Marpourg gewiß noch derbe *Streiche* mit der *critischen Ruthe* zu erwarten haben. *Er würde alsdenn sehen, daß es außer den vielen Gattungen von Albernheiten, auch mehr als eine Art dieselben auszumertzen giebet.*

[S.26–27]

[...] Die Ursachen, warum bißher die italiänische Sprache, zum singen, und der dazu gewidmeten Composition beqvemer zu seyn geschienen hat, sind nach meinem Begriff folgende:

1) Die Leichtigkeit ihrer Aussprache. Die meisten Wörter endigen sich mit einem Selbstlauter, und also stossen nicht offt so viele zum singen unbeqveme Mitlauter zusammen.
2) Die Menge der zum singen beqvemen hellen Selbstlauter; so wie überhaupt, also auch besonders in den Zeitwörtern und ihren Abwandlungen, welche am meisten vorkommen. Z. E. ihr einfaches Futurum drückt sich allezeit durch ein einziges Wort aus, und hat in allen Personen eine zum singen sehr beqveme Endung. [...]
3) Die Wenigkeit der Doppellauter, von denen die meisten zum singen beqvem sind. Die zum singen unbeqvemsten Doppellauter der deutschen Sprache, als öe, ui, eu, haben die Welschen gar nicht. [...]
4) Die Freyheit in der Zusammenziehung mehrer Sylben, über einer Note.
5) Die Kürtze ihrer Ausdrücke, bey welchen der Componist mit mehrerer Beqvemlichkeit, wiederholen, aufhalten, die Worte umkehren, und einen völligen Wortverstand in einen beqvemen und ungezwungenen melodischen Abschnitt bringen kan.

Ich führe hierbey noch Herrn Matthesons Worte, aus dem ersten Bande der musikalischen Critik, S.93.[27] an: „daß sich die deutsche Sprache sonst nur mittelmäßig, die italiänische aber, nechst der lateinischen, am besten zur Musik schicke, ist denen eine ausgemachte Sache, die es in ihrer Composition, mit beyden fleißig versucht haben". [...]

[S.29–30]

Was haben aber endlich die Deutschen vor Schaden davon, wenn sie nun auch fortfahren, ihre Singspiele in welscher Sprache abzufassen. Ist denn dadurch die deutsche Sprache von allen dramatischen Wercken, ist sie aus der Kirche verbannet? Wie vielen Deutschen ist nicht die welsche Sprache bekannt? Haben nicht schon einige ihrer Dichter in dieser Sprache Singgedichte geliefert? Dienen nicht die grösten deutschen Componisten selbst den Ausländern zu Mustern? Haben sie nicht selbst aniezo den grösten und meisten Beyfall in Welschland? Hat nicht Deutschland schon Sänger und Sängerinnen hervor gebracht, die sich in Absingung welscher Arien, nach welscher Art, an Geschicklichkeit und Fertigkeit, besonders hervor gethan haben? Ist ihre Anzahl nicht groß: so wird doch dadurch das Vermögen der Deutschen bewiesen. Gereicht es den Deutschen nicht zur Ehre, wenn ihre Singspiele in so vielen Ländern zum allgemeinen Gebrauch dienen können; da die in deutscher Sprache abgefaßten, nur in den Gränzen ihres Reichs eingeschlossen bleiben müsten? Werden nicht noch mehrere dadurch aufgemuntert die welsche Sprache zu erlernen: und ist es den Deutschen nachtheilig, wenn sie die Sprachen aller ihrer Nachbarn verstehen?

[S.34]

Hier sehen Sie nun mein Herr, was ich, auf die Wiederlegung, mit welcher der Herr Critische Musikus an der Spree mein ihm überreichtes Blat beehret hat, zu antworten vor gut befunden habe. [...] Ich habe die Ehre den Herrn Kunstrichter zu versichern, daß ich inskünftige wegen seiner Blätter gantz gleichgültig seyn werde. Er kan schimpfen oder loben wie er will. Ich gebe das, was ich zu behaupten gesucht habe, nicht vor richterliche Machtsprüche aus. Ich werde mir ein Vergnügen daraus machen, wenn irgend ein Liebhaber der Wahrheit und eines gereinigten Geschmacks, mich eines bessern belehren will. Sollten aber meine Gedancken in einem und dem andern Stück, von vernünftigen und unpartheyischen Männern gebilliget werden: so werde ich den Zorn des Herrn critischen Musikus an der Spree, mir vielmehr vor eine Ehre halten.
[...] Ich empfehle mich Ihrer fernen Gewogenheit, und bin,

Meines Herrn gehorsamer Diener

den 6. Julius 1749 *Flavio Anicio Olibrio* [S.50–51]

5. Der Critische Musicus an der Spree, hrsg. von Friedrich Wilhelm Marpurg

5.1. *[Friedrich Wilhelm Marpurg, Aufklärung und Musik]*

Mein Herr,
Sollten sie sich wohl einbilden, daß es bey den itzigen so aufgeheiterten Zeiten noch hin und wieder solche lächerliche

Pedanten in der gelehrten Republick gäbe, die die Thonkunst hassen können. Der angenehmste Thon machet sie unlustig, und würden sie mit mehrerm Vergnügen dem Geschrey eines Waldesels, als den lieblichsten Klängen einer Flöte zuhören. Bey dem Anblick eines Musickpults ziehet sich ihre Stirne in Falten, und ihnen den Namen einer die Ohren bezaubernden Sängerinn nennen, heisset sie aufs empfindlichste aufziehen. Bey einem blinden Folger eines verjährten Bonzen in Japonien würde solches Verfahren unter dem Titel eines übertriebnen Eifers, oder eines bey kranckem Gemüthe aus Andacht gefaßten Entschlusses entschuldigt werden. Wenn aber ein Mensch, ein sogenannter Gelehrter, in einem Lande, wo Vernunft, Geschmack, Artigkeit und Lebensart herrschen, der Musick Hohn spricht, so kann hieran wohl nichts anders, als eine mit grobem Stoltz und Eigensinn verbundne finstre Unwissenheit Schuld seyn. Eingenommen und aufgeblähet von derjenigen Wissenschaft, wozu er sich bekennet, siehet dieser Mensch alle übrigen Künste und Theile der Gelehrsamkeit, denen er sich nicht gewidmet, mit mitleydigen Augen an. Die Republick müste aus lauter Leuten, wie er, bestehen. Ein phantastischer Artzt wird glauben, daß sich der Körper eines Staats, wie der sieche Leib eines armen Sünders regieren lässet, und daß man folglich in einem Lande nichts als Apothecker und Bader vonnöthen hat. Ein junger Rabulist siehet alle diejenigen für unnütze Creaturen an, die nicht, wie er, mit Actionen, Exceptionen, Delegationen, Usucapionen, Citationen, Stipulationen und Transactionen ihren Discurs verbrämen können. Ein schmutziger Ergoist, dem man das *Barbara* und *Ferio* aus den Augen lesen kann, wolte wiederum alle Kanzeln und Gerichtsstuben in einen plumpen von Häcceitäten, Quidditäten, Identitäten, und allerhand dergleichen Brechen erregenden Raritäten schwirrenden Catheder verwandelt wissen. Es ist kein Wunder, wenn sich ein Gelehrter von dieser Sorte auch auf Kosten der Musick etwas zu gute thut. Er weiß es wohl, daß zwischen einem Musicus und einem Liebhaber der Musick ein Unterscheid sey, und daß nicht alle diejenigen, die sich der Musick ergeben, Lust und Fähigkeit haben, einstens eine Capelle zu regieren. Es ist ihm nur nicht gelegen, daß diejenigen, die er zu seinen Füssen zu sitzen hat, in einer Kunst, worinn er unerfahren ist, ein Vergnügen finden. Unter dem scheinbaren Vorwand, daß man durch die Erlernung eines Instruments von den Studien abgehalten werde, findet er das leichteste Mittel, zu seinem Zweck zu gelangen. Er behauptet mit Händen und Füssen, daß man sich nicht zu gleicher Zeit mit den Wissenschaften bekannt machen, und die Lehre vom Tact erlernen könne. Er hält es für unmöglich, daß man einstens mit dem Doctorhütgen zugleich die Weisheit überkommen könne, woferne man nicht der Thonkunst gute Nacht saget. [...] Danck sey den Musen, daß die gelehrte Republick solchen unleidlichen hypochondrischen Seelen, die der Musick feind seyn können, noch nie das Oberrichteramt über die Handlungen ihrer Bürger anvertrauet hat, und die übrige artige Welt dürfte sich wohl noch weniger bequemen, die Aussprüche solcher mürrischen Vernunftinvaliden gelten zu lassen. Man wird wohl nichts destoweniger fortfahren, in einer wohlaufgeputzten Stube einen schönen und wohlklingenden Flügel für einen eben so nöthigen Zierat anzusehen, als eine das traurige Bild des harten Winters, oder die verfallnen Mauern eines alten Raubschlosses etwann bezeichnende Schilderey. *Philaleth* wird nicht aufhören, in eben demjenigen Cabinet, wo er seine Raupen und Schmetterlinge verschliesset, seine Sammlung von Opern zu häuffen, und neben seinem grossen Sehrohre wird man allezeit Bassons und Flöten finden. Der noch immer wider die Opern mit dem Gottsched und Muratori eingenommne, und längst von einem Uffenbach, Hudemann, Mizler und Scheiben widerlegte Comicus wird noch beständig bey einer Graunischen Arie ausser sich seyn. In dem Bücherschrancke des Poeten wird man Hallers Gedichte und Quantzens Duetten neben einander finden. Ich rede ihnen hier, mein Herr, von Personen, die ich kenne, und für deren Bemühungen ich Bürge bin. Es haben diese Personen etwas mehr gelernet, als einem alten Weibe nach mathematischer Methode ein Clystier beyzubringen. Sie würden es auf alle Weise mit dem rauhen Strobilus, dem Anfeinder der artigen Musen, aufnehmen. Nichts destoweniger lieben und verehren sie die Musick, und ihr Exempel verdienet, andern ein Sporn der Nachahmung zu seyn. Es ist ja längst ausgemacht, daß eine lange in unverrückter Folge fortgesetzte Reihe ernsthafter Betrachtungen die Kräfte des Gemüthes niederschläget. Ist denn unter denjenigen sinnlichen Belustigungen, wodurch man die ermüdeten Geister wiederum zurechte bringen kann, wohl nicht die Thonkunst die edelste? Dienet ferner die Musick nicht mit zum Bande des gesellschaftlichen Lebens? Man vereinet seine Stimmen, man vereinet seine Instrumenten, man schöpfet aus der Vereinigung der Thöne das reineste und erlaubteste Vergnügen. Ist es denn anständiger, ein staubigter Pultgelehrter zu seyn, und von nichts anders als den verdorrten Mumien Egyptens zu reden, als von den perlenden Thönen einer feurigen *Astroe* ein gescheutes Urtheil fällen zu können? Kann man denn nicht die Rolle eines vernünftigen Gelehrten und einer Person von Geschmack verbinden? Die Welt beweist es ja mit tausend Exempeln. Haben sie doch die Gutheit, mein Herr, den Anschnautzern der edlen Thonkunst die Wahrheit zu sagen, und solchen zotlichten Viertelphilosophen vernünftigere Begriffe von einer Kunst beyzubringen, von deren seltnem Werthe dieses das gröste Zeugniß ist, daß sie der gröste Held seiner Zeit seines Schutzes würdig schätzet. Ich bin

Dero ergebenster
Tonlieb.[28] [S. 173–175]

5.2. *[Friedrich Wilhelm Marpurg], Fortsetzung der Gedancken über den musicalischen Vortrag.*

Man weiß, wie geschwinde alles in den Leidenschaften abwechselt, da sie selbst nichts als Bewegung und Unruhe sind. Aller Ausdruck in der Music hat entweder einen Affect oder doch eine Empfindung zum Grunde. Ein Philosoph, der was erkläret und demonstriret, sucht dem Verstande Licht zu geben, und Deutlichkeit und Ordnung darein zu bringen. Der Redner, der Poet, der Musicus suchen mehr zu erhitzen, als zu erheitern. Dort sind verbrennliche Materien, die entweder blos leuchten, oder doch nur eine gemäßigte anhaltende Wärme geben. Hier sind nichts als abgezogene Geister solcher Materien, die feineste davon, welches tausend der schönsten Flammen, aber allemal in der grösten Geschwindigkeit, und manchmal mit grosser Heftigkeit von sich giebt. Ein Tonkünstler muß also wechsels weise hundert verschiedene Rollen spielen; er muß tausend Charactere annehmen, nachdem die Componisten solches haben wollen. Zu welchen uns sonst ganz ungewöhnlichen Unternehmungen können uns die Leidenschaften nicht bringen? Und wer so glücklich ist, es sey auch in was es wolle, diejenige Begeisterung zu fühlen, welche Poeten, Redner, Mahler, zu grossen Leuten macht, der wird wissen, wie so gar geschwind und verschieden unsere Seele würcket, wenn sie sich bloß den Empfindungen überlässet. Ein Musicus muß also die gröste Empfindlichkeit und die glücklichste Errathungskraft haben, wenn er jedes ihm vorgelegtes Stück recht executiren soll. Man begreifet ohne mein Erinnern, daß ich hier nicht vom Notentreffen und Tacthalten rede. Das ist nur die musicalische Fiebel, ob dieselbe gleich selbst bey unserm so grossen musicalischen Reichthume eben nicht durchgehends allen Musicis so gar geläufig ist; ob man daher gleich manchen Tonverständigen schon sehr schätzen muß, weil er doch darinn beschlagen ist; und obgleich daher manche dieser guten Leute glauben, alle Pflichten ihrer Kunst zu erfüllen, wenn sie diese nur nicht schuldig bleiben. Nein, das ist nur der untere Grad der Vollkommenheit eines practischen Musici. Jene Empfindung, (ja es ist mehr, es muß alles empfunden werden, ehe und wenigstens zu gleicher Zeit, wenn es gespielet wird, es ist eine beglückte stillschweigende innere Vorhersehung, wie jedes Stück gehen soll; denn das beygesetzte Allegro, Spiritoso, etc. zeigen nur im Groben die Beschaffenheit des Ausdrucks an,) jene Empfindung macht, daß man die musicalischen Stücke recht executiren kann. [...] [S.215–216]

[...]Schöne zärtliche Thöne machen die Music allein nicht schön, sondern sie müssen auch zu rechter Zeit angebracht werden. Am unrechten Orte verursachen sie nichts als Verwirrung, verhindern die Verständlichkeit und die Zuhörer, weil sie in dergleichen Thöne nicht so sterblich verliebt sind, wie die Spieler, so bald ihre Empfindung nicht mehr verstehet, was gespielet wird, werden der Music überdrüßig, dencken was anders, oder gehen davon. Unser Herr Bach spielete vor einiger Zeit einem meiner guten Freunde die sechste aus dem zweyten Theil seiner herausgegebenen Sonaten[29] vor. Dieser Freund gestund mir, daß er sonst das Unglück habe meistentheils zerstreuet zu werden, ehe ein Stück zu Ende käme; bey diesem aber habe er seinen Plan wahrgenommen, und eine Ausführung desselben, die ihn in beständigem Feuer und in unverrückter Aufmercksamkeit erhalten. Dieser gute Freund ist ein blosser Liebhaber der Music, und er hat die Sprache der Töne ohne hinzu gekommene Worte verstanden. Es ist also gar nicht willkührlich ein Stück so bunt oder so zärtlich etc. zu spielen, wie man nur will. Jedes Stück will seine besondere Art haben. Vielleicht ist das Temperament unserer Nation auch Schuld, daß wir manchmal zu sehr ins zärtliche, paßionirte, melancholische fallen. Den Franzosen gehet daher unsere Musik nie lustig genug, und man kann doch ihren Geschmack zur frölich machenden Musik nicht gantz verwerfen, da die Music ja von der Heiterkeit des Gemüthes, und von der Freude gebohren, und uns von dem Himmel hauptsächlich dazu gegeben worden. Bey den meisten unserer aufgeweckten Stücke werden die Franzosen zwar von viel Bewegung, aber nicht von rechter Freudigkeit eingenommen. Man sage was man will von der französischen Music; eine natürliche, ungezwungene, nicht weithergesuchte, leichte Melodie, auch nur eines französischen Liedgens, kann niemand verwerfen, wenn sie gut und nach der ihr gehörigen Art heraus gebracht wird. [...] In allen Arten der Music, in der Musicken aller Nationen giebt es schlechtes Zeug und auch wieder etwas schönes. Dieß ist der Ausspruch des alten Bachs in Leipzig, der gewiß in der Music gelten kan. Spielen nicht Quantz, Benda, Graun sehr französisch? [...] [S. 217–218]

6. Johann Joachim Quantz, Versuch einer Anweisung die Flöte traversiere zu spielen; mit verschiedenen, zur Beförderung des guten Geschmackes in der praktischen Musik dienlichen Anmerkungen begleitet, und mit Exempeln erläutert, Berlin 1752[30] (Neudruck der 3. Auflage, Brreslau 1789: Kassel/Basel 1968)

[...]

Einleitung.
Von den Eigenschaften, die von einem, der sich der Musik widmen will, erfordert werden.

1. §.

Ehe ich noch meine Anweisung die Flöte zu spielen, und bey dieser Gelegenheit zugleich ein guter Musikus zu werden, anfange; finde ich für nöthig, denen, die die Musik zu studiren, und durch dieselbe nützliche Mitglieder des gemeinen Wesens zu werden gedenken, zu Gefallen, eine Anleitung zu geben, nach welcher sie sich untersuchen können, ob sie auch mit allen, einem rechtschaffenen Musikus nöthigen Eigenschaften begabet sind: damit sie sich, in der Wahl dieser Lebensart nicht irren; und, wenn dieselbe übel getroffen worden, Schaden und Schande zu befürchten haben mögen.

[...]

3. §.

Die Wahl der Lebensart, und der Entschluß, diese oder jene, und folglich auch die Musik zu ergreifen, muß mit großer Behutsamkeit angestellt werden. Die wenigsten Menschen haben das Glück derjenigen Wissenschaft oder Profeßion gewidmet zu werden, wozu sie von Natur am allermeisten aufgeleget sind. Oefters rühret dieses Uebel aus Mangel der Erkenntniß, von Seiten der Eltern oder Vorgesetzten, her. Diese zwingen nicht selten die Jugend zu dem, woran sie, die Vorgesetzten, selbst nur einen Gefallen haben; oder sie glauben diese oder jene Wissenschaft oder Profeßion bringe mehr Ehre, oder größere Vortheile, als eine andere; oder sie verlangen, daß die Kinder eben dasjenige erlernen sollen, wovon die Eltern Werk machen; und zwingen sie also eine Sache zu ergreifen, wozu sie, die Kinder, weder Lust noch Geschicke haben. Man darf sich also nicht wundern, wenn die außerordentlichen Gelehrten, und die besonders hervorragenden Künstler so rar sind. Gäbe man aber auf die Neigung junger Leute fleißig Achtung; suchte man zu erforschen, womit sie sich aus eignem Antriebe am allermeisten zu beschäftigen pflegen; ließe man ihnen die Freyheit, selbst zu wählen, wozu sie die größte Lust zeigen: so würden sowohl mehr nützliche, als glückliche Leute in der Welt gefunden werden. Denn daß mancher sogenannter Gelehrter, oder Künstler, sich kaum zu einem gemeinen Handwerker geschicket hätte: mancher Handwerker hingegen, ein Gelehrter, oder geschickter Künstler hätte werden können, wenn anders bey beyden die rechte Wahl getroffen worden wäre; bedarf wohl keines Beweises. [...]

4. §.

Das erste was zu einem, der ein guter Musikus werden will, erfordert wird, ist: ein besonders gutes Talent, oder Naturgaben. Wer sich auf die Composition legen will, muß einen muntern und feurigen Geist, der mit einer zärtlichen Empfindung der Seele verknüpft ist; eine gute Vermischung der sogenannten Temperamente, in welchen nicht zu viel Melancholie ist; viel Einbildungs-Erfindungs-Beurtheilungs- und Entscheidungskraft; ein gut Gedächtniß; ein gutes und zartes Gehör; ein scharfes und fertiges Gesicht; und einen gelehrigen, alles bald und leicht fassenden Kopf, besitzen. Wer sich auf ein Instrument legen will, muß außer vielen von obengemeldeten Gemüthskräften, auch nach eines jeden Instruments Eigenschaft, noch mit unterschiedenen Leibesgaben ausgerüstet seyn. Zum Exempel: ein Blasinstrument, und insonderheit die Flöte, erfordert einen vollkommen gesunden Körper; eine offne starke Brust; einen langen Athem; gleiche Zähne, die weder zu lang noch zu kurz sind; nicht aufgeworfene und dicke, sondern dünne, glatte und feine Lippen, die weder zu viel noch zu wenig Fleisch haben, und den Mund ohne Zwang zuschließen können; eine geläufige und geschickte Zunge; wohlgestalte Finger, die weder zu lang, noch zu kurz, noch zu dickfleischig, noch zu spitzig, sondern die mit starken Nerven versehen sind: und eine offene Nase, um den Athem sowohl leicht zu schöpfen, als von sich zu geben. [...]

[...]

8. §.

Wer in der Musik vortrefflich werden will, muß ferner eine unermüdete unaufhörliche Lust, Liebe, und Begierde, weder Fleiß noch Mühe zu ersparen, und alle, bey dieser Lebensart vorkommenden Beschwerlichkeiten, standhaft zu ertragen, bey sich empfinden. Die Musik giebt selten solche Vortheile, als andere Wissenschaften geben: und sollte es auch noch einigen dabey glücken, so ist doch solches Glück mehrentheils der Unbeständigkeit unterworfen. Die Veränderung des Geschmacks, das Abnehmen der Kräfte des Leibes, die verfliegende Jugend, der Verlust eines Liebhabers, von welchem das Glück vieler Musikverständigen abhänget, sind alle vermögend, den Wachsthum der Musik zu verhindern. Die Erfahrung bestätiget dieses zur Gnüge; wenn man nur etwas über ein halbes Jahrhundert zurückdenket. Wie viele Veränderungen sind nicht in Deutschland in Ansehung der Musik vorgefallen? An wie viel Höfen, in wie viel Städten ist nicht ehedem die Musik im Flor gewesen, so daß so gar daselbst eine gute Anzahl geschickter Leute erzogen worden; wo in gegenwärtigen Zeiten in diesem Punkte nichts als Unwissenheit herrschet. An den meisten Höfen, welche ehemals noch, theils mit sehr berühmten, theils mit ziemlich geschickten Leuten versehen gewesen, nimmt es itziger Zeit leider überhand, daß die ersten Stellen in der Musik, mit solchen Menschen besetzet werden, die in einer guten Musik kaum die letzten Plätze verdienten; mit Leuten, denen das Amt zwar bey Unwissenden, die sich durch den Titel blenden lassen, einiges Ansehen zu wege bringt; welche aber weder dem Amte Ehre machen, noch der Musik Vortheil schaffen, noch das Vergnügen derer, von denen ihr Glück abhängt, befördern. [...] Jedoch, an einigen Orten hat die Musik schon angefangen wieder empor zu kommen. Sie hat daselbst schon wieder ihre hohen Kenner, Beschützer, und Beförderer erhalten. Ihre Ehre fängt schon an, durch diejenigen aufgeklärten Weltweisen, welche sie den schönen Wissenschaften wieder zuzählen, auch von dieser Seite hergestellet zu werden. Der Geschmack an diesen schönen Wissenschaften, wird in Deutschland absonderlich, immer mehr und mehr aufgeheitert und ausgebreitet. Wer was rechtschaffenes gelernet hat, findet allezeit sein Brod.

9. §.

Wer Talent und Lust zur Musik hat, muß um einen guten Meister in derselben bekümmert seyn. [...] Allein, wie viel giebt es denn derer, welchen man den Namen der Meister mit Rechte beylegen kann? Sind nicht die meisten wenn man sie genau betrachtet, in Ansehung der Wissenschaft, selbst noch Scholaren? [...] Wie aber ein Meister beschaffen seyn müsse, wenn er gute Scholaren ziehen soll, ist zwar schwer, ausführlich zu bestimmen; doch wird man es aus folgendem Verzeichnisse der Fehler, die er vermeiden muß, ohngefähr abnehmen können; und ein Anfänger thut wohl, wenn er sich bey unpartheyischen Leuten, die aber in die Musik Einsicht haben, deswegen Raths erholet. Ein Meister, der von der Harmonie nichts versteht, und nur ein bloßer Instrumentist ist; der seine Wissenschaft nicht gründlich, und durch richtige Grundsätze erlernt hat; der von dem Ansatze, der Fingerordnung, dem Athemholen und Zungenstoße, keinen richtigen Begriff hat: der weder die Paßagien im Allegro, noch die kleinen Auszierungen und Feinigkeiten im Adagio deutlich und rund zu spielen weis; der keinen annehmlichen und deutlichen Vortrag, und überhaupt keinen feinen Geschmack hat; der, um die Flöte rein zu spielen, von dem Verhältnisse der Töne keine Erkenntniß besitzet; der das Zeitmaaß nicht in der äußersten Strenge zu beobachten weis; der nicht die Einsicht hat, einen simpeln Gesang an einander hangend zu spielen, und die Vorschläge, *pincemes*[31], *battemens*[32], *flattemens*[33], *doublez*[34] und Triller an gehörigen Orten anzubringen; der bey einem Adagio, dessen Gesang trokken, das ist, ohne Auszierungen geschrieben ist, nicht, so wie es der Gesang und die Harmonie erfordert, die willkührlichen Manieren zuzusetzen, und nebst den Manieren, durch das abwechselnde forte und piano, Schatten und Licht zu unterhalten fähig ist; ein Meister, der nicht jede Sache, so dem Scholaren noch schwer zu begreifen fällt, deutlich und gründlich zu erklären im Stande ist: sondern demselben nur alles nach dem Gehöre, und durch das Nachahmen, wie man etwa einen Vogel abzurichten pfleget, beyzubringen suchet; ein Meister, der dem Lehrlinge schmeichelt, und alle Fehler übersieht; der nicht Gedult hat, dem Scholaren eine Sache öfters zu zeigen, und sie wiederholen zu lassen; der nicht solche Stücke, die sich von Zeit zu Zeit für des Untergebenen Fähigkeit schicken, zu wählen, und jedes Stück in seinem Geschmacke zu spielen weis; der die Scholaren aufzuhalten suchet; der nicht die Ehre dem Eigennutz, die Beschwerlichkeit der Bequemlichkeit, und den Dienst des Nächsten der Eifersucht und Misgunst vorzieht; überhaupt, der nicht das Wachsthum der Musik zu seinem Endzwecke hat; ein solcher Meister, sage ich, kann keine guten Scholaren ziehen. Findet man aber einen Meister, dessen Scholaren nicht nur reinlich und deutlich spielen, sondern auch im Zeitmaaße recht sicher sind: so hat man gegründete Ursache, sich von diesem Meister gute Hofnung zu machen.

[...]

11. §.

Ob nun zwar, wie hier gezeiget worden, an einem guten Meister, der seine Lehrlinge gründlich unterweisen kann, sehr vieles liegt: so kommt doch fast noch mehr auf den Scholaren selbst an. Denn man hat Exempel, daß gute Meister oftmals schlechte Scholaren, schlechte Meister hingegen gute Scholaren gezogen haben. Man weis, daß sich viele brave Tonkünstler bekannt gemacht, die eigentlich keinen andern Meister gehabt haben, als ihr großes Naturell, und die Gelegenheit viel Gutes zu hören; die aber durch Mühe, Fleiß, Begierde und beständiges Nachforschen weiter gekommen sind, als manche, die von mehr als einem Meister unterrichtet worden. Deswegen wird von einem Scholaren ferner: ein besonderer Fleiß und Aufmerksamkeit erfordert. Wem es hieran fehlet, dem ist zu rathen, sich mit der Musik gar nicht zu beschäftigen; in sofern er sein Glück dadurch zu machen gedenket. Wer Faulheit, Müßiggang, oder andere unnütze Dinge mehr als die Musik liebet, der hat sich keinen besondern Fortgang zu versprechen. [...]

[...]

14. §.

Eine große Hinderniß des Fleißes und weitern Nachdenkens ist es, wenn man sich zu viel auf sein Talent verläßt. [...] Manchen gereichet das besondere gute Naturell mehr zum Schaden als zum Vortheile. Wer davon Beweis verlanget, der betrachte nur die meisten Componisten nach der Mode, itziger Zeit. Wie viele findet man unter ihnen, die die Setzkunst nach den Regeln erlernet haben? Sind nicht die meisten fast pure Naturalisten? Wenn es hoch kömmt, so verstehen sie etwan den Generalbaß; und glauben es sey in einer so tiefsinnigen Wissenschaft, als die Composition ist, nichts mehr zu wissen nöthig, als daß man nur so viel Einsicht besitze, verbotene Quinten und Octaven zu vermeiden, und etwan einen

Trummelbaß,[35] und zu demselben eine oder zwo magere Mittelstimmen dazu zu setzen: das übrige sey eine schädliche Pedanterey, die nur am guten Geschmacke und am guten Gesange hindere. Wenn keine Wissenschaft nöthig, und das pure Naturell hinlänglich wäre; wie kömmt es denn, daß die Stücke von erfahrnen Componisten mehr Eindruck machen, allgemeiner werden, und sich länger im Credit erhalten, als die von selbst gewachsenen Naturalisten; und daß eines jeden guten Componisten erstere Ausarbeitungen, den letztern nicht beykommen? Ist dieses dem puren Naturell, oder zugleich der Wissenschaft zuzuschreiben? Das Naturell wird mit angebohren; und die Wissenschaft wird durch gute Unterweisung, und durch fleißiges Nachforschen erlernet: beydes aber gehört zu einem guten Componisten. Durch den Opernstyl hat zwar der Geschmack zu, die Wissenschaft aber abgenommen. Denn weil man geglaubt hat, daß zu dieser Art Musik, mehr Genie und Erfindung, als Wissenschaft der Setzkunst erfordert würde; auch weil dieselbe gemeiniglich bey den Musikliebhabern mehr Beyfall findet, als eine Kirchen- oder Instrumental-Musik: so haben sich mehrentheils, die jungen und selbst gewachsenen Componisten in Italien damit am ersten beschäftiget: und sowohl bald einen Credit zu erlangen, als auch in kurzer Zeit vor Meister, oder, nach ihrer Art, *Maestri* zu paßiren. Es hat aber die unzeitige Bemühung nach diesem Titel verursachet, daß die meisten *Maestri* niemals Scholaren gewesen, indem sie anfänglich keine richtigen Grundsätze erlernet haben, und nach erhaltenem Beyfall der Unverständigen, sich der Unterweisung nun schämen. Deswegen ahmet einer dem andern nach, schreibt seine Arbeit aus, oder giebt wohl gar fremde Arbeit für seine eigene aus, wie die Erfahrung lehret: zumal wenn dergleichen Naturalisten sich genöthiget finden, ihr Glück in fremden Landen zu suchen; und die Erfindungen nicht im Kopfe, sondern im Koffer mit sich führen. […] Wer da glaubet, daß es in derselben [in der Musik] nur auf ein Gerathewohl und auf einen blinden Einfall ankommt, der irret sich sehr, und hat von dieser Sache nicht den geringsten Begriff. Die Erfindungen und Einfälle sind zwar zufällig, und können durch Anweisung nicht erlanget werden: die Säuberung und Reinigung, die Wahl und Vermischung der Gedanken aber, sind nicht zufällig; sondern sie müssen durch Wissenschaft und

Erfahrung erlernet werden: und diese sind eigentlich das Hauptwerk, wodurch sich der Meister vom Schüler unterscheidet, und woran es noch einer großen Anzahl von Componisten mangelt. Die Regeln der Composition, und was zum Satze gehöret, kann ein jeder erlernen; ohne eben allzuviel Zeit darauf zu wenden. Der Contrapunkt behält seine unveränderlichen Regeln, so lange als vielleicht Musik seyn wird: Die Säuberung, Reinigung, der Zusammenhang, die Ordnung, die Vermischung der Gedanken hingegen, erfodern fast bey einem jeden Stücke neue Regeln. [...]

15. §.

In vorigen Zeiten wurde die Setzkunst nicht so gering geachtet, wie in gegenwärtigen: Es wurden aber auch nicht so viel Stümper in derselben angetroffen, als itzo. [...] Es waren nur wenige, die sich mit der Composition zu schaffen machten; und die, so es unternahmen, bemüheten sich dieselbe gründlich zu erlernen. Heut zu Tage aber, will fast ein jeder, der nur etwas mittelmäßiges auf einem Instrumente zu spielen weis, zu gleicher Zeit auch die Composition erlernet haben. Hierdurch kommen eben so viele Misgeburten zur Welt; so daß es kein Wunder seyn würde, wenn die Musik mehr ab, als zunähme. Denn, wenn die gelehrten und erfahrnen Componisten nach und nach abgehen; wenn die neuern, wie itzo von vielen geschieht, sich auf das pure Naturell verlassen, und die Regeln der Setzkunst zu erlernen für überflüßig, oder wohl gar dem guten Geschmacke, und guten Gesange, für schädlich halten; wenn der, an sich selbst vortrefliche, Opernstyl gemisbrauchet, und in Stücke eingemischet wird, wohin er nicht gehöret, so daß, wie in Welschland bereits geschieht, die Kirchen- und Instrumentalmusiken nach demselben eingerichtet werden, und alles nach Opernarien schmekken muß: so hat man gegründete Ursachen zu befürchten, daß die Musik ihren vorigen Glanz nach und nach verlieren dürfte; und daß es mit dieser Kunst bey den Deutschen, und bey andern Völkern, endlich ergehen möchte, wie es mit andern verlohrnen Künsten ergangen ist. Die Italiener haben in vorigen Zeiten den Deutschen allezeit den Ruhm beygeleget, daß, wenn sie auch nicht so viel Geschmack besäßen, sie doch die Regeln der Setzkunst gründlicher verstünden, als ihre Nachbarn. Sollte nun die deutsche Nation, bey welcher der gute Geschmack in den Wissenschaften sich immer weiter ausbreitet, sich nicht bestreben, einem Vorwurfe, der ihr, wenn ihre angehenden Componisten die Unterweisung und ein fleißiges Nachforschen verabsäumen, und sich dem puren Naturelle ganz und gar anvertrauen, vielleicht mit der Zeit gemacht werden könnte, vorzubeugen; und sollte sie sich nicht bemühen, den Ruhm ihrer Vorfahren zu erhalten? Denn nur dadurch, wenn ein hervorragendes Naturell, durch gründliche Anweisung, durch Fleiß, Mühe, und Nachforschen unterstützet wird; nur dadurch, sage ich, kann ein besonderer Grad der Vollkommenheit erreichet werden. [...]

17. §.

Will man wissen, was denn nun eigentlich der Gegenstand des weitern Nachforschens seyn soll; so dienet zur Antwort: Wenn ein angehender Componist die Regeln der Harmonie, welche, ob es wohl vielen an der Kenntniß derselben fehlet, doch nur, wie gesagt, das wenigste und leichteste in der Composition sind, gründlich erlernet hat; so muß er sich befleißigen, eine gute Wahl und Vermischung der Gedanken, nach der Absicht eines jeden Stückes, vom Anfange bis ans Ende desselben, zu treffen; die Gemüthsbewegungen gehörig auszudrücken; einen fließenden Gesang zu erhalten; in der Modulation zwar neu, doch natürlich, und im Metrum richtig zu seyn; Licht und Schatten beständig zu unterhalten; seine Erfindungen in eine gemäßigte Länge einzuschränken; in Ansehung der Abschnitte, und der Wiederholungen der Gedanken, keinen Misbrauch zu begehen; sowohl für die Stimme als Instrumente bequem zu setzen; in der Singmusik nicht wider das Sylbenmaaß, noch weniger wider den Sinn der Worte zu schreiben; und sowohl von der Singart, als von den Eigenschaften eines jeden Instruments, eine hinlängliche Erkenntniß zu erlangen. Ein Sänger oder Instrumentist aber muß sich angelegen seyn lassen, der Stimme oder des Instruments vollkommen mächtig zu werden; die Verhältnisse der Töne kennen zu lernen; in Haltung des Zeitmaaßes und im Notenlesen recht fest zu werden; die Harmonie zu erlernen, und vornehmlich, alles was zu einem guten Vortrage erfodert wird, recht in Ausübung zu bringen.

[...]

19. §.

[...] Es ist demnach nöthig, jungen Leuten, die sich auf die Musik legen, ernstlich anzurathen, daß sie sich bemühen möchten, wenn ihnen auch die Zeit nicht erlaubet, sich in allen Studien zu üben, dennoch in den obengemeldeten Wissenschaften[36], und hiernächst auch, in einigen der ausländischen Sprachen, keine Fremdlinge zu bleiben. Und wer sich die Composition zu seinem Augenmerke erwählet; dem wird eine gründliche Einsicht in die Schauspielkunst nicht undienlich seyn.

[...]

21. §.

Zum Beschluße muß ich noch einigen, die sich durch das Vorurtheil, als ob das Blasen auf der Flöte der Brust oder Lunge schädlich sey, zur Nachricht sagen: daß solches nicht nur nicht schädlich, sondern vielmehr zuträglich und vortheilhaft sey. Die Brust wird dadurch mehr und mehr eröfnet und stärker gemachet. Ich könnte, wenn es nöthig wäre, mit Exempeln beweisen, daß einige junge Leute, die einen sehr kurzen Athem hatten, und kaum fähig waren ein paar Tacte in einem Athem zu spielen, es endlich durch das Blasen der Flöte, in einigen Jahren, dahin gebracht haben, daß sie mehr als zwanzig Tacte in einem Athem zu spielen vermögend worden. Es ist also daraus zu schließen, daß das Blasen auf der Flöte der Lunge eben so wenig schade, als das Reuten, Fechten, Tanzen und Laufen. Man muß es nur nicht misbrauchen; und weder bald nach der Mahlzeit blasen, noch sogleich aufs Blasen, wenn die Lunge noch in einer starken Bewegung ist, einen kalten Trunk thun. [...]

[...]

Das XVIII. Hauptstück.
Wie ein Musikus und eine Musik zu beurtheilen sey.

1. §.

Es ist wohl keine Wissenschaft jedermanns Urtheile so sehr unterworfen, als die Musik. Es scheint als ob nichts leichter wäre, als dieselbe zu beurtheilen. Nicht nur ein jeder Musikus, sondern auch ein jeder der sich für einen Liebhaber derselben ausgiebt, will zugleich für einen Richter dessen, was er höret, angesehen seyn.

[...]

3. §.

Man richtet sich selten nach seiner eigenen Empfindung; welches doch noch das sicherste wäre: sondern man ist nur gleich begierig zu vernehmen, welcher von denen, die da singen oder spielen, der stärkste sey: gleich als ob es möglich wäre, die Wissenschaft verschiedener Personen auf einmal zu übersehen, und abzumessen; wie etwan gewisse Dinge, die nur ihren Werth und Vorzug auf der Wagschaale erhalten. Dem nun, der auf solche Art für den stärksten ausgegeben wird, höret man alleine zu. Ein, öfters mit Fleiß, von ihm nachläßig genug ausgeführtes, noch darzu nicht selten sehr schlechtes Stück, wird als ein Wunderwerk ausposaunet: da hingegen ein anderer, bey seinem möglichsten Fleiße, mit welchem er ein auserlesenes Stück auszuführen sich bemühet, kaum einiger Augenblicke von Aufmerksamkeit gewürdiget wird.

[...]

5. §.

In Ansehung der Composition geht es nicht besser. Man will nicht gern für unwissend angesehen seyn; und doch fühlet man wohl, daß man nicht allezeit recht zu entscheiden fähig seyn möchte. Deswegen pfleget gemeiniglich die erste Frage diese zu seyn: von wem das Stück verfertiget sey; um sich mit der Beurtheilung darnach richten zu können. Ist nun das Stück von einem solchen, dem man schon im voraus seinen Beyfall gewidmet hat; so wird es sogleich ohne Bedenken für schön erkläret. Findet sich aber das Gegentheil, oder man hat vielleicht wider die Person des Verfassers etwas einzuwenden: so taugt auch das ganze Stück nichts. [...]

[...]

8. §.

Bey der musikalischen Beurtheilung, wenn sie anders der Vernunft und der Billigkeit gemäß seyn soll, hat man allezeit vornehmlich auf dreyerley Stücke sein Augenmerk zu richten, nämlich: auf das Stück selbst; auf den Ausführer desselben; und auf die Zuhörer. Eine schöne Composition kann durch eine schlechte Ausführung verstümmelt werden; eine schlechte Composition aber benimmt dem Ausführer seinen Vortheil: folglich muß man erst untersuchen, ob der Ausführer oder die Composition an der guten oder schlechten Wirkung schuld sey. In Ansehung der Zuhörer kömmt, so wie in Ansehung des Musikus, sehr vieles auf die verschiedenen Gemüthsbeschaffenheiten derselben an. Mancher liebet das Prächtige und Lebhafte; mancher das Traurige und Tiefsinnige; mancher das Zärtliche und Lustige; so wie einen jeden seine Neigungen lenken. Mancher besitzt mehrere Erkenntniß, die hingegen einem andern wieder fehlt. Man ist nicht allemal gleich aufgeräumt, wenn man ein oder anderes Stück das erstemal höret. Es kann öfters geschehen, daß uns heute ein Stück gefällt, welches wir morgen, wenn wir uns in einer andern Fassung des Gemüthes befinden, kaum ausstehen können: und im Gegentheile kann uns heute ein Stück zuwider seyn, woran wir morgen viele Schönheiten entdecken. [...] Der Ort wo eine Musik aufgeführet wird, kann der richtigen Beurtheilung sehr viele Hindernisse in den Weg legen. Man höret z. E. eine und eben dieselbe Musik heute in der Nähe, und morgen vom Weiten. Beyde male wird man einen Unterschied dabey bemerken. Wir können ein Stück, das für einen weitläuftigen Ort, und für ein zahlreiches Orchester bestimmet ist, am gehörigen Orte aufführen hören. Es wird uns ungemein gefallen. Hören wir aber dasselbe Stück ein andermal in einem Zimmer, mit einer schwachen Begleitung von Instrumenten, vielleicht auch von andern Personen ausführen: es wird die Hälfte seiner Schönheit verloren haben. Ein Stück das uns in der Kammer fast bezaubert hatte, kann uns hingegen, wenn man es auf dem Theater hören sollte, kaum mehr kenntlich seyn. Wollte man ein im französischen Geschmacke[37] gesetztes langsames Stück, so wie ein italiänisches Adagio, mit vielen willkührlichen Manieren auszieren; wollte man hingegen ein italiänisches Adagio fein ehrbar und trocken, mit schönen lieblichen Trillern, im französischen

Geschmacke, ausführen: so würde das erstere ganz unkenntbar werden; das letztere hingegen würde sehr platt und mager klingen; und beyde würden folglich weder den Franzosen noch den Italiänern gefallen. Es muß also ein jedes Stück in seiner gehörigen Art gespielet werden: und wenn dieses nicht geschieht; so findet auch keine Beurtheilung statt. Gesetzt auch, daß ein jedes Stück in diesen beyden Arten, nach dem ihm eigenen Geschmacke gespielet würde: so kann doch das französische von keinem Italiäner, und das italiänische von keinem Franzosen beurtheilet werden; weil sie beyde von Vorurtheilen für ihr Land, und für ihre Nationalmusik, eingenommen sind.

[...]

10. §.

Ich will mich bemühen, die vornehmsten Eigenschaften eines vollkommenen Tonkünstlers und einer vollgesetzeten Musik, durch gewisse Merkmaale kennbar zu machen: [...] Ein jeder, der beurtheilen will, suche dasselbe dabey immer ohne Vorurtheile, ohne Affecten, und hingegen mit Billigkeit zu unternehmen. Man gehe behutsam und übereile sich nicht. Man sehe auf die Sache selbst, und lasse sich nicht durch gewisse Nebendinge, die gar nicht dazu gehören, blenden: z.E. ob einer von dieser oder jener Nation sey; ob er in fremden Ländern gewesen sey oder nicht; ob er sich von einem berühmten Meister einen Scholaren nenne; ob er bey einem großen oder kleinen Herrn, oder bey gar keinem in Diensten stehe; ob er einen musikalischen Charakter, oder keinen habe; ob er Freund oder Feind, jung oder alt sey; u.s.w. Ueberhaupt wird die Billigkeit nicht leicht überschritten werden, wenn man, anstatt von einem Musikus, oder von einem Stücke zu sagen: *es tauget nichts,* nur sagen wollte: *es gefällt mir nicht.* Das letztere hat ein jeder Macht zu sagen: weil man niemanden zwingen kann, daß ihm eine Sache gefallen müsse. Das erstere aber sollte man billig nur den wirklichen Musikverständigen, welche allenfalls den Grund ihres Urtheils zu beweisen schuldig sind, allein überlassen.

[...]

16. §.

Die *Composition*, und die *Ausführung* einer Musik im Ganzen richtig zu beurtheilen, ist noch weit schwerer, als das vorige.[38] Hierzu wird nicht nur erfodert, daß man einen vollkommen guten Geschmack besitze, und die Regeln der Setzkunst verstehe: sondern man muß auch von der Art und Eigenschaft eines jeden Stückes, es sey im Geschmacke dieser oder jener Nation, zu dieser oder jener Absicht verfertiget, eine hinlängliche Einsicht haben; damit man nicht eine Sache mit der andern verwirre. [...]

[...]

18. §.

Die Musik ist entweder Vocal- oder Instrumentalmusik. [...] Beyde Arten aber sind nicht nur überhaupt, in ihren Absichten, und folglich auch in ihrer Einrichtung, gar sehr von einander unterschieden: sondern auch jede Untereintheilung derselben, hat wieder ihre besondern Gesetze, und erfodert ihre besondere Schreibart. Die Vocalmusik ist entweder der Kirche, oder dem Theater, oder der Kammer gewidmet. Die Instrumentalmusik findet an allen diesen drey Orten auch ihren Platz.

[...]

28. §.

Wenn man eine *Instrumentalmusik* recht beurtheilen will; muß man nicht nur von den Eigenschaften eines jeden Stücks, welches dabey vorkömmt, sondern auch von den Instrumenten selbst, wie schon oben gesagt worden, eine genaue Kenntniß haben. [...] Die Singmusik hat gewisse Vortheile, deren die Instrumentalmusik entbehren muß. Bey jener gereichen die Worte, und die Menschenstimme, dem Componisten, sowohl in Ansehung der Erfindung, als der Ausnahme, zum größten Vortheile. Die Erfahrung giebt dieses handgreiflich; wenn man Arien, in Ermangelung der Menschenstimme, auf einem Instrumente spielen höret. Die Instrumentalmusik soll ohne Worte, und ohne Menschenstimmen, eben sowohl gewisse Leidenschaften ausdrücken, und die Zuhörer aus einer in die andere versetzen, als die Vocalmusik. Soll aber dieses gehörig bewerkstelliget werden, so dürfen, um den Mangel der Worte und der Menschenstimme zu ersetzen, weder der Componist, noch der Ausführer hölzerne Seelen haben.

29. §.

Die vornehmsten Stücke der Instrumentalmusik, wobey die Singstimmen nichts zu thun haben, sind: das *Concert,* die *Ouvertüre,* die *Sinfonie,* das *Quatuor,* das *Trio,* und das *Solo.* Unter diesen giebt es immer zweyerley Arten, des Concerts, des Trio, und des Solo. Man hat *Concerti grossi,* und *Concerti da camera.* Die Trio sind entweder, wie man sagt, gearbeitet, oder galant. Eben so verhält es sich mit den Solo.

[...]

52. §.

Der *Unterschied des Geschmackes,* der sich bey verschiedenen Nationen, welche an den Wissenschaften überhaupt Geschmack finden, nicht sowohl in Ansehung des Wesentlichen, als vielmehr des Zufälligen der Musik, äußert, hat in die musikalische Beurtheilung den größten Einfluß. [...]

53. §.

Jede Nation, die anders nicht zu den barbarischen gehöret, hat zwar in ihrer Musik etwas, das ihr vor andern vorzüglich gefällt: es ist aber theils nicht so sehr von andern unterschieden, theils nicht von solcher Erheblichkeit, daß man es einer besondern Aufmerksamkeit würdig schätzen könnte. Zwey Völker in den neuern Zeiten aber, haben sich besonders, nicht nur um die Ausbesserung des musikalischen Geschmakkes verdient gemacht, sondern auch darinne, nach Anleitung ihrer angebohrnen Gemüthsneigungen, vorzüglich von einander unterschieden. Dieses sind die *Italiäner,* und die *Franzosen.* Andere Nationen haben dem Geschmacke dieser beyden Völker den meisten Beyfall gegeben, und entweder diesem, oder jenem nachzufolgen, und etwas davon anzunehmen, gesuchet. Hierdurch sind die gedachten beyden Völker auch verleitet worden, sich gleichsam zu eigenmächtigen

Richtern des guten Geschmackes in der Musik aufzuwerfen: und weil niemand von den Ausländern lange Zeit nichts dawider einzuwenden gehabt hat; so sind sie gewissermaßen, einige Jahrhunderte hindurch, wirklich die musikalischen Gesetzgeber gewesen. Von ihnen ist hernach der gute Geschmack in der Musik auf andere Völker gebracht worden.

[...]

76. §.

Wollte man endlich die italiänische und französische Nationalmusik, wenn man jede von der besten Seite betrachtet, in der Kürze charakterisiren, und den Unterschied des Geschmackes gegen einander halten; so würde diese Vergleichung, meines Erachtens, ohngefähr also ausfallen:
Die *Italiäner* sind in der *Composition* uneingeschränket, prächtig, lebhaft, ausdrückend, tiefsinnig, erhaben in der Denkart, etwas bizarr, frey, verwegen, frech, ausschweifend, im Metrum zuweilen nachläßig; sie sind aber auch singend, schmeichelnd, zärtlich, rührend, und reich an Erfindung. Sie schreiben mehr für Kenner, als für Liebhaber. Die *Franzosen* sind in der *Composition* zwar lebhaft, ausdrückend, natürlich, dem Publikum gefällig und begreiflich, und richtiger im Metrum, als jene; sie sind aber weder tiefsinnig noch kühn; sondern sehr eingeschränket, sklavisch, sich selbst immer ähnlich, niedrig in der Denkart, trocken an Erfindung; sie wärmen die Gedanken ihrer Vorfahren immer wieder auf, und schreiben mehr für Liebhaber, als für Kenner.
Die *italiänische Singart* ist tiefsinnig, und künstlich; sie rühret, und setzet zugleich in Verwunderung; sie beschäftiget den musikalischen Verstand; sie ist gefällig, reizend, ausdrückend, reich im Geschmacke und Vortrage, und versetzet den Zuhörer, auf eine angenehme Art, aus einer Leidenschaft in die andere. Die *französische Singart* ist mehr simpel als künstlich, mehr sprechend, als singend; im Ausdrucke der Leidenschaften, und in der Stimme, mehr übertrieben, als natürlich; im Geschmacke und im Vortrage ist sie arm, und sich selbst immer ähnlich; sie ist mehr für Liebhaber, als für Musikverständige; sie schicket sich besser zu Trinkliedern, als zu ernsthaften Arien, und belustiget zwar die Sinne, den musikalischen Verstand aber läßt sie ganz müßig.

Die *italiänische Art zu spielen* ist willkührlich, ausschweifend, gekünstelt, dunkel, auch öfters frech und bizarr, schwer in der Ausübung; sie erlaubet viel Zusatz von Manieren, und erfordert eine ziemliche Kenntniß der Harmonie; sie erwecket aber bey den Unwissenden mehr Verwunderung, als Gefallen. Die *französische Spielart* ist sklavisch, doch modest, deutlich, nett und reinlich im Vortrage, leicht nachzuahmen, nicht tiefsinnig noch dunkel, sondern jedermann begreiflich, und bequem für die Liebhaber; sie erfordert nicht viel Erkenntniß der Harmonie, weil die Auszierungen[39] mehrentheils von den Componisten vorgeschrieben werden; sie verursachet aber bey den Musikverständigen wenig Nachdenken.
Mit einem Worte: die italiänische Musik ist willkührlich, und die französische eingeschränket: daher es bey dieser mehr auf die Composition, als auf die Ausführung, bey jener aber fast so viel, ja bey einigen Stücken fast mehr, auf die Ausführung, als auf die Composition ankömmt, wenn eine gute Wirkung erfolgen soll.
Die italiänische Singart, ist ihrer Art zu spielen, und die französische Art zu spielen, ihrer Singart vorzuziehen.

[...]

78. §.

Wenn man *die Musik der Deutschen*, von mehr als einem Jahrhunderte her, genau untersuchet: so findet man zwar, daß die Deutschen es schon vor geraumer Zeit, nicht nur in der harmonisch richtigen Setzkunst, sondern auch auf vielen Instrumenten, sehr weit gebracht hatten. Vom guten Geschmacke aber, und von schönen Melodien, findet man, außer einigen alten Kirchengesängen, wenig Merkmaale; sondern vielmehr, daß sowohl ihr Geschmack, als ihre Melodien, länger als bey ihren Nachbarn, ziemlich platt, trocken, mager, und einfältig gewesen.

[...]

80. §.

In ihrer *Singmusik* sucheten sie mehr die bloßen Wörter, als den Sinn derselben, oder den damit verknüpfeten Affect, auszudrücken. Viele glaubeten dieserwegen schon ein Gnüge geleistet zu haben, wenn sie z. E. die Worte: Himmel und Hölle, durch die äußerste Höhe und Tiefe ausdrücketen: wodurch denn oft viel Lächerliches mit unterzulaufen pflegete. In Singstücken liebten sie sehr die äußerste Höhe, und ließen in derselben immer Worte aussprechen. Hierzu mögen die Falsetstimmen erwachsener Mannespersonen, welchen die Tiefe gemeiniglich beschwerlich ist, einige Ursache gegeben haben. Den Sängern gaben sie unter geschwinden Noten viele Worte nach einander auszusprechen; welches aber der Eigenschaft des guten Singens zuwider ist, den Sänger verhindert die Töne in ihrer gehörigen Schönheit hervor zu bringen, und sich von der gemeinen Rede allzuwenig unterscheidet.[40] Ihre Singarien bestunden mehrentheils aus zwo Repriesen; sie waren sehr kurz; aber auch sehr einfältig und trocken.

81. §.

Die *Instrumentalmusik der Deutschen* in den vorigen Zeiten sah mehrentheils auf dem Papier sehr bunt und gefährlich aus. Sie schrieben viele drey- vier- und mehrmal geschwänzten Noten. Weil sie aber dieselben in einer sehr gelassenen Geschwindigkeit ausführeten: so klangen ihre Stücke dessen ungeachtet nicht lebhaft, sondern matt und schläfrig.
Sie hielten mehr von schweren, als leichten Stücken, und sucheten mehr Verwunderung zu erwecken, als zu gefallen.
Sie beflissen sich mehr, den Gesang der Thiere, z. E. des Kukuks, der Nachtigall, der Henne, der Wachtel, u. s. w. auf ihren Instrumenten nachzumachen; wobey der Trompete und der Leyer[41] auch nicht vergessen wurde: als der Menschenstimme nachzuahmen.
Oefters war ein sogenanntes Quodlibet, wobey entweder in Singstücken lächerliche Worte, ohne Zusammenhang, vorkamen, oder, in Instrumentalstücken, die Sangweisen gemeiner und niederträchtiger Trinklieder unter einander gemischet wurden, ihr angenehmster Zeitvertreib. [...]
Ihre Instrumentalstücke bestunden meistentheils aus Sonaten, Partien, Intraden, Märschen, Gassenhauern, und vielen andern oft lächerlichen Charakteren, deren Gedächtniß itzo verloschen ist.
[...]

82. §.

So schlecht es aber in den vorigen Zeiten, bey aller gründlichen Einsicht der deutschen Componisten in die Harmonie, mit ihrem, und der deutschen Sänger und Instrumentisten ihrem Geschmacke ausgesehen haben mag: so ein anderes Ansehen hat es doch nunmehr nach und nach damit gewonnen. Denn wenn man auch von den Deutschen nicht eben sagen kann, daß sie einen eigenthümlichen, und von den andern Nationalmusiken sich ganz unterscheidenden Geschmack hervor gebracht hätten: so sind sie hingegen desto fähiger, einen andern, welchen sie nur wollen, anzunehmen; und wissen sich das Gute von allen Arten der ausländischen Musik zu Nutzen zu machen.

83. §.

Es fiengen schon im vorigen Jahrhunderte, seit der Mitte desselben, einige berühmte Männer, welche theils Italien oder Frankreich selbst besuchet, und darinne profitiret hatten, theils aber auch die Arbeiten und den Geschmack der verdienten Ausländer zu Mustern nahmen, an, die Ausbesserung des musikalischen Geschmackes zu bearbeiten. Die Orgel- und Clavierspieler, unter den letztern vornehmlich Froberger, und nach ihm Pachhelbel, unter den erstern aber Reinken, Buxtehude, Bruhns, und einige andere, setzeten fast am ersten die schmackhaftesten Instrumentalstücke ihrer Zeit für ihre Instrumente. Absonderlich wurde *die Kunst die Orgel zu spielen,* welche man großen Theils von den Niederländern empfangen hatte, um diese Zeit schon, von den obengenannten und einigen andern geschickten Männern, sehr weit getrieben. Endlich hat sie der bewundernswürdige Johann Sebastian Bach, in den neuern Zeiten, zu ihrer größten Vollkommenheit gebracht. Nur ist zu wünschen, daß dieselbe nach seinem Absterben, wegen der geringen Anzahl derer, die noch einigen Fleiß darauf wenden, sich nicht wieder dem Abfalle, oder gar dem Untergange, nähern möge.
[...]

84. §.

Den merkwürdigsten Zeitpunct, worinne absonderlich der Geschmack der Deutschen in Ansehung der Vocalcomposition angefangen hat, eine bessere Gestalt zu gewinnen, könnte man ohngefähr um das Jahr 1693. setzen; [...] Um eben diese Zeit fieng der berühmte Reinhard Keiser an, sich mit seinen Operncompositionen hervorzuthun. Dieser schien zu einem mit reicher Erfindung verknüpfeten, angenehm singenden Wesen gleichsam gebohren zu seyn; er belebte also die neue Singart damit auf eine vorzügliche Weise. Ihm hat der gute Geschmack in der Musik in Deutschland unstreitig viel zu danken. Die in Hamburg und Leipzig nach dieser Zeit ziemlich lange in blühendem Zustande gewesenen Opern, und die berühmten Componisten, welche zugleich Keisern von Zeit zu Zeit, ungeachtet der öfters schlechten, und nicht selten gar niederträchtigen Texte, für dieselben gearbeitet haben, haben zu dem Grade des guten Geschmackes, in welchem die Musik in Deutschland gegenwärtig steht, gute Vorbereitungen gemacht. Es könnte als ein Ueberfluß angesehen werden, wenn ich diejenigen großen Männer, welche sich in den itztgenannten Zeiten, sowohl in der Kirchen- Theatral- und Instrumentalcomposition, als auch auf Instrumenten, unter den Deutschen berühmt gemacht haben, und deren einige entschlafen, einige noch am Leben sind, alle mit Namen anführen wollte. Ich bin versichert, daß sie in und außer Deutschland schon alle so bekannt sind, daß ihre Namen, meinen musikliebenden Lesern, ohne vieles Nachdenken, gleich beyfallen werden. So viel ist gewiß, daß ihnen diejenigen, welche zu unsern Zeiten in der Tonkunst hervorragen, den größten Dank schuldig sind.

85. §.

Bey allen diesen Bemühungen braver Tonkünstler aber, fanden sich in Deutschland doch noch immer unterschiedene Hindernisse, welche dem guten Geschmacke im Wege standen. [...] es fanden sich [...] unterschiedene Widersacher, welche, aus einer ungereimten Liebe zu dem Alterthume, schon darinne, weil die Ausarbeitungen gedachter Männer von der alten Art abgiengen, Ursache, genug zu haben glaubten, alles als Ausschweifungen zu verwerfen. [...] Vor wenigen Jahren gab es noch Cantores, die in ihrem mehr als funfzigjährigen Amte, sich noch nicht hatten überwinden können, ein Kirchenstück von Telemannen aufzuführen. Es ist daher nicht zu verwundern, wenn man zu gleicher Zeit an einem Orte in Deutschland gute, am andern aber sehr unschmackhafte und ungesalzene Musik angetroffen hat. Wer nun von Ausländern etwa, zum Unglücke, an einem der letztern Orte Musik gehöret hatte, und alle Deutschen hiernach beurtheilete; der konnte sich freylich von ihrer Musik nicht die vortheilhaftesten Begriffe machen.

86. §.

Die Italiäner pflegeten vor diesem den deutschen Geschmack in der Musik: *un gusto barbaro, einen barbarischen Geschmack,* zu nennen. Nachdem es sich aber gefüget, daß einige deutsche Tonkünstler in Italien gewesen, und allda Gelegenheit gehabt haben, von ihrer Arbeit sowohl Opern, als Instrumentalmusik, mit Beyfalle aufzuführen; da wirklich die Opern, an welchen man in Italien zu itzigen Zeiten den meisten Geschmack, und zwar mit Rechte, findet, von der Feder eines Deutschen herkommen: so hat sich das Vorurtheil nach und nach verlohren. Doch muß man auch sagen, daß die Deutschen sowohl den Italiänern, als auch eines Theils den Franzosen, wegen dieser vortheilhaften Veränderung ihres Geschmackes, ein Vieles zu danken haben. Es ist bekannt, daß an verschiedenen deutschen Höfen, als: in Wien, Dresden, Berlin, Hannover, München, Anspach, u.a.m. schon vor hundert Jahren her, italiänische und französische Componisten, Sänger und Instrumentisten in Diensten gestanden sind, und Opern aufgeführet haben. Es ist bekannt, daß einige große Herren viele von ihren Tonkünstlern nach Italien und Frankreich haben reisen lassen, und daß, wie ich schon oben gesaget habe, viele der Verbesserer des Geschmackes der Deutschen, entweder eines, oder beyde dieser Länder besuchet haben. Diese haben also sowohl von dem einen, als von dem andern, den Geschmack angenommen, und eine solche Vermischung getroffen, welche sie fähig gemachet hat, nicht nur deutsche, sondern auch italiänische, französische, und engländische Opern, und andere Singspiele, eine jede in ihrer Sprache und Geschmacke zu componiren, und mit großem Beyfalle aufzuführen. [...]

87. §.

Wenn man aus verschiedener Völker ihrem Geschmacke in der Musik, mit gehöriger Beurtheilung, das Beste zu wählen weis: so fließt daraus ein *vermischter Geschmack,* welchen man, ohne die Gränzen der Bescheidenheit zu überschreiten, nunmehr sehr wohl: *den deutschen Geschmack* nennen könnte: nicht allein, weil die Deutschen zuerst darauf gefallen sind; sondern auch, weil er schon seit vielen Jahren, an unterschiedenen Orten Deutschlandes, eingeführt worden ist, und noch blühet, auch weder in Italien, noch in Frankreich, noch in andern Ländern, misfällt.

88. §.

Wofern nun *die deutsche Nation* von diesem Geschmacke nicht wieder abgeht: wenn sie sich bemühet, wie bishero ihre berühmtesten Componisten gethan haben, darinne immer weiter nachzuforschen; wenn *ihre neuangehenden Componisten* sich mehr, als itziger Zeit leider geschieht, befleißigen, nebst ihrem vermischeten Geschmacke, die Regeln der Setzkunst, so wie ihre Vorfahren, gründlich zu erlernen; wenn sie sich nicht an der puren Melodie, und an der Verfertigung theatralischer Arien allein begnügen, sondern sich, sowohl im Kirchenstyle, als in der Instrumentalmusik, auch üben; wenn sie wegen Einrichtung der Stücke, und wegen vernünftiger Verbindung und Vermischung der Gedanken, solche Componisten, welche einen allgemeinen Beyfall erhalten, sich zu Mustern vorstellen, um ihrer Art zu setzen, und ihrem feinen Geschmacke nachzuahmen: [...] wenn sie vielmehr ihre eigene Erfindungskraft daran strecken, um ihr Talent ohne Nachtheil eines Andern zu zeigen, und aufzuräumen, und um nicht, anstatt Componisten zu werden, immer nur Copisten zu verbleiben; wenn *die deutschen Instrumentisten* sich nicht, wie oben von den Italiänern gesaget worden ist, durch eine bizarre und komische Art auf Irrwege führen lassen: sondern die gute Singart, und diejenigen, welche in einem vernünftigen Geschmacke spielen, zum Muster nehmen; wenn ferner *die Italiäner* und *die Franzosen* den Deutschen in der Vermischung des Geschmackes so nachahmen wollten, wie die Deutschen ihnen im Geschmacke nachgeahmet haben; wenn dieses alles, sage ich, einmüthig beobachtet würde: so könnte mit der Zeit *ein allgemeiner guter Geschmack in der Musik* eingeführet werden. Es ist auch dieses so gar unwahrscheinlich nicht: weil weder die Italiäner, noch die Franzosen, doch mehr die Liebhaber der Musik, als die Tonkünstler unter ihnen, mit ihrem puren Nationalgeschmacke selbst mehr recht zufrieden sind; sondern schon seit einiger Zeit, an gewissen ausländischen Compositionen mehr Gefallen, als an ihren inländischen, bezeiget haben.

89. §.

In einem Geschmacke, welcher, so wie der itzige deutsche, aus einer Vermischung des Geschmackes verschiedener Völker besteht, findet eine jede Nation etwas dem ihrigen ähnliches; welches ihr also niemals misfallen kann. Müßte man auch gleich, in Betrachtung aller, über den Unterschied des Geschmackes bisher angeführten Gedanken und Erfahrungen, dem puren italiänischen Geschmacke, vor dem puren französischen, einen Vorzug einräumen: so wird doch jedermann eingestehen, weil der erste nicht mehr so gründlich, als vor diesem ist, sondern sehr frech und bizarr geworden, der andere hingegen gar zu simpel geblieben ist, daß deswegen ein von dem Guten beyder Arten zusammengesetzter und vermischter Geschmack ohnfehlbar allgemeiner und gefälliger seyn müsse. Denn eine Musik, welche nicht in einem einzelnen Lande, oder in einer einzelnen Provinz, oder nur von dieser oder jener Nation allein, sondern von vielen Völkern angenommen und für gut erkannt wird, ja, aus den angeführten Ursachen, nicht anders als für gut erkannt werden kann, muß, wenn sie sich anders auf die Vernunft und eine gesunde Empfindung gründet, außer allem Streite, die beste seyn.

7. Carl Philipp Emanuel Bach, Versuch über die wahre Art das Clavier zu spielen mit Exempeln und achtzehn Probe-Stücken in sechs Sonaten, Teil 1, Berlin 1753 (Neudruck: Leipzig 1957)

Vorrede.

So viele Vorzüge das Clavier besitzet, so vielen Schwürigkeiten ist dasselbe zu gleicher Zeit unterworffen. Die Vollkommenheit desselben wäre leichte daraus zu erweisen, wenn es nöthig wäre, weil es diejenigen Eigenschafften, die andere Instrumente nur eintzeln haben, in sich vereinet; weil man eine vollständige Harmonie, wozu sonst drey, vier und mehrere Instrumente erfordert werden, darauf mit einmahl her-

vor bringen kan, und was dergleichen Vortheile mehr sind. Wem ist aber nicht zugleich bekannt, wie viele Forderungen an das Clavier gemachet werden; wie man sich nicht begnüget, dasjenige von einem Clavierspieler zu erwarten, was man von jedem Instrumentisten mit Recht fordern kan, nemlich die Fertigkeit, ein für sein Instrument gesetztes Stück den Regeln des guten Vortrags gemäß, auszuführen? Man verlanget noch überdies, daß ein Clavierspieler Fantasien von allerley Art machen soll; daß er einen aufgegebenen Satz nach den strengsten Regeln der Harmonie und Melodie aus dem Stegereif durcharbeiten, aus allen Tönen mit gleicher Leichtigkeit spielen, einen Ton in den andern im Augenblick ohne Fehler übersetzen, alles ohne Unterscheid vom Blatte weg spielen soll, es für sein Instrument eigentlich gesetzt seyn oder nicht; daß er die Wissenschafft des Generalbasses in seiner völligen Gewalt haben, selbigen mit Unterscheid, oft mit Verläugnung, bald mit vielen, bald mit wenigen Stimmen, bald nach der Strenge der Harmonie, bald galant, bald nach einem zu wenig oder zu viel, bald gar nicht und bald sehr falsch bezieferten Basse spielen soll; daß er diesen Generalbaß manchmahl aus Partituren von vielen Linien, bey unbezieferten, oder ofte gar pausirenden Bässen, wenn nemlich eine von den andern Stimmen zum Grunde der Harmonie dienet, ziehen und dadurch die Zusammenstimmung verstärcken soll, und wer weiß alle Forderungen mehr? Diesem soll nun noch mehrentheils auf einem fremden Instrumente Genüge geschehen, und siehet man gar nicht darauf, ob solches gut oder schlecht, ob solches im gehörigen Stande ist, oder nicht, wobey oft keine Entschuldigung gilt. Im Gegentheile ist dieses die gewöhnlichste Zumuthung, daß man Fantasien verlangt, ohne sich zu bekümmern, ob der Clavierist in dem Augenblicke dazu genungsam aufgeräumt ist oder nicht, und ohne ihm die dazu gehörige Disposition, entweder durch Darbietung eines tüchtigen Instruments zu verschaffen, oder ihm selbige zu erhalten.
Dieser Forderungen ungeachtet findet das Clavier allezeit mit Recht seine Liebhaber. Man lässet sich durch die Schwürigkeit desselben nicht abschrecken, ein Instrument zu erlernen, welches durch seine vorzüglichen Reitze die darauf gewandte Mühe und Zeit völlig ersetzet. Es ist aber auch nicht jeder Liebhaber verbunden, alle diese Forderungen an das-

selbe zu erfüllen. Er nimmt so vielen Antheil daran, als er will, und ihm die von Natur erhaltenen Gaben erlauben.
Nur wäre es zu wünschen, daß die Unterweisung auf diesem Instrumente hin und wieder etwas verbessert, und das wahre Gute, welches, wie überhaupt in der Musick, also besonders auf dem Claviere noch bisher bey wenigen anzutreffen gewesen ist, dadurch allgemeiner würde. Die vortreflichsten Meister in der Ausübung, denen man etwas Gutes abhören könnte, sind noch nicht in so grosser Anzahl zu finden, als man sich vielleicht einbilden dürfte. Das Abhören, eine Art erlaubten Diebstahls, aber ist in der Musick desto nothwendiger, da, wenn auch die Abgunst unter den Menschen nicht so groß wäre, viele Sachen aufstossen, die man kaum weisen, geschweige schreiben kan, und die man also vom blossen Hören erlernen muß.
Wenn ich hiemit der Welt eine Anleitung zum Clavierspielen übergebe: So ist meine Absicht im geringsten nicht, die vorher angeführten Anforderungen an dasselbe nach einander durchzugehen, und zu zeigen, wie man allen diesen besonders ein Gnüge leisten soll. Es wird hier weder von der Art zu fantasiren, noch von dem Generalbasse gehandelt werden. Man findet dieses zum Theil in vielen guten Büchern bereits vorlängst ausgeführet. Ich bin hier Willens, die wahre Art zu zeigen, Handsachen[42] mit Beyfall vernünftiger Kenner zu spielen. Wer aber hierinnen das Seinige gethan hat, der hat schon sehr vieles auf dem Claviere gethan, und wird derselbe in den übrigen Aufgaben desselben desto bequemer fortzukommen, die Fähigkeit haben. Die Anforderungen, die man vor allen andern Instrumenten vorzüglich an das Clavier machet, zeugen von der Vollkommenheit und dem weiten Umfange desselben, und aus der musikalischen Geschichte bemercket man, daß diejenigen, denen es gelungen, sich einen grossen Nahmen in der musikalischen Welt zu machen, dieses Instrument mehrentheils vorzüglich ausgeübet haben.

[...]

Einleitung.

§. 1.

Zur wahren Art das Clavier zu spielen, gehören hauptsächlich drey Stücke, welche so genau mit einander verbunden sind, daß eines ohne das andere weder seyn kan, noch darf; nehmlich *die rechte Finger-Setzung, die guten Manieren*[43], und *der gute Vortrag.*

§. 2.

Da diese Stücke nicht allzu bekant sind, und folglich so oft dawider gefehlet worden: so hat man mehrentheils Clavier-Spieler gehöret, welche nach einer abscheulichen Mühe endlich gelernet haben, verständigen Zuhörern, das Clavier durch ihr Spielen eckelhaft zu machen. Man hat in ihrem Spielen das runde, deutliche und natürliche vermißt; hingegen, an statt dessen lauter Gehacke, Poltern und Stolpern angetroffen. Indem alle andere Instrumente haben singen gelernet; so ist bloß das Clavier hierinnen zurück geblieben, und hat, an statt weniger unterhaltenen Noten, mit vielen bunten Figuren sich abgeben müssen, dergestalt daß man schon angefangen hat zu glauben, es würde einem Angst, wenn man etwas langsames oder sangbares auf dem Clavier spielen soll; man könne weder einen Ton an den andern ziehen, noch einen Ton von dem andern durch einen Stoß absondern; man müsse dieses Instrument bloß als ein nöthiges Uebel zur Begleitung dulden. [...]

§. 3.

Ausser den Fehlern wider oben angeführte drey Punckte, hat man den Scholaren, eine falsche Haltung der Hände gewiesen, wenigstens hat man ihnen solche nicht abgewöhnt; dadurch ist ihnen folgends alle Möglichkeit abgeschnitten worden, etwas Gutes heraus zu bringen, und man hat von den steifen und am Drath gezogenen Fingern schon auf das übrige schliessen können.

§. 4.

Jeder Lehr-Meister bey nahe, dringt seinen Schülern seine eigene Arbeiten auf, indem es heute zu Tage eine Schande zu seyn scheinet, nichts selber setzen zu können. Dahero werden den Lehrlingen, andere gute Clavier-Sachen, woraus sie was lernen könten, unter dem Vorwande, als ob sie zu alt oder zu schwer wären, vorenthalten. Besonders ist man durch ein übles Vorurtheil wider die frantzösischen Clavier-Sachen eingenommen, welche doch allezeit eine gute Schule für Clavier-Spieler gewesen sind, indem diese Nation durch eine zusammenhängende und propre Spiel-Art sich besonders vor andern unterschieden hat. Alle nöthigen Manieren sind ausdrücklich dabey gesetzt, die lincke Hand ist nicht geschont und an Bindungen fehlet es nicht. Diese aber tragen zur Erlernung des wohl zusammenhängenden Vortrages das hauptsächlichste bey. [...]

§. 5.

Man martert im Anfange die Scholaren mit abgeschmackten Murkys[44] und andern Gassen-Hauern, wobey die lincke Hand bloß zum Poltern gebraucht, und dadurch zu ihrem wahren Gebrauche auf immer untüchtig gemachet wird, ohngeacht sie vorzüglich auf eine vernünftige Art solte geübt werden, indem es um so viel schwerer hält, daß sie mit der rechten, eine gleiche Geschicklichkeit erlangen kan, je mehr diese bey allen übrigen Handlungen ihre Dienste thun muß.

§. 6.

Fängt endlich der Schüler durch Anhörung guter Musiken an, einen etwas feinern Geschmack zu kriegen, so eckelt ihm vor seinen vorgeschriebnen Stücken, er glaubt alle Clavier-Sachen sind von derselben Art, folglich nimmt er seine Zuflucht besonders zu Singe-Arien, welche, wenn sie gut gesetzt sind, und die Gelegenheit da ist, solche von guten Meistern singen zu hören, zu Bildung eines guten Geschmacks und zur Uebung des guten Vortrags geschickt sind, aber nicht zu Formirung der Finger.

§. 7.

Der Lehr-Meister muß diesen Arien Gewalt thun und sie auf das Clavier setzen. Ausser andern daraus entstehenden Ungleichheiten leidet hier abermahls die lincke Hand, indem solche mehrentheils mit faulen oder gar Trommel-Bässen[45] gesetzt sind, welche zu ihrer Absicht so seyn mußten, aber beym Clavierspielen der lincken Hand mehr Schaden als Nutzen bringen.

§. 8.

Nach allem diesem verliert der Clavier-Spieler diesen besondern Vortheil, welchen kein anderer Musikus hat, mit Leichtigkeit im Tacte feste zu werden, und dessen kleinste Theilgen auf das genaueste zu bestimmen, indem in eigentlichen Clavier-Sachen so viele Rückungen, kleine Pausen und kurtze Nachschläge vorkommen, als in keinen andern Compositionen. Auf unserm Instrument fallen diese sonst schwere Tact-Theilgen zu erlernen besonders leichte, weil eine Hand der andern zu Hülffe komt; folglich entsteht hieraus unvermerckt eine Festigkeit im Tacte.

§. 9.

An statt dieser kriegt der Schüler durch oben angeführte Bässe eine steife lincke Hand, indem kaum zu glauben steht, was das geschwinde Anschlagen eines Tons ohne Abwechselung der Finger, den Händen für Schaden thut. Mancher hat es schon mit seinem Nachtheil durch ein vieljähriges fleißiges General-Baß spielen, erfahren, als bey welchem oft beyde Hände, besonders aber die lincke, solche geschwinde Noten durch beständige Verdoplung des Grund-Tones vorzutragen haben. [...]

§. 10.

Bey dieser Steife der lincken Hand, sucht der Meister es bey der rechten wieder einzubringen, indem er seine Schüler besonders die Adagio und rührendesten Stellen, dem guten Geschmack zu noch mehrerem Eckel, aufs reichlichste mit lieblichen Trillerchen verbrämen lehret; [...]

§. 11.

Bevor wir diesen Fehlern durch gegründete Vorschriften abzuhelfen suchen, müssen wir noch etwas von dem Instrumente sagen. Man hat ausser vielen Arten der Claviere, welche theils wegen ihrer Mängel unbekant geblieben, theils noch nicht überall eingeführt sind, hauptsächlich zwey Arten, nemlich die Flügel[46] und Clavicorde, welche bis hieher den meisten Beyfall erhalten haben. Jene braucht man insgemein zu starcken Musicken, diese zum allein spielen. Die neuern Forte piano, wenn sie dauerhaft und gut gearbeitet sind, haben viele Vorzüge, ohngeachtet ihre Tractirung besonders und nicht ohne Schwierigkeit ausstudiret werden muß. Sie thun gut beym allein spielen und bey einer nicht gar zu starck gesetzten Music, ich glaube aber doch, daß ein gutes Clavicord, ausgenommen daß es einen schwächern Ton hat, alle Schönheiten mit jenem gemein und überdem noch die Bebung[47] und das Tragen der Tone voraus hat, weil ich nach dem Anschlage noch jeder Note einen Druck geben kan. Das Clavicord ist also das Instrument, worauf man einen Clavieristen aufs genaueste zu beurtheilen fähig ist.

[...]

§. 15.

Jeder Clavierist soll von Rechtswegen einen guten Flügel und auch ein gutes Clavicord haben, damit er auf beyden allerley Sachen abwechselnd spielen könne. Wer mit einer guten Art auf dem Clavicorde spielen kan, wird solches auch auf dem Flügel zuwege bringen können, aber nicht umgekehrt. Man muß also das Clavicord zur Erlernung des guten Vortrags und den Flügel, um die gehörige Kraft in die Finger zu kriegen, brauchen. Spielt man beständig auf dem Clavicorde, so wird man viel Schwierigkeiten antreffen, auf dem Flügel fortzukommen; man wird also die Clavier-Sachen, wobey eine Begleitung von andern Instrumenten ist, und welche also wegen der Schwäche des Clavicords auf dem Flügel gehöret werden müssen, mit Mühe herausbringen; was aber mit vieler Arbeit schon muß gespielt werden, das kan unmöglich die Würckung haben, die es haben soll. Man gewöhnt sich bey beständigem Spielen auf dem Clavicorde an, die Tasten gar zu sehr zu schmeichlen, daß folglich die Kleinigkeiten, indem man nicht den hinlänglichen Druck zu Anschlagung des Tangenten auf dem Flügel giebt, nicht allezeit ansprechen werden. Man kan so gar mit der Zeit, wenn man bloß auf einem Clavicorde spielt, die Stärcke aus den Fingern verliehren, die man vorhero hatte. Spielt man beständig auf dem Flügel, so gewöhnt man sich an in einer Farbe zu spielen, und der unterschiedene Anschlag, welchen bloß ein guter Clavicord-Spieler auf dem Flügel herausbringen kan, bleibt verborgen, so wunderbahr es auch scheint, indem man glauben solte, alle Finger müsten auf einerley Flügel einerley Ton herausbringen. Man kan gar leicht die Probe machen, und zwey Persohnen, wovon der eine ein gutes Clavicord spielt, der andere aber bloß ein Flügel-Spieler ist, auf diesem letztern Instrumente ein Stück mit einerley Manieren kurtz hinter einander spielen lassen, und hernach urtheilen, ob sie beyde einerley Würckung hervorgebracht haben.

[...]

Drittes Hauptstück.
Vom Vortrage.

§. 1.

Es ist unstreitig ein Vorurtheil, als wenn die Stärcke eines Clavieristen in der blossen Geschwindigkeit bestände. Man kan die fertigsten Finger, einfache und doppelte Triller haben, die Applicatur verstehen, vom Blatte treffen, es mögen so viele Schlüssel im Lauffe des Stückes vorkommen als sie wollen, alles ohne viele Mühe aus dem Stegereif transponiren, Decimen, ja Duodecimen greiffen, Läuffer und Kreutzsprünge von allerley Arten machen können, und was dergleichen mehr ist; und man kan bey dem allen noch nicht ein deutlicher, ein gefälliger, ein rührender Clavieriste seyn. Die Erfahrung lehret es mehr als zu oft, wie die Treffer und geschwinden Spieler von Profeßion nichts weniger als diese Eigenschaften besitzen, wie sie zwar durch die Finger das Gesicht in Verwunderung setzen, der empfindlichen Seele eines Zuhörers aber gar nichts zu thun geben. Sie überraschen das Ohr, ohne es zu vergnügen, und betäuben den Verstand, ohne ihm genung zu thun. Ich spreche hiemit dem Spielen aus dem Stegereif nicht sein gebührendes Lob ab. Es ist rühmlich, eine Fertigkeit darinnen zu haben, und ich rathe es selbst einem jeden aufs beste an. Es darf aber ein blosser Treffer wohl nicht auf die wahrhaften Verdienste desjenigen Ansprüche machen, der mehr das Ohr als das Gesicht, und mehr das Hertz als das Ohr in eine sanfte Empfindung zu versetzen und dahin, wo er will, zu reissen vermögend ist. Es ist wohl selten möglich, ein Stück bey dem ersten Anblicke sogleich nach seinem wahren Inhalt und Affeckt weg zu spielen. [...] Es ist ein Vorzug fürs Clavier, daß man es in der Geschwindigkeit darauf höher als einem andern Instrumente bringen kan. Man muß aber diese Geschwindigkeit nicht mißbrauchen. Man verspare sie bis auf die Gänge, wo man ihrer nöthig hat, ohne gleich das Tempo vom Anfange zu überschreiten. [...] In einigen auswärtigen Gegenden herrschet gröstentheils besonders dieser Fehler sehr starck, daß man die Adagios zu hurtig und die Allegros zu langsam spielet. Was für ein Widerspruch in einer solchen Art von Ausführung stecke, braucht man nicht methodisch darzuthun. Doch halte man nicht dafür, als ob ich hiemit diejenigen trägen und steiffen Hände rechtfertigen will, die einen aus Gefälligkeit einschläfern, die unter dem Vorwande des sangbaren das Instrument nicht zu beleben wissen, und durch den verdrießlichen Vortrag ihrer gähnenden Einfälle noch weit mehrere Vorwürfe, als die geschwinden Spieler verdienen. Diese letztern sind zum wenigsten noch der Verbesserung fähig; ihr Feuer kan gedämpfet werden, wenn man sie ausdrücklich zur Langsamkeit anhält, da das hypochondrische Wesen, das aus den matten Fingern bis zum Eckel hervorblikket, wohl wenig oder gar nicht durch das Gegentheil zu heben ist. Beyde übrigens üben ihr Instrument bloß maschinenmäßig aus, da zu dem rührenden Spielen gute Köpfe erfodert werden, die sich gewissen vernünftigen Regeln zu unterwerfen und darnach ihre Stücke vorzutragen fähig sind.

§. 2.

Worinn aber besteht der gute Vortrag? in nichts anderm als der Fertigkeit, musikalische Gedancken nach ihrem wahren Inhalte und Affeckt singend oder spielend dem Gehöre empfindlich zu machen. Man kan durch die Verschiedenheit desselben einerley Gedancken dem Ohre so veränderlich machen, daß man kaum mehr empfindet, daß es einerley Gedancken gewesen sind.

§. 3.

Die Gegenstände des Vortrages sind die Stärcke und Schwäche der Töne, ihr Druck, Schnellen, Ziehen, Stossen, Beben, Brechen, Halten, Schleppen und Fortgehen. Wer diese Dinge entweder gar nicht oder zur unrechten Zeit gebrauchet, der hat einen schlechten Vortrag.

§. 4.

Der gute Vortrag ist also sofort daran zu erkennen, wenn man alle Noten nebst den ihnen zugemessenen guten Manieren zu rechter Zeit in ihrer gehörigen Stärcke durch einen nach dem wahren Inhalte des Stücks abgewognen Druck mit einer Leichtigkeit hören läßt. Hieraus entstehet das Runde, Reine und Fliessende in der Spielart, und wird man dadurch deutlich und ausdrückend. Man muß aber zu dem Ende die Beschaffenheit desjenigen Instruments, worauf man spielet, wohl untersuchen, damit man es weder zu wenig, noch zu viel angreiffe. Manches Clavier giebt nicht eher seinen vollkommnen und reinen Ton von sich, als wenn man es starck angreifft; ein anders wiederum muß sehr geschonet werden, oder man übertreibt das Ansprechen des Tons. Diese Anmerckung, die schon im Eingange gemacht worden, wiederhohle ich allhier deßwegen noch einmahl, damit man auf eine vernünftigere Art, als insgemein geschicht, nemlich nicht durch eine übertriebne Gewalt des Anschlages, sondern vielmehr durch harmonische und melodische Figuren, z. E. die Raserey, den Zorn oder andere gewaltigen Affeckte vorzustellen suche. Auch in den geschwindesten Gedancken muß man hiebey jeder Note ihren gehörigen Druck geben; sonsten ist der Anschlag ungleich und undeutlich. [...]

§. 5.

Die Lebhaftigkeit des Allegro wird *gemeiniglich* in gestossenen Noten und das Zärtliche des Adagio in getragenen und geschleiften Noten vorgestellet. [...] Ich setze [...] mit Fleiß *gemeiniglich,* weil ich wohl weiß, daß allerhand Arten von Noten bey allerhand Arten der Zeitmaaße vorkommen können.

§. 6.

Einige Personen spielen klebericht, als wenn sie Leim zwischen den Fingern hätten. Ihr Anschlag ist zu lang, indem sie die Noten über die Zeit liegen lassen. Andere haben es verbessern wollen, und spielen zu kurtz; als wenn die Tasten glühend wären. Es thut aber auch schlecht. Die Mittelstrasse ist die beste; ich rede hievon überhaupt; alle Arten des Anschlages sind zur rechten Zeit gut.

§. 7.

Wegen Mangel des langen Tonhaltens und des vollkommnen Ab- und Zunehmen des Tones, welches man nicht unrecht durch Schatten und Licht mahlerisch ausdrückt, ist es keine geringe Aufgabe, auf unserm Instrumente ein Adagio singend zu spielen, ohne durch zu wenige Ausfüllungen zu viel Zeitraum und Einfalt blicken zu lassen, oder durch zu viele bunte Noten undeutlich und lächerlich zu werden. Indessen, da die Sänger und diejenigen Instrumentisten, die diesen Mangel nicht empfinden, ebenfals nur selten die langen Noten ohne Zierathen vortragen dürfen, um keine Ermüdung und Schläfrigkeit blicken zu lassen, und da bey unserm Instrumente dieser Mangel vorzüglich durch verschiedne Hülfsmittel, harmonische Brechungen, und dergleichen hinlänglich ersetzet wird, über dieses auch das Gehör auf dem Claviere mehr Bewegung leiden kan, als sonsten: so kan man mit gutem Erfolge Proben ablegen, womit man zufrieden seyn kan, man müßte denn besonders wieder das Clavier eingenommen seyn. Die Mittelstrasse ist freylich schwer hierinnen zu finden, aber doch nicht unmöglich; zudem so sind unsere meisten Hülfsmittel zum Aushalten, z. E. die Triller und Mordenten, bey der Stimme und andern Instrumenten so gut gewöhnlich als bey dem unsrigen. Es müssen aber alle diese Manieren rund und dergestalt vorgetragen werden, daß man glauben sollte, man höre blosse simple Noten. Es gehört hiezu eine Freyheit, die alles sclavische und maschinenmäßige ausschliesset. Aus der Seele muß man spielen, und nicht wie ein abgerichteter Vogel. Ein Clavierist von dieser Art verdienet allezeit mehr Dank als ein andrer Musikus. Diesem leztern ist es ehe zu verdenken, wenn er bizarr singt oder spielt, als jenem.

§. 8.

Um eine Einsicht in den wahren Inhalt und Affeckt eines Stückes zu erlangen, und in Ermangelung der nöthigen Zeichen, die darinnen vorkommenden Noten zu beurtheilen, ob sie geschleift oder gestossen u. s. w. werden sollen, ingleichen, was bey Anbringung der Manieren in Acht zu nehmen ist, thut man wohl, daß man sich Gelegenheit verschaffet, so wohl eintzelne Musicos als gantze Musickübende Gesellschaften zu hören. Dieses ist um so viel nöthiger, je mehrern zufälligen Dingen meistentheils diese Schönheiten unterworfen sind. Man muß die Manieren in einer nach dem Affeckt abgemeßnen Stärcke und Eintheilung des Tackts anbringen. Wiewohl man, um nicht undeutlich zu werden, alle Pausen so wohl als Noten nach der Strenge der erwehlten Bewegung halten muß, ausgenommen in Fermaten und Cadentzen: So kan man doch öfters die schönsten Fehler wider den Tackt mit Fleiß begehen, doch mit diesem Unterscheid, daß, wenn man alleine oder mit wenigen und zwar verständigen Personen spielt, solches dergestalt geschehen kan, daß man der gantzen Bewegung zuweilen einige Gewalt anthut; die Begleitenden werden darüber, anstatt sich irren zu lassen, vielmehr aufmercksam werden, und in unsere Absichten einschlagen; daß aber, wenn man mit starcker Begleitung, und zwar wenn selbige aus vermischten Personen von ungleicher Stärcke besteht, man bloß in seiner Stimme allein wider die Eintheilung des Tackts eine Aenderung vornehmen kan, indem die Hauptbewegung desselben genau gehalten werden muß.

§. 9.

Alle Schwürigkeiten in Passagien sind durch eine starcke Uebung zu erlernen, und erfordern in der That nicht so viele Mühe als der gute Vortrag einfacher Noten. Diese machen manchem zu schaffen, welcher das Clavier für simpler hält als es ist. So faustfertig man unterdessen sey: so traue man sich nicht mehr zu als man bezwingen kan, wenn man öffentlich spielt, indem man alsdenn selten in der gehörigen Gelassenheit, auch nicht allezeit gleich aufgeräumt ist. Seine Fähigkeit und Disposition kan man an den geschwindesten und schwersten Passagen abmessen, damit man sich nicht übertreibe und hernach stecken bleibe. Diejenigen Gänge, welche zu Hause mit Mühe und sogar nur dann und wann glücken, muß man öffentlich weglassen, man müßte denn in einer gantz besondern Fassung des Gemüthes seyn. Auch durch Probirung der Triller und andrer kleinen Manieren kann man das Instrument zuvor erforschen. Alle diese Vorsichten sind aus zweyerley Ursachen nothwendig, erstlich, damit der Vortrag leicht und fliessend sey, und ferner, damit man gewisse ängstliche Gebährden vermeiden könne, die die Zuhörer, anstatt sie zu ermuntern, vielmehr verdrießlich machen müssen.

§. 10.

Der Grad der Bewegung läßt sich so wohl nach dem Inhalte des Stückes überhaupt, den man durch gewisse bekannte italiänische Kunstwörter anzuzeigen pflegt, als besonders aus den geschwindesten Noten und Figuren darinnen beurtheilen. [...]

§. 11.

Die begleitenden Stimmen muß man, soviel möglich, von derjenigen Hand verschonen, welche den herrschenden Gesang führet, damit sie selbigen mit aller Freiheit ungehindert geschickt herausbringen könne.

§. 12.

Wir haben im §. 8. als ein Mittel, den guten Vortrag zu erlernen, die Besuchung guter Musicken vorgeschlagen. Wir fügen allhier noch hinzu, daß man keine Gelegenheit verabsäumen müsse, geschickte Sänger besonders zu hören; Man lernet dadurch singend dencken, und wird man wohl thun, daß man sich hernach selbst einen Gedancken vorsinget, um den rechten Vortrag desselben zu treffen. Dieses wird allezeit von grösserm Nutzen seyn, als solches aus weitläuftigen Büchern und Discursen zu hohlen, worinn man von nichts anderm als von Natur, Geschmack, Gesang, Melodie, höret, ungeachtet ihre Urheber öfters nicht im Stande sind, zwey Noten zu setzen, welche natürlich, schmackhaft, singend und melodisch sind, da sie doch gleichwohl alle diese Gaben und Vorzüge nach ihrer Willkühr bald diesem bald jenem, jedoch meistens mit einer unglücklichen Wahl, austheilen.

§. 13.

Indem ein Musickus nicht anders rühren kan, er sey dann selbst gerührt; so muß er nothwendig sich selbst in alle Affeckten setzen können, welche er bey seinen Zuhörern erregen will; er giebt ihnen seine Empfindungen zu verstehen und bewegt sie solchergestallt am besten zur Mit-Empfindung. Bey matten und traurigen Stellen wird er matt und traurig. Man sieht und hört es ihm an. Dieses geschicht ebenfals bey heftigen, lustigen, und andern Arten von Gedancken, wo er sich alsdenn in diese Affeckten setzet. Kaum, daß er einen stillt, so erregt er einen andern, folglich wechselt er beständig mit Leidenschaften ab. Diese Schuldigkeit beobachtet er überhaupt bey Stücken, welche ausdrückend gesetzt sind, sie mögen von ihm selbst oder von jemanden anders herrühren; im letztern Falle muß er dieselbe Leidenschaften bey sich empfinden, welche der Urheber des fremden Stücks bey dessen Verfertigung hatte. Besonders aber kan ein Clavieriste vorzüglich auf allerley Art sich der Gemüther seiner Zuhörer durch Fantasien aus dem Kopfe bemeistern. Daß alles dieses ohne die geringsten Gebehrden abgehen könne, wird derjenige bloß läugnen, welcher durch seine Unempfindlichkeit genöthigt ist, wie ein geschnitztes Bild vor dem Instrumente zu sitzen. So unanständig und schädlich heßliche Gebährden sind: so nützlich sind die guten, indem sie unsern Absichten bey den Zuhörern zu Hülfe kommen. […]

§. 14.

Aus der Menge der Affeckten, welche die Musick erregen kann, sieht man, was für besondre Gaben ein vollkommner Musikus haben müsse, und mit wie vieler Klugheit er sie zu gebrauchen habe, damit er zugleich seine Zuhörer, und nach dieser ihrer Gesinnung den Inhalt seiner vorzutragenden Wahrheiten, den Ort, und andere Umstände mehr in Erwegung ziehe. Da die Natur auf eine so weise Art die Musik mit so vielen Veränderungen begabet hat, damit ein jeder daran Antheil nehmen könne: so ist ein Musikus also auch schuldig, so viel ihm möglich ist, allerley Arten von Zuhörern zu befriedigen.

§. 15.

Wir haben oben angeführt, daß ein Clavieriste besonders durch Fantasien, welche nicht in auswendig gelernten Passagien oder gestohlnen Gedancken bestehen, sondern aus einer guten musikalischen Seele herkommen müssen, das Sprechende, das hurtig Ueberraschende von einem Affeckte zum andern, alleine vorzüglich vor den übrigen Ton-Künstlern ausüben kann; Ich habe hiervon in der letzten Probe eine kleine Anleitung entworfen. Hierbey ist nach der gewöhnlichen Art der schlechte Tackt vorgezeichnet, ohne sich daran zu binden, was die Eintheilung des Gantzen betrifft; aus dieser Ursache sind allezeit bey dieser Art von Stücken die Abtheilungen des Tacktes weggeblieben. Die Dauer der Noten wird durch das vorgesetzte *Moderato* überhaupt und durch die Verhältniß der Noten unter sich besonders bestimmt. Die Triolen sind hier ebenfals durch die blosse Figur von drey Noten zu erkennen. Das Fantasiren ohne Tackt scheint überhaupt zu Ausdrückung der Affeckten besonders geschickt zu seyn, weil jede Tackt-Art eine Art von Zwang mit sich führet. Man siehet wenigstens aus den Recitativen mit einer Begleitung, daß das Tempo und die Tackt-Arten offt verändert werden müssen, um viele Affeckten kurtz hinter einander zu erregen und zu stillen. Der Tackt ist alsdenn offt bloß der Schreib-Art wegen vorgezeichnet, ohne daß man hieran gebunden ist. Da wir nun ohne diese Umstände mit aller Freyheit, ohne Tackt, durch Fantasien dieses auf unserm Instrumente bewerckstelligen können, so hat es dieserwegen einen besondern Vorzug. [...]

8. Cristian Gottfried Krause, Von der musikalischen Poesie, Berlin 1753 (Neudruck: Leipzig 1973)

Vorrede.

Es ist eine nicht seltene Klage der Componisten, daß es ihnen sauer werde, manche zur Musik bestimmte Poesien in Noten zu bringen. Hingegen mögen auch manche Singgedichte sich wohl leicht in die Musik setzen, und gut singen lassen, indem sie aus fließenden und anmuthigen Worten bestehen. Allein man findet darinn den Reichthum, die Erhabenheit und Stärke der Gedanken, und den bildervollen und neuen Ausdruck nicht, welcher andere Gedichte so schätzbar macht. Man ist daher auf die Gedanken gerathen, ein Gedicht könne die gehörigen Vollkommenheiten nicht haben, wenn es zur Musik bequem seyn solle; der Poet, der solche Verse mache, werde ein Sclave der Tonkunst; er opfere die Vernunft der Bequemlichkeit des Componisten auf, und die Poesie verliehre da, wo die Musik gewinnet. [S. I–II]

Bey einem Singstück vereiniget sich die Musik mit der Poesie, um mit gemeinschaftlichen Kräften ein sinnlich vollkommenes Werk hervor zu bringen. Wie nun zu dieser Absicht eine Poesie am geschicktesten sey, das habe ich mich bemühet, in folgender Abhandlung zu zeigen. Weil es aber dabey auf den wahren Ausdruck der Leidenschaften ankommt, so wünschte ich, daß ein deutscher Racine uns so viel Nacheyferung erweckte, rührend zu schreiben, als Herr Haller erreget hat, bilderreich und nachdenklich zu dichten. Gemüthsbewegungen nachzuahmen und Empfindungen zu schildern, erfordert eben so viel Geschicklichkeit und Fleiß, und kann nicht mindern Ruhm und Beyfall zuwege bringen. [...]

[S. IV–V]

Das zweyte Hauptstück.
Was für Vorstellungen die Musik errege.

[...]

Mit Recht hat man [...] schon längst von der Musik gesaget, daß sie die Zornigen besänftige, die Betrübten aufrichte, den verdrießlichen übeln Humor, das Gegentheil der Leutseeligkeit und Wohlgewogenheit, die kränkende Sorgen, und die tödtende Traurigkeit verjage, das Gemüth in Ruhe setze, und alle sanfte Bewegungen, Liebe, Zufriedenheit, Hofnung und Mitleiden einflöße. Sie verleihet dem Gemüth eine Heiterkeit, welche liebreich, gesellig und umgänglich machet, und die Erfahrung lehret, daß diejenigen, so die Musik lieben, selten hart, trotzig und ungesellig sind. Die sanften Empfindungen reizender Töne, machen die Sitten feiner, den Verstand biegsamer und das Herz empfindlicher. Ihre Eindrücke befördern die Fertigkeit, Liebe, Güte und Mittleiden zu empfinden, und geben unsern Leidenschaften die nüzlichste Mäßigung, als worinn das wahre Wesen der Tugend bestehet. Vermittelst des Vergnügens, so sie verursachen, werden die Gemüthsneigungen gebildet, und die Begierden gereiniget und gelenket. Zu der Tugend gehöret durchaus ein sehr empfindliches Herz. Ohne dasselbe kann man wohl viel Vernunft haben, aber nicht tugendhaft seyn. Die weichen und biegsamen Gemüther sind in der Welt die besten und brauchbarsten; die trotzigen taugen zu wenig würklich edlen Dingen. [...] Zur Tugend werden Neigungen und Begierden erfodert, die zum Vortheil der Menschlichkeit abzielen. Es kömmt nicht allemal auf tiefe Einsicht in die Warheiten an; die eigentliche Vernunft thut vielleicht nur wenig in der Welt. Die Verwandschaftsliebe, die Sorge für die Nachkommen, die Liebe zum Umgange, das Mittleiden, die Hülfsbegierde, alle diese Tugenden kommen von den natürlichen Neigungen her, welche wir um deswillen gerne befriedigen, weil wir dabey ein so sanftes Vergnügen empfinden; und dieses Vergnügens macht uns die Musik fähiger, und trägt also zur Tugend auch das Ihrige bey.

So nützlich und so natürlich uns aber die musikalischen Ergötzungen sind, so vermögen die Töne bey weiten doch nicht alle die Vorstellungen in uns zu erregen, welche die Worte erwecken können. Mit diesen letztern verknüpffen wir so wohl allgemeine als besondere und einzele Begriffe. Daher kan ein Redner nicht nur die Zufriedenheit überhaupt, sondern auch besonders meine Zufriedenheit über meine Umstände erregen. Der Musikus aber bringt nur allgemeine Vorstellungen in mir hervor. Ein Adagio macht mich betrübt, ein Allegro frölich; ich weiß aber nicht, warum und worüber? Einige besondere Gattungen der Affecten lassen sich noch wol in Melodien bemerken. z.E. die Hoffnung auf GOtt wird anders ausgedrückt, als die, wodurch ein Verliebter sich schmeichelt glücklich zu werden. [...] Die Töne sind auch ziemlich verständlich, wenn das Ziel des vorgestellten Affects ebenfals eine merklich starke, und des musikalischen Ausdrucks fähige Leidenschaft ist. So kan der Musikus wohl die Begierde eines Liebhabers, nicht aber das Verlangen eines Geizhalses characterisiren. Und bis auf die einzeln Umstände eines jeden Affects und dessen, der ihn hat, wird der Tonkünstler in seinen Tönen sich nicht herablassen können. Wenn die Musik also gleich durch wiederhohlte sanfte Empfindungen die Wildheit des Gemüths ausrottet, und solchergestalt die Leidenschaften reiniget, so kan sie dennoch den Verstand nicht bessern, wenn dis Wort die deutliche Einsicht der Sachen, oder die Erweiterung unserer Erkänntniß bezeichnen soll. Ein Verstand, der sich nicht bis auf die einzelen Dinge herunter lässet, ist nicht sehr brauchbar. Nie ist jemand durch ein Concert gelehrter, klüger und verständiger worden. Niemand sagt: das war eine lehrreiche Musik. [...] Bemühet euch, wie ihr wollt, jemand in Tönen zu überreden, er solle seinen Nächsten lieben; es wird euch nicht gelingen. Ihr habt nicht die Mittel des Redners dazu, dessen Zuhörer

bey jedem Worte dieses Satzes einen eigentlichen Begriff gedenkt, und unser Verstand hat hierinn schon eine so erstaunliche Uebung, daß wir es oftmals nicht mehr gewahr werden, daß er wirket. Mit je mehr Sachen wir aber jedes Wort schon verknüpft haben; und es geschicht dieses sehr häuffig, denn die Sprache ist uns zur Nothdurft und zur Ergötzlichkeit zugleich gegeben; destomehr giebt uns dasselbe Wort zu gedenken, wenn wir es hören. [...] Hingegen bey Anhörung eines Tones, gedenken wir natürlicher weise und zum ersten nichts, als nur, ob er angenehm oder unangenehm klinge? ob gleich auch an dem ist, daß je mehr man mit Tönen umgehet, je mehr man auch dabey gedenken lernt. Sonst aber enthalten sie zwar eine Sprache, aber nur die Sprache der Begierden und Leidenschaften; und wir wissen dennoch nach aller Mühe nicht so gut und so deutlich, was sie sagen wollen, als solches bey den Worten geschicht, weil wir damit nicht bis auf die einzele Dinge herunter kommen können.
Ist indessen die Absicht aller Nachahmung, entweder uns auf ihre Vorstellungen aufmerksam zu machen, und zu unterrichten, oder uns gegen die vorgestellten Sachen mit Gunst oder Abscheu einzunehmen und zu bewegen, so kan die Musik uns zwar nicht so unterrichten, als wie wir in einer Wissenschaft unterwiesen werden. Nichts destoweniger aber befriedigen ihre Vorstellungen doch unsern angebohrnen Witz und unsere Lernbegierde, und die verschiedene Anordnung der Töne bringt dem Gemüthe eben so viel Vergnügen, als die schöne Einrichtung eines Gedichtes. [...] Schaftesbury behauptet, als etwas unläugbares, daß die Bewunderung und Liebe der Ordnung und der Proportion, sie sey worinn sie wolle, natürlicher weise die Sinnesart verbessere, der geselligen Neigung zuträglich sey, und der Tugend zu einer sehr großen Hülfe gereiche, als welche letztere selbst nichts anders, als Liebe der Ordnung und Schönheit in der Gesellschaft sey; bey den geringsten Dingen in der Welt nehme der Anblick einer Ordnung das Gemüth ein, und ziehe unsere Neigung darauf. In keiner von den schönen Wissenschaften ist so viel Ordnung, und gutes Verhältniß, als in der Musik. In Absicht auf das Innere, auf die Gedanken und deren Schwung und Anordnung, ist sie bey Erregung der Affecten, und bey der Bemühung zu gefallen, auf Regeln gegründet, die der Natur durchaus gemäß sind. Die Beredsamkeit und

die Dichtkunst können uns durch Vorurtheile und Blendwerke bewegen, die dem Ganzen der Ordnung in der Welt zuwider laufen. Und in der äusserlichen Einrichtung hat die Musik so viel Symmetrie, als immer nur die Baukunst haben kan, und viel mehr als die Poesie.
Es kommt bey melodischen Gängen nicht bloß auf eine solche Gleichheit an, wie wir in den Reimgebäuden und den ähnlichen Zeilen der Verse in Acht nehmen. Meist alle Absätze, Puncte, Cola und Commata haben gar genaue und doch sehr verschiedene Proportionen unter einander. Alle Zusammenfügungen der Töne, so wohl in der Harmonie, als in der Melodie, sind aus- und abgemessen. Die Musik ergötzet also ganz ausnehmend, ja sie rühret, ob wir gleich ihren Gegenstand mehrmahls nicht deutlich erkennen. Weil aber unser Verstand bey den Bewegungen der Seele immer mitarbeiten will, und also die deutlichen Gedanken auch an der Musik Theil haben wollen, so verbindet man Worte und Töne mit einander. Lehrreiche, feurige Worte, durch eine einnehmende Melodie noch mehr erhoben, sind von grossem Nutzen, und von unvergleichlicher Würkung. Klären jene den Verstand auf, und greifen sie das Herz schon für sich an, so kömmt diese mit ihrer entzückenden Kraft ihnen zu Hülfe; und dadurch wird die Wahrheit angenehmer, eindringender, und die Liebe zur Tugend stärker gemacht. Der Text enthält bey einem Singestück die Gedanken, und deren Folge und Anordnung überhaupt. Die Musik arbeitet, so wohl als die Worte, zur Erläuterung der Gedanken und zur Ueberzeugung und Bewegung der Zuhörer, und sie verleihet Worten, vor denen viel Herzen verschlossen sind, solche Annehmlichkeiten, die die Herzen eröfnen, und den Wahrheiten Eingang verschaffen. Hierin bestehet auch der größte Vorzug, den die Vocal- vor der Instrumentalmusik hat. [S.39–45]

Das vierte Hauptstück.
Von den Empfindungen, Rührungen und Affecten, welche in der Musik vorgestellet werden.

[...] Die Gemüthsneigungen sind die wahre Materie der Tugend und der Lasterhaftigkeit der Menschen. Die Tugend selbst ist nichts anders als ein wohleingerichtete und klügliche gemäßigte Gemüthsneigung.

Die Musik ist hierinn sehr glücklich. Alle die edelsten Tugenden und Neigungen sind von den Affecten begleitet, die sich in ihr am besten ausdrücken lassen. [...] Die Liebe, als die vornehmste unter den Tugenden, natürlichen Neigungen und Leidenschaften, findet entweder überhaupt an andern ein ausnehmendes Wohlgefallen, oder sie ist der besondere Affect, der die ganze Welt beherrschet, und doch nicht recht beschrieben werden kann, wiewohl er zuletzt vielleicht immer auf den Trieb zur Vermehrung abzielen dürfte. Der Umfang der liebreichen Neigung ist erstaunlich groß, und ihr Reiz ungemein stark. Furcht, Schrecken, Sorge und Unruhe kommen davon her, und sind doch angenehm, so lange die Liebe dauret. Bey den Stufen der verschiedenen Arten der Liebe eräugnen sich verschiedene Wallungen im Geblüte, und wir bemerken an einem Verliebten, bald muntere und lustige, bald ruhige und stille, bald ungeduldige und klagende Bewegungen des Cörpers, der Glieder und sonderlich der Stimme. Der Musikus dann dabey helle und angenehme, sanfte und liebliche, abwechselnd langsame und geschwinde Töne brauchen. Bald bittet der Liebende auf das beweglichste, bald entzündet sich sein Verlangen auf das heftigste, und die Stimme ist bald gezogen, bald bebend, bald unterbrochen. Mit einem Worte, es ist fast keine musikalische Schönheit, welche nicht bey dem Ausdruck der verschiedenen Arten und Wirkungen der Liebe vorkommen könnte. Die Gattungen dieser vortreflichen Gemüthsbeschaffenheit sind Gütigkeit, Wohlgewogenheit, Freundlichkeit, Freundschaft, Gefälligkeit, Großmuth, Dankbarkeit, Leutseligkeit, Mitleiden, Hülfsbegierde und Geselligkeit, und ihre Folgen Freude, Zufriedenheit, Hofnung und so ferner. Es ist eine Ehre für die Musik, daß sich alle diese Neigungen so gut dazu schicken. Man nimmt also auch meistentheils dieselben, und das, was zunächst aus ihnen fließet, zu Materien der Singstücke, und da sie die hauptsächlichsten Mittel zur Selbstzufriedenheit sind, so hält man die Musik mit Recht für eine Ergötzung und für ein Vergnügen. Vielleicht sind diejenigen, so die Musik nicht leiden können, dieser Empfindungen auch nur in geringem Grade fähig. Die Musik will sie zu oft erregen, und dieß macht ihnen Wiederwillen. Es kommt mir dieses um so viel wahrscheinlicher vor, da mancher Mensch vermittelst einer Stärke der Ueberlegungen, oder aus Verstellung und

Nothwendigkeit, die Wirkungen dieser Triebe äußert, ohne sie selbst zu haben. Kaltsinn, Gleichgültigkeit, Mangel der Liebe und der Freundschaft, Undank, Uebelwollen, Haß und dergleichen, werden ihnen entgegen gesetzt, und dieser ihre Wirkungen sind Unzufriedenheit, Mißvergnügen, Niedergeschlagenheit und Schwermuth.
Die Begierde zum Vergnügen, Wohlleben und zur Wollust bietet auch verschiedene Leidenschaften dar. Der musikalische Poet hat hier nach seinem aestthetisch-moralischem System, die Gränzen auszumachen, welche Liebe, Sinnlichkeit und Geilheit untereinander haben. Er führet den Componisten an; dieser aber muß sich seines Theils auch alle Mühe geben, Weichlichkeit und Liebe nicht zu vermengen. Es wäre was neues, durch die Musik den Ekel über etwas in einer Arie vorzustellen. Die Mäßigung, die Herrschaft über sich selbst, und die Bescheidenheit können ebenfalls vorkommen. Die leztere recht vernehmlich und liebenswürdig in Worten und Tönen ausgedrückt, solte ein Meisterstück abgeben. Die einfältige Unschuld erfordert auch einen ganz besondern Character in den Gedanken und in dem Ausdruck. Sie herrschet hauptsächlich in Pastoralen, und die Musik ist an reizenden Schäferliedern reich. Die Art der Unschuld, die auf Neugierde und Liebe gehet, ist in der Operette abgebildet, welche sich in Herr Gellerts Lustspielen befindet. Wir haben noch eine Gattung der Gedichte, die hieher einschlägt. Es sind die anakreontischen Lieder, deren Character darinn bestehet, daß sie die Leidenschaften schildern, so wie wir uns derselben, gleichsam nur zur Ergötzung und zum Zeitvertreibe bedienen, und uns von keiner zu weit mit fortreissen lassen. Es wird da nicht die natürliche Einfalt der Schäferliebe, sondern die Liebe artiger Leute vorgestellet, die aber mehr auf das Vergnügen des Geistes, als auf die Tilgung der Begierden siehet.[...]
Die Freude über das vorhandene viele Gute, läßt sich durch muntere, klare, freye Töne, und mit einer fließenden und etwas geschwinden Composition ausdrücken. Sie ist der erste Quell der Musik, und kann sonderlich die Wiederholungen leiden; weil der Mensch seine Freude niemahls genug entdekken kann. Die Frölichkeit muß noch lebhafter und nachdrücklicher geschildert werden, weil sie zugleich das Ende des besorgten Mißvergnügens ist. Dieses Uebel läßt sich in

etwas übel lautenden Tönen vorstellen, die aber durch wohl lautende immer bald verjaget werden.[...] Die Hofnung schildert das Gute in gesetzten, männlichen, etwas stolzen und frolockenden Tönen, nach dem wir glauben, es bald in unsere Gewalt zu bekommen, und dessen Gewißheit sehr wahrscheinlich ist, oder nicht. Die Hofnung erhält die Welt, und sie läßt sich allenthalben und in unendlichen Graden finden. Manchmal wird sie zur unruhigen Wunschbegierde, und eine etwas gewaltsame, sehr vernehmliche, und zu weilen etwas pochende und trotzige Stimme drücket sie aus, so wie bey dem Verlangen und der Sehnsucht, gezogene und matte Töne gut sind. [S. 89–91]

Die traurigen Affecten, bestehen nicht überhaupt in einem bloßen Mangel des Guten (privatio). Sie kommen aus der anschauenden Erkänntniß wirklicher Unvollkommenheiten her, welche also durch Kunst auch vorgestellet werden können, und diese Abbildung gefällt uns, wenn wir dabey die glückliche Nachahmung gewahr werden; um so vielmehr, da uns selbst traurige Affecten, um ihres angenehmen Objects willen, gefallen können. Der finstere Anblick und die schwermüthige Empfindung der Tugend vergnüget uns. In den Trauerspielen nehmen wir durch diese traurigen Bewegungen unserer Leidenschaften, an den Schicksalen des Verdienstes Theil, und die gesellige Neigung und menschliche Sympathie erhält dadurch das reizendste Vergnügen. Der Ton eines Traurigen ist schwach und bebend, und der Ausdruck kurz und langsam. Kömmt noch ein Unwille darzu, so wechselt die Langsamkeit mit der Geschwindigkeit ab. Der Mitleidige trauret über unser Unglück, da er uns doch Gutes gönnt, und bedienet sich betrübter, beweglicher und oft flehender Töne. Aechzende, zitternde, abgebrochene Töne, drücken die Furcht und die Angst aus. Da bey dem Schrekken das Geblüt und die Lebensgeister zurück treten, und sich zusammen ziehen, der Mund eine Zeitlang sprachloß und der Ton hernach gebrochen wird; da man ferner darinn mit ungewissen Tönen, bisweilen Wörter und Buchstaben versetzet, und den Zusammenhang zertheilet, so lässet sich auch das Schrecken in der Musik ausdrücken. Die Reue wird mit einer klagenden, seufzenden, und manchmal sich selbst scheltenden Stimme vorgestellet, die zugleich eine Unruhe verräth.[...]

Der Zorn fähret plötzlich und wüthend heraus, er schreyet, donnert und zersplittert gleichsam die erhabenen Worte.
Nachdem sich nun die hier angeführten Gemüthsbewegungen von denen entfernen, bey welchen uns das Singen natürlich ist, nachdem verliehret sich auch die Verständlichkeit der Töne, und selbige können den Worten nur noch mit äusserlichen Dingen an die Hand gehen. Die Sachen, die Leidenschaften selbst aber, sind sie deutlich mit auszudrücken, nicht ferner im Stande. Dieß ist auch die Ursache, warum Arien, die dergleichen enthalten, minder reizen, und nicht so allgemein gefallen, als die, worinn Liebe, Hofnung, Mitleiden und Betrübniß vorgestellet werden. Den Neid, und die Mißgunst drückt man mit rauhen, knirrenden, harten und bellenden, und den Haß, die Schwester von jener, mit störrischen und murrenden Tönen aus, die öfters Prahlen, Heftigkeit und Schelten in sich halten. Der Argwohn kann also auch seinen Ausdruck finden. Bey dem Verwünschen und Verfluchen braucht man polternde Töne und häufige Dissonanzen. Die Rachbegierde bedienet sich verwegener und trotziger Ausrufungen; die Sätze der Melodie brechen kurz ab, der Baß und die Instrumente sind hingegen in steter Arbeit, die aber in keinem wilden Geräusche bestehen muß, als welches oft nichts ausdrückt.[...]
Muth, Entschlossenheit, Herz, Zagheit, lassen sich auch in Tönen vorstellen; denn Hofnung oder Furcht können sie zu Affecten machen. Die Liebe zum Ruhm und die Ehrbegierde dürfte manchem Componisten zu speculativ vorkommen. Sie kann indessen doch zum Affect, und mit gesetzten, natürlichen, muthigen, und zuweilen mit trotzig vergnügten Tönen vorgestellet werden. Das Uebertriebene bey dieser Neigung, Eitelkeit, Einbildung, Stolz, Aufgeblasenheit, wird sonderlich oft in Tanzmelodien ausgedrückt. Diese Gemüthsbeschaffenheiten sind allemal mit einer gezwungenen Ernsthaftigkeit und mit lächerlichen Bewegungen des Cörpers verknüpfet, welche sich in Tönen nachahmen lassen.[...]
Es fragt sich, da wir Hochmuth und Stolz in der Musik ausdrücken, warum wir nicht auch den Geiz darinn vorstellen? So viel ich weiß, ist es noch nicht geschehen; ob die Ehrfurcht gleich nicht weniger eine ausgelassene Liebe zum Ruhm, als der Geiz eine unmäßige Art des sonst guten Verlangens ist, mit den Vortheilen versehen zu seyn, wodurch

man sich erhalten, und aufs künftige versorgen kann. Der Geiz ist die Neigung, wovon der Nebenmensch am allerwenigsten genießet. Ja wenn die Begierde nach Gütern zur Leidenschaft wird, so ist der Nachtheil, den sie demjenigen zufüget, der sie hat, eben so groß, als der, den sie der menschlichen Gesellschaft bringt. Wir werden uns dadurch selbst zu Last, wir schämen uns aber, es zu gestehen. Hernach so liegen diese ängstlichen Begierden, ganz ausser dem Gebiet der Natur. Niemand siehet ab, wenn und wodurch sie befriediget werden können. Ein geiziges und unglückseeliges Gemüth ist einerley. Die Musik brauchen wir aber zum Vergnügen. Daher hat sich die Menschlichkeit gleichsam darwieder gesetzet, diese unmenschliche und traurigste Leidenschaft in Tönen vorzustellen. Der Ehrgeiz hingegen hat für die menschliche Gesellschaft doch noch manches Gutes, und da ihn die meisten Menschen empfinden, so hat man gleichsam einen Vertrag gemacht, sich dessen nicht so sehr zu schämen. Ein Ehrgeiziger macht auch gewisse äusserliche Bewegungen des Cörpers, welche in Tönen können abgebildet und angedeutet werden. Der Geldgeizige hat sein Laster bloß innerlich.

[S. 94–99]

Ich setze endlich nochmals den allgemeinen Satz fest: je natürlicher uns eine Neigung, Gemüthsbeschaffenheit und Leidenschaft ist, je mehr sie auf Liebe und sanfte Empfindungen gehet, oder sich doch in dem Ton der Stimme, in allerhand Geberden und Stellungen des Leibes offenbaret: je musikalischer ist sie, und je leichter und deutlicher läßt sie sich in Tönen ausdrücken. Gegentheils je weniger dabey die angeführten Umstände anzutreffen sind, je mehr müssen die Worte die Deutlichkeit geben.[...] [S.101]

9. Friedrich Wilhelm Marpurg, Abhandlung von der Fuge nach den Grundsätzen und Exempeln der besten deutschen und ausländischen Meister, Teil 1, Berlin 1753 (Neudruck: Hildesheim 1970)

[Widmungsrede]
Des Herrn Capellmeisters Telemann Hochedelgebohrnen:

Hochedelgebohrner, Hochzuehrender Herr Capellmeister,

Ich getraute mir nicht, Ew. Hochedelgeb. diese Blätter zu übergeben, wenn ich nur diesen Grund hätte, daß ich sie keinem so leichte als Ihnen mit mehrerem Rechte übergeben könnte. Man weiß es ohne mich, daß Sie eine Schrift von dieser Gattung am richtigsten zu beurtheilen im Stande sind. Die Meisterstücke Ihrer Feder haben vorlängst die falsche Meinung widerleget, als wenn die sogenannte galante Schreibart sich nicht mit einigen aus dem Contrapunct entlehnten Zügen verbinden liesse. Die vollkommenen Muster, die Sie hievon mit so allgemeinem Beyfall entworfen, liegen nicht nur Deutschlande vor Augen; auch Frankreich, dem unvergleichlichen Frankreich hat Ihr Nahme den Nahmen der Deutschen verehrungswerth gemacht.[48] Durch die Finger einer Boucon, eines Blavette, eines Forteroix, eines Guignon schallet derselbe noch immer an dem Gestade der Seine wieder. Alles dieses weiß die Welt, doch nicht vielleicht dieses, daß auch ich jemahls das Glück gehabt, Ew. Hochedelgebohr. bekannt zu seyn. Sie haben meine bisherigen Bemühungen nicht gänzlich Dero gütigen Beyfalles unwürdig geschätzet. Ich halte mich verbunden, Ihnen hiemit meinen öffentlichen Dank abzustatten. Wie angenehm sollte es mir seyn, wenn ich in der Folge der Zeit erfahren sollte, daß Sie auch diesen neuen Versuch meiner schüchternen Muse mit geneigten Händen aufgenommen hätten.
Ich habe die Ehre mit der lebhaftesten Hochachtung zu seyn

Ew. Hochedelgebohrnen
ganz ergebenster Diener,
Berlin, den 24. May. 1753. der Verfasser.

10. Historisch-Kritische Beyträge zur Aufnahme der Musik, hrsg. von Friedrich Wilhelm Marpurg, Bd. 1, 1. und 2. Stück, Berlin 1754 (Neudruck: Hildesheim 1970)
[enthält u. a.:]

10.1. *[Friedrich Wilhelm Marpurg], Vorbericht.*

Man darf sich über die Anzahl musikalischer Schriften bey uns wohl nicht beschweren. [...] Wie viele Fächer sind hier annoch leer? Zum wenigsten sind es ihrer viele in Absicht auf die Deutlichkeit, Ordnung, Vollständigkeit, und in Absicht auf den veränderten heutigen Geschmack. Ich will nur einige nennen.
Noch fehlt es uns an einer Anweisung zur Singkunst; [...] Ich setze den Fall, daß die Anfänger der Singkunst an grossen Oertern, wo sie gute Stimmen zu hören Gelegenheit haben, sich diese zu Nutze machen, ihre Methode nach solchen Mustern einzurichten; daß sie nicht allein treffen, und den Tact halten, sondern auch mit Geschmack singen lernen. Fällt aber dieser Vortheil nicht an vielen andern Oertern weg, wo es vielleicht nicht weniger lehrbegierige Personen und so gute Stimmen als in Haupt- und Residenzstädten geben kann? Da würde sich unstreitig ein geschickter deutscher Sangmeister um die Welt verdient machen, seine nach den besten Welschen der Zeit eingerichtete Methode derselben mitzutheilen, und seine Landsleute durchgehends in den Stand zu setzen, sich nach und nach von dem Vorwurf des Brüllens, den ihnen die hochmüthigen Ausländer machen, zu befreyen. Ist es nicht zu verwundern, daß man öfters an den größten Oertern, die etliche hundert tausend Einwohner enthalten, nicht einmahl ein halbes Dutzend erträglicher Sänger auftreiben kann, und daß, wenn man etwan in einer musikalischen Versammlung einige Vocalmusiken probiren will, man solche, an statt menschlicher Stimmen, mit Instrumenten besetzen muß? [...]
Noch fehlt es uns, bey so vielen Unterrichten vom Generalbaß, an einer Abhandlung über die Art und den Geschmack des Accompagnements. [...]
Ferner fehlt noch eine Anweisung zur Violine, und zu vielen andern Instrumenten, in solchem guten Geschmacke nemlich, als Hr. Bach vom Clavier,[49] Hr. Quanz von der Flöte,[50]

und Hr. Baron von der Laute[51] geschrieben haben. Auch in diesem Stücke hat Hr. Quanz, in dem vorhin angeführten Tractat, den man nicht mit Unrecht eine musikalische Encyklopädie nennen könnte, den Violinisten, Violoncellisten, Contraviolonisten, Oboisten und Bassonisten in vielen Stükken den Weg gebahnet.
Wie sieht es aber um die Gewißheit des harmonischen Theils der Musik aus?[...]
Es fehlet uns ferner an einer vollständigen Historie der Tonkunst. Der Ursprung der Musik, ihre Ausbreitung unter die verschiedenen Völker, die Musik der alten Ebräer, Griechen, etc. besonders der alten Deutschen, die berühmtesten Tonkünstler iedes Volks, welche zu gewissen Secten Gelegenheit gegeben, ihre Lehrsätze, die Streitigkeiten derselben, die verschiednen Eintheilungen der Musik, und wer sich besonders in diesem oder jenen Theile gezeiget, die verschiednen Instrumente und derselben Erfindung, der Zustand der Musik in den mittelsten Jahrhunderten, die Verbesserung derselben in den neuern Zeiten, die Gelegenheit dazu, die Beförderer derselben, die Spiel- und Singmusik der verschiednen Völker bey feyerlichen Begebenheiten, der einer jeden Nation besonders eigne Geschmack, und die Verbesserung desselben, die Verschiedenheit der musikalischen Stücke, Oper-, Kirchen- und Kammermusik und hundert andere Gegenstände mehr, worauf ich mich nicht im Augenblick besinne, sind lauter Sachen, die man noch nicht in einem Buche, in gehöriger Verbindung, zusammen hat, und die gleichwohl dahin gehören.[...]
Wie sieht es denn ferner mit dem kritischen Theile der Musik aus? Wie viele Gegenden giebt es da, die entweder noch ganz öde liegen, oder zum wenigsten einer Erfrischung bedürfen? [...] Ein Kunstrichter muß so gut tadeln als sich tadeln lassen können. Hiezu gehört in der That eine ausgehärtete Stirne, eine Verwegenheit, die sich auf nichts als einen edlen Eifer für die Wahrheit fussen kann. Er billigt oder verwirft eine Sache, nach Beschaffenheit der Umstände. Da man fast über alle Meinungen in der Welt getheilet ist: so muß er nothwendig einer Partie zu nahe kommen. Die beteiligte Partie wehret sich. Man geht dem Kunstrichter zu Leibe. Der Graubart trotzt auf seine alte langwierige Erfahrung, die öfters nichts als ein alter tückischer Eigensinn ist. Es wäre ihm unmöglich, einem andern, als sich, Recht zu geben.

Entweder, weil er nichts für recht und billig hält,
Als was er selber liebt, was seinem Sinn gefällt;
Wonicht, weil er sich soll nach jüngern Leuten richten,
Und, was er jung gelernt, im Alter selbst vernichten.

Gottsched aus dem Horaz.[52]

Ein andrer, der den Umfang der Kunst bey weitem noch nicht kennet, der, je weniger Einsicht er hat, desto dreister und vorwitziger mit der Zunge ist, hat das Bravo! für sich, das ihm der oder jener Landjunker, der zum erstenmahle in seinem Leben in die Stadt kam, und ein Concert hörte, für sich. Beyde und noch mehrere vereinen sich wider den Kunstrichter, welcher sich wider Wissen und Willen Feinde gemacht, ohne seine Absicht auf dieses oder jenes Individuum, von welchem er verfolget wird, gerichtet zu haben. Für einen müßigen Zuschauer, der gerne lachen mag, der allezeit demjenigen Recht giebt, mit dem er zulezt gesprochen, ist es kein unangenehmes Schauspiel, zwey Personen verwickelt zu sehen. Unterdessen so seufzet die unter den gegenseitigen Hieben unterliegende Wahrheit. [...]
Ich übergehe Kürze wegen sehr viele andere Theile und Materien der Tonkunst, die entweder fortgesetzet werden müssen, oder die einer Umarbeitung bedürfen, und lege der Welt eine Schrift dar, worüber ich das Urtheil erwarten will, ob sie unter die nützlichen oder entbährlichen gehöret. [...]

[S. I–XII]

Uebrigens sollen in diesem Werke (1) alle neue in Deutschland herauskommende musikalische Schriften, ingleichen diejenigen practischen Werke, die durch den Stichel oder den Druck der Welt gemein gemachet werden, so viel als deren zu meiner Bekanntschaft gelangen, recensiret werden. (2) Von historischen, kritischen und andern unterrichtenden musikalischen Schriften in einer fremden Sprache wird entweder eine ganze Uebersetzung, wenn sie kurz sind, oder aber ein hinlänglicher Auszug geliefert werden, wenn sie lang sind. In beyden Fällen wird man, wo es uns nöthig scheinen wird, Anmerkungen hinzufügen. (3) Alle diese Materien werden gelegentlich mit kleinen Abhandlungen solcher Materien, wozu kein ganzes Buch erfordert wird, abgewechselt. (4) Ausser den denkwürdigsten Lebensumständen berühmter Tonkünstler, die sich um die Kirche, die Kammer oder das Theater durch ihr Talent, durch ihre Arbeiten oder Schriften verdient gemacht haben, wird man von der ganzen Beschaffenheit der ansehnlichsten deutschen und auswärtigen Capellen, Theatern, und von andern musikalischen Gesellschaften so viele Nachricht beyzubringen suchen, als man nach und nach davon erhalten kann. (5) Die Erfindung oder Verbesserung eines Instruments, andere musikalische Entdeckungen und Begebenheiten, kurz alles was im Gebiete der Tonkunst merkwürdig ist, es habe Nahmen wie es wolle, macht den Gegenstand dieser Schrift aus. (6) Endlich wird jedes Stück allezeit mit einem kurzen in Musik gebrachten Scherzliede, im Geschmack der Zeit, beschlossen werden. S. [XV–XVI]

10.2. *[Rezension:] Lettre sur la musique françoise, par I. I. Rousseau. Sunt verba & voces praetereaque nihil. 1753. d. i. Schreiben über die französische Musik von J. J. Rousseau.*

Da ich noch nichts als den vorstehenden Titel von diesem Werke gesehen habe, und also selber keinen Auszug daraus machen kann: So werde ich unterdessen aus derjenigen Recension, die sich in dem Iournal des Sçavans hievon findet, der Neubegierde derjenigen, die an diesem Streite Theil nehmen, eine vorläufige Nachricht von dem nähern Inhalte desselben mittheilen. Der berühmte Verfasser, der schon seit einiger Zeit gewohnt ist, die Kunst seiner beredten Feder zu Behauptung paradoxer Meinungen anzuwenden, hat sich vorgesetzt, in diesem Schreiben zu beweisen, *daß die Franzosen keine Musik haben, oder daß, wenn sie ja welche haben, solches desto schlimmer für sie ist.* Wie werden sich die Verfechter der transalpinischen Muse freuen, einen so witzigen und gelehrten Advocaten ihrer Sache bekommen zu haben! Die Zeit wird es lehren, ob und wie ein andrer geschickter Franzoß dagegen vernünfteln wird. Um den Leser zu vorbereiten, das Daseyn der französischen Musik in Zweifel zu ziehen: So bringet der Herr Rousseau das Exempel drey verehrenswürdiger Nationen vor, die heutiges Tages keine andere als italiänische Musik haben, und durch diese Art der Entlehnung das Unvermögen, selbst welche hervorzubringen zu erkennen scheinen. Die Deutschen, sagt unser Auctor, die Spa-

nier und Engelländer haben lange Zeit geglaubt, eine für ihre Sprache bequeme Musik zu besitzen. Sie hatten in der That Nationalopern, die sie treulich bewunderten, und sie waren gewiß versichert, daß ihre Ehre darunter leiden würde, wenn sie diese Meisterstücke, die allen andern Ohren, nur nicht den ihrigen, unerträglich waren, eingehen liessen. Endlich hat das Vergnügen die Eitelheit bey ihnen überwunden, oder sie haben zum wenigsten angefangen, verständiger dabey zu werden, indem sie dem Geschmack und der Vernunft solche Vorurtheile aufgeopfert, die durch die Ehre selbst, die die Nationen daran heften, solche lächerlich machen. Hier ist dasjenige mit wenig Worten, worauf der Verfasser seine Entscheidung gründet.
Alle Musik, sagt er, kann aus nichts als diesen drey Dingen bestehen, aus der Melodie oder dem Gesang, aus der Harmonie oder der Begleitung, und aus der Bewegung oder der Zeitmasse. Die Harmonie ist ihrer Natur nach der Melodie untergeordnet, und der Gesang muß seiner Fortschreitung die Begleitung unterwürfig machen; woraus klärlich folget, daß eine Nation, die weder Gesang noch Zeitmasse haben kann, aus eben diesem Grunde keine Harmonie und folglich gar keine Musik haben kann. Nun füget Herr Rousseau hinzu, ist dieses gerade der Fall, worinnen sich eine Nation befindet, die eine ganz zur Musik untaugliche Sprache redet. Nachdem derselbe darauf die Beschaffenheit der französischen Sprache in diesem Stücke der Länge nach durchgegangen: So fänget er an, die Eigenschaften zu untersuchen, die eine Sprache haben soll, um der Reitze der Musik fähig zu seyn, oder besser zu sagen, er bemühet sich zu beweisen, daß, da von allen Sprachen in Europa die italiänische die gelindeste, die helleste, die wohlklingendeste, und die accentuirste ist, das Land, wo sie gesprochen wird, vor allen seinen Nachbarn sehr wichtige Vorzüge in der Musik haben, und eigentlich zu reden, der Sitz des Reiches der Harmonie seyn muß. Viele Personen, sagt der Recensent, könnten mit dem Herrn Rousseau allhier einerley Gedanken haben, ohne gleichwohl das Daseyn der französischen Musik in Zweifel zu ziehen, und alles, was sie aus der grossen Leichtigkeit schliessen könnten, die die welschen Tonkünstler in dem Character und der Natur ihrer Sprache fänden, (wenn man voraussetzt, daß sie so beschaffen ist, als Herr Rousseau es

uns überreden will,) das wäre nichts weiter als dieses, daß mehr Witz und Geschicklichkeit dazu gehörte, gute französische als vortrefliche italiänische Musik zu machen.
Hernach untersuchet der Herr Verfasser die französische Musik an sich selbst, d.i. nach seiner Art zu denken, daß was man in Frankreich für Musik hält, und in der That nichts anders als ein Geräusch ist, *voces praetereaque nihil*[53]. Er nimmt seine Zuflucht zu Erfahrungen und Proben. Er schläget verschiedne vor, die er für sehr geschickt hält, darzuthun, daß die vermeinten Meisterstücke der berühmtesten französischen Tonkünstler auf keine Weise mit den Werken der grossen Meister Italiens in Vergleich kommen können. Doch verheelet Herr Rousseau nicht, daß einige solcher Erfahrungen gnugsame Vorsicht, die vielleicht sehr schwer ist, erfordern, in Ermangelung welcher man Gefahr läuft, sich zu irren. [...] Dieses hindert den Herrn Verfasser nicht, seinen Vorschlag für genugsam gegründet anzusehen, und sich folglich verbunden zu halten, die Ursachen, die der italiänischen Musik diesen Vorzug zuwegebracht, untersuchen zu dürfen, als welcher die Franzosen eben so wohl Eyd und Pflicht leisten sollen, als es von Seiten der Deutschen, Engelländer und Spanier geschehen ist. An diesem Orte seines Werks zeiget Herr Rousseau ohne Zweifel auf gar besondre Art, alle Feinigkeiten der Kunst, wovon er handelt, durchdrungen zu haben. Eine methodische Kette von Folgerungen, die aus einigen dem Ansehen nach einfältigen Beobachtungen geschickt hergeleitet werden, zeuget, so zu sagen, einen fruchtbaren und einleuchtenden Grundsatz unter seiner Feder, den man mit Recht als den Grund und die Hauptstütze der ganzen Tonkunst betrachten kann. Damit eine Musik einnehmend werde, sagt unser Auctor, damit sie diejenigen Empfindungen, die man in der Seele erregen will, dahin bringe: So müssen alle Theile das ihrige beytragen, den Ausdruck des Inhalts zu verstärken. Die Harmonie muß zu weiter nichts dienen, als diesen, den Inhalt, nachdrücklicher zu machen. Die Begleitung muß ihn verschönern, ohne ihn zu verstecken oder zu verstellen. Der Baß muß durch einen gleichförmigen oder simpeln Gang denjenigen, welcher singet oder zuhöret, einiger massen leiten, ohne daß weder der eine noch der andere es merket; kurz, es soll das Ganze nichts als eine Melodie aufeinmahl dem Gehöre, und eine

Idee dem Verstande zuführen. Die *Einheit der Melodie*, folgert Herr Rousseau hieraus, ist also der Musik nicht weniger wesentlich, als die *Einheit der Handlung* einer Tragödie, und alle Musik, die wider diese Einheit sündiget, kann nichts als eine lächerliche Zusammensetzung von Tönen ausmachen, die so zu sagen, nur von ungefähr verknüpfet sind.[54] [...]

[S. 57–62]

Er erklärt zuförderst, wie weit die Begleitung sich von der singenden Partie entfernen könne, ohne die Vielfältigkeit der Melodie einzuführen. Er schläget in Ansehung dieser Gegenstände verschiedne Regeln vor, die uns sehr vernünftig geschienen haben. Diese Regeln, wie Herr Rousseau sagt, werden heutiges Tages unveränderlich von allen guten Meistern Italiens in Acht genommen. Aber vor dem Corelli, füget er hinzu, waren sie so wenig bekannt, als in dem übrigen Theile von Europa, und die italiänische Musik war damahls wenig besser als diejenige, die zu eben derselben Zeit in Frankreich Mode war.
Nachdem der Auctor die Regeln umständlich erkläret, denen die Begleitung unterworfen seyn soll, um nicht die Einheit der Melodie zu unterbrechen, so geht er weiter und zeiget die Beschaffenheit eines Duo. [...] Aber der Herr Verfasser läßt es bey der Eroberung des Gesetzes der Einheit nicht mit diesem Gegenstande bewenden. Er dehnet solche bis auf die Harmonie aus, welche alle Welt ohne Zweifel auf einen schnurstracks entgegen gesetzten Grundsatz gebauet halten sollte. Eine gewisse Erfahrung, die ihm durch ein blosses Ungefehr vorgekommen zu seyn scheinet, und davon nur ein philosophischer Tonkünstler die Ursache ergründen konnte, setzet ihn in den Stand, zu beweisen, *daß jede vollständige Begleitung wenig Ausdruck haben muß, und daß eine vollständige Harmonie weniger Würkung thut, als eine unvollständige.* Man darf von allem dem, was unser Auctor sagt, kein Wort verlieren. Die speculativen Tonkünstler können ein grosses Licht, und die Ausüber der Kunst eine vortrefliche Lection hieraus ziehen. [...]
Der Grundsatz der Einheit gehört unter diejenigen Waffen, deren sich der Herr Rousseau am meisten wider die französische Musik bedienet. Er glaubt, daß diese Einheit sehr schwer, und vielleicht in gewissen Fällen unmöglich darinnen

zu beobachten ist. Zum wenigsten versichert er, daß sie bisher den Componisten dieses Landes gänzlich unbekannt gewesen ist. Er behauptet so gar, daß die französische Musik sich hat vollkommener zu machen geschienen, je mehr sie sich in der That von der Einheit der Melodie entfernet hat.
Der Rest des Schreibens des Herrn Rousseau handelt von der Natur der Arien und Recitativen, und von ihrem Unterscheid. Auch dieser Theil ist so merkwürdig als der vorhergehende. [...]
Wenn man übrigens dieses Schreiben mit dem an den Herrn Marquis von B. zusammen hält: so siehet man daraus die verschiedne Denkungsart zwey zum Vortheile der welschen wider die französische Musik streitender Kunstrichter. Der eine erklärt diese letztere für nicht ausgearbeitet genung; er suchet die wohlklingenden Harmonien der Welschen darinnen vergebens. Dem andern ist sie wieder zu harmonisch. Er will sie einfacher haben. Wem sollen es nun die Franzosen zu Danke machen? Grammatici certant, & adhuc sub iudice lis est.[55]

[S. 64–68]

10.3. *[...], Nachricht von dem gegenwärtigen Zustande der Oper und Musik des Königs.*

Es sind nunmehr zwölf Jahre, als von Sr. itztregierenden Majestät die mit dem Tode Friedrichs des Ersten eingegangene lyrische Bühne wieder hergestellt ward. Die geschicktesten deutschen Spieler, welschen Sänger und französischen Tänzer wurden mit den ansehnlichsten Pensionen angenommen, und die Tonkunst sahe sich mit einmahl wieder zu ihrem alten Glanze in Berlin erhoben. Es wurde ein prächtiges Opernhaus ausgeführet, und die Monathe December und Januarius, nebst dem 27. März, dem Geburtstage Sr. Majest. der Königin Frau Mutter, wurden zu den ordentlichen theatralischen Lustbarkeiten hieselbst ausgesetzet. Diese Ordnung bestehet noch zur Zeit, und wird in den beyden Monathen alle Montage und Freytage gespielet. Die übrigen Tage der Woche, währender Carnevalszeit, werden mit Redutten, Concerten, Comödien und andern Lustbarkeiten bey Hofe abgewechselt. Sonst aber wird alle Tage des Abends von 7 bis 9 in der Kammer des Königs ein ordentliches Concert aufgeführet, in welchem Sr. Majestät selbst von ihrem Einsichtsvollen schönen Geschmack und ihrer ausnehmenden Fertigkeit auf der Flöte Proben darzulegen gewohnt sind. Wir übergehen allhier die musikalischen Scherzspiele (*Intermezzi*) die auf einem in dem Schlosse zu Potsdam angelegten kleinen Theater vorgestellet werden, und wo bisher der Herr Dominico Cricchi und die Madem. Nuntiata Manzi, eine Nachfolgerin der Frau Rosa Ruvinetti Bon mit besondrer komischen Geschicklichkeit agiret haben. Die Glieder, die anitzt die Musik des Königs ausmachen, und von welchen wir in den nachfolgenden Stücken dieser Monathsschrift nach und nach die denkwürdigsten Lebensumstände mittheilen werden, sind folgende:

1) Hr. Carl Heinrich Graun, Capellmeister, aus Wahrenbrieck bey Dresden.

Die übrigen Componisten und Spieler folgen nach der Ordnung des Alphabets.

2) Hr. Johann Friedrich Agricola, Hofcomponist, aus Dobitschen bey Altenburg.
3) Hr. Carl August, Oboist, aus Pillau in Preussen.
4) Hr. Carl Philipp Emanuel Bach, Clavicembalist, aus Weymar.
5) Hr. Ernst Gottlieb Baron, Theorbist aus Breßlau.
6) Hr. Franz Benda, Violinist, aus Böhmen.
7) Hr. Joseph Benda, Violinist, aus Böhmen.
   Ein dritter Bruder dieser beyden ist der itzige Capellmeister zu Gotha, Herr Georg Benda, Nachfolger des sel. Hrn. Capellmeisters Stölzel. Der vierte Bruder, Herr Johann Benda, der ebenfalls als Violinist in der Königl. Capelle gestanden, starb hieselbst zum Anfang des Jahres 1752.
8) Hr. Balthasar Christian Friedrich Bertram, Violinist, aus Saltzwedel in der Altmark.
9) Hr. Joseph Blume, Violinist aus München in Bayern.
10) Hr. Iwan Böhm, Violinist aus der Stadt Moskau in Rußland.
11) Hr. Georg Czarth, Violinist aus Deutschenbrot in Böhmen.
12) Hr. Joachim Wilhelm Döbbert, Oboist, aus Berlin.
13) Hr. Julius Dümmler, Fagottist aus dem Brabantischen.
14) Hr. Engke, Bratschist, aus Schwedt.
15) Hr. Franz, Bratschist, aus Böhmen.
16) Hr. Johann Gottlob Freudenberg, Violinist aus dem

Meisnischen.

17) Herr Georg Heinrich Gebhard, aus grossen Farchel, im Churmaynzischen.
18) Hr. Johann Gottlieb Graun, Concertmeister, aus Wahrerbrieck bey Dresden, Bruder des Herrn Capellmeisters.
19) Hr. Johann Caspar Grundke, Violinist, aus Schlesien.
20) Hr. Christian Ludwig Hesse, Gambist, aus Darmstadt.
21) Hr. Hesse, Violinist, aus dem Pommerschen.
22) Hr. Antonius Hock, Violoncellist aus Böhmen.
23) Hr. Joseph Ignatius Horzizky, Waldhornist, aus Böhmen.
24) Hr. Johann Gottlieb Janitsch, Contraviolonist, aus Schweidnitz in Schlesien.
25) Hr. Koch, Violinist, aus Zerbst.
26) Hr. Georg Wilhelm Kodowsky, Flötenist, aus Berlin.
27) Hr. Samuel Kühltau, Fagottist, aus Schwedt.
28) Hr. Alexander Lange, Fagottist, aus Berlin.
29) Hr. Johann Joseph Friedrich Lindner, Flötenist, aus Weikersheim in Franken.
30) Hr. Ignatius Mara, Violoncellist aus Böhmen.
31) Hr. Johann Christian Marks, Fagottist, aus Pyritz in Pommern.
32) Hr. Christian Mengis, Waldhornist, aus Treffurt, zwischen Thüringen und Hessen.
33) Hr. Augustinus Neuff, Flötenist, aus Grätz in der Steyermarck.
34) Hr. Christoph Nichelmann, Clavicembalist, aus Treuenbrietzen an der Oder.
35) Hr. Friedrich Wilhelm Pauli, Oboist, aus Berlin.
36) Hr. Johann Joachim Quanz, Kammercomponist und Flötenist, aus dem Hannöverischen.
37) Hr. Johann Christoph Richter, Contraviolonist, aus Hausdorf bey Dresden.
38) Hr. Friedrich Wilhelm Riedt, Flötenist, aus Berlin.
39) Hr. Christian Friedrich Schale, Violoncellist, aus Brandenburg.
40) Hr. Johann Gabriel Seyfarth, Violinist, aus Reisdorf im Weymarischen.
41) Hr. Johann Georg Speer, Violoncellist, aus Zerbst.
42) Hr. Hans Jürgen Steffani, Bratschist, aus Berlin.

Die Sängerinnen.

1) Mad. Giovanna Astrua. 2) Mad. Giovanna Gasparini. 3) Mad. Bendedetta Agricola, geb. Molteni. 4) Mad. Anna Lorio Campolungo. Contralt.	Soprane.

Die Sänger.

1) Hr. Giovanni Carestini, Contralt.
2) Hr. Antonio Uberi, genannt Porporino, tiefer Sopran.
3) Hr. Paolo Bedeschi, insgemein Paulino, Sopran.
4) Hr. Antonio Romani, Tenor.

Die Anzahl der übrigen Operisten beyderley Geschlechts, die die Nebenrollen machen und zur Verstärkung der Chöre gebraucht werden, erstrecket sich an etliche Dutzend Personen, und diese sind alle Deutsche.

Der Balletmeister ist Mons. Denis, die erste Solotänzerinn seine Gemahlinn, Mad. Denis, und die zweyte die Madam Cochois. An statt des vor einiger Zeit verabschiedeten Solotänzers Mons. le Voir, ingleichen an statt des abgegangenen Mr. Dubois des jüngern, werden mit nächsten zwey andere Subjecte erwartet. Die übrigen Tänzer sind Mess. Neveu, le Fevre, du Bois der ältere, d' Hervieux und Blache. Die Tänzerinnen sind die Mesdem. Girauld, Auguste, Neveu, Simiane, und zwey Berlinerinnen, die Mesdem. Krohnen und Götzen.

Die beyden gegenwärtigen Decorateurs sind die Herren Joseph Galli Bibiena und der Herr Innocentius Bellavita, zwey Italiäner. An die Stelle des gegen den Ablauf des Jahrs 1752 verstorbenen Hofpoeten Villati ist der Herr Tagliazucchi zum Operndichter von Sr. Majestät hieher beruffen worden.

[S.75–79]

10.4. *Scherzlied vom Herrn M. Leßing und componirt vom Herrn C. P. E. Bach.*

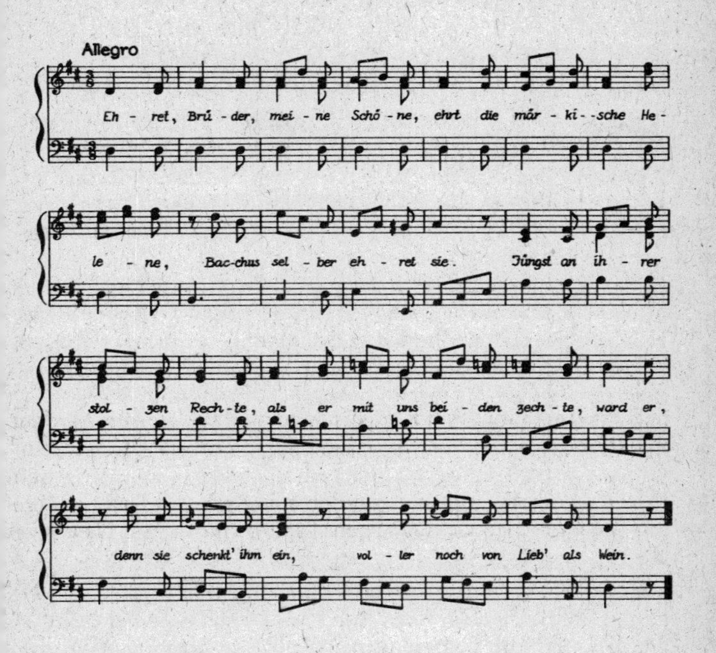

Ehret, Brüder, meine Schöne,
Ehrt die märkische Helene,
Bacchus selber ehret sie.
Jüngst an ihrer stolzen Rechte,
Als er mit uns beyden zechte,
Ward er, denn sie schenkt ihm ein,
Voller noch von Lieb als Wein. [S.88]

10.5. *[...], Schreiben aus Paris über den Streit daselbst zwischen den französischen und welschen Tonkünstlern. Aus dem Französischen übersetzt.*

[...]
Mein Herr!
Daß seit ihrer Abreise ein Haufen Thorheiten hieselbst vorgegangen sind, ist eine Wahrheit, die sie meines Erachtens nicht in Zweifel ziehen werden. Aber von allen denen, die hier vorgegangen sind, weiß ich keine, die das unbeständige und leichtsinnige Wesen unsrer Nation mehr an den Tag geleget hätte, als diejenige, wovon ich ihnen hiemit Nachricht geben will.
Es ist ungefähr ein Jahr, als eine Bande von denjenigen italiänischen Musikanten,[56] die, wie ein gewisses Volk, ganz Europa durchstreichen, hieselbst anlangte. Ganz Paris wurde in ihre Concerte hineingelockt, und fiengen sie mit glänzerndem Erfolge an, als sie zu vermuthen im Stande waren. Bey einer Nation, die die Begierde zur Neuigkeit bis zu einer Art der Raserey treibet, wird solches gar nicht ausserordentlich scheinen. Bey der Ankunft dieser neuen Amphions, deren Musik man schaarweise besuchte, kamen uns unsere bisherigen großen Meister, ein Lully, Campra, Detouches, ja selbst ein Rameau nicht anders als Schüler vor, ob wir ihre Vorzüge und Verdienste bishero gleich aufs höchste verehret hatten. Wir sahen sie nicht mehr anders als für solche Leute an, die zur Noth dem gemeinen Volk bey dem Pontneuf die lange Weile vertreiben könnten, und erwiesen wir ihnen den Schimpf, sie zu den Bänkelsängern zu verweisen. Kurz, unsere Raserey für diese neuen Ankömmlinge gieng so weit, daß wenig daran fehlte, daß nicht ein Aufruhr bey uns entstanden wäre. Das wenigste was uns wiederfahren konnte, war, daß unsre Oper gänzlich abgeschaffet werden, und dieses fremde Concert an die Stelle kommen sollte; und, wenn es auf unsere junge Herren und auf die alamodischen Damen angekommen wäre, so würde dieser schöne Vorschlag sogleich ins Werk gerichtet worden seyn. Aber sie wissen, mein Herr, das alte Sprichwort: daß strenge Herren niemahls lange regieren, und keine Nation hat dasselbe mehr bekräftiget, als die unsrige. In der That, so hitzig, ja so heftig wir auf die neuen Gegenstände sind, die uns rühren, so werden wir

dennoch eben dieser Gegenstände bald müde, so bald sie den angenehmen Reitz des Neuen verlohren haben, als womit es bey uns weniger, als anderswo, Stich hält. Ja, was noch mehr ist, wir lassen uns wider dasjenige einnehmen, was uns am meisten vergnüget hat; ein betrübter Zufall, der allhier der welschen Musik begegnet ist, deren Vertheidigung kaum die eifrigsten Anbeter derselben nunmehro über sich zu nehmen wagen, so wie dieses nicht ein Franzoß, (denn er würde von unsrer Nation gesteinigt worden seyn) sondern ein ehrlicher *Genfischer Bürger* unlängst gethan hat, dessen seltsame Denkungsart schon der Welt bekannt ist, und welchem unsre Gelehrten, meines Erachtens nach, eine Ehre erwiesen haben, die er nicht verdiente.[57] Dieser Mensch, welcher Johann Jacob Rousseau heisset, hat eine nicht weniger wunderliche Lebens- als Denk- und Schreibart. Dieser Philosoph von einem neuen Gepräge bildet sich ein, daß es einem geschickten Kopfe nicht erlaubet ist, von seinem Talente zu leben, und daß alle Leute, nach dem Buchstaben der heiligen Schrift, *im Schweisse ihres Angesichts,* vermittelst einer mechanischen Arbeit, *ihr Brot verdienen und essen sollen,* so wie er diese Maxime in Ansehung seiner wahr macht. Als ein Musikcopist lebet er von nichts als vom Notenschreiben; [...] [S. 160–163]

Doch um zu dem neuen Werke des Hrn. Roußeau zurück zu kehren, worinn er, auf Kosten der französischen Musik, die welsche vergöttert hat, und welches seines sonderbaren Inhalts wegen so geschwinde vergriffen ward, daß man etliche Auflagen hintereinander davon machen müssen, so heißt solches: *Lettre sur la musique Françoise &c.* [...] Da dieses Schreiben in sehr wenig bedächtigen Ausdrücken abgefaßt ist, so konnte nichts anders als Lärm daraus entstehen. Die musikalische Nation, die so nahe mit den Poeten verschwistert ist, ist nicht zum Schonen geneigt. Aber wie sollte man diese Beleidigung rächen? Sie werden es niemahls errathen, mein Herr, auf was für eine Art es diese Herren angestellet haben. Nachdem sie den Herrn Roußeau auf das ärgste geschmäht und geschimpfet hatten, so hängten sie unlängst mitten in der Oper dieses Schreiben über dem Theater auf, wo solches noch auf eben die Manier, als man in Kriegeszeiten die von dem Feinde eroberten Fahnen in der Kirche aufzuhenken pfleget, angeheftet ist. Sie haben aber bey dieser po-

ßierlichen Rache einen weit andern Bewegungsgrund gehabt; die Absicht der Tonkünstler bey diesem lächerlichen Verfahren, war, wider diesen Feind des Vaterlandes Rächer zu erwecken, und in der That, so haben sich schon verschiedene auf dem Kampfplatze gezeigt.
Doch alles, was ich ihnen itzo berichtet habe, mein Herr, ist nur theils abgeschmackt, theils kurzweilig und lächerlich. Aber der Auftritt wird verändert werden. Er wird tragisch, ja blutig ausfallen. Es ist nun einmahl die Gewohnheit unsrer Franzosen, daß sie um ein Nichts, ja um die abgeschmacktesten Dinge, von Leder ziehen, und ihre Ehre darinn verwikkelt halten. Sie sollen einen neuen Beweiß davon sehen, und diesen bey Gelegenheit des Roußeauischen Schreibens. Die Sache verhält sich folgendergestalt.
Der berühmte welsche Sänger und Castrat Caffarelli, das Haupt der Bande, wovon ich geredet habe, speisete bey dem Herrn de la Popliniere, mit einem unsrer Dichter, Nahmens Ballot, einem großen Bewunderer des Herrn Rameau. Sie geriethen beyde in einen Wortwechsel. Der erste, der von der Lobschrift des Bürgers aus Genf taumelnd geworden war, schrie überlaut, daß, wenn die Franzosen wollten sehen lassen, daß sie Geschmack hätten, sie damit den Anfang machen müßten, daß sie dem ihrigen absagten und die Musikart seines Landes annähmen. Die Gäste waren über diese wichtige Materie getheilet. Herr Ballot, welcher sich berechtigt hielte, die wankende Partey unsrer Musik aufrechts zu erhalten, fochte nur immer mit schwachen Gründen. Caffarelli antwortete, und da Ballot keine Gründe zurückgeben konnte, so nahm er seine Zuflucht zum Schimpfen. Der Italiäner blieb ihm nichts schuldig; kurz diese beyden Leute wurden so hitzig, daß sie sich bey Tisch erwürget haben würden, wenn sich die Gäste nicht dazwischen geleget und sie auseinander gebracht hätten. Sie vertrugen sich, aber nicht länger als bis auf den Nachmittag. Sie hatten sich ohne Vorwissen derjenigen, die sie versöhnet hatten, das Wort gegeben, sich an einem gewissen Orte wieder zu finden. Sie fanden sich in der That daselbsten ein, und huschten sich dergestalt einander herum, daß der arme Ballot, der kein so guter Fechter als Caffarelli war, verschiedene Stiche bekam, von welchen man meinet, daß er schwerlich wieder aufkommen wird.

Tantaene animis coelestibus irae![58]
Paris, den 10ten Januarius 1754. [S. 164–166]

10.6. *[(...), Über die Erfindung des Hohlfeldschen Bogenklaviers]*

Bey so vielen Vorzügen, die der Flügel bishero hatte, war derselbe dennoch mangelhaft. Alle andere gewöhnlichen Instrumente haben dieses mit der Menschenstimme gemein, daß man den Ton darauf aushalten, und denselben an der Stärke sowohl wachsen als abnehmen lassen kann. Dem Flügel alleine fehlte dieser Vortheil zu seiner Vollkommenheit, da er gleichwohl in Ansehung seiner Ausdehnung in die Höhe und Tiefe, in Ansehung der Vollstimmigkeit, in Ansehung der Vestigkeit und Gewißheit seines Tones, und in Ansehung der Temperatur, vermöge welcher man, aus allen 24 Tonarten, ohne Beleidigung des Gehörs mit gleicher Reinigkeit spielen kann, andrer treflichen Eigenschaften nicht zu gedenken, es mit allen andern Instrumenten aufnehmen konnte. Einem geschickten Mechanicus hieselbst, dem Herrn Hohlfeld war es vorbehalten, diesem Mangel abzuhelfen, und dadurch eine Entdeckung zu machen, die zwar verschiedene Künstler sowohl in als ausserhalb Deutschland mit ziemlich gutem Erfolge versucht, aber noch nirgends zur Vollkommenheit gebracht hatten.
Dieses neue Instrument, welches der Herr Erfinder einen *Bogenflügel (clavecin à archet)* benennet hat, kömmt in der Grösse und dem äusserlichen Ansehen einem kleinen einchörigen Flügel bey, ausser daß selbiges mit Darmseiten bezogen ist, von welchen es folglich zwar nicht den gewöhnlichen Silberklang eines gemeinen Flügels, aber gegentheils einen der Menschenstimme desto ähnlichern schmeichelnd durchdringenden Ton erhält. Nahe unter den Saiten entdecket man einen aus verschiednen Haaren, ohne das geringste Merkmahl eines Knoten, in die Länge zusammengesetzten doppelten geraden Violinbogen, welcher währendem Spielen vermittelst eines Rades in Bewegung gebracht und umgetrieben wird. Da die Claves mit den Saiten durch kleine Häckgen verbunden sind, so geschicht es, daß wenn man eine Taste niederdrücket, die Saiten nothwendig zugleich nachgeben, und den unter ihnen sich fortbewegenden Bogen berüh-

ren müssen, wovon sie alsdenn ihre Zitterung und folglich ihren Klang erhalten, der so lange dauert, als man den Finger auf der Taste lässet.
Wie man nun vermittelst des verschiednen schwächern oder stärkern Druckes mit dem Finger alle nur mögliche Grade des forte und piano, nebst der Bebung, ohne die geringste Abänderung des Tones in Ansehung der Höhe oder der Tiefe, haben kann: so kann man ebenfals, weil der Bogen nichts von seiner geraden Spannung nachgiebet, die allerlängsten Töne bey fortdauerndem gleichen Druck, und gleich starkem oder schwachen Anschlage beständig erhalten.
Die Tractirung dieses Bogenflügels ist noch leichter als auf dem gemeinen Clavichord, weil der Bogen sehr nahe unter den Saiten wegstreichet, und bey dem geringsten Druck des Fingers ein deutlicher Ton entstehet, welches man bey allen übrigen Arten von Clavieren vermißt, wo, wegen ungleicher Stärke der Finger, in geschwinden Sätzen leicht eine Note verlohren gehen kann. Man ist also im Stande, alle mögliche Spielmanieren und kleine Zierlichkeiten, sie haben Nahmen wie sie wollen, ohne die geringste Mühe aufs netteste heraus zu bringen, ein Umstand, worin die übrigen Flügel wegen der ungleichen Grifbretter und wegen der ungleichen Bekielung allezeit verschieden sind, da der eine zu hart, der andere zu weich ist, nicht zu gedenken, wie gewisse aus der Singkunst entlehnte Manieren auf den gewöhnlichen Clavieren gar unausüblich sind, als welche man allhier aufs sanfteste vortragen kann.
Noch hat dieser Bogenflügel den Vortheil, daß er wegen des einzigen Chors Saiten leichter als andere zu stimmen ist. Wenn sich die Darmsaiten einmahl gehörig ausgedehnet haben, und ihre Enden gehörig befestigt sind, so halten sie die Stimmung so gut als die Dratsaiten, wie die Erfahrung gezeiget hat. Er ist auch wegen seiner einfachen Structur nicht leicht wandelbar, und viel bequemer als andere Claviere im Stande zu erhalten.
Aus dieser ungefähren Beschreibung dieses neuen Instruments werden die Vorzüge desselben leicht erhellen. Wir brauchen zum Lobe desselben nichts weiter zu sagen, als daß der *König*, der feinste Kenner, es seines allerhöchsten Beyfalls gewürdigt hat. Sollten von auswärtigen Liebhabern der-

gleichen Bogenflügel verlanget werden, so wird sich der Herr Hohlfeld iederzeit bereitwillig finden lassen, dieselben damit zu versehen. Nähere Nachricht hiervon kann man von ihm, in der Behausung des Herrn Profeßor Sulzer hinter dem neuen Packhofe, erhalten, als wohin man die Briefe dieserwegen *Postfrey* übermachen kann. [S. 169–172]

11. Historisch-Kritische Beyträge zur Aufnahme der Musik, hrsg. von Friedrich Wilhelm Marpurg, Bd. 2, 1. bis 6. Stück, Berlin 1756 (Neudruck: Hildesheim 1970)
[enthält u. a.:]

11.1. *[...], Fortsetzung der Gedanken von der Musik.*

[...]
Alles Vergnügen, dessen wir theilhaftig werden können, ist aus einer weisen Absicht da; es locket uns, die vorgschriebene Ordnung zu beobachten, und dadurch eine Glückseligkeit zu erhalten, welche jedem insbesondere vortheilhaftig fället, ohne daß er der Gesellschaft im geringsten schadet, indem er den Nutzen derselbigen eben so werth achtet als seinen eigenen. [...] Ein Vergnügen bloß deswegen anbieten, weil es ein Vergnügen ist, das heisset verkehrt handeln: Deutlicher zu reden, ist es schändlich.
[...]Ihr Künstler! [...] Richtet eure Musik nach einer edlen und einem vernünftigen Gemüthe anständigen Absicht ein, ihr werdet nur desto mehr Liebhaber, und desto grössere Ehre erlangen.
Der erste Mißbrauch dieser schönen Kunst war dieser, daß man das Ohr mit leeren Worten anfüllete, oder ihm ein Vergnügen schaffen wollte, ohne es zu lehren, ja indeme man ihn etwas lasterhaftiges lehrte. Sobald die Musik zwey Dinge getrennet hatte, die man nimmermehr trennen solte, nehmlich die Lehre für das Gemüthe, und die Lust für das Ohr, sobald fiel sie in eine noch weit grössere Ausschweifung als die erste war. Dieses ist der seit einigen Jahrhunderten ungemein stark eingerissene Gebrauch, die Singstimme wegzulassen, und bloß das Ohr zu kützeln, ohne daß der Verstand etwas dabey denken kann: Mit einem Worte, den Menschen durch eine lange Folge von Tönen zu belustigen, welche nicht das geringste bedeuten. [S. 148–150]

Wir wollen die wahre Ursache ausforschen, warum viele Musici so sehr verachtet sind. Der Klang gehöret für das Ohr, wie die Farbe für das Auge. Schöne Klänge sind das Vergnügen des Ohres, und schöne Farben sind das Vergnügen des Auges. [...] Die Eigenschaft des Klanges ist, uns zu rufen, und uns mit der Sache zu beschäftigen, davon er das Zeichen ist. Er bemerket eine Abreise, eine Unternehmung, ein Fest, einen unvermutheten Zufall, er warnet, er drücket unsere Freude aus, unsere Traurigkeit, unsere Noth, oder einen andern Zustand von uns. Allein er wird uns zuwider, wenn er nichts bedeutet. Wir hören die Glocke und die Trompete gerne, wenn sie uns Nachricht von etwas geben. Haben wir diese Nachricht zur Genüge verstanden, so wollten wir, das Tönen und Schallen hätte ein Ende. Gleichergestalt vernimmt man das Präludium des Organisten mit Lust, weil er das Gehöre zu dem darauf folgenden Gesange vorbereitet, oder die Ritornelle, die man zwischen zwey auf einander folgende Gesänge einschiebet, und der Singstimme Gelegenheit geben, sich wieder zu erholen, ohne eine unförmliche Pause zu machen. Ja es werden auch diejenigen Klänge noch wohl aufgenommen, welche den Ausdruck des Wortes, oder des vorhergegangenen Gesanges etwas verlängern. Allein eine Menge nach einander folgender Töne, die an sich selbst nichts bedeuten, und das, was sie sagen sollten, längst gesagt haben, sind auf gewisse Weise etwas abgeschmacktes, und erwecken nichts als Eckel. [S.151–152]

Das allerkünstlichste Spielen auf einem Instrumente, wird beynahe unumgänglicher Weise matt, und hernach eckelhaftig, weil es keine Worte ausdrücket. Es ist ein schönes Kleid, das man ausgezogen und an den Nagel gehänget hat; oder wenn es ja eine Aehnlichkeit mit einem belebten Körper zeiget, so geschiehet es auf die Weise der Marionetten oder Luftspringer, über welche man im ersten Anblicke erstaunet, weil sie die Bewegungen eines Menschen so gut nachäffen, oder die natürliche Behendigkeit desselben so weit übertreffen. Nichts destoweniger lässet sich diese gekünstelte Hurtigkeit mit der natürlichen Schönheit und mit einem ungezwungenen Wesen auf keine Weise in Vergleichung setzen. Bey den Bewegungen einer Marionette lässet sich noch etwas gedenken. Aus den Gebährden, die ein Pantomime machet, begreifet man, was er haben will, ob er es gleich nicht saget. Man erräth, warum er lachet, oder sich kläglich anstellet. Man weiß, warum er so unruhig ist, warum er seine Schritte verdoppelt, oder stille stehet. [...] Allein man fället ein ganz ander Urtheil von einem Menschen, der aus einer tiefen Traurigkeit, auf einmal in ein heftiges Gelächter fället, der sich äusserst lustig bezeiget, und unvermuthet ungemein erbar, oder verliebt thut, oder sich erzürnet, tobet und lärmet, ohne daß ein Mensch wüste warum? Sind wohl die *Sonaten* und andere musikalische Stücke anders beschaffen, als eine solche Aufführung? Im Gegentheile scheinen sie desto seltsamer, je einen heftigern Affect sie vorstellen. Nichts destoweniger bin ich weit entfernet, ein so schimpfliches Urtheil von ihnen zu fällen. Man muß sie eben so betrachten, als die Uebungen der jungen Mahler, wenn sie sich befleißigen, allerley Stellungen und Gemüthsbewegungen mit ihrem Pinsel vorzustellen. Sie bringen den Künstler zu der Geschicklichkeit, die er haben solle, allein dem Publico schaffen sie wenig Ergötzung. [S. 153–155]

[...] Nach und nach suchte immer ein Componist künstlicher zu setzen als der andere, und damit traten sie unvermerkt auf eben diese Seite; heutiges Tages kommet es darauf an, wer den andern an Geschwindigkeit und schweren Griffen abzustechen vermag. Der Zuhörer weiß nicht, wie ihm geschiehet, und ruft vor grossem Erstaunen überlaut! hingegen der Musicus gedenket, er sey schon unter die Zahl der Sternen versetzet. Wie wäre es nun möglich, daß er sich wieder zu der natürlichen Einfalt wenden könnte? Oder wie soll das Gehör mehr ein Vergnügen an selbiger finden, da es bereits an lauter heftige und gezwungene Töne gewöhnet ist? Man weiß alle seine Künste zum voraus. Anfänglich spielet er sachte, hernach tobet er: Auf einmahl hält er gar stille. Sein Fiedelbogen gehet jetzo mit Schwüngen, darnach mit Sprüngen. Nun kommen die Seufzer, dann ein Donnerwetter, dann ein Wiederschall! Er scheinet sich auf die Flucht zu begeben: Man höret ihn nicht mehr: Allgemach kommet er wieder näher, er rollet, er flieget, er klettert, er fället, und stehet wieder auf! Er machet sich von neuem auf die Beine, er setzet seinen Weg fort, und pfeifet, quinkuliret, zwitschert, hüpfet, gaukkelt, und flattert. Lässet er die lärmenden Melodien und das

Vogelgeschrey fahren, das er ohne Unterlaß und Ursache mit hinein mischet, so liefert er dagegen die Stimmen von einem ganzen Geflügelhofe, alle durch einander; ja das Donnern der Carthaunen, das Platzen der Bomben, das Knattern der Bratenwender, oder das Knarren der Wagenräder. Unter allem, was schallet und lautet, ist die Menschenstimme, und die Vorstellung der Affecten, dasjenige, worauf er am wenigsten gedenket, oder nachzuahmen trachtet: Er schweifet beständig zu demjenigen aus, was seltsam und unerhöret ist, das natürliche Wesen setzet er bey Seite.
In dieser Unordnung befindet sich unsere Instrumentalmusik, welche eigentlich dazu bestimmet ist, dem Gesange aufzuhelfen: Aber weit gefehlet, daß sie nach ihm sich richten solte! Gerade im Gegentheile hat sie die Vocalmusik mit ihren Fehlern angestecket, und sie gezwungen, sich nach ihren wunderlichen Einfällen zu richten, nicht anders, als ob sie die unbetrügliche Regel der Vortreflichkeit wären. Man erkennet die Eigenschaft und die Merkmahle einer Menschenstimme nicht mehr; denn diese müssen nothwendiger Weise unsichtbar werden, sobald man sie von dem Gedanken trennet, welcher sie zum Vorschein bringet. Anstatt uns durch die Schönheit von mancherley Accenten zu rühren, welche der menschlichen Stimme nur deswegen eigen sind, weil sie etwas bedeuten, will man uns durch Vogelgeschwirre und durch Klänge bewegen, die nicht unser sind, man will uns in Affect setzen, ohne daß wir wissen sollten, warum? Läufe, Sprünge, hohes Steigen, erstaunliche Fertigkeit: Alles dieses hat mit der eigenen Vortreflichkeit der Musik nichts zu schaffen. Auf das höchste ist es für eine dem Sänger eigene Geschicklichkeit zu achten. Es kam vielmehr darauf an, dem Zuhörer eine nützliche Wahrheit, ein rührendes Bild vorzustellen, und solches durch wohl ausgesuchte Töne dem Gemüthe desto fester einzudrücken: Allein es wird ihm entweder gar nichts vorgestellet, oder man giebt ihm einen Begrif von der Kunst des Componisten, und der Geschwindigkeit der Finger von dem Spieler. Dieses ist eben so viel, als wenn man die Schönheit einer Rede in der zierlichen Peruque des Redners suchen wollte. [S. 156–158]

Man wende seine Augen auf welche Kunst man will, so wird man finden, ihre Schönheit bestehe in einem *natürlichen We-*

sen, und guter Beurtheilungskraft. Die gothische Baukunst war verwegen und flüchtig. Sie setzte ungeheuere Lasten auf dünne Stützen. Sie füllete alles mit Laubwerk, Trauben, Blumen, Pyramiden, Fratzengesichtern, und viel andern wunderlichen Figuren. Insonderheit vergaß sie die Zwerge nicht, die dem äusserlichen Scheine nach, die längsten Balkengesimse, ja ganze Gewölbe trugen. Das gothische Werk suchte alles erstaunlich schön zu machen: Aber sehen wir wohl, daß jemand den Verlust dieser Schönheit bedaure? Eben die gesunde Beurtheilung, welche uns die Zierlichkeit bewundern lässet, welche mit so grosser Einfalt an dem Portale der Rochuskirche zu Paris herrschet, oder den ungekünstelten Pracht der Gervasiuskirche, unsern Augen als ein Meisterstück darstellet, eben dieselbige sage ich, verursachet auch, daß wir den gezwungenen Haufen von Zierrathen, und zwar von recht schlechten Zierrathen, an der Ludwigs- und Stephanskirche mit Verachtung ansehen. Nicht anders ist es auch mit einer verkünstelten und gezwungenen Musik beschaffen. [...] [S. 160–161]

In der Beredtsamkeit, in der Dichtkunst, in Zierathen, und in der Musik mehr, als in irgend einer andern Kunst, muß die Schönheit niemahls weder verborgen noch überhäufet seyn. Sie muß sich deutlich zeigen, und von jedermann können erkannt werden: Will man es beym Lichte besehen, so ist das, was wir eine Kunst nennen, nichts anders, als eine Fertigkeit, solche Wirkungen hervorzubringen, welche alle Gattungen von Gemüthern durch bekannte Empfindungen vergnügen. [S. 163]

[...] Man höret, daß unsere vermeintlichen Musikverbesserer, den Lulli, Campra, Couperin und andere, an deren Arien sich noch jedermann ergötzet mit dem Titel bürgermäßiger Componisten beehren.
Nur möchte ich wissen, warum von allen den Arientexten, die unsere neue Componisten so verkräuseln und verkünsteln, kein einziger bis zu uns komme, und sein Glück bey den Bürgern mache? Vor nicht sehr langer Zeit gefielen die Arien, welche der Hof bewunderte, dem Pöbel ebenfalls. Es sange sie jedermann, weil man keine andere Stimme dazu nöthig hatte, als die den Menschen gegeben ist. Heutiges Ta-

ges singen wir nichts mehr, weil kein Mensch mehr etwas anderes hören will, als das Zwitschern eines Canarienvogels, oder das Schluchzen einer Nachtigall. [...] [S. 165–166]

An statt den französischen Geschmack in der Musik dem italiänischen entgegen zu setzen, welche Redensarten nach dem Vorurtheile einiger Leute gewisser massen schimpflich fallen, wollen wir lieber jeder Nation im Besitze ihrer Gaben und ihres erworbenen Ruhmes lassen. Man findet in der That sowohl bey einer als bey der andern etwas vortrefliches. Demnach wollen wir lieber von zweyerlei Manieren in der Musik sprechen, davon jedwede ihre Anhänger dies- und jenseits der Alpengebürge hat. Eine führet ihre Melodie durch die Töne die jeder Kehle natürlich sind, und gebrauchet die gewöhnlichen Accente einer menschlichen Stimme, welche einem andern dasjenige zu verstehen geben will, was ihr am Herzen lieget; Sie liebet nichts hartes, nichts gezwungnes, sie ist beinahe ohne alle Kunst. Diese wollen wir die singende Manier nennen. Die andre will durch die Keckheit ihrer Klänge Verwunderung erwecken, und giebt es für einen Gesang aus, wenn sie eine Menge geschwinder Läufe, und rauschender Töne mit dem Tacte abmisset: Diese soll die schallende Musik heissen. An statt eine zu vernichten, um der andern aufzuhelfen, wollen wir lieber suchen, sie alle beyde zu unserm Vortheile anzuwenden, und das Gute, was sie würklich an sich haben, an das Licht zu stellen.
Es wäre was vergebliches, wenn man sich bei den Lobsprüchen der singenden Musik lange verweilen wollte. Erstlich hat sie den Vorzug wegen der Melodie, welche zu allen Zeiten und bey allen Völkern das Lob der Anmuth erhalten hat, und durch nichts anders erhalten wird, als wenn man schöne Klänge auf eine verständliche Weise hören lässet: Ferner, lässet sie sich auf das schönste vollstimmig machen, welches bey der heutigen Musik im geringsten nicht angehet. [...]
Allein was für Nutzen kan die schallende Musik geben? Woferne sie gleich nicht viel gutes stiftet, so kann sie doch ein grosses Uebel verhüten. [...]
Zwar sind Lullis, Quinault, und ihre ersten Nachfolger, in den allergrössesten Fehler der Musik verfallen, indem sie die Wahrheit und das nüzliche einem blossen Zeitvertreibe aufopferten. An statt das Vergnügen in der Absicht zu gebrau-

chen, um der Vernunft, der Ehrlichkeit, der Liebe zum Vaterlande, der Werthachtung berühmter Leute nüzlicher Unternehmungen, des Fleisses und der Arbeit, oder dem Eifer für die Tugend, einen Weg in die Gemüther zu bahnen, schmükten sie gar oft dasjenige heraus, was zu nichts besser geschikt war, als die Herzen zu verführen: [...] Sie besungen die Abentheuer der zwölf Pairs von Frankreich zu Carl des Grossen Zeit, und die Verwandlungen der Götter. Die Mährgen der umschweifenden Ritterschaft, und die Abgötterey vermischten sie mit abgeschmackten Bezauberungen, und es schien, als ob sie die Gemüther mit Vorsatze von der einfältigen Wahrheit abwenden, und ihnen das schwülstige Wesen unerhörter Begebenheiten angenehm machen wolten. [...]
Aber ohngeachtet dieses Vergehens, gegen die allererste Bestimmung der edlen Künste, welche keine andre ist, als der menschlichen Gesellschaft wahren Vortheil zu verschaffen, und die Tugend beliebt zu machen, hat Lulli, ingleichen Campra und viele andre Nachfolger von ihnen, nichts destoweniger allgemeinen Beyfall erworben, weil sie die zweyte Grundregel der Musik unverbrüchlich beobachteten, nemlich die Melodie nach dem Inhalte der Worte einzurichten, und diesem folglich einen offenen Weg durch die Sinne, biß in das Gemüthe zu bahnen. Sie kannten den Menschen allzuwohl, und hatten allzuviele Achtung für seine Neigungen, als daß sie geglaubet hätten, er würde es nicht übel nehmen, wenn man beständig mit ihm umgehen wolte wie mit einem Papagey, der den ganzen Tag nichts anders thut, als leere Worte anhören oder nachsprechen, ohne das geringste davon zu verstehen.
In diesen Fehler fällt die schallende Musik. Sie machet uns ein grosses Getöne und Klingen vor die Ohren, ohne die geringste Bedeutung, nicht anders als ob wir Thiere ohne Vernunft wären. Hingegen ist sie von dem ersten Fehler frey. Sie lehret uns keine Laster, denn sie lehret uns gar nichts, oder sie trillert uns doch wenigstens ihre Meynung so seltsam vor, daß wir nicht wissen was sie haben will. [S. 167–171]

11.2. *[...], Vermischte Gedanken.*

§. 1.

Wenn die Musik geschickt ist, dem ermüdeten Geiste neue Munterkeit zu geben, woran niemand zweifelt, so sollte man meynen, da sie zugleich die Sinnen auf eine so sanfte als unschuldige Weise ergetzet, daß jeder sie lieben müsse, und man sieht doch Leute, die sie fliehen; und man solte glauben, daß die Tonkünstler von Profeßion nicht aufhören würden, sich darin zu üben, und man siehet doch deren so wenig, die sich fleißig üben, und daß die meisten ihr nur *gelegenheitlich* obliegen.

§. 2.

Solte es wohl wahr seyn, was ein gewisser Verfasser sagt, daß die Oper alles der Musik, die Musik aber nichts der Oper zu danken habe? Mich dünkt nach dem rechten Begriffe, den man sich von einer Oper machen muß, sollte es nicht so seyn. Denn äussert gleich dabey die Musik ihre Kraft am merklichsten und stärker als die Poesie, die Mahlerey, die Tanzkunst etc. so sollen doch diese Schwestern der Tonkunst mit nichten von ihr so sehr verdränget werden, daß an selbige gar nicht, und nur allein an ihre glänzendere Schwester gedacht werde. Doch dem sey wie ihm wolle, so gereichet es der Musik zu keinem Nachtheil, wenn man glaubet, sie verursache das hauptsächlichste Vergnügen in den Opern, die noch immer fleißig besucht werden.

[...]

§. 4.

Die Musik ist das ausgesuchteste und zugleich das unschuldigste Vergnügen. Ein sonderbarer Vorzug! Man sey so alt wie man wolle; man habe eine Lebensart, welche man wolle; man befinde sich wo man wolle; man habe sonst Vergnügen woran man wolle: Die Musik verträgt sich mit allem.

§. 5.

Der Musik und dem Spiele ist dieses gemein, daß die so sich damit beschäftigen, einander wenig den Unterscheid mehr merken lassen, der sonst unter ihnen ist. Ein Graf, der nur mitspielen kann, lässet sich gefallen, daß sein Privatconcert von seinem Dorfcantor dirigiret wird, und ein Fürst getrauet sich nicht auf dem Ball im Kartenspiel es übel zu nehmen, wenn sein Mitspieler, etwa ein Kaufman, ihm einen begangenen Fehler verweiset. [...]

[...]

§. 7.

Man nehme gute Lieder der Gondelfahrer zu Venedig, und gute französische Trink- oder Scherzlieder. Man nehme auch italienische Stücke von einer erhabenern Schreibart, und mehrerer Ausführlichkeit, die aber doch beyderseits einerley Empfindungen ausdrücken und beyderseits in *ihrem* Geschmacke gut und vortreflich sind. Man singe oder spiele die Melodien dieser Lieder oder Stücke ohne alle Begleitung, und man wird den Mangel der Begleitung an den italienischen Stücken gar sehr gewahr werden, bey den französischen hingegen den Baß und die Begleitung weniger vermissen: Jenen mercket man es an, daß sie alsdenn erst recht gut klingen würden, wenn der Baß dazu ginge; diese aber gefallen ohne denselben schon; ja man könnte vielleicht französische Trinklieder zeigen, die von einem mitgehenden Baße eher etwas zu verliehren scheinen, als daß ihre Schönheit von selbigem aufgestützt würde. Soll man also die italienischen Weisen deswegen für vortreflicher halten als die französischen, weil sie eine Begleitung erheischen, oder sind diese vortreflicher als jene, weil sie auch ohne dergleichen schön seyn können? Ein Baß muß allenthalben zum Grunde liegen: aber aller Grund darf nicht gesehen werden.

[...]

§. 9.

Vielen französischen Balleten: (den musikalischen) wird der Titel: *Feste*[59], gar uneigentlich beygelegt: weil man dabey von wenig Frölichkeit eingenommen wird. Noch weniger verdienen viele Stücke unserer kriegerischen Musik den Nahmen *Märsche,* den man ihnen giebt. Wo sie nicht einer Bittschrift gleiche, so würde man sie doch eher für Liebeserklärungen als für eine Aufmunterung zum Streit halten.

§. 10.

Sind wir nicht glücklich, daß wir eine so lenkbare Einbildungskraft haben, die in der Oper einen sechzigjährigen Castraten für einen zwanzigjährigen Liebhaber ansehen kann, blos weil der Dichter und der Musikus es haben wolten? Und wir lassen uns so täuschen, obgleich die Sänger oft alle scheinen alles zu thun, damit solche Absicht verhindert werde.

[...]

§. 15.

Nothwendig mag es wohl nicht seyn, aber die Erfahrung bestätiget doch, daß viele große Genies nicht auch die artigste Lebensart haben. Solche Köpfe könnten vielleicht nicht so vortreflich seyn, wenn sie den unwiderstehlichen Hang ihrer Seele zu ihrer Kunst und Wissenschaft durch Bemühungen und Handlungen unterbrächen, ohne welche sich eine gute Lebensart nicht erlangen läßet. Die großen Helden sind selten zugleich die artigsten Hofleute.

[...]

§. 19.

Ihr, die ihr höchstens zuweilen eine Partitur studiret, niemals aber doch ein musikalisch Buch leset; die ihr höchstens mit euren Kunstgenossen von der Musik sprechet, niemals aber von Gelehrten, von Weltweisen, von Kunstrichtern, von Frauenzimmern zu wissen verlanget, was eure Compositiones auf sie für Würkung thun; wisset ihr wohl, daß wahrhaftig große Tonkünstler entweder in ihrer Jugend den schönen Wissenschaften fleißig obgelegen, oder doch bey mehreren Jahren noch angefangen haben, sich fleißig um die Regeln der Wohlredenheit, der Dichtkunst, der Schaubühne, und überhaupt des Schönen zu bekümmern, mit Bedauren, daß sie nur spät dazu gekommen, und mit Verdruß, daß sie gleichsam rückwärts lernen müssen?

[...]

§. 22.

Laßet euch, auch nur alte Händ. Operarien vorspielen, so werdet ihr finden, (oder ihr müsset nicht wissen, daß wahrhaftig schöne Sachen nur deswegen so leicht scheinen, weil sie unter einer großen Menge schwerer Gedanken ausgesucht worden): daß H. Verdienste nicht dem Zufalle zu zuschreiben sind, daß sie ihm Mühe gekostet haben, und daß er des Beyfalls aller Völker mit Grunde würdig ist.

[...]

§. 26.

Faustus ist liederlich, ungezogen, versoffen, undankbar, und man muß ihn doch oft andern vorziehen; ein Merkmal, daß wahre Genies nicht so häuffig sind als man glaubt.

[...]

§. 39.

Die Musik, so wie die andern Künste, muß 1) vollkommene und würdige Sachen nachahmen (nicht das Gnorren eines Hundes, das Geknarre der Räder) 2) sie vollkommen nachahmen; (nicht erhabene Worte eines Helden mit einem Gesange voller Läufer, und der von Flöten unterstützet wird, versehen) 3) dem Ausdruck, womit sie die Nachahmung macht, alle Vollkommenheit geben, deren er fähig ist; 4) keine fehlerhafte Harmonie, keine falsche Intonation etc. alles muß darinn richtig, leicht deutlich, anständig seyn.

[...]

12. Johann Philipp Kirnberger, Der allezeit fertige Polonoisen- und Menuettencomponist, Berlin 1757

Vorbericht.

Die Noten, welche auf den nachfolgenden wenigen Blättern erscheinen, sind der Stoff zu einer unzählbaren Menge von Polonoisen, Menuetten und dazu gehörigen Trios. Ein jeder der nur Würfel und Zahlen kennet, und Noten abschreiben

kann, ist fähig, sich daraus so viele der genannten kleinen Stücke, vermittelst eines oder zweener Würfel, zu componiren, als er nur verlanget. Man verfährt damit also:
Hat man mit einem Würfel eine Zahl geworfen; so suchet man in den Tabellen auf welchen die Numern stehen, nachdem man nämlich Polonoisen, [...] verfertigen will, in dem ersten Fache von der Linken zur Rechten, die Zahl auf, welche man geworfen hat. In dem Fache, welches unter jeder dieser Zahlen, von oben nach unten zu geht, nimmt man hierauf, bey jedem Wurfe, welche vorn angezeiget sind, die Zahl so daselbst steht, suchet sie in dem Notenplane, von der Art Stücke, die man setzen will, auf, und schreibt den darunter stehenden Tact hin. Auf diese Art wird bey jedem Wurfe ein Tact, und mit sechs [...] Würfen der erste Theil einer Polonoise, [...] fertig. Mit dem zweyten Theile verfährt man eben so, daß man einen Wurf nach dem andern hinschreibt: und wenn die Würfe zum zweyten Theile geendiget sind; so setzet man zum dritten Tacte des ersten Theils das Zeichen §, um anzuzeigen, daß man die darauf folgenden Tacte des ersten Theils wiederholen, und damit schließen müsse. [...]
Bedienet man sich zweener Würfel, so suchet man im zweyten Fache von der Linken zur Rechten die geworfene Zahl auf, und verfährt im übrigen wie mit einem Würfel. Nur muß man die Zahlen, die man mit beyden Würfeln geworfen hat, allemal zusammen rechnen, und in dem Fache des Products der beyden Würfel suchen: denn in jedem Fache ist dieses Product zweener Würfel zusammen genommen. Z. E. Man hätte mit dem einen Würfel 2 mit dem andern 3 geworfen; so sucht man unter 5. Hätte man 7 und 5 geworfen; so suchet man unter 12.
Will man sich der Würfel gar nicht bedienen; so darf man nur sich freywillig Zahlen annehmen, welche man will, die man geworfen haben könnte; und damit eben so verfahren, als wenn man gewürfelt hätte. Nur muß man in dem Fache entweder von einem oder von zweenen Würfeln bleiben, in welchem man angefangen hat. Z. E. Man hätte zur Polonoise, mit zweenen Würfeln auf den ersten Wurf 4 und 3 geworfen; so setzt man aus dem Fache unter der Zahl 7, den 72 Tact. Der zweyte Wurf sey 2 und 1, so setzt man unter 3 den 24 Tact. Der dritte Wurf sey 6 und 6, so nimmt man unter 12 den 146 Tact. Und so weiter.

Um mit recht leichter Mühe viele Polonoisen, [...] zu haben, darf man nur vierzehn Numern entweder werfen, oder willkührlich erwählen, und daraus ein Stück verfertigen. Ist dieses geendiget, so nehme man bey dem zweyten Stück die zweyte Numer des schon fertigen Stücks zum ersten, behalte die folgenden in ihrer Ordnung, und lasse die erste Numer darauf die letzte seyn. Hernach mache man die dritte Numer eben dieses Stücks zur ersten; so wird im Zirkel die zweyte zur letztern, u. s. f. Eben so kann man mit den Numern auch rückwärts verfahren. Z. E.

vorwärts.

erste Polonoise:	8.	10.	6.	6.	5.	3.					
zweyte " :		10.	6.	6.	5.	3.	8.				
dritte " :			6.	6.	5.	3.	8.	10.			
vierdte " :				6.	5.	3.	8.	10.	6.		
fünfte " :					5.	3.	8.	10.	6.	6.	
sechste " :						3.	8.	10.	6.	6.	5.

rückwärts.

siebente Polonoise:	3.	5.	6.	6.	10.	8.					
achte "		5.	6.	6.	10.	8.	3.				
neunte "			6.	6.	10.	8.	3.	5.			
zehnte "				6.	10.	8.	3.	5.	6.		
eilfte "					10.	8.	3.	5.	6.	6.	
zwölfte "						8.	3.	5.	6.	6.	10.

und so ist der erste Theil zu zwölf Polonoisen fertig. Auf gleiche Weise verfährt man auch mit dem zweyten Theile. Die immer verschiedenen Anfänge und Enden, und die verschiedene Wirkung, die jeder Tact thut, wenn er an einer andern Stelle und in anderer Verbindung steht, werden schon eine Mannigfaltigkeit hervorbringen.

Wer diese Polonoisen, [...] nur zum Claviere haben will: der schreibt sich, bey jedem Tacte, aus dem Notenplane die beyden Zeilen ab, welche mit dem Sopran- und Baßschlüssel versehen sind, als in welchen er das finden wird, was von jedem Tacte auf dem Claviere ausgeführet werden kann. Wer sie aber für zwo Violinen und Baß haben will, der schreibt die beyden Zeilen vor denen der Violinschlüssel steht, und die Zeile mit dem Baßschlüssel, besonders: so sind

sie zur Ausführung fertig. Wer sie in Partitur sehen will, dem ist nicht nöthig zu sagen was und wie er schreiben soll.
Durch den mit Fleiß erwählten altfränkischen Titel; welcher diesen Blättern vorgesetzet ist, hat man stillschweigens mit zu verstehen geben wollen, daß man sich eben nicht die Componisten von Profession, durch die Bekanntmachung dieses Spielwerks, verbindlich zu machen suche. Man hat vielmehr den Liebhabern der Musik, die der Setzkunst gar nicht kundig sind, eine neue Art eines Spiels in die Hände geben wollen, welches sie zuweilen in ihren Ergetzungsstunden mit dem L'Hombre-Tische verwechseln können. Sie haben dabey den Vortheil, daß sie eben so reich, und mit eben so kaltem Blute von diesem Spiele wieder aufstehen können, als sie sich dazu niedergesetzet hatten: und doch allezeit ein oder mehreres musikalisches Ergötzungs- oder Uebungsstückchen zum Gewinste davon tragen.
Auch diejenigen, deren Beruf es mit sich bringet, Gesellschaften, welche in der Absicht sich zu belustigen zusammen gekommen sind, mit Abspielung von Tanzstücken zu unterhalten, können aus diesen Blättern immer neuen Vorrath schöpfen: [...]
Sollte aber, dieser treuherzigen Anzeige ungeachtet, dennoch jemand sich finden, welcher diese Kleinigkeit mit einem spöttischen Lächeln beehren wollte: so gesteht der Verfasser aufrichtig, daß er selbst der erste gewesen, welcher recht herzlich gelacht hat, als ihm, nach einigen schlaflosen Nächten, die Verbesserung und Ausführung dieses Unternehmens, dessen Erfindung ihm nur sehr unvollkommen zu Händen gekommen, so gut gelungen war. [S. 3–5]

Tabelle der Würfe zu Polonoisen.
Zum ersten Theile.

mit einem Würfel	1	2	3	4	5	6					
mit zwey Würfeln	2	3	4	5	6	7	8	9	10	11	12
1 Wurf	70	10	42	62	44	72	114	123	131	138	144
2 "	34	24	6	8	56	30	112	116	147	151	153
3 "	68	50	60	36	40	4	126	137	143	118	146
4 "	18	46	2	12	79	28	87	110	113	124	128
5 "	32	14	52	16	48	22	89	91	101	141	150
6 "	58	26	66	38	54	64	88	98	115	127	154

Zum zweyten Theile.

mit einem Würfel	1	2	3	4	5	6					
mit zwey Würfeln	2	3	4	5	6	7	8	9	10	11	12
1 Wurf	80	20	82	43	78	69	90	129	103	142	152
2 "	11	77	3	41	84	63	92	99	140	149	102
3 "	59	65	9	45	29	7	86	107	111	97	135
4 "	35	5	83	17	76	47	94	122	145	134	148
5 "	74	27	67	37	61	19	96	105	133	120	136
6 "	13	71	1	49	57	31	85	93	109	100	108
7 "	21	15	53	73	51	81	95	106	117	119	130
8 "	33	39	25	23	75	55	104	121	125	132	139

[S. 7–8]

Polonaise

tr.
tr.
tr.
tr.
tr.
tr.
tr.
tr.

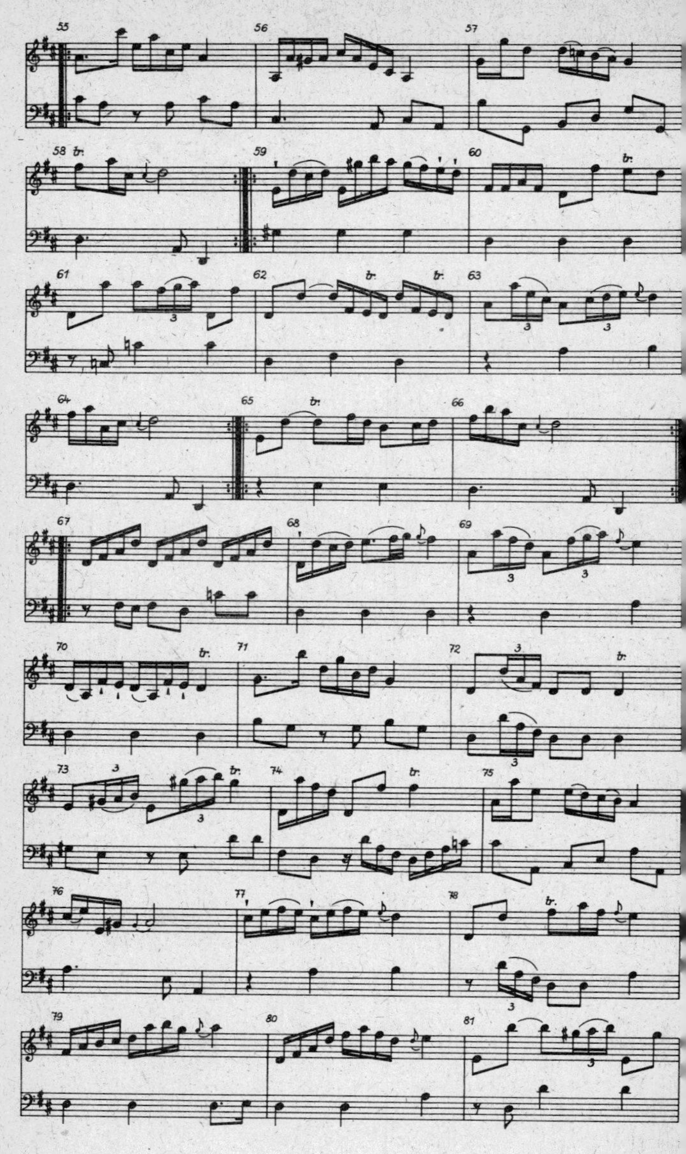

82
tr.
83
84
85
86
87
tr.
tr.
88
89
90
91
92
93
94
95
tr.
tr.
tr.
96
97
98
99
tr.
100
101
102
103
tr.
104
105
106
107
108

109
110
111
3
112
113
114
tr.
115
tr.
116
117
118
tr.
tr.
119
120
121
122
123
124
125
126
127
128
tr.
tr.
129
tr.
130
131
132
133
134
135
136
tr.
tr.
tr.
137
tr.
138

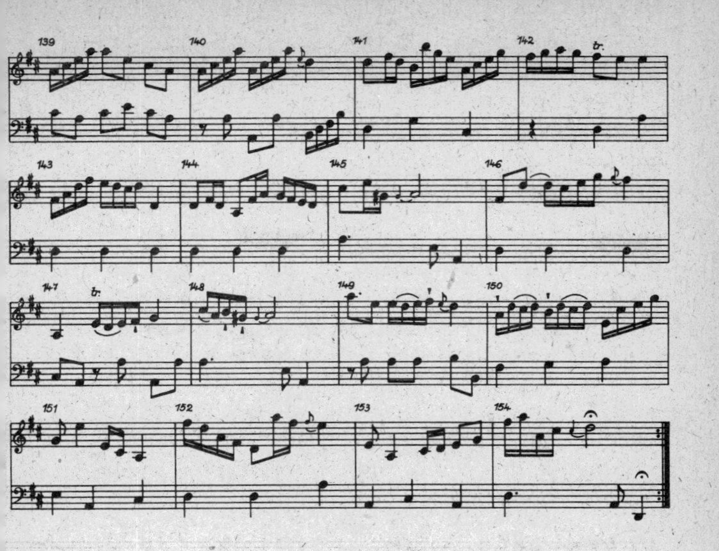
139
140
141
142
tr.
143
144
145
146
147
tr.
148
149
150
151
152
153
154

13. Friedrich Wilhelm Marpurg, Anfangsgründe der Theoretischen Musik, Leipzig 1757 (Neudruck: New York o. J.)

Vorbereitung.
Von der Musik überhaupt.

§. 1.

Das Wort *Musik* ist griechischer Abkunft, und bezeichnet die Wissenschaft oder die Kunst der Töne. Sie ist eine *Wissenschaft,* in so fern ihre Regeln aus gewissen Gründen erwiesen werden können; eine *Kunst,* in so fern die erwiesenen Regeln zur Wirklichkeit gebracht werden können.

§. 2.

Sie wird am füglichsten in folgende *fünf Haupttheile* unterschieden: in den *philosophischen, rhetorischen, grammatischen, historischen* und *mechanischen.*

§. 3.

Der *philosophische Theil* der Musik beschäfftiget sich mit der *Betrachtung der Töne,* entweder
1) *in Ansehung ihrer Natur.* Dieses heißt die *physische Tonkunde.*
2) *in Ansehung ihrer Verhältnisse.* Dieses heißt die *mathematische Tonkunde.*
3) *in Ansehung ihres Gebrauches.* Dieses heißt die *musikalischen Critik.*

Anmerkung.

Die *physische* und *mathematische Tonkunde* werden mit einem Namen die *Theorie der Musik* genennet.

§. 4.

Der *rhetorische Teil* der Musik beschäfftiget sich mit der *wirklichen Ausübung der Töne,* und dieses geschieht auf zweyerley Art, als
1) vermittelst der *Zusammensetzung der Töne.* Dieses heißt *Composition.*
2) vermittelst des *Vortrages der zusammengesetzten Töne.* Dieses heißt *Execution.*

Anmerkung.

Die beyden Gattungen der rhetorischen Musik werden mit einem Namen die *Praxis der Musik* genennet. Die Composition wird wieder in die *Vokal-* und *Instrumental composition* und die Execution in die *Sing-* und *Spielkunst* eingetheilet.

§. 5.

Der *grammatische Theil* der Musik erkläret die Regeln der rhetorischen Musik, entweder
1) in Absicht auf die Composition.
2) in Absicht auf die Execution.

§. 6.

In dem *historischen Theil* der Musik gehören die Merkwürdigkeiten der Musik.

§. 7.

Der *mechanische Theil* der Musik beschäfftiget sich, nach den Beobachtungen des Physici und Meßkünstlers der rhetorischen Musik mit geschickten Werkzeugen an die Hand zu gehen.

§. 8.

Wir haben in gegenwärtigem Buche mit nichts als dem physischen und mathematischen Theile der Musik, das ist, mit der Theorie derselben zu thun.

14. HISTORISCH-KRITISCHE BEYTRÄGE ZUR AUFNAHME DER MUSIK, HRSG. VON FRIEDRICH WILHELM MARPURG, BD. 4, 3. BIS 6. STÜCK, BERLIN 1759 (NEUDRUCK: HILDESHEIM 1970)
[enthält u. a.:]

14.1. *[Rezension:] Sechs Sonaten fürs Clavier mit veränderten Reprisen; [...] von Carl Philipp Emanuel Bach. Berlin 1760.*

Es ist seit einiger Zeit Mode geworden, keine Reprise eines Stücks das zweytemahl auf eben die Art als das erstemahl, zu spielen.[60] Wenn solches von Männern geschahe, die nicht allein den Satz, sondern zugleich den Character des Stücks inne hatten, und hiernächst genugsames Genie besassen, geschickte Veränderungen hervorzubringen: so konnte nichts anders als die schönste Wirkung erfolgen. Der Spieler machte sich und dem Stücke Ehre. Hingegen mußte nothwendig das Gegentheil geschehen, wenn dem Spieler die eine oder andere Eigenschaft, oder vielleicht alle mit einander fehlten, und er doch verändern wollte. Dieser letzte Umstand ist es, der den berühmten Herrn Bach veranlasset hat, gegenwärtige Sonaten mit veränderten Reprisen gemein zu machen, die so viele Lectionen für alle Veränderer sind, als sie den geschickten Kennern und Liebhabern des Claviers wahres Vergnügen machen werden. Wir brauchen zum Lobe dieser Stücke nichts mehr hinzuzufügen, die, wie alle Werke unsers Hrn. Bachs, lauter Originale in ihrer Art, aber schöne Originale, und dazu gemacht sind, das Ohr und Herz zugleich zu rühren. Druck, Noten und Papier sind vortreflich.

[S. 560–561]

14.2. *[Rezension: Kompositionen von Baldassare Galuppi]*

Leipzig. Hieselbst ist im verwichenen Jahre, im Verlage des jüngern Hrn. Breitkopfs eine für die Singstimme und den Flügel eingerichtete Scherzoper vom Galuppi unter zweyerley Titeln herausgekommen, als erstlich: *Il Mondo alla Roversa o sia le Donne che comandono; drama giocoso per Musica* [...] und hernach: *Raccolta delle più nuove composizioni di Clavicembalo di differenti Maestri ed Autori per l'Anno 1758. Continente il Mondo alla Roversa* [...] Wir wünschen, daß der Herausgeber, wer er auch sey, seinen Fehler bereuen, und den Hrn. Breitkopf mit bessern Sachen versehen möge. Es gehöret wohl eben nicht viele Mühe dazu, Clavierstücke zu sammeln. Aber ohne Zweifel wird etwas Einsicht in die Grundsätze der Kunst, und Richtigkeit im Geschmacke erfordert, um gute Clavierstücke zu sammeln, und die Sammlung so einzurichten, daß sowohl der geübtere, als ungeübteste Liebhaber dabey seine Rechnung finde. Es kann seyn, daß in gewissen Gegenden Deutschlands der Geschmack noch nicht genugsam gebildet ist, und daselbst eher bey dem alten Hällischen: *Schwärmt, schwärmet, schwärmet immer hin,*[61] als bey der richtigsten und schönsten Claviersonate, in die Hände geklatschet wird. Mich deucht aber, daß wer in seinen Compositionen auf solche Gegenden sein Augenmerk richtet, die Verbesserung und Aufnahme der Kunst ohne Zweifel nicht zum Gegenstande seiner Absichten hat. Wenn nichts als gute Sachen, und zwar hauptsächlich von guten deutschen Meistern, daran es uns itzo nicht fehlet, zum Vorschein kämen: so würden die Leute aus jenen finstern Gegenden doch auch endlich genöthigt werden, an guten Sachen Geschmack zu finden. [...] [S. 561–562]

15. KRITISCHE BRIEFE ÜBER DIE TONKUNST,
HRSG. VON FRIEDRICH WILHELM MARPURG,
BD. 1, 1. BIS 28. BRIEF, BERLIN 1759
(NEUDRUCK: HILDESHEIM 1974)
[enthält u. a.:]

15.1. *[Friedrich Wilhelm Marpurg, Nachricht an die Leser]*
I. Brief an Herrn Leopold Mozart,
Hochfürstl. Salzburgischen Hofcomponisten.
Berlin den 23. Junius 1759.

Mein Herr,
Sie irren sich, wenn Sie glauben, daß die berlinischen Musen so geschäftlos sind. Gegen eine oder zwo musikalische Gesellschaften, die, wegen der Abwesenheit einiger Mitglieder, ihre Uebungen eine Zeitlang ausgesetzet haben, sind ihrer mehr als vier oder fünf in andern Gegenden der Stadt entstanden. Die meisten dieser Gesellschaften versammeln sich nicht allein ihrer praktischen Uebungen wegen die Woche etlichemal. Sie wenden annoch den Rest des Abends zur Beurtheilung des in dem Concerte Vorgegangnen an, und unterhalten sich mit theoretischen Betrachtungen. Sie setzen, sie führen ihre Compositionen auf, sie ziehen Schüler; der Liebhaber mischet sich in die Unterredungen der Musiker; der Gelehrte nimmt an den Streitfragen aus der Tonkunst Antheil; man schreibt Bücher; man lässet allerhand Arten von praktischen Ausarbeitungen drucken; es giebt galante Concerte, es giebt contrapunctische Concerte. ...
Nun glauben Sie doch, mein Herr, daß die Musen an der Spree nicht eben so müßig seyn müssen. Sie hievon noch mehr zu überzeugen, muß ich Ihnen sagen, daß eine gewisse musikalische Gesellschaft hieselbst, deren Geheimschreiber

ich zu seyn das Vergnügen habe, so eifrig in ihren Bemühungen ist, daß sie so gar ein musikalisches Wochenblatt schreiben will, und, denken Sie einmal, ein kritisches Wochenblatt. Was wird da für ein Lärmen werden!

Sie wollen diese sogenannte *musikalische Gesellschaft* näher kennen lernen. Ich darf Ihnen nichts mehr sagen, mein Herr, als daß selbige weder die musikübende Gesellschaft[62], noch die Akademie der Tonkunst[63], noch die Assemblee der Musik[64] ist. Aber von allen diesen drey und noch mehrern mit Ruhm bekannten musikalischen Gesellschaften der Stadt gehören einige Mitglieder zu der unsrigen. Sie hat ihre Ursachen, annoch einige Zeit verborgen zu bleiben, und hat, da sie mir aufgetragen, ihr Unternehmen dem Publico anzukündigen, mir zwar erlaubet, diejenigen ihrer Mitglieder, die an diesen Blättern arbeiten werden, ihrem Hauptcharakter nach zu schildern, aber nicht ihre Namen unter das Gemählde zu setzen. [...] Hier sind die Verfasser derselben, nach demjenigen Range, den sie in der Gesellschaft einnehmen, und mit denjenigen Namen, den sie in selbiger führen.

Der erste ist unser wohlgelahrte Senior, Hr. Amisallos[65]. Ich nenne ihn wohlgelahrt, weil er nicht allein ein Zeugniß aufweisen kann, daß er auf Universitäten gewesen ist, sondern auch wirklich einen lateinischen Terminum setzen kann, [...] In Lissabon ward unser Senior mit einem harmonischen Adeptus bekannt, welcher sich einmal in Gesellschaft verlauten ließ, daß er jemanden die Composition und den Generalbaß ohne Regeln lehren könnte. Der Deutsche konnte diese lusitanische Gasconade nicht verdauen, und machte sich auf eine etwas unbedachtsame Art über das vermeinte Geheimniß des Adeptus lustig; that aber wohl, sich den Tag darauf aus der Stadt fortzumachen, weil er von einem Unbekannten benachrichtigt ward, daß ein Stilet auf ihn lauerte. Wenn unser Senior zur Zeit noch kein besonders musikalisches Amt bekleidet: so ist ein gewisser ihm angebohrner Eigensinn, und eine Lust zum Widersprechen, die man aus den beyden vorhergehenden Begebenheiten schließen kann, daran Schuld. Er versteht nicht die Kunst, sich zu beugen, und schont in seinen Beurtheilungen weder Freund, noch Feind. [...]

Der zweyte Mithelfer unserer Bemühungen ist Herr Oikuros[66], ein Mann, der so sehr wegen seiner Zerstreuungen, als wegen seiner hypochondrischen Lebensart, in dem Zirkel der Tonkundigen bekannt ist. Ein abgesagter Feind vom Geld, begnügt er sich mit dem, was ihm die Abzirkelung einiger Monochorde[67] einbringt; und er geht wöchentlich nur zweymal aus, nemlich um unsre Gesellschaft zu besuchen; [...] Weil ihn seine Hypochondrie etwas mürrisch macht; so geschicht es, daß ihm seine Aufwärterinn niemals etwas zu Danke machen kann, und seine Zerstreuung ist Schuld, daß er sich selbst nicht recht bedienet. Als er sich ohnlängst seinen Caffee kochen wollte: so ergriff er eine unrechte Düte, und schüttete ein Loth Schnupftaback in die Kanne hinein. Bey allem diesen läßt es sich mit dem Herrn Oikuros ganz gut über die Musik disputiren. Er ist im Stande, sich etliche Stunden lang mit jemanden herumzuzanken, ohne böse zu werden, und er verändert seine Freundschaft gegen jemanden deßwegen nicht, wenn man ihm nicht auf sein Wort glauben will. Er hält es für keinen Schande, einen Satz, den er vor einigen Tagen behauptete, heute zu widerrufen, wenn er überzeugt wird, daß er einen falschen Satz behauptet hat. Unterdessen ist er eigensinnig genug, auf einer mit genungsamen Gründen unterstützten Meinung zu bestehen, und so angenehm es ihm ist, wenn man ihm ins Gesicht widerspricht: so empfindlich ist er, wenn sich jemand stellet, seiner Meinung zu seyn, und ihn hinter dem Rücken durchhechelt. [...] [S.1–4]

Der dritte Mitarbeiter ist Herr Eysymperiphoros[68]. Er hat sich nicht weniger auf die Musik, als auf die Chymie, gelegt. Man findet ihn deßwegen sehr oft mit dem Schmelztiegel in der einen, und mit einer musikalischen Partitur in der andern Hand. Er ist sehr stark in der Historie der Tonkunst, und weis so gar, mit welchem Finger dieser oder jener Spieler den schärfsten Triller zu schlagen pflegt. Was ihn bey allen Musicis sehr beliebt macht, ist, daß er sehr wenig zum Widersprechen geneigt ist, und jedermann lobt. Er pfleget aus dieser Ursache, außerhalb unserer Gesellschaft, in andern musikalischen Versammlungen sehr wenig zu sprechen. Er sitzet so still, als ein Quartaner in kleinen Schulen, den der Herr Cantor mit der Ruthe in Respect erhält; und man hört ihn selten etwas anders, als Ja, Nein, oder Bravo! vorbringen, nachdem er findet, daß derjenige, der das Gespräch an ihn richtet, eine Sache entscheidet; und wenn es sich zuträgt, daß die streiten-

den Tonkünstler, worunter er sich befindet, in ihren Meinungen getheilt bleiben: so nickt er entweder bald dem einen, bald dem andern mit dem Kopfe zu, um also jederman seinen Beyfall zu erkennen zu geben; oder er schweiget gar still, und auf diese Weise verdirbt er es mit keinem.
Der vierte Gehülfe ist Herr Neologos[69]. Sein Hauptcharakter ist die Neugierde. Er suchet aber solcher aus keiner andern Ursache genung zu thun, als um die Aufnahme seiner Kunst zu befördern. Er kann es nicht leyden, daß jemand mit einer nützlichen Entdeckung zurückhält, und wer ihn zum Vertrauten einer Erfindung machet, der irrt sich, wenn er glaubt, daß er solche mit sich wird aussterben lassen. Als ein gewisser Dilettante der Musik vor einigen Jahren einige Sonaten für die Querflöte herausgab, und seine tiefern Töne auf der Flöte der Welt ankündigte[70]: so hätte es nicht viel gefehlet, daß der Herr Neologos eine Reise zu dem Besitzer dieses Geheimnisses nach Hamburg gethan hätte. Er probirte ein halb Dutzend Flöten links und rechts, und ich glaube, daß er über seinen Versuchen würde schwindsüchtig geworden seyn, wenn ihn nicht ein Freund, der von Hamburg kam, versichert hätte, daß die Aufgabe wegen der tiefern Töne nur aus Spaß wäre gemacht worden. Herr Neologos, der in Hofnung, den Schlüssel zu diesen Tönen zu finden, schon etliche Sonaten und Concerte zum voraus bis ins kleine d herunter gemacht hatte, ärgerte sich nicht wenig über seine Leichtgläubigkeit, schämte sich ein paar Tage, schmolz seine Stücke um, und kehrte zur alten Methode wieder zurück.
Ich komme endlich zu meiner Person, und berichte, daß ich in dem Cassuberlande gebohren, und, nach dem Berichte meines Lehrmeisters, in der Jugend ein sehr muthwilliger Kopf gewesen bin. [S. 4–5]

[...] Ich war öfters so vorwitzig, die Thorheiten meiner Mitschüler in Knittelversen durchzuziehen. Ich setzte solche, so gut es mir möglich war, in dem damals gebräuchlichen italiänischen Geschmack in Musik, und ich hätte sie gar drukken lassen, wenn die neuen Musiknoten schon bekannt gewesen wären. Mein alter Rector, der sich etwas auf die Chiromantie[71] verstand, und meine Aufführung mit den Linien an meinen Händen vergliche, befahl mir eines Tages, ihm auf seine Stube zu folgen. Er besah mich hinten und vorne, räus-

perte sich und sprach: „Mein Sohn, mein Sohn, *urit mature quod vult urtica manere*[72]. Das ist ein altes und sehr wahres Sprüchwort. Ich bemerkte, daß er zur Spötterey geneigt ist. Das ist kein gutes Talent. Nehme er sich in Acht, wenn er groß wird, und beleidige keinen, besonders mit der Feder. *Obsequium amicos, veritas odium parit.*[73] Mich deucht, mich deucht, er wird sich mit der Musik zu viel zu schaffen machen. Hüte er sich ja; es giebt unter den Musikern schlimme Leute, besonders unter den Italiänern und Franzosen. Er wird einstens einen heftigen Federkrieg bekommen, und viele von denjenigen, die bey seinen Einfällen lächeln dürften, werden unter der Hand mit seinen Feinden gemeinschaftliche Sache machen. Er wird zwar alles dieses auf die leichte Achsel nehmen. Aber was wird dabey heraus kommen? Variire er lieber dafür einen Choral, oder eine Sarabande. *Quicquid agis, prudenter agas & respice finem.*[74] Noch eins. Hüte er sich ja vor den musikalischen Schreib- und Rechenmeistern. Das sind Erzrenommisten."
Ich muß gestehen, daß ich zwar über den Discurs meines ehrlichen Lehrmeisters aus Unverstand heimlich lachte. Indessen habe ich mich bey reifern Jahren doch manchesmal seiner Lehren erinnert, und bin deswegen den musikalischen Rechenmeistern allezeit zehn Schritte aus dem Wege gegangen. [...] [S. 6–7]

Aber wie leichtsinnig sind die Menschen, und wie verführerisch die Exempel! Ich nehme aufs neue die Feder in die Hand, und begnüge mich nicht, meine Aufsätze guten Freunden vorzulesen. Ich entschließe mich, sie unter die Ausarbeitungen der Gesellschaft zu mischen, bey welcher mich das Loos zum Geheimschreiber bestellet hat, und mich von Zeit zu Zeit drucken zu lassen. Was ist zu thun? Man tadelt und wird getadelt. In Gesellschaft hat man allezeit mehr Muth zu streiten, als wenn man alleine ist; und, mich würdig zu machen, für die Wahrheit zu streiten, und fremde Thorheiten zu bekriegen, werde ich zur Veränderung der Gegenstände, auf eine etwas ungewöhnliche Art, zuweilen meine eigene zum Vorschein bringen. Ich freue mich schon zum voraus auf die Blätter, worinnen ich mit mir selber zanken werde.
Ich habe die Ehre zu seyn etc.

Hypographus.[75] [S. 8]

15.2. *[Friedrich Wilhelm Marpurg, Über die Odenkomposition]*
III. Brief an den Herrn Advocaten Christian Gottfried Krause.
Berlin den 7. Julius 1759.

[...]
Wir haben uns, mein Herr, zu verschiedenen malen von der Beschaffenheit einer guten Ode unterredet. Wir sind in gewissen Puncten einig gewesen, und über andre getheilet. Erlauben Sie, daß ich Ihnen meine Gedanken schriftlich mittheile. Erhalte ich nicht durchgehends Ihren Beyfall, so werden Sie mich vielleicht auch nicht duchgehends unbegründet finden. Gönnen Sie mir gelegentlich Ihre Antwort. Vielleicht lassen sich unsere Meynungen vergleichen, und glauben sie nicht, daß es die Freunde des sanften Scherzes unsern Bemühungen Dank wissen werden, wenn wir gleich nicht den Beyfall gewisser mürrischen Köpfe erhalten solten? Mögen doch einige derselben, die zu nichts als großen Sachen von der gütigen Natur bestimmet sind, an nichts als vier und zwanzigstimmigen Partituren, an Fugen mit drey und vier Subjecten, in ordentlicher und verkehrter Bewegung, und dergleichen künstlichen Ausarbeitungen mehr, wider deren Werth an sich, und zu seiner Zeit, ich gar nichts einzuwenden habe, Geschmack finden. [...]
Ehe ich zu den Regeln der Ode in Absicht auf die Composition komme, hätte ich ohne Zweifel noch einige Kleinigkeiten mit dem Dichter abzuthun, weil keine Composition einer Ode ohne Tadel seyn kann, wenn nicht dieser zuförderst seine Schuldigkeit dabey gethan hat. [...] Was ich mit dem Dichter zu reden habe, wird übrigens nichts mehr als die äußerliche Form einer Ode betreffen. Wer von der innern Beschaffenheit derselben unterrichtet seyn will, den werde ich, mein Herr, auf Ihr vortrefliches Buch von der *musikalischen Poesie*[76], auf die Schriften der Herren Breitinger[77], Gottsched[78], Remond de St. Mard[79], auf des Herrn Löwens Anmerkungen über die Odenpoesie[80], u.s.w. und auf die Exempel eines Leßing, Rammler, Utz, Zachariä, Gleim, Dusch, Lieberkühn, Gellert, Hagedorn, Klopstock, Lange, Consbruch, Patzke, Ossenfelder, ... verweisen. Der Streit über den Unterscheid der Wörter *Ode* und *Lied* gehört vor den

Richterstuhl der Dichter. Ich verstehe unter den Wörtern *Lied* oder *Ode*, die ich vermischt gebrauche, nachdem mir eines eher als das andere einfällt, was die Franzosen unter *Chanson* verstehen, es mag der Wein, oder die Liebe, oder sonst ein andrer geistlicher, moralischer oder weltlicher Gegenstand darinnen besungen werden. Es gehören folglich weder die irregulären Lieder und Oden, worinnen nicht alle Strophen in dem Rhytmo und Metro einander ähnlich sind, noch die regulären Oden hieher, *in so weit man diesen letztern ihre besondere Melodie und musikalische Einrichtung geben will*, und wovon wir an dem, von unserm Herrn Agricola mit Fleiß und Kunst ausgearbeiteten ein und zwanzigsten Psalm[81] nach der vortreflichen Uebersetzung des Herrn Hofpredigers Kramer, ein Exempel haben. In den Liedern oder Oden, wovon hier die Rede seyn soll, werden alle verschiedne Strophen nach einerley Melodie gesungen.
Ich habe noch zu bemerken, daß ich, um den Geschichtschreibern der Tonkunst einen Dienst zu erweisen, alle nur mögliche Odensammlungen, gute und böse, die seit der Gräfischen Sammlung[82] bis itzo herausgekommen sind, aufzutreiben; solche, so viel als möglich, nach chronologischer Ordnung zu mustern, und die mir annoch unbekannten, und deswegen itzo ausgelaßnen Sammlungen, gelegentlich nachzuhohlen, suchen werde. [...] [S.20–21]

Ein Umstand ist annoch vorläufig wegen der Composition überhaupt zu bemerken, nehmlich daß die Oden nicht allein mit, sondern auch ohne Begleitung gesetzet werden. *Die Oden ohne Begleitung* sind entweder so beschaffen, daß sie in der That keinen bequemen Baß zulassen, und folglich ohne Baß gedacht sind; oder, daß sie solchen ganz bequem zulassen, selbiger aber nur nicht mit zu Papiere gebracht worden ist. Einer meiner Freunde, ein verschmitzter Tonrichter, ist der Meinung, daß nur diejenigen Lieder, welche ohne Baß gedacht sind, den eigentlichen Namen eines Liedes, oder einer Ode verdienen. Er beruft sich dieserwegen auf die *Chansons* der französischen Nation, die insgemein ohne alle Begleitung dem Publico überreichet werden. Ja er könnte noch die Musikart der alten Griechen anführen, wenn er wollte. Ich bin nicht der Meinung meines Freundes. Ein Gesang, der keinen Baß zuläßt, ist allezeit ein sehr elender unmusikalischer Gesang. Ich berufe mich dieserwegen auf alle diejenigen französischen Chansons, die von etwann einem unharmonischen Sänger ohne Baß gedacht worden sind. Alle gute Chansons, die man jemahls in Paris gesungen hat, sind so beschaffen, daß ein Baß dazu gemachet werden kann, wenn er nicht schon dabey vorhanden ist. *Die Oden mit Begleitung* sind zweyerley Art. Einige sind dergestalt beschaffen, daß sie auch ohne Beyhülfe des Claviers ihre Wirkung thun, andere aber nicht. Will mein gedachter Freund nur diejenigen Oden für ächte oder eigentliche Oden erkennen, von welchen die Begleitung *ohne Nachtheil* getrennet werden kann: so haben wir nicht viel gegen einander auszumachen. Wir wollen die ersten *Singoden* nennen, die andern aber *Spiel-* oder *Clavieroden. In terminis simus faciles etc.*[83] Unter die Singoden wird nichts mehr als der bloße Generalbaß gesetzt. Die Spieloden werden sogleich mit ausgearbeiteten Mittelstimmen zu Papier gebracht. [...] Mit guten Spieloden ist es wie mit denjenigen Arien ungefähr beschaffen, die so gut gesungen, als auf dem Clavier gespielt werden können. Inskünftige ein mehrers. Ich bin etc.

Amisallos. [S. 22–23]

15.3. *[Friedrich Wilhelm Marpurg, Verzeichnis deutscher musikalischer Odensammlungen]*
XXI. Brief an den Herrn Johann Otto Uhde, Königl. Hof- und Kammergerichtsrath. Berlin des 10. November 1759.

[...]
Ich habe mich in dem dritten Stücke dieser Blätter anheischig gemacht, den Liebhabern von unsern bisherigen Odensammlungen Rechenschaft zu geben. Nachdem ich so glücklich gewesen, bey einem meiner Freunde einen ziemlichen Vorrath von dieser Art Sachen zu finden: so bin ich dadurch in den Stand gesetzet worden, an die Erfüllung meines Versprechens gedenken zu können. Hier ist mein Pensum auf heute. Ich werde diese Arbeit nach und nach fortsetzen, und wenn ich damit zu Ende seyn werde, nach den Mustern unserer besten Odensetzer, einige Anmerkungen über die Odencomposition hinzufügen.
Ich habe die Ehre zu seyn etc.

Amisallos.

I.

Sammlung verschiedner und auserlesener Oden, zu welchen von den berühmtesten Meistern in der Musik eigene Melodeyen verfertiget worden. Besorgt und herausgegeben von einem Liebhaber der Musik und Poesie. Diese Sammlung nahm im Jahre 1737. unter der Besorgung des itzigen Hochfürstl. Braunschweigischen Kammersecretairs, Herrn Johann Friedrich Gräfe, der sich damahls Studirens wegen in Halle aufhielte, ihren Anfang. [...] Die meisten Compositionen sind vom Herrn Gräfe selbst, und vom Herrn Capellmeister Hurlebusch. Die übrigen sind vom seel. Herrn Capellmeister Graun; und von den Herren C. P. E. Bach und de Giovannini. [...] Ob diese gräfische Sammlung gleich bereits an die zwanzig Jahre alt ist: so wird sie dennoch der vielen guten Stücke wegen, die sie gegen wenig schlechte enthält, noch lange Zeit eine schätzbare Sammlung verbleiben. Man bemerket, daß die meisten Verfasser, welche die Natur des Gesanges verstanden, auch singen wollten; und nichts desto weniger können diese Liederchen, theils ohne, theils mit wenigem Zusatze, oder mit sonst einer kleinen Veränderung in der entweder manchesmahl leeren, oder hin und wieder zweydeutigen Harmonie, ebenfals zu kleinen Clavierstücken dienen. [S. 160–161]

III.

Sperontes singende Muse an der Pleisse in zweymahl funfzig Oden der neuesten und besten musikalischen Stücke mit den dazu gehörigen Melodien; zu beliebter Clavierübung und Gemüthsergötzung ans Licht gestellet in Leipzig. 1740. [...] Im Jahre 1742. kam die erste Fortsetzung; in 1743. die zweyte, und 1745. die dritte und letzte Fortsetzung heraus, wovon jede ebenfals funfzig Stücke enthält. Wem die ausgestäupte Murky[84]: *Ihr Sternen hört etc.* und andre Lieder von gleicher Natur bekannt sind, der kann sich von der Composition in dieser Odensammlung einen Begriff machen. Dieses mit einem parodirten Texte allhier vorkommende Stück ist in der That noch eins von den besten. Von der Wahl der Poesien kann man aus folgender Strophe eines gewissen Liedes urtheilen:

Schrecket euch die dürre Fastenzeit?
Es folgt ein Jubilate drauf.
Nur unbesorgt!
Herr... borgt.
Auf! auf! ihr Brüder, auf!
Auf! es lebe, ders am besten kann,
Unsrer Schwiegermutter Tochtermann!
Nun trinket wacker aus!
Ein Hundsf... welcher sich moquirt,
Und nicht mit uns die Gurgel schmiert!
Runda! Runda!
Hop! Hey! Sa! Sa!
So hält der Bursche Haus.[85]

Wir wollen uns nicht länger bey dieser schmutzigen Sammlung aufhalten, die eher von einem Stallknecht, als einer Muse herzurühren scheinet. [S. 161–162]

V.

Vier und zwanzig, theils ernsthafte, theils scherzende, Oden, mit leichten und fast für alle Hälse bequemen Melodien versehen von G. P. T.[86] *Hamburg, bey Christian Herold.* 1741. So bald man weiß, daß diese Sammlung vom Herrn Capellmeister Telemann ist: so kann man nicht anders als so fort das günstigste Vorurtheil für selbige bekommen. Unter allen nur möglichen Odensammlungen ist sie die einzige, die wahre Oden enthält, indem in allen übrigen Sammlungen *der dieser Art von Composition zukommende Character,* wo nicht durchgehends, doch hin und wieder zu sehr aus den Augen gesetzet worden, und da, wo die Verfasser selbigen verfehlet, selbige entweder bloße kleine Clavierstücke, oder Arten von Operarietten, zur Welt gebracht haben. Des Herrn Telemanns Oden sind ferner so beschaffen, daß sie auch ohne Baß ihre Wirkung thun; und wenn man sie nicht mit dem blossen Generalbaß spielen will, so können sie, mit geringer Mühe durch gewisse auf die Harmonie des G. B.[87] gegründete Gänge in den Mittelstimmen ebenfals zu sehr artigen kleinen Clavierstücken gemachet werden. [...] Ich will noch ein Paar Worte aus dem Urtheile des Herrn Scheibe über die Telemannische Sammlung hinzuthun, damit man diese

Hauptregeln alle kürzlich beysammen haben möge. „So leicht diese Oden sind, so sind sie dennoch neu, und den Worten vollkommen gemäß. Einige sind in einer mittelmäßigen und galanten, einige aber in der niedrigen Schreibart abgefasset, so wie ihm der Dichter vorgegangen war. Die Gedanken und der Hauptinhalt der Oden selbst sind auch in den Melodien so kenntlich und natürlich ausgedrückt, daß man, wenn man sie singt, den Wein selbst schmecket, die Süßigkeit der Liebe empfindet, eine wahre Zufriedenheit und Gnügsamkeit besitzet, von allen Sorgen befreyet wird, und endlich glaubet, selbst ein Schäfer zu seyn."[88] [S. 162–164]

16. Friedrich Wilhelm Marpurg, Kritische Einleitung in die Geschichte und Lehrsätze der alten und neuen Musik, Berlin 1759

Vorbereitung.

§. 1.

Die Musik wird in die *alte* und *neue* eingetheilet, und die *Zeiten der alten Musik* können in die *unbekannten* und *bekannten* unterschieden werden. *Unbekannte* nenne ich diejenigen, von welchen wir in Absicht auf die eigentliche Beschaffenheit dieser Kunst nichts wahrscheinliches bestimmen können; *bekannte,* aus welchen Schriften vorhanden sind, woraus man, wo nicht mit unumstößlicher Gewißheit, jedoch mit einiger Wahrscheinlichkeit, die Beschaffenheit der Musik dieser Zeiten darthun kann. Die *unbekannten Zeiten,* welche bis auf die Zeiten des Pythagoras gehen, und *dreytausend dreyhundert* und *siebenzig Jahre* enthalten, können in folgende *vier Perioden* unterschieden werden, wovon

Der erste geht vom Ursprung der Musik bis auf die Sündfluth, und enthält eintausend sechshundert und sechs und funzig Jahre.

Der zweyte geht von der Sündfluth bis auf den Seezug der Argonauten, d. i. von 1656. bis 2727, und enthält eintausend und ein und siebenzig Jahre. In diesem Zeitraume haben die *Götter* gelebt, und die *Helden* zu blühen angefangen.

Der dritte geht von dem Seezug der Argonauten, (2727),

bis auf den Anfang der olympischen Spiele (3174), und enthält vierhundert sieben und vierzig Jahre. Bis zur Mitte dieses Zeitraums haben die *Helden* gelebt.

Der vierte geht vom Anfang der olympischen Spiele (3174), bis auf die Zeiten des Pythagoras (3370), und enthält hundert sechs und neunzig Jahre.

§. 2.

Die *bekannten Zeiten* der alten Musik können in folgende *vier Perioden* unterschieden werden. wovon

Der erste geht von den Zeiten des Pythagoras (3370) bis auf die Zeiten des Aristoxens, d. i. bis 3634, und enthält zwey hundert vier und sechszig Jahre.

Der zweyte geht von den Zeiten des Aristoxens (3634), bis auf Christi Geburt, d. i. bis 3947, und enthält drey hundert und dreyzehn Jahre.

Der dritte geht von Christi Geburt bis auf die Zeiten des Claudius Ptolomäus, und enthält hundert und siebzehn Jahre.

Der vierte geht von den Zeiten des Ptolomäus (117) bis auf die Zeiten Dunstans (950), und enthält achthundert drey und dreyßig Jahre.

Hier endigt sich die *alte Musik*, und geht die *neuere* an, welche sich in folgende *zween Periodos* theilet, wovon

Der erste geht vom Dunstan (950), bis auf die Zeiten Bernhards des Deutschen (1470), und enthält fünf hundert und zwanzig Jahre.

Der zweyte geht vom Bernhard (1470) bis auf die gegenwärtige Zeit, und enthält zwey hundert neun und achzig Jahre.

Die *neue Musik* hat also vor achthundert und neun Jahren ihren Anfang genommen. Wir folgen in unserer Zeitrechnung dem System des Calvisius.[89]

§. 3.

Wenn wir die Perioden der alten Musik mit den zween Perioden der neuern zusammen nehmen: so haben wir es überhaupt mit *zehn Perioden* dieser Kunst zu thun, und nach Ordnung derselben wollen wir die merkwürdigsten Begebenheiten der Musik kürzlich durchgehen.

17. Kritische Briefe über die Tonkunst, hrsg. von Friedrich Wilhelm Marpurg, Bd. 2, 65. bis 91. Brief, Berlin 1761 (Neudruck: Hildesheim 1974) [enthält u. a.:]

17.1 *[Friedrich Wilhelm Marpurg], Siebente Fortsetzung des Verzeichnisses deutscher Odensammlungen mit Melodien LXXI. Brief. Berlin den 1. August, 1761.*

XXXIX.

Musikalische Gemüthsbelustigungen, verfertiget von Georg Gottfried Petri, Musikdirector zu Guben. Pförten, [...] 1761. Diese Gemüthsbelustigungen sollen, wie der Herr Verfaßer meldet, fortgesetzet werden, und allerhand vermischte leichte und schwere Sachen, sowohl zum Singen als zum Spielen enthalten. Die Singstücke sollen sowohl Arien als Oden seyn. Die leztere Art von Stücken ist die Ursache, warum wir dieses Werk allhier anzeigen, jedoch nicht um es dem Publico anzupreisen, sondern um es davor zu warnen. [...] Die größern Aufsätze sind noch elender als die Oden. Das unter Nummer V. befindliche Violinsolo, worinnen sofort im dritten und vierten Tact der Baß unrichtig, und in der Folge alle Augenblicke die Bezifferung des Baßes falsch ist, besteht aus nichts als zusammengestoppelten Förmelchen, woraus drey und mehrere Solos gebildet werden könnten. Kein Hauptthema, kein richtiger modulatorischer Verhalt —; man weiß nicht, was der Verfaßer haben will. Das Stück könnte characterisirt und *la Confusion* betitelt werden. Als die neuen Breitkopfischen Noten[90] bekannt wurden, so prophezeite der berühmte Herr Verfaßer des *Hamburgischen Correspondenten,* daß die Welt nunmehro mit Noten würde überschwemmet werden. Seine Prophezeyung ist richtig eingetroffen. Schade nur, daß gegen ein gutes Werk allezeit zwanzig liederliche Auswürfe des Parnaßes zum Vorschein kommen. Gewisse Musikhändler, und die elendesten Anfänger der Tonkunst, scheinen unter sich eins geworden seyn, alles mögliche anzuwenden, um die Regeln der guten Musik vom Erdboden zu vertilgen. Insbesondere scheint dem Claviere der Einbruch der Barbarey bevorzustehen. Harmonie, und Bindung sind den meisten Componisten unserer Zeit, (die Musen verzeihen mir diesen Ausdruck!) schon ganz unbekannte Dinge. Wird nun die Melodie von Tage zu Tage mehr verhunzet, und alle rhytmische und modulatorische Ordnung zugleich aufgehoben: was wird man da nicht für trefliche Sachen zu erwarten haben! Das seltsamste bey der Sache ist, daß die Schöpfer solcher ungestalten Geburten die ärgsten Schnitzer mit den Nahmen *neuer Geschmack*, oder um artiger zu reden, mit dem *Gusto* zu beschönigen verlangen. Können denn Männerchen, die noch nicht einmahl die Regeln der Musik wissen, vom Geschmack reden? Der Geschmack, wenn er nichts tauget, kann nur von großen Meistern umgeformet werden. Ist der Geschmack aber gut, so hat er ohne Zweifel keiner Verbeßerung nöthig. Ueberhaupt gereicht es, mit Erlaubniß gesprochen, der Tonkunst eben zu keiner Ehre, daß man alle Tage am Geschmack zu künsteln suchet. Ich rede itzo zu wahrhaftig großen Meistern, und nicht zu Anfängern. Ist diese Modesucht nicht fähig, Gelehrte und andre Künstler auf den Wahn zu bringen, daß in der Musik alles ungewiß und unbestimmt ist —? Nicht derjenige, der eine bizarre neue Mode erfindet, sondern der in dem auf gute Regeln gegründten wahren Geschmack gut schreibet, verdienet meiner Meinung nach den Lorbeer. Noch zur Zeit werden die Gemählde eines Raphael, Paul Veronese, und anderer mit vieler Bemühung aufgesuchet, und die Cabinetter der Liebhaber damit gezieret. In welchem Concerte hingegen höret man heutiges Tages ein Stück vom Corelli, Albinoni, odern andern? Ja es giebt Tonkünstler zu itziger Zeit, die ihre eigene vor drey oder vier Jahren mit aller möglichen Kunst verfertigte, und mit allem möglichen Beyfall aufgenommene Stücke verachten. Wenn es diese Herren nun über vier Jahre mit ihren itzigen Werken eben so machen, welche Zeit soll man alsdenn für die Epoche ihres wahren und guten Geschmacks ansehen? [S. 51—52]

17.2. *[Friedrich Wilhelm Marpurg], Erste Nachricht. Von neuen und alten musikalischen Schriften. LXXXII. Brief. Berlin den 17. October 1761.*

No. 1. 2. und 3.

[...]

– *Verzeichniß musikalischer Werke,* allein zur Praxis, sowohl zum Singen als für alle Instrumente, welche nicht durch den Druck bekannt gemacht worden, in ihre gehörige Classen ordentlich eingetheilet; welche in richtigen Abschriften, bey Joh. Gottl. Immanuel Breitkopf, in Leipzig, um beystehende Preise zu bekommen ist. [...] Leipzig, in der Michaelismesse, 1761.

Der jüngere Herr Breitkopf suchet sich auf mehr als eine Art um die Aufnahme der Tonkunst verdient zu machen. Er begnügt sich nicht mit dem Ruhme, die neuern Drucknoten erfunden, und dadurch den itzo herrschenden Wetteyfer der Musikverleger rege gemacht zu haben. Da vermuthlich weder der Notendruck, noch der Kupferstich hinlänglich ist, die Begierde der Liebhaber zu befriedigen: so hält es der Herr B. für nöthig, nicht allein mit gedruckten und gestochnen, sondern auch mit geschriebnen Musikalien, einen Handel anzufangen. Ich mache demselben mein Compliment zu seinen vielfachen musikalischen Unternehmungen, die ihm nicht anders als vortheilhaft seyn können, so lange Einsicht und Geschmack in der Welt verschieden sind, und die Käuffer mehr oder weniger Känntniß von den Regeln der Tonkunst haben.

[...]

No. 4. 5. 6. und 7.

Tre Divertimenti per Cimbalo publicati per commodo dei Principianti da Cristoforo Wagenseil. [...] 1761.

Ferner:

VI. Divertimenti da Cimbalo, scritti e dedicati alla Serenissima Arciduchessa Marianna d' Austria da C. Wagenseil. 1753. Opera prima. [...]

Ferner:

– *Opera seconda* von dem vorhin angezeigten VI. Divertimenti da C. Wagenseil.

Ferner:

— *Opera Terza* von eben demselben Verfasser.

Der Herr Wagenseil, der mit der Menge seiner Sachen nicht wenig Aufsehen macht, soll, wie mich jemand versichert, gar artig auf dem Flügel spielen, und zugleich, in Ansehung seines persönlichen Umganges, ein sehr liebenswürdiger Mann seyn. Ruhms genug für ihn! Aber seine Compositionen? Sie würden, wenn sie auch in Ansehung der drey zu einem Tonstücke erforderlichen Stücke, der Harmonie, Melodie und Rhytmik, regelmäßig wären, dennoch nur mittelmäßig gut seyn, indem sich zur Känntniß der Regeln annoch drey Stücke unumgänglich gesellen müssen, wenn etwas vortrefliches herauskommen soll, ein schöpferischer Geist, eine feine Beurtheilung, und ein arbeitsamer Kopf. Mit der Regel allein ist es unmöglich zu gefallen und zu rühren. Von einem gewissen Schriftsteller in Frankreich wird geurtheilet, daß er nach den allerbesten Regeln des Aristoteles das allerschlechteste Trauerspiel verfertiget habe. Ein Tonsetzer, den die Natur mit keiner fruchtbaren Erfindungskraft begabet hat, wiederhohlt sich alle Augenblicke, und ein jeder Aufsatz von ihm ist nichts anders, als eine blosse Abänderung eines andern Aufsatzes von ihm, oder von einem andern. Wenn die Fruchtbarkeit der Ideen nicht mit einer gesunden Beurtheilungskraft begleitet wird: so wird niemahls ein richtiger Plan entworfen werden, und der Tonsetzer wird seine Materialien so wenig der Bewegung, dem Zwecke und dem Character des Stückes gemäß zu wählen, als zu ordnen wissen. Jeder Gedanke, einzeln und für sich allein betrachtet, wird gut seyn; und es wird dennoch von ihm heissen: *Hic non erat locus.*[91] Die Arbeitsamkeit ist deswegen einem Componisten nöthig, damit er es sich nicht verdriessen lasse, seine Aufsätze von Zeit zu Zeit zu untersuchen, um sie durch eine gehörige Säuberung der Gedanken, sowohl in Absicht aufs einzele, als das Ganze, zu derjenigen Vollkommenheit zu bringen, deren sie nach der Beschaffenheit unserer Musik, fähig seyn können, bevor er sie dem Publico vorleget. Ich gestehe es, daß wenn die Werke unserer Tonkünstler nach allen diesen Puncten gemustert werden sollten, uns wenig, sehr wenig davon übrig bleiben würde. Aber wäre es denn nicht immer der Tonkunst rühmlicher, wenn es hiesse: *Wenig und gut,* als *viel und schlecht:* Was wäre daran gelegen, wenn wir auch etliche Schocke Componisten weniger hätten? – Hier sollte ich nun ohne Zweifel einige Exempel von der Wagenseilischen Muse beybringen, damit man den Löwen aus den Klauen erkennen könnte. – Man erspare mir die Mühe abzuschreiben. Alles ist bey ihm neu italiänisch, nagel neu italiänisch, sowohl die Zusammensetzung der Töne über einander, als die neben einander. Die kleinen Stücke sind unstreitig, im Einzeln oder zum Theil betrachtet, die besten von ihm. Uebrigens figuriren alle seine Sachen in Vergleichung mit wahren Clavierstücken wie etwann ein Petit-Maitre in Gesellschaft verständiger Leute. Es ist ein ewiges Getändel und Gespitzel; und wenn doch dieses Getändel nur ohne gewisse gar zu handgreifliche Unachtsamkeiten wäre. Aber vermuthlich verträgt nach dem Herrn Wagenseil das Getändel keine Regeln. [...] Schade, daß der Herr Wagenseil, dem es würklich nicht an einem guten Naturelle fehlet, dasselbe nicht durch gute Regeln ausgebildet hat. Was für einen ungleich höhern Rang würde er unter den Componisten der itzigen Zeit eingenommen haben? [S. 140–142]

18. Carl Philipp Emanuel Bach, Versuch über die wahre Art das Clavier zu spielen. Zweyter Theil, in welchem die Lehre von dem Accompagnement und der freyen Fantasie abgehandelt wird, Berlin 1762 (Neudruck: Leipzig 1957)

Einleitung.

§. 1. Die *Orgel,* der *Flügel,* das *Fortepiano* und das *Clavicord* sind die gebräuchlichsten Clavierinstrumente zum Accompagnement.

§. 2. Es ist Schade, daß die schöne Erfindung des *Holfeldischen Bogenclaviers*[92] noch nicht gemeinnützig geworden ist; man kann dahero dessen besondere Vorzüge hierinnen noch nicht genau bestimmen. Es ist gewiß zu glauben, daß es sich auch bey der Begleitung gut ausnehmen werde.

§. 3. Die *Orgel* ist bey Kirchensachen, wegen der Fugen, starken Chöre, und überhaupt der Bindung wegen unentbehrlich. Sie befördert die Pracht und erhält die Ordnung.

§. 4. So bald aber in der Kirche Recitative und Arien, besonders solche, wo die Mittelstimmen der Singstimme, durch ein simpel Accompagnement, alle Freyheit zum Verändern lassen, mit vorkommen, so muß ein *Flügel* dabey seyn. Man hört leyder mehr als zu oft, wie kahl in diesem Falle die Ausführung ohne Begleitung des Flügels ausfällt.

§. 5. Dieses letztere Instrument ist ausserdem beym Theater und in der Cammer wegen solcher Arien und Recitative unentbehrlich.

§. 6. Das *Fortepiano* und das *Clavicord* unterstützen am besten eine Ausführung, wo die grösten Feinigkeiten des Geschmackes vorkommen. Nur wollen gewisse Sänger lieber mit dem *Clavicord* oder *Flügel*, als mit jenem Instrumente, accompagnirt seyn.

§. 7. Man kann also ohne Begleitung eines Clavierinstruments kein Stück gut aufführen. Auch bey den stärksten Musiken, in Opern, so gar unter freyem Himmel, wo man gewiß glauben solte, nicht das geringste vom Flügel zu hören, vermißt man ihn, wenn er wegbleibt. Hört man in der Höhe zu, so kann man jeden Ton desselben deutlich vernehmen. Ich spreche aus der Erfahrung, und jedermann kann es versuchen.

§. 8. Einige lassen sich beym Solo mit der Bratsche oder gar mit der Violine ohne Clavier begleiten. Wenn dieses aus Noth, wegen Mangel an *guten* Clavieristen, geschiehet, so muß man sie entschuldigen; sonst aber gehen bey dieser Art von Ausführung viele Ungleicheiten vor. Aus dem Solo wird ein Duett, wenn der Baß gut gearbeitet ist; ist er schlecht, wie nüchtern klingt er ohne Harmonie! Ein gewisser Meister in Italien[93] hatte dahero nicht Ursache, diese Art der Begleitung zu erfinden. Was können nicht für Fehler entstehen, wenn die Stimmen einander übersteigen! oder will man etwa, dieses zu verhüten, den Gesang verstümmeln? Beyde Stimmen halten sich näher bey einander auf, als der Componist wolte. Und die vollstimmigen Griffe, welche in der Hauptstimme zuweilen vorkommen, wie jung klingen sie, wenn sie nicht ein tiefer Baß unterstützt? Alle Schönheiten, die durch die Harmonie herausgebracht werden, gehen verlohren; ein grosser Verlust bey affectuösen Stücken.

§. 9. Das vollkommenste Accompagnement beym Solo, dawider niemand etwas einwenden kann, ist ein Clavierinstrument nebst dem Violoncell.

§. 10. Wir sehen also, daß wir heut zu Tage wegen der Generalbaßspieler eckler sind, als vor dem. Nichts, als die Feinigkeiten der jetzigen Musik, sind hieran Schuld. Man ist nicht mehr zufrieden, einen Accompagnisten zu haben, der als ein wahrer musicalischer Pedant weiter nichts als Ziffern gesehen und gespielet hat; der die dazu gehörigen Regeln auswendig weiß und sie bloß mechanisch ausübt. Man verlangt etwas *mehreres.*

§. 11. Dieses *mehrere* hat mich zur *Fortsetzung* meines *Versuches* veranlasset, und soll der vornehmste Gegenstand meiner Anleitung seyn. Ich werde solche Begleiter zu bilden suchen, welche nebst der Regel dem guten Geschmack aufs genaueste folgen.

§. 12. Damit man sich zur Erlernung des Generalbasses hinlänglich geschickt mache: so ist nöthig, daß man *vorher* eine geraume Zeit *gute Handsachen*[94] spielt.

§. 13. *Gute Handsachen* nenne ich die, worinnen eine gute Melodie und reine Harmonie steckt, und wobey jede Hand hinlänglich geübt wird.

§. 14. Das Gehör gewöhnt sich durch diese Beschäftigung bey Zeiten an einen guten Gesang, auf welchen, wie wir in der Folge bemerken werden, beym Accompagnement hauptsächlich mit gesehen wird.

§. 15. Man bekommt einen empfindbaren Begriff von allerhand Tactarten und Zeitmasse, samt ihren Figuren; eine sehr nutzbare Bekanntschaft mit den meisten Aufgaben des Generalbasses; eine Fertigkeit in den Fingern und Leichtigkeit vom Blatte zu spielen; folglich werden durch diese Handsachen zugleich Augen, Ohren und Finger geübt.

§. 16. Das fleißige Anhören guter Musiken, wobey man auf *gute Begleiter* genau Achtung giebt, ist besonders anzurathen; das Ohr wird dadurch gebildet, und zur Aufmerksamkeit gewöhnt.

§. 17. Diese genaue Aufmerksamkeit läßt keine Schönheit in der Musik ohne Rührung vorbey. Man empfindet sogleich, wie ein Musikus auf den andern genau höret, und seinen Vortrag darnach einrichtet, damit sie vereint den gesuchten Endzweck erreichen. Dieses *Lauschen* ist überhaupt bey der Musik und also auch beym Accompagnement, ohnegeacht der besten Bezifferung, unentbehrlich.

§. 18. Der heutige Geschmack hat einen ganz andern Ge-

brauch der Harmonie, als vordem, eingeführet. Unsre Melodien, Manieren und der Vortrag erfordern dahero oft eine andere Harmonie, als die gewöhnliche. Diese Harmonie ist bald schwach, bald stark, folglich sind die Pflichten eines Begleiters heut zu Tage von einem weit grössern Umfange, als ehemals, und die bekannten Regeln des Generalbasses wollen nicht mehr zureichen, und leiden auch oft eine Abänderung.
[...]
§. 23. Das *Accompagnement* kann *ein- zwey- drey- vier-* und *mehrstimmig* seyn.
§. 24. Das *durchaus vier* und *mehrstimmige Accompagnement* gehört für starke Musiken, für gearbeitete Sachen, Contrapuncte, Fugen u. s. w. und überhaupt für Stücke wo nur Musik ist, ohne daß der Geschmack besonders dran Antheil hat.
[...]
§. 26. Das *drey-* und *wenigerstimmige Accompagnement* braucht man zur Delicatesse, wenn der Geschmack, Vortrag oder Affect eines Stücks ein Menagement der Harmonie fordert. Wir werden in der Folge sehen, daß alsdenn oft keine andre, als schwache Begleitung möglich ist.
[...]
§. 28. Das *einstimmige Accompagnement* bestehet entweder aus den vorgeschriebenen Baßnoten allein, oder aus ihrer Verdoppelung mit der rechten Hand.
[...]

Ein und vierzigstes Capitel.
Von der freyen Fantasie.

§. 1. Eine Fantasie nennet man frey, wenn sie keine abgemessene Tacteintheilung enthält, und in mehrere Tonarten ausweichet, als bey andern Stücken zu geschehen pfleget, welche nach einer Tacteintheilung gesetzet sind, oder aus dem Stegreif erfunden werden.
§. 2. Zu diesen letztern Stücken wird eine Wissenschaft des ganzen Umfanges der Composition erfordert: bey jener hingegen sind blos gründliche Einsichten in die Harmonie, und einige Regeln über die Einrichtung derselben hinlänglich. Beyde verlangen natürliche Fähigkeiten, besonders die Fantasien überhaupt. Es kann einer die Composition mit gutem Erfolge gelernet haben, und gute Proben mit der Feder ablegen,

und dem ohngeacht schlecht fantasiren. Hingegen glaube ich, daß man einem im fantasiren glücklichen Kopfe allezeit mit Gewißheit einen guten Fortgang in der Composition prophezeyen kann, wenn er *nicht zu spät* anfänget, und wenn er *viel* schreibet.

§. 3. Eine freye Fantasie bestehet aus abwechselnden harmonischen Sätzen, welche in allerhand Figuren und Zergliederungen ausgeführet werden können. Man muß hierbey eine Tonart festsetzen, mit welcher man anfänget und endiget. Ohngeacht in solchen Fantasien keine Tacteintheilung Statt findet, so verlanget dennoch das Ohr [...] ein gewisses Verhältniß in der Abwechselung und Dauer der Harmonien unter sich, und das Auge ein Verhältniß in der Geltung der Noten, damit man seine Gedanken aufschreiben könne. Es pfleget alsdenn gemeiniglich der Vierviertheiltact diesen Fantasien vorgesetzet zu werden, und man erkennet die Beschaffenheit der Zeitmaasse aus den im Anfange darüber geschriebenen Wörtern. Wir sind bereits aus dem *ersten Theile dieses Versuches,* in dem *letzten Hauptstücke desselben,* von der guten Wirkung der Fantasien belehret worden, wohin ich meine Leser verweise.[95]

§. 4. Der Flügel und die Orgel erfordern bey einer Fantasie eine besondere Vorsicht; jener, damit man nicht leicht in einerley Farbe spiele, diese, damit man gut und fleißig binde, und sich in den chromatischen Sätzen mäßige; wenigstens muß man diese letztern nicht wohl kettenweise vorbringen, weil die Orgeln selten gut temperirt sind. Das Clavicord und das Fortepiano sind zu unserer Fantasie die bequemsten Instrumente. Beyde *können* und *müssen* rein gestimmt seyn. Das ungedämpfte Register des Fortepiano ist das angenehmste, und, wenn man die nöthige Behutsamkeit wegen des Nachklingens anzuwenden weiß, das reizendeste zum Fantasiren.

§. 5. Es giebet Gelegenheiten, wo ein Accompagnist nothwendig vor der Aufführung eines Stückes etwas aus dem Kopfe spielen muß. Bey dieser Art der freyen Fantasie, weil sie als ein *Vorspiel* angesehen wird, welches die Zuhörer zu dem Inhalt des aufzuführenden Stückes vorbereiten soll, ist man schon mehr eingeschränkt, als bey einer Fantasie, wo man, ohne weitere Absicht, blos die Geschicklichkeit eines Clavierspielers zu hören verlanget. Die Einrichtung von jener wird durch die Beschaffenheit des aufzuführenden Stückes bestimmt. Der Inhalt oder Affect dieses letztern muß der Stoff des Vorspielers seyn: bey einer Fantasie hingegen, ohne weitere Absicht, hat der Clavierist alle mögliche Freyheit.

§. 6. Wenn man nicht viele Zeit hat, seinen Künste im Vorspielen zu zeigen, so darf man sich nicht zu weit in andere Tonarten versteigen, weil man bald wieder aufhören muß, und dennoch im Spielen die Haupttonart im Anfange nicht zu bald verlassen, und am Ende nicht zu spät wieder ergreifen darf. Im Anfange muß die Haupttonart eine ganze Weile herrschen, damit man gewiß höre, woraus gespielet wird: man muß sich aber auch vor dem Schlusse wieder lange darinnen aufhalten, damit die Zuhörer zu dem Ende der Fantasie vorbereitet werden, und die Haupttonart zuletzt dem Gedächtnisse gut eingepräget werde.

[...]

§. 12. Das Schöne der Mannigfaltigkeit empfindet man auch bey der Fantasie. Bey der letztern müssen allerhand Figuren, und alle Arten des guten Vortrages vorkommen. Lauter Laufwerk, nichts als ausgehaltene, oder gebrochene vollstimmige Griffe ermüden das Ohr. Die Leidenschaften werden dadurch weder erreget, noch gestillet, wozu doch eigentlich eine Fantasie vorzüglich solte gebrauchet werden. Durch die Brechungen darf man nicht zu hurtig, noch zu ungleich

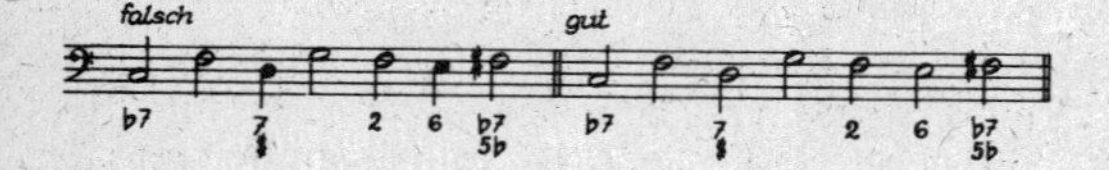

von einer Harmonie zur andern schreiten. Blos bey chromatischen Gängen leidet diese Vorschrift zuweilen mit guter Wirkung eine Ausnahme. Man muß nicht beständig in einerley Farbe die Harmonie brechen. Ausserdem kann man zuweilen mit beyden Händen aus der Tiefe in die Höhe gehen; man kann dieses auch blos mit der vollen linken Hand thun, indem man die rechte in ihrer Lage läßt. Diese Art des Vortrages ist auf den Flügeln gut, es entstehet daraus eine angenehme Abwechselung eines gekünstelten Forte und Piano. Wer die Geschicklichkeit besitzet, thut wohl, wenn er nicht beständig gar zu natürliche Harmonien brauchet, sondern das Ohr zuweilen betrüget: wo aber die Kräfte nicht so weit hinreichen, so muß eine verschiedene und gute Ausführung in allerhand Figuren diejenige Harmonie angenehm machen, welche durch einen platten Anschlag derselben einfältig klinget. [...]

19. KRITISCHE BRIEFE ÜBER DIE TONKUNST, HRSG. VON FRIEDRICH WILHELM MARPURG, BD. 2, 92. BIS 125. BRIEF, BERLIN 1762 (NEUDRUCK: HILDESHEIM 1974) [enthält u. a.:]

19.1. *[...], Zweyte Fortsetzung, des Unterrichts vom Recitativ. XCIX. Brief an den Herrn Johann Carl Lindt, Königl. Hof- und Kammergerichts-Advocaten. Berlin, den 26. Junius 1762.*

§. 23.

Es kommen alle Tonlehrer, von welchen besonders der *braunschweigische Patriot*[96] nachgelesen werden kann, in der Vorschrift der Art des musikalischen Ausdrucks, darinnen überein,

1) daß die *Traurigkeit*, ein sehr hoher Grad des sinnlichen Misvergnügens oder Verdrusses, in langsamer Bewegung, mit einer matten und schläfrigen Melodie, die mit vielen Seufzern unterbrochen ist, und oft wohl gar mitten in einem Worte gleichsam ersticket, in welcher die engern Klangstuffen vorzüglich gebraucht werden, und welche auf eine herrschende dissonirende Harmonie erbauet wird, auszudrücken ist;
2) daß die *Freude*, ein sehr hoher Grad der sinnlichen Lust oder des sinnlichen Vergnügens, eine geschwinde Bewegung, eine lebhafte und triumphirende Melodie, in welcher die weitern Klangstuffen vorzüglich gebraucht werden, und einen herrschenden consonirenden Grund der Harmonie erfordert;
3) daß die *Zufriedenheit*, ein Vergnügen über das Gute, was wir ausgeübet zu haben vermeinen, ihren Ausdruck von der Freude entlehnet, und eine vergnügt gesetzte, ruhige Melodie verlanget. Aus dieser Quelle fließet der Aus-

druck für die *Gelassenheit, Geduld, ingleichen Trost etc.*

4) daß die *Reue,* das Gegentheil der Zufriedenheit, nemlich ein Misvergnügen über das Böse, was wir gethan zu haben glauben, ihren Ausdruck von der Traurigkeit entlehnet, und eine unruhige, klagende Melodie erfordert.

5) Daß die *Hofnung,* ein Vergnügen über ein, unserer Meynung nach, uns bevorstehendes Gut, durch männliche, etwas stolze und frolockende Melodien auszudrücken ist. Ein sehr hoher Grad derselben ist die *Zuversicht.*

6) Daß *Furcht, Angst, Bangigkeit etc.* das Gegentheil der Hoffnung, nemlich ein Misvergnügen über ein vermeintlich bevorstehendes Uebel, mit zitternden und abgebrochnen Tönen, mehr in der Tiefe als Höhe vorzustellen ist. Ein sehr hoher Grad der Furcht ist die *Verzweiflung.* Die plötzliche Furcht wird ein *Schrecken* genennet.

7) Daß das *Verlangen,* ein Verdruß über das lange Aussenbleiben eines vermeinten Gutes, mit gezogenen, matten Tönen auszudrücken ist;

8) daß der *Zweifelmuth* oder der *Wankelmuth,* ein Wechsel der Freude und Traurigkeit über etwas Gutes, von dessen Erhaltung man noch nicht versichert ist, durch abwechselnde Hofnung und Furcht vorzustellen ist;

9) daß die *Kleinmüthigkeit,* ein Misvergnügen über die Schwierigkeit in Erlangung eines vermeinten Gutes, ihren Ausdruck von der Furcht entlehnet, wobey sich aber der Ton manchesmahl aus Ungeduld erheben kann;

10) daß die ruhige und stille *Liebe,* bey einer herrschenden consonirenden Harmonie, mit sanften, angenehmen, schmeichelnden Melodien, in mäßiger Bewegung, auszudrücken ist. Wenn die Liebe, nach Verschiedenheit der Umstände, mit Furcht, Schrecken, Zweifelmuth, u.s.w. vermischt wird: so muß ihr Ausdruck in gehörigem Verhältniß mit daher genommen werden.

11) Daß der *Haß,* das Gegentheil der Liebe, mit einer widerwärtigen, rauhen Harmonie und proportionirten Melodie vorzustellen ist;

12) daß der *Neid* oder die *Misgunst,* ein Misvergnügen über des andern Glück, und Schwester des Haßes, murrende und verdrießliche Töne verlanget;

13) daß das *Mitleid* oder *Erbarmen,* ein gemischter Affect, der aus der Liebe gegen jemanden, und aus dem Misver-

gnügen über desselben Unglück entspringet, mit sanften und gelinden, doch dabey klagenden und ächzenden Melodien, in langsamer Bewegung, bey öfters einige Zeit liegen bleibendem Baße auszudrücken ist;

14) Daß die *Eifersucht,* ein aus Liebe, Haß, und Neid zusammengesetzter Affect, mit wankenden, und bald leisen, bald stärkern, verwegnen, scheltenden, und bald wieder beweglichen und seufzenden Tönen, bald in langsamerer, bald in geschwinderer Bewegung vorzustellen ist;

15) daß der *Zorn,* ein sehr heftiger Verdruß über ein uns zugefügtes Unrecht, der mit einem Haße des Beleidigers verbunden ist, mit geschwinden Tiraden auflaufender Noten, bey einer plötzlichen und öftern Abwechselung des Baßes, in sehr heftiger Bewegung und mit scharfen schreienden Dißonanzen auszudrücken ist;

16) Daß die *Ehrliebe,* ein Vergnügen über das Gute, das wir gethan haben, in so fern andere Leute gut davon urtheilen, gesetzte männliche muthige, und zuweilen trotzig vergnügte Töne erfodert;

17) Daß die *Schamhaftigkeit,* das Gegentheil der Ehrliebe, nemlich das Misvergnügen, das man aus der Vorstellung der nachteiligen Urtheile andrer Leute über unsre Handlungen empfindet, mit wankenden, bald kurz abgebrochnen, bald beweglich anhaltenden Tönen auszudrücken ist;

18) daß *Muth, Herzhaftigkeit, Entschlossenheit, Unerschrokkenheit, Standhaftigkeit, etc.* von der Hofnung und Ehrliebe; die *Zaghaftigkeit, Feigheit, Blödigkeit, etc.* hingegen von der Furcht und dem Zweifelmuth ihren Ausdruck bekommen;

19) daß *Vermeßenheit, Verwegenheit,* ingleichen *Stolz, Aufgeblasenheit, etc.* mit trotzig pathetisch steigenden Melodien auszudrücken ist;

20) daß *Bescheidenheit* und *Demuth,* dem Stolz entgegen gesetzte Tugenden, einen sanften mit gelinden Dißonanzen vermischten Ausdruck verlangen;

21) daß *Freundlichkeit, Gütigkeit, Wohlgewogenheit, Gunst, Huld, Leutseligkeit, Großmuth, Versöhnlichkeit, Sanftmuth, Freundschaft, Eintracht, Dankbarkeit, etc.* ihren Ausdruck von der ruhigen und stillen Liebe entlehnen;

22) daß *Rache, Rachbegierde, Verwünschen, Verfluchen,*

Wuth, Raserey, Zwietracht, Unversöhnlichkeit, etc. vom Haße und Zorn ihren Ausdruck bekommen;

23) daß *Kaltsinn, Gleichgültigkeit, Undank, etc.* ins Gebiet des Haßes und Neides gehören;

24) daß die *Unschuld* sich des Schäferstyls hauptsächlich bedienet;

25) daß das *Lachen* und *Scherzen* mit Tönen der Freude, und das *Weinen* mit Tönen der Traurigkeit abgebildet werden muß;

26) daß *Ungeduld*, und *schmerzhafte Unruhe, etc.* durch oft abwechselnde verdrießliche Modulationen auszudrükken ist;

27) daß die *Schadenfreude* und *Verspottung* als Wirkungen des Haßes, einen Ausdruck von dieser Natur verlangen; u.s.w. [S. 273–276]

20. Johann Philipp Kirnberger, Die Kunst des reinen Satzes in der Musik aus sicheren Grundsätzen hergeleitet und mit deutlichen Beyspielen erläutert, Teil 1, Berlin 1771 (Neudruck: Hildesheim 1968)

Vorrede.

Da es seit vielen Jahren meine vornehmste Beschäftigung ist, angehende Componisten in dem reinen Satz zu unterrichten, so habe ich mir äußerst angelegen seyn lassen, auf der einen Seite die wahren Grundsätze zu entdecken, auf welche die Regeln der Harmonie gegründet sind; auf der andern Seite die Werke der größten Harmonisten, die durchgehends für die ersten Meister der Kunst gehalten werden, mit der größten Aufmerksamkeit anzuhören und zu studiren. Aus den durch diese doppelte Arbeit gesammelten Anmerkungen ist denn das gegenwärtige Werk allmählig erwachsen.
Ich schmeichle mir, daß darinn die wahren Grundsätze der Harmonie mit einer Leichtigkeit und Einfalt vorgetragen sind, die das Studium des reinen Satzes um ein merkliches erleichtern werden. Ueberall habe ich die höchste Reinigkeit zum Augenmerk gehabt, weil ich gefunden habe, daß die größten Genies in der Composition, so sorgfältig gesucht haben. Mancher wird meine Vorschriften zu streng finden, und

sich vielleicht einbilden, daß ich ohne Noth die Kunst zu schwer gemacht habe. Aber ich weiß es aus langer Erfahrung, wie nützlich es ist, die angehenden Componisten an die strengste Reinigkeit zu gewöhnen. Haben sie die dabey vorkommenden Schwierigkeiten einmal überstanden, so haben sie alsdann auch die Harmonie so in ihrer Gewalt, daß es ihnen leicht wird, sich aus Schwierigkeiten heraus zu helfen, in denen diejenigen, die weniger streng unterrichtet worden, allemal stecken bleiben.
Hiernächst muß ich auch anmerken, was ich aus meiner Erfahrung gewiß weiß, daß jeder Fehler gegen die Harmonie, wenn er gleich ungeübten Ohren nicht merklich ist, denen, die ein feineres Gehör haben, so anstößig wird, daß Sachen, die sonst glücklich erfunden sind, dadurch merklich verdorben werden; welches auch oft ungeübtere empfinden, ob sie gleich nicht einsehen, woher der Schaden entstanden ist.
Ich weiß gar wol, daß die größten Meister bisweilen von den strengen Regeln abweichen, und dennoch durchaus wohlklingend sind. Dieses aber konnten sie nur darum thun, weil ihnen die Beobachtung der allerstrengsten geläufig war. Niemand, als sie allein, würde sich aus den Harmonien, die gegen die Regeln gesetzt sind, ohne Nachtheil des Wohlklanges, herausgefunden haben. Darum wird sich jeder rechtschaffene Lehrer des Satzes wol hüten, seinen Lehrlingen alle von großen Meistern begangene überlegte Abweichungen von den Regeln zu erlauben: denn sie würden Gefahr laufen durch Harmonien, aus denen jene großen Meister sich sehr glücklich herausgeholfen haben, einen barbarischen Uebelklang zu erwecken. In der That kann mit Anfängern die Reinigkeit nicht übertrieben werden. Haben sie einmal diese in ihrer Gewalt, so werden sie hernach von selbst finden, wo sie davon abgehen können. [S. I–II]

Vorerinnerung.

Da vorausgesetzt werden kann, daß diejenigen, welche sich dieses Werk zu Nutze machen wollen, in den ersten Anfängen der Musik bereits unterrichtet sind, so wird hier alles, was zu diesen Anfängen gehört, übergangen. [...]
Die Absicht dieses Werks ist nicht blos auf die Bekanntmachung der Regeln des reinen Satzes gerichtet; man wird, so

viel möglich ist, auch die Gründe anzeigen, aus welchen die Nothwendigkeit derselben erkannt wird. Dieses wird bisweilen eine umständliche Betrachtung ganz bekannter Dinge erfodern, die nur derjenige für überflüßig halten wird, der bei dem dunklen Gefühl der Beschaffenheit der Dinge stehen bleibt.

Die Setzkunst, in so fern sie bestimmten Regeln unterworfen ist, scheinet hauptsächlich von folgenden Punkten abzuhangen.

1. Muß man alle einzelne Töne, die zur Musik brauchbar sind, oder die Tonleiter und die daher enstehenden Tonarten kennen.
2. Alle in jeder Tonart vorkommenden Intervalle.
3. Alle in derselben vorkommenden Accorde.
4. Man muß wissen, aus verschiedenen Accorden eine harmonische Periode zu machen, und aus solchen Perioden die Harmonie eines ganzen Tonstücks zusammen zu setzen.
5. Muß man einen fliessenden einstimmigen Gesang zu machen, und demselben noch eine, zwey oder mehr Stimmen beyzufügen wissen; auch zu einem gegebenen Baß eine oder mehr Stimmen zu setzen.
6. Dem Gesang in einer oder mehr Stimmen, nach Beschaffenheit des Charakters eines Stücks, die ihm zukommende Bewegung und einen schicklichen Rythmus zu geben.

Diese verschiedenen Punkte werden also in diesem Werk der Ordnung nach abgehandelt werden. [S. 1–2]

Zehnter Abschnitt.
Von dem einfachen Contrapunct, in zwey und mehr Stimmen.

[...]
Ob gleich hier nur noch von dem schlechten Contrapunkt die Rede ist, da Note gegen Note gesetzt wird, so kann doch zum voraus erinnert werden, daß es sehr übel gethan ist, wenn in vier, oder auch in dreystimmigen Sachen, eine Stimme so gesetzt wird, daß sie sehr vor den andern hervorsticht, wodurch geschiehet, daß diese ihr gleichsam nur zur Begleitung dienen; denn dieses streitet ganz wider die Natur des vielstimmigen Satzes.[97] Die Stimmen müssen, so viel immer möglich ist, einander an Schönheit gleichkommen. [S. 159–160]

21. Johann Georg Sulzer, Allgemeine Theorie der Schönen Künste in einzeln, nach alphabetischer Ordnung der Kunstwörter auf einander folgenden, Artikeln abgehandelt, 2 Teile, Leipzig 1771/74 (Neudruck: Hildesheim 1967/70)[98]

Artikel „Ausdruk", darin: „Ausdruk in der Musik"

[...]
Der Ausdruk ist die Seele der Musik: ohne ihn ist sie blos ein angenehmes Spielwerk; durch ihn wird sie zur nachdrüklichsten Rede, die unwiderstehlich auf unser Herz würket. Sie zwingt uns, itzt zärtlich, denn beherzt und standhaft zu seyn. Bald reizet sie uns zum Mitleiden, bald zur Bewundrung. Einmal stärket und erhöhet sie unsre Seelenkräfte; und ein andermal fesselt sie alle, daß sie in ein weichliches Gefühl zerfließen.
Aber wie erlangt der Tonsetzer diese Zauberkraft, so gewaltig über unser Herz zu herrschen? Die Natur muß den Grund zu dieser Herrschaft in seiner Seele gelegt haben. Diese muß sich selbst zu allen Arten der Empfindungen und Leidenschaften stimmen können. Denn nur dasjenige, was er selbst lebhaft fühlt, wird er glüklich ausdrüken. Das Beyspiel der zwey Tonsetzer, welche in Deutschland am meisten bewundert werden, Grauns und Hassens, beweist die Würkung des Temperaments auf die Kunst. Dem erstern hatte die Natur eine Seele voll Zärtlichkeit, Sanftmuth und Gefälligkeit gegeben. Wiewol er nun alle Geheimnisse der Kunst in seiner Gewalt hatte, so war ihm nur der Ausdruk des Zärtlichen, des Einnehmenden und Gefälligen eigen, und mehr als einmal scheiterte er, wenn er das Kühne, das Stolze, das Entschlossene auszudrüken hatte. Hasse hingegen, dem die Natur einen höhern Muth, kühnere Empfindungen, feurigere Begierden gegeben hat, ist in allem, was seinem Charakter nahe kömmt, weit glüklicher, als in dem Zärtlichen und Gefälligen.
Es ist sehr wichtig, daß der Künstler sich selbst kenne, und wenn es bey ihm steht, nichts unternehme, das gegen seinen Charakter streitet. Allein dieses hängt nicht allemal von seiner Willkühr ab. So wie ein epischer Dichter sich in alle, selbst einander entgegen gesetzte, Empfindungen muß setzen

können, indem er jetzt einer friedfertigen, oder gar feigen, denn einen verwegenen Mann, muß sprechen machen, so begegnet es auch dem Tonsetzer. Er muß also da, wo ihm die Natur weniger Beystand leistet, sich durch Fleiß und Uebung helfen.
Hiezu dienet überhaupt das, was wir in dem vorhergehenden Artikel den Künstlern zur Uebung empfohlen haben. Außer dem aber muß der Musikus sich ein besonders Studium daraus machen, den Ton aller Leidenschaften zu erforschen. Er muß die Menschen nur in diesem Gesichtspunkt sehen. Jede Leidenschaft hat nicht bloß in Absicht auf die Gedanken, sondern auf den Ton der Stimme, auf das Hohe und Tiefe, das Geschwinde und Langsame, den Accent der Rede, ihren besondern Charakter. Wer genau darauf merkt, der entdekt oft in Reden, deren Worte er nicht versteht, einen richtigen Verstand. Der Ton verräth ihm Freude oder Schmerz, ja so gar unterscheidet er in einzeln Tönen einen heftigen oder mittelmäßigen Schmerz, eine tief sitzende Zärtlichkeit, eine starke oder gemäßigte Freude. Auf die genaueste Erforschung des natürlichen Ausdruks muß der Musikus die äußerste Sorgfalt wenden; denn wiewol der Gesang unendlich von der Rede verschieden ist, so hat diese doch allezeit etwas, welches der Gesang nachahmen kann. Die Freude spricht in vollen Tönen mit einer nicht übertriebenen Geschwindigkeit, und mäßigen Schattirungen des starken und schwächern, des höhern und tiefen in den Tönen. Die Traurigkeit äußert sich in langsamen Reden, tiefer aus der Brust geholten, aber weniger hellen Tönen. Und so hat jede Empfindung in der Sprache etwas eigenes. Dieses muß der Tonsetzer auf das allerbestimmteste beobachten, und sich bekannt machen. Denn dadurch allein erlangt er die Richtigkeit des Ausdruks.
Hiernächst befleiße er sich, die Würkungen der verschiedenen Leidenschaften in dem Gemüthe selbst, die Folge der Gedanken und Empfindungen genau zu erkennen. In jeder Leidenschaft treffen wir eine Folge von Vorstellungen an, welche mit der Bewegung etwas ähnliches hat, wie das bloße Wort, Gemüthsbewegung, wodurch man jede Leidenschaft ausdrükt, schon anzeiget. Es giebt Leidenschaften, in denen die Vorstellungen, wie ein sanfter Bach, einförmig fortfließen; bey andern ströhmen sie schneller, mit einem mäßigen

Geräusche und hüpfend, aber ohne Aufhaltung; in einigen gleicht die Folge der Vorstellungen den durch starken Regen aufgeschwollenen wilden Bächen, die ungestüm daher rauschen, und alles mit sich fort reißen, was ihnen im Wege steht. Bisweilen gleicht das Gemüth in seinen Vorstellungen der wilden See, die itzt gewaltig gegen das Ufer anschlägt, denn zurüke tritt, um mit neuer Kraft wieder anzuprellen. Die Musik ist vollkommen geschikt, alle diese Arten der Bewegung abzubilden, mithin dem Ohr die Bewegungen der Seele fühlbar zu machen, wenn sie nur dem Tonsetzer hinlänglich bekannt sind, und er Wissenschaft genug besizt, jede Bewegung durch Harmonie und Gesang nachzuahmen. Hiezu hat er Mittel von gar vielerley Art in seiner Gewalt, wenn es ihm nur nicht an Kunst fehlt. Diese Mittel sind 1) die bloße Fortschreitung der Harmonie, ohne Absicht auf den Takt, welche in sanften und angenehmen Affekten leicht und ungezwungen, ohne große Verwiklungen und schweere Aufhaltungen; in widrigen, zumal heftigen Affekten aber, unterbrochen, mit öftern Ausweichungen in entferntere Tonarten, mit größern Verwiklungen, viel und ungewöhnlichen Dissonanzen und Aufhaltungen, mit schnellen Auflösungen fortschreiten muß. 2) Der Takt, durch den schon allein die allgemeine Beschaffenheit aller Arten der Bewegung kann nachgeahmt werden. 3) Die Melodie und der Rythmus, welche an sich selbst betrachtet ebenfalls allein schon fähig sind, die Sprache aller Leidenschaften abzubilden. 4) Die Abänderungen in der Stärke und Schwäche der Töne, die auch sehr viel zum Ausdruk beytragen; 5) die Begleitung und besonders die Wahl und Abwechslung der begleitenden Instrumente; und endlich 6) die Ausweichungen und Verweilungen in andern Tönen. [S. 109–111]

Jedes Tonstük, es sey ein würklicher von Worten begleiteter Gesang, oder nur für die Instrumente gesezt, muß einen bestimmten Charakter haben, und in dem Gemüthe des Zuhörers Empfindungen von bestimmter Art erweken. Es wäre thöricht, wenn der Tonsetzer seine Arbeit anfangen wolte, ehe er den Charakter seines Stüks festgesezt hat. Er muß wissen, ob die Sprache, die er führen will, die Sprache eines Stolzen, oder eines Demüthigen, eines Beherzten oder Furchtsamen, eines Bittenden oder Gebietenden, eines Zärtlichen

oder eines Zornigen sey. Wenn er auch durch einen Zufall sein Thema erfunden, oder wenn es ihm von ohngefehr eingefallen ist, so untersuche er den Charakter desselben, damit er ihn auch bey der Ausführung beybehalten könne.
Hat er den Character des Stüks festgesezt, so muß er sich selbst in die Empfindung setzen, die er in andern hervor bringen will. Das beste ist, daß er sich eine Handlung, eine Begebenheit, einen Zustand vorstelle, in welchem sich dieselbe natürlicher Weise in dem Lichte zeiget, worin er sie vortragen will; und wenn seine Einbildungskraft dabey in das nöthige Feuer gesezt worden, alsdenn arbeite er, und hüte sich irgend eine Periode, oder eine Figur einzumischen, die außer dem Charakter seines Stüks liegt.
Die Liebe zu gewissen angenehm klingenden und auch in Absicht auf den Ausdruk glüklich erfundenen Sätzen verleitet die meisten Tonsetzer, dieselben gar zu ofte zu wiederholen. Man muß aber bedenken, daß diese Wiederholungen dem Ausdruk ofte ganz entgegen sind. Sie schiken sich nur zu gewissen Empfindungen und Leidenschaften, in denen das Gemüth sich gleichsam immer nur um einen Punkt herum bewegt. Es giebt aber auch andre, wo die Vorstellungen sich beständig ändern, nach und nach stärker, oder auch schwächer werden, oder gar allgmach in andre übergehen. In diesen Fällen sind öftere Wiederholungen desselben Ausdruks unnatürlich.
Sind dem Tonsetzer die Worte vorgeschrieben, auf welche er den Gesang einrichten soll, so erforsche er zuerst den wahren Geist und Charakter derselben; die eigentliche Gemüthsfassung, in welcher sich eine solche Rede äußert. Er überlege genau die Umstände des Redenden und seine Absicht; dadurch setze er den allgemeinen Charakter des Gesanges fest. Er wähle die tüchtigste Tonart, die angemessene Bewegung, den Rythmus, den die Empfindung würklich hat; die Intervalle, wie sie der anwachsenden oder sinkenden Leidenschaft am natürlichsten sind. Dieses Charakteristische muß durch das ganze Stük herrschen; aber vorzüglich an Stellen, wo ein besonderer Nachdruk in den Worten liegt. [S.111]

Es ist auch guten Meistern in der Kunst begegnet, in zweyerley ganz ungereimte Fehler gegen den Ausdruk zu fallen. Der eine ist, daß sie den Ausdruk auf einzele Wörter ange-

wendet haben, welche sie außer dem Zusammenhang genommen; da sie denn eine Empfindung erweken, welche der Hauptempfindung, die im Ganzen herrscht, zuwider ist. In der Rede drükt man oft eine Sache durch ihr Gegentheil aus, in dem man eine Verneinung dazu sezt. Anstatt: *seyd nun wieder fröhlich*, sagt man auch wol: *weinet*, oder *trauret nicht mehr*. Die Verneinung, *nicht mehr*, ist ein abgezogener Begriff, den die Musik nicht ausdrüken kann. Sie muß also den ganzen Gedanken zusammen nehmen, und etwas tröstendes ausdrüken. Wolte man den Ausdruk blos auf das Wort *weinet* oder *trauret* legen, so würde man gerade das Gegentheil dessen sagen, was man sagen soll. Und doch haben große Meister diesen Fehler begangen.
Der andre Fehler, der über den rührendsten Gesang einen Frost streut, der alles verderbt, entsteht aus der unzeitigen Begierde, Dinge zu mahlen, die entweder ganz außer dem Gebiete der Musik liegen, oder doch an dem Orte, wo man sie bey Gelegenheiten gewisser Worte anbringt, eine sehr widrige Würkung thun. [...] [S. 112]

Artikel „Cammermusik"

Der verschiedene Gebrauch, den man von der Musik macht, erfodert auch besondre Bestimmungen gewisser Regeln. Die Kirchenmusik muß natürlicher Weise einen andern Charakter haben, als die, welche für die Schaubühne gemacht ist, und diese muß sich wieder von der Cammermusik unterscheiden. Man kann diese so betrachten, als wenn sie blos zur Uebung für Kenner, und zugleich zur Ergetzung für einige Liebhaber aufgeführt werde. Beyde Gesichtspunkten erfodern für die zur Cammermusik gesetzten Tonstüke, ein ihnen eigenes Gepräge, von welchem Kunstverständige bisweilen unter dem Namen des *Cammerstils* sprechen.
Da die Cammermusik für Kenner und Liebhaber ist, so können die Stüke gelehrter und künstlicher gesetzt seyn, als die zum öffentlichen Gebrauch bestimmt sind, wo alles mehr einfach und cantabel seyn muß, damit jedermann es fasse. Auch wird in der Kirche und auf der Schaubühne manches überhört, und der Setzer hat nicht allemal nöthig, jeden einzeln Ton, auch in den Nebenstimmen so genau abzumessen: hingegen in der Cammermusik muß, daß wegen der geringen

Besetzung und wegen der wenigen Stimmen, jedes einzele fühlbar wird, alles weit genauer überlegt werden. Ueberhaupt also wird in der öffentlichen Musik, wo man allemal einen bestimmten Zwek hat, mehr darauf zu sehen seyn, daß der Ausdruk auf die einfacheste und sicherste Weise erhalten werde, und in der Cammermusik wird man sich des äusserst reinen Satzes, eines feinern Ausdruks und künstlicherer Wendungen bedienen müssen. Dieses widerspricht einigermaaßen der allgemeinen Maxime, daß man in Kirchensachen ungemein scharf und genau im Satz seyn müsse, und hingegen in so genannten galanten Sachen, wozu man die Musik des Theaters, und auch die Concerte rechnet, es nicht so genau nehmen dürfe.

Weil die Cammermusik nicht so durchdringend seyn darf, als die Kirchenmusik, so werden die Instrumente dazu auch insgemein etwas weniger hochgestimmt; daher wird der *Cammerton* von dem *Chorton* unterschieden. [S. 189].

Artikel „Gesang"

[...]

Der Gesang ist dem Menschen so wenig natürlich als die Rede: beyde sind Erfindungen des Genies, jene durch das Bedürfniß, diese vermuthlich durch Empfindungen, veranlaset. Es ist sehr schweer die verschiedenen Schritte anzugeben, die das Genie hat thun müssen, um diese Erfindungen zu Stande zu bringen. Ganz unwahrscheinlich ist es, daß der Mensch durch Nachahmung der singenden Vögel auf den Gesang gekommen sey. Die einzeln Töne, woraus der Gesang gebildet ist, sind Aeusserungen lebhafter Empfindungen; denn der Mensch, der Vergnügen, Schmerz oder Traurigkeit durch Töne äussert, dergleichen die Empfindung, auch wider seinen Willen, von ihm erpreßt, läßt nicht Töne der Rede, sondern des Gesanges hören. Also sind die Elemente des Gesanges nicht so wol eine Erfindung der Menschen, als der Natur selbst. Wir werden Kürze halber diese, von der Empfindung dem Menschen gleichsam ausgepreßte Töne, leidenschaftliche Töne nennen. Die Töne der Rede sind zeichnende Töne, die ursprünglich dienten, Vorstellungen von Dingen zu erweken, die solche oder ähnliche Töne hören lassen. Itzt sind sie meistens gleichgültige Töne, oder willkührliche Zeichen: die leidenschaftlichen Töne sind natürliche Zeichen der Empfindungen. Eine Folge gleichgültiger Töne bezeichnet die Rede, und eine Folge leidenschaftlicher Töne, den Gesang.

Der Mensch ist natürlicher Weise geneigt so wol den vergnügten, als den traurigen Empfindungen, zumal, wenn sie von zärtlicher Art sind, nachzuhängen, und sich in denselben gleichsam einzuwiegen. Nun scheinet das Gehör gerade derjenige von allen Sinnen zu seyn, der zu Reizung und Unterhaltung der Empfindungen gemacht ist. Wir sehen, daß Kinder, die noch nichts von Gesang wissen, wenn sie in vergnügter oder trauriger Laune sind, sich durch dazu schikende Töne darin unterhalten. Durch diese Töne hat die Laune etwas Körperliches, woran sie sich festhalten und wodurch sie sich eine Fortdauer verschaffen kann. Daraus läßt sich einigermaaßen begreifen, wie der Mensch, bey gewissen Empfindungen, eine Reyhe singender Töne bildet, und sich dadurch in dem Zustand einer, ihn beherrschenden Laune, unterhält.

Dieses allein macht aber den Gesang noch nicht aus; denn erst, wenn abgemessene Bewegung und Rhythmus zu dem vorhergehenden hinzukömmt, entsteht der eigentliche Gesang. Auch diese scheinen, so wie die leidenschaftlichen Töne, in der Natur der Empfindungen ihren Grund zu haben. Eine bloße Wiederholung solcher Töne ist nicht hinreichend, das Nachhängen der Empfindung und das Beharren in derselben zu bewürken; dieses thut eine gleichförmig anhaltende Bewegung besser. So wie das Wiegen die Sammlung der Lebensgeister zur Ruhe befördert, und den Geist in dem Zustande, darin er einen Gefallen hat, unterhält, so giebt es ähnliche Bewegungen, wodurch andre Empfindungen fortdaurend unterhalten werden. Dieses fühlt auch der rohe unachtsame Mensch, und das noch nicht nachdenkende Kind. Man sieht, daß beyde mit der Wiederholung leidenschaftlicher Töne, eine gewisse gleichförmige Bewegung des Körpers, ein regelmäßiges und in gleichen Zeiten wiederholtes Hin- und Herwanken desselben verbinden, worin ohne Zweifel der natürliche Ursprung des Takts zu suchen ist. Nichts ist bequämer, uns eine Zeitlang in denselben Empfindungen zu unterhalten, als eine gleichförmige, in gleiche Glieder abgetheilte, Bewegung, wodurch die Aufmerksamkeit auf denselben Gegenstand festgehalten wird. Und so läßt

sich einigermaaßen der Ursprung des Gesanges begreifen, den man durch eine, in bestimmter einförmiger Bewegung fortfließende Folge leidenschaftlicher Töne, erklären kann. Bey allen Nationen, selbst denjenigen, die dem Stande der Wildheit noch am nächsten kommen, findet man Tanzgesänge von genau bestimmtem Takt und Rhythmus: und diese Beobachtung bestätiget das, was wir vom Ursprung des Gesanges angemerkt haben. Es ist zum Gesang nicht nothwendig, daß die Töne von menschlichen Stimmen angegeben werden, denn auch einer bloßen Instrumentalmelodie giebt man den Namen des Gesanges, so daß die Wörter, Gesang und Melodie, meistentheils gleichbedeutend sind. Aber der Gesang der menschlichen Stimme ist freylich der ursprüngliche und vollkommenste, weil er jedem Ton auf das genaueste die besondere Bildung, die der Affekt erfodert, geben kann; da einige Instrumente, wie das Clavier, ihn gar nicht modificiren können, andre aber es doch weit unvollkommener thun, als die Kehle des Sängers.
Die wesentliche Kraft der Musik liegt eigentlich nur im Gesang; denn die begleitende Harmonie hat, wie Roußeau sehr richtig anmerkt,[99] wenig Kraft zum Ausdruk: sie dienet blos den Ton anzugeben und zu unterstützen, die Modulation merklicher zu machen, und dem Ausdruk mehr Nachdruk und Annehmlichkeit zu geben. Aber in der Melodie allein liegen die mit unwiderstehlicher Kraft belebten Töne, die man für Aeusserungen einer empfindenden Seele erkennt. Der Mensch hat drey Mittel seinen Gemüthszustand an den Tag zu legen; die Rede, die Mine nebst den Gebehrden, und die leidenschaftlichen Töne. Das letzte übertrift die andern an Kraft sehr weit, und dringet schnell in das innerste der Seele. [...]
Daher hat der Gesang über alle Werke der Kunst den Vorzug, um Leidenschaft zu erweken. Die Zeichnung giebt uns Kenntnis der Formen, und der Gesang erwekt unmittelbar das Gefühl der Leidenschaft. Hiervon ist aber an einem andern Ort ausführlicher gesprochen worden.[100] Hier wird dieses nur darum angeführt, um den Tonsetzer, der dieses ließt, zu überzeugen, daß er sein größtes Verdienst durch den Gesang erwerben müsse. Er muß ein reiner Harmoniste seyn, aber blos um seinem Gesang die völlige Reinigkeit zu geben. Da aber diese ohne den Ausdruk zu nichts dienet, so muß

sein größtes Studium auf den leidenschaftlichen Gesang gerichtet seyn. Melodie, Bewegung und Rhythmus sind die wahren Mittel das Gemüth in Empfindung zu setzen: wo diese fehlen, da ist die höchste Reinigkeit der Harmonie eine ganz unwürksame Sache.

Wir rathen deswegen den jungen Tonsetzern, nicht alle ihre Zeit auf das Studium der Harmonie zu wenden, sondern den Gesang, als die Hauptsach ihrer Kunst anzusehen. Melodische Schönheiten muß das Genie ihnen eingeben; aber um eine völlige Kenntnis von Bewegung und Rhythmus zu erlangen und beyde in seine Gewalt zu bekommen, dazu wird Arbeit und Studium erfodert. Die Tanzmelodien verschiedener Nationen enthalten beynahe alle Arten der Bewegung und des Rhythmus, und nur der, welcher sich hinlänglich darin geübt hat, kann ein Meister im Gesang werden.

Von dem Vortrag des Gesanges, wird in einem besondern Artikel gesprochen.[101] [S. 460–461]

Artikel „Instrumentalmusik"

[...] Die ganze Musik gründet sich auf die Kraft, die schon in unartikulirten Tönen liegt, verschiedene Leidenschaften auszudrüken;[102] und wenn man nicht ohne Worte die Sprache der Empfindungen sprechen könnte, so würde gar keine Musik möglich seyn. Es scheinet also, daß die Instrumentalmusik bey dieser schönen Kunst die Hauptsache sey. Man kann in der That bey Tänzen, bey festlichen Aufzügen und kriegerischen Märschen, die Vocalmusik völlig missen; weil die Instrumente ganz allein hinreichend sind, die bey solchen Gelegenheiten nöthigen Empfindungen, zu erweken und zu nähren. Aber wo die Gegenstände der Empfindung selbst müssen geschildert, oder kennbar gemacht werden, da hat die Musik die Unterstützung der Sprache nöthig. Wir können sehr gerührt werden, wenn wir in einer uns unverständlichen Sprache, Töne der Traurigkeit, des Schmerzens, oder des Jammers, vernehmen; wenn aber der Klagende zugleich verständlich spricht, wenn er uns die Veranlasung und die nächsten Ursachen seiner Klage entdeket, und die besondern Umstände seines Leidens erkennen läßt, so werden wir weit stärker gerühret. Ohne Ton und Klang, ohne Bewegung und Rhythmus, werden wir, wenn wir die Klagen einer vor Liebe

kranken Sappho lesen, von Mitleiden gerühret; aber wenn tief geholte Seufzer, wenn Töne, die der verliebte Schmerz von der leidenden erpreßt, wenn eine schwermerische Bewegung in der Folge der Töne, unser Ohr würklich rühret, und die Nerven des Körpers in Bewegung setzet; so wird die Empfindung ungleich stärker.
Hieraus lernen wir mit völliger Gewißheit, daß die Musik erst ihre volle Würkung thut, wenn sie mit der Dichtkunst vereiniget ist, wenn Vocal- und Instrumentalmusik verbunden sind. Man kann sich hierüber auf das Gefühl aller Menschen berufen: das rührendste Duet, von Instrumenten gespielt, oder von Menschenstimmen, deren Sprache wir nicht verstehen, gesungen, verliehrt in der That den größten Theil seiner Kraft. Aber da, wo das Gemüth blos von der Empfindung muß gerührt und unterhalten werden, ohne einen besonders bestimmten Gegenstand vor sich zu haben, ist die Instrumentalmusik hinlänglich. So hat man zu den Tänzen und festlichen Aufzügen keinen Vocalgesang nöthig, weil die Instrumente allein hinreichend sind uns in die Empfindung zu setzen.
Dadurch wird der Gebrauch der Instrumentalmusik ihrer Natur nach vornehmlich auf die Tänze, Märsche und andre festliche Aufzüge eingeschränkt. Diese sind ihre vornehmste Werke. Hiernächst kann sie auch bey dem dramatischen Schauspiel ihre Dienste thun, indem sie den Zuschauer zum voraus durch *Ouvertüren* oder *Symphonien* zu dem Hauptaffekt, der in dem Schauspiel herrscht vorbereitet. Zum bloßen Zeitvertreib aber, oder auch als nützliche Uebungen, wodurch Setzer und Spiehler sich zu wichtigern Dingen geschikter machen, dienet sie, wenn sie *Concerte, Trio, Solo, Sonaten* und dergleichen hören läßt.
Einige dieser Stüke haben ihre festgesetzten Charaktere, wie die Ballette, Tänze und Märsche, und der Tonsetzer hat an diesen Charakteren eine Richtschnur, nach welcher er bey Verfertigung derselben zu arbeiten hat; [...] Aber die Erfindung für Concerte, Trio, Solo, Sonaten und dergleichen Dinge, die gar keinen bestimmten Endzwek haben, ist fast gänzlich dem Zufall überlassen. Man begreift noch, wie ein Mann von Genie auf Erfindungen kommt, wenn er etwas vor sich hat, daran er sich halten kann; wo er aber selbst nicht sagen kann, was er machen will, oder was das Werk, das er

sich zu machen vorsetzt, eigentlich seyn soll, da arbeitet er blos auf gutes Glük. Daher kommt es, daß die meisten Stüke dieser Art nicht anders sind, als ein wolklingendes Geräusch, daß stürmend oder sanft in das Gehör fällt. Dieses zu vermeiden, thut der Tonsetzer wol, wenn er sich allemal den Charakter einer Person, oder eine Situation, eine Leidenschaft, bestimmt vorstellt, und seine Phantasie so lang anspannt, bis er eine in diesen Umständen sich befindende Person, glaubt reden zu hören. Er kann sich dadurch helfen, daß er pathetische, feurige, oder sanfte, zärtliche Stellen, aus Dichtern aussucht und in einem sich dazu schikenden Ton declamirt, und alsdenn in dieser Empfindung sein Tonstük entwirft. Er muß dabey nie vergessen, daß das Tonstük, in dem nicht irgend eine Leidenschaft, oder Empfindung sich in einer verständlichen Sprache äußert, nichts, als ein bloßes Geräusch sey.

[S.559–560]

Unter allen Instrumenten, worauf leidenschaftliche Töne können gebildet werden, ist die Kehle des Menschen ohne allen Zweifel das vornehmste. Darum kann man es als eine Grundmaxime ansehen, daß die Instrumente die vorzüglichsten sind, die am meisten fähig sind, den Gesang der Menschen Stimme, nach allen Modificationen der Töne nachzuahmen. Aus diesem Grund ist die Hoboe eines der vorzüglichsten. [S.560]

Artikel „Musik"

[...]
Wir haben gesehen, was die Musik in ihrem Wesen eigentlich ist – eine Folge von Tönen, die aus leidenschaftlicher Empfindung entstehen, und sie folglich schildern – die Kraft haben die Empfindung zu unterhalten, und zu stärken – und nun ist zu untersuchen, was Erfahrung, Geschmack und Ueberlegung, kurz, was das, was eigentlich zur Kunst gehöret, aus der Musik machen könne, und wozu ihre Werke können angewendet werden.

Ihr Zwek ist Erwekung der Empfindung; ihr Mittel eine Folge dazu dienlicher Töne; und ihre Anwendung geschieht auf eine den Absichten der Natur bey den Leidenschaften gemäße Weise. Jeden dieser Punkte müssen wir näher betrachten.

Der Zwek ist keinem Zweifel unterworfen, da es gewiß ist, daß die Lust sich in Empfindung zu unterhalten, und sie zu verstärken, den ersten Keim der Musik hervorgebracht hat. Von allen Empfindungen aber scheinet die Fröhlichkeit den ersten Schritt zum Gesang gethan zu haben; den nächsten aber die Begierde sich selbst in schweerer Arbeit zu ermuntern. Weil dieses auf eine doppelte Weise geschehen kann; entweder blos durch Erleichterung, da vermittelst mannigfaltiger Einförmigkeit, die Aufmerksamkeit von dem Beschwerlichen auf das Angenehme gelenkt wird, oder durch würkliche Aufmunterung vermittelst beseelter Töne und lebhafter Bewegung; so ziehlt die Musik im ersten Fall auf eine Art der Bezauberung oder Ergreifung der Sinnen, im andern aber auf Anfeurung der Leibes- und Gemüthskräfte. Die zärtlichen, traurigen und die verdrießlichen Empfindungen scheinet die blos natürliche Musik gar nicht, oder sehr selten zum Zwek zu haben. Aber nachdem man einmal erfahren hatte, daß auch Leidenschaften dieser Art, sich durch die Kunst höchst nachdrüklich schildern, folglich auch in den Gemüthern erweken lassen, so ist sie auch dazu angewendet worden. Da auch ferner die mehrere, oder mindere Lebhaftigkeit, und die Art, wie sich die Leidenschaften bey einzelen Menschen äußern, den wichtigsten Einfluß auf seinem sittlichen Charakter haben, so kann auch gar ofte das sittliche einzeler Menschen und ganzer Völker, in so fern es sich empfinden läßt, durch Musik ausgedrükt werden. Und in der That sind die Nationalgesänge und die damit verbundenen Tänze, eine getreue Schilderung der Sitten. Sie sind munter, oder ernsthaft, sanft oder ungestühm, fein oder nachläßig, wie die Sitten der Völker selbst.

Daß aber die Musik Gegenstände der Vorstellungskraft, die blos durch die überlegte Kenntnis ihrer Beschaffenheit, einigen Einflus, oder auch wol gar keine Beziehung auf die Empfindung haben, schildern soll, davon kann man keinen Grund entdeken. Zum Ausdruk der Gedanken und der Vorstellungen ist die Sprache erfunden; diese, nicht die Musik sucht zu unterrichten, und der Phantasie Bilder vorzuhalten. Es ist dem Zwek der Musik entgegen, daß dergleichen Bilder geschildert werden.[103] Ueberhaupt also würket die Musik auf den Menschen nicht in so fern er denkt, oder Vorstellungskräfte hat, sondern in so fern er empfindet. Also ist jedes

Tonstük, das nicht Empfindung erweket, kein Werk der ächten Musik. Und wenn die Töne noch so künstlich auf einander folgten, die Harmonie noch so mühesam überlegt, und nach den schweeresten Regeln richtig wäre, so ist das Stük, das uns nichts von den erwähnten Empfindungen ins Herze legt, nichts werth. Der Zuhörer, für den ein Tonstük gemacht ist, wenn er auch nichts von der Kunst versteht, nur muß er ein empfindsames Herz haben, kann allemal entscheiden, ob ein Stük gut oder schlecht ist: ist es seinem Herzen nicht verständlich, so sag er dreiste, es sey dem Zwek nicht gemäß, und tauge nichts; fühlet er aber sein Herz dadurch angegriffen, so kann er ohne Bedenken es für gut erklären; der Zwek ist dadurch erreicht worden. Alles aber, wodurch der Zwek erreicht wird, ist gut. Ob es aber nicht noch besser hätte seyn können, ob der Tonsezer nicht manches, aus Mangel der Kunst oder des Geschmaks, verschwächt, oder verdorben habe, und dergleichen Fragen, überlasse man den Kunstverständigen zu beantworten. Denn nur diese kennen die Mittel zum Zwek zu gelangen, und können von ihrer mehrern, oder mindern Kraft urtheilen.

Es scheinet sehr nothwendig, sowol die Meister der Kunst, als die bloßen Liebhaber des Zweks zu erinnern, da jene sich so gar ofte bemühen, durch blos künstliche Sachen, durch Sprünge, Läufe und Harmonien, die nichts sagen, aber schweer zu machen sind, Beyfall zu suchen, diese, ihn so unüberlegt, am meisten dem geben, der so künstlich, als ein Seiltänzer gespiehlt, oder gesungen, und dem der im Saz so viel Schwierigkeiten überwunden hat, als der, der auf einem Pferde stehend in vollem Gallop davon jaget. Wie viel natürlicher ist es nicht, mit dem Agesilaus den Gesang einer würklichen Nachtigall, einem ihm nachahmenden Tonstük vorzuziehen?

Nach dem Zwek kommen die Mittel in Betrachtung, in deren Kenntnis und Gebrauch eigentlich die Kunst besteht. Hier ist also die Frage zu beantworten, wie die Töne zu einer verständlichen Sprache der Empfindung werden, und wie eine Folge von Tönen zusammenzusezen sey, daß der, der sie höret, in Empfindung gesezt, eine Zeitlang darin unterhalten und durch sanften Zwang genöthiget werde, derselben nachzuhangen. In der Auflösung dieser Frage besteht die ganze Theorie der Kunst, deren verschiedene Arbeiten hier nicht umständlich zu beschreiben sind, aber vollständig anzuzeigen wären, wenn unsre Kenntnis so weit reichte. [...]

[S.782–784]

Werden alle diese Mittel [der Gesang, die Tonart, das Metrische und Rhythmische der Bewegung in dem Gesang, die Harmonie] in jedem besondern Falle zu dem einzigen Zwek auf eine geschikte Weise vereiniget, so bekommt das Tonstük eine Kraft, die bis in das innerste gefühlvoller Seelen eindringet, und jede Empfindung darin auf das Lebhafteste erweket. Wie groß die Kraft der durch die angezeigten Mittel, in ein wolgeordnetes und richtig charakterirtes Ganze verbundenen Töne sey, kann jeder, der einige Empfindung hat, schon aus der Würkung abnehmen, welche die verschiedenen Tanzmelodien, wenn sie recht gut in ihrem besondern Charakter gesezt sind, thun. Es ist nicht möglich sie anzuhören, ohne ganz von dem Geiste der darin liegt, beherrscht zu werden: man wird wieder Willen gezwungen, das, was man dabey fühlt, durch Gebehrden und Bewegung des Körpers auszudrüken. Man weiß aus der Erfahrung, daß kein Tanz ohne Musik dauren kann; diese reizet also den Körper selbst zur Bewegung; sie hat würklich eine körperliche Kraft, wodurch die zur Bewegung dienenden Nerven angegriffen werden. Es ist glaublich, daß durch Musik der Umlauf des Geblüthes etwas angehalten, oder befördert werden könne. Bekannt sind die Geschichten von dem Einflus der Musik auf gewisse Krankheiten; und obgleich verschiedenes darin fabelhaft seyn mag, so wird dem, welcher die Kraft der Musik auf die Bewegungen des Körpers genau beobachtet hat, wahrscheinlich, daß auch Krankheiten dadurch würklich können gemildert, oder vermehret werden. Daß Menschen in schweeren Anfällen des Wahnwizes durch Musik etwas besänftiget, gesunde Menschen aber in so heftige Leidenschaft können gesezt werden, daß sie bis auf einen geringen Grad der Raserey kommen, kann gar nicht geläugnet werden. Hieraus aber ist offenbar, daß die Musik an Kraft alle anderen Künste weit übertreffe.

Aus diesem Grunde ist hier mehr, als sonst irgend bey einer andern Kunst nöthig, daß sie in ihrer Anwendung durch Weißheit geleitet werde. Deswegen ist in einigen griechischen Staaten, als sie noch in ihrer durch die Geseze richtig

bestimmten gesunden Form waren, dieser Punkt ein Gegenstand der Geseze gewesen. Er verdienet, daß wir ihn hier in nähere Betrachtung ziehen.
Man braucht die Musik entweder in allgemeinen oder besonders bestimmten Absichten, bey öffentlichen, oder bey Privatangelegenheiten. Es gehöret zur Theorie der Kunst, daß diese Fälle genau erwogen werden, und daß der wahre Geist der Musik für jeden bestimmt werde. Damit wir das, was in den besondern Artikeln über die Gattungen und Arten der Tonstüke vergessen, oder sonst aus der Acht gelassen worden, einigermaaßen ersezen, und einem Kenner der künftig in Absicht auf die Musik allein, ein dem unsrigen ähnliches Werk zu schreiben unernehmen möchte, Gelegenheit geben, alles vollständig abzuhandeln, wird es gut seyn, wenn hier die Hauptpunkte dieser nicht unwichtigen Materie wol bestimmt werden.
Die allgemeineste Absicht, die man bey der Anwendung der Musik haben kann, ist die Bildung der Gemüther bey der Erziehung. Daß sie dazu würklich viel beytrage, haben verschiedene griechische Völker eingesehen,[...] und es ist auch schon erinnert worden, daß die alten Celten, sie hiezu angewendet haben.[104] In unsern Zeiten ist es zwar auch nicht ganz ungewöhnlich, die Erlernung der Musik, als einen Theil einer guten Erziehung anzusehen; aber man hält die Fertigkeit darin mehr für eine bloße Zierde junger Personen von feinerer Lebensart, als für ein Mittel die Gemüther zu bilden. Es scheinet deswegen nicht überflüßig, daß die Fähigkeit dieser Kunst, zu jener wichtigen Absicht zu dienen, wovon man gegenwärtig nur zu eingeschränkte Begriffe hat, hier ins Licht gesezt werde.
Allem Ansehen nach hat in den älteren Zeiten Griechenlands jeder Stamm dieses geistreichen und empfindsamen Volkes seine eigene, durch einen besondern Charakter ausgezeichnete Musik gehabt. Dieses Eigene bestund vermuthlich nicht blos in der Art der Tonleiter, und der daraus entstehenden besondern Modulation; sondern es läßt sich vermuthen, daß auch Takt, Bewegung und Rhythmus bey jenem Volk oder Stamm, ihre besondere Art gehabt haben. Davon haben wir noch gegenwärtig einige Beyspiele an den Nationalmelodien einiger neuen Völker, die, so mannigfaltig sie auch sonst, jede in ihrer Art, sind, allemal einen Charakter behalten, der

sie von den Gesängen andrer Völker unterscheidet. Ein Schottisches Lied, ist allemal von einem französischen und beyde von einem italiänischen, oder deutschen, so wie jedes von dem gemeinen Volke gesungen wird, merklich unterschieden.

Hieraus läßt sich nun schon etwas von dem Einfluß der Musik auf die Bildung der Gemüther schließen. Wenn die Jugend jeder Nation ehedem beständig blos in ihren eigenen Nationalgesängen geübet worden, so konnte es nicht wol anders seyn, als daß die Gemüther allmählig die Eindrüke ihres besondern Charakters annehmen mußten. Denn eben aus solchen wiederholten Eindrüken von einerley Art, entstehen überhaupt die Nationalcharaktere. Darum verwies Plato die lydische Tonart aus seiner Republik, weil sie bey einem gewissen äußerlichen Schimmer, das Weichliche, wodurch dieser Stamm sich von andern auszeichnete, an sich hatte. Gegenwärtig, da die Musik unter den verschiedenen Völkern von Europa, besonders unter den Händen der Virtuosen, die Einförmigkeit ihres Charakters nicht mehr hat, und da sowol die deutsche, als die französische Jugend, alle Arten der Tanzmelodien, auch Concerte, Sonaten und Arien von allen möglichen Charakteren durch einander spielt, und höret, und sich in allen Arten der Tänze übet; so ist auch die Einförmigkeit des Eindruks dadurch aufgehoben worden. Das Nationale hat sich in der Musik, so wie in der Poesie größtentheils verlohren. Darum dienet auch die Musik gegenwärtig, nicht mehr in dem Grad, als ehedem, zur Bildung jugendlicher Gemüther.

Dennoch könnte sie noch dazu gebraucht werden, wenn die, denen die Erziehung aufgetragen ist, dieses Geschäft nach einem gründlichen Plan betrieben. Denn da jede leidenschaftliche Empfindung durch die Musik in den Gemüthern kann erwekt werden, so dürfte man nun der Jugend, bey welcher eine gewisse Art der Empfindung herrschend seyn sollte, auch vorzüglich solche Stüke, die diesen Charakter haben, in gehöriger Mannigfaltigkeit zum Singen, Spiehlen und Tanzen vorlegen. [...] Die größte Fertigkeit im Spiehlen und Singen, und die zierlichsten Manieren, auf welche man fast allein sieht, tragen gar wenig zu dem großen Zwek, von dem hier die Rede ist, bey: wer nicht mit Empfindung singt, auf den würket auch der Gesang nichts. In diesem Stük wäre,

wenn die Musik eben in dem Grad, wie ehedem geschehen ist, zur Bildung der Jugend dienen sollte, eine gänzliche Verbesserung des Unterrichts und der Uebungen in der Kunst, nothwendig, welche in unsern Zeiten nicht zu erwarten ist.
Auf diese allgemeine Anwendung der Musik folgen die besondern Anwendungen derselben, gewisse Empfindungen bey öffentlichen sehr wichtigen Gelegenheiten, in den Gemüthern zu einem bestimmten Zwek, lebhaft zu erweken, und eine Zeitlang zu unterhalten. Da wird sie als ein Mittel gebraucht, den Menschen, durch ihre unwiederstehliche Kraft zu Entschließungen oder Unternehmungen aufzumuntern, und seine Würksamkeit zu unterstüzen. Diesen Gebrauch kann man bey verschiedenen Gelegenheiten von der Musik machen.
Erstlich würde sie zu Kriegesgesängen, welche bey den Griechen gebräuchlich waren, mit großen Vortheil angewendet werden. Eine ganz ausnehmende Würkung den Muth anzuflammen, würde es thun, wenn vor einem angreifenden Heer ein Chor von vier bis fünfhundert Instrumenten, ein feuriges Tonstük spielte, und wenn dieses mit dem Gesang des Heeres selbst abwechselte, oder ihn begleitete. [...] Ich habe zu meiner eigenen Verwundrung erfahren, daß die unregelmäßigste Musik, die möglich ist, da hundert unwissende Türken, jeder mit seinem Instrument nach Gutdünken geleyert, oder geraset hat, worin nichts ordentliches war, als daß eine Art Trommel dieses Geräusche nach einem Takt abmaaß, – daß diese Musik, besonders in einiger Entfernung, mich in lebhafte Empfindung gesezt hat.
Zweytens, zu wichtigen Nationalgesängen, und überhaupt zu politischen Feyerlichkeiten, zu denen sich ein beträchtlicher Theil der Einwohner einer Stadt versammelt. Dergleichen sind Huldigungen, Begräbnisse verstorbener wahrer Landesväter, Feste zum Andenken großer Staatsbegebenheiten, und andere Nationalfeyerlichkeiten, die zum Theil aus dem Gebrauch gekommen, aber wieder eingeführt zu werden, verdienten. Dabey könnte die Musik, wenn nur die Einrichtungen solcher Feste von Kennern der Menschen angegeben würden, von ausnehmend großer Würkung seyn. Aber das Wichtigste wär, wenn dabey Gesänge vorkämen, die entweder das ganze Volk, oder doch nicht gemiethete Sänger, sondern aus gewissen Ständen dazu ernannte, und durch die

Wahl geehrte Bürger anstimmten. [...] Aber unser durch subtiles und alles zergliederndes Nachdenken sich von der Einfalt der Natur und der geraden Richtung der durch keine Vernunftschlüsse verfeinerten Empfindung, entfernende Geschmak, überläßt dergleichen Feste den noch halb wilden, aber eben darum mehr Nationalgeist besizenden Völkern. Es ist zum Theil dem Mangel solcher feyerlichen Anwendungen der Musik zuzuschreiben, daß man gegenwärtig die großen Würkungen nicht mehr begreifen kann, welche die Musik der Griechen, nach dem so einstimmigen Zeugnis so vieler Schriftsteller, gethan hat.

Drittens kann die Musik bey dem öffentlichen Gottesdienst sehr vortheilhaft angewendet werden, und ist auch von alten Zeiten her dazu angewandt worden. Aber – wir können es nicht verheelen – in den protestantischen Kirchen, geschiehet es meistentheils auf eine armseelige Weise. Schon einige der wichtigsten geistlichen Feyerlichkeiten, haben den Charakter öffentlicher, das ganze Volk in einer unzertrennlichen Masse intereßirender Feste, verlohren; jeder sieht dabey nur auf sich selbst, als wenn sie nur für ihn allein wären, und dieses Kleinfügige herrscht auch nur gar zu ofte in der Kirchenmusik, und in der dazu dienenden geistlichen Poesie. Dadurch wird sie ofte zur Schande unsers Geschmaks, zu einer beynahe theatralischen Lustbarkeit, und ofte, wo es noch recht wol geht, zu einer Andachtsübung, wie die sind, die jeder für sich vornehmen kann. Wir haben aber über die Kirchenmusik, und einige besondere Arten derselben, in eigenen Artikeln gesprochen.[105]

Dieses sind die verschiedenen Gelegenheiten, da die Musik zu öffentlichem Behuf kann angewendet werden. Daß wir die theatralische Musik nicht dahin rechnen, kommt daher, daß die Schauspiele selbst, wie schon anderswo erinnert worden, den Charakter öffentlicher Veranstalltungen verlohren haben. Man besucht sie zum Zeitvertreib, oder allenfalls um sich blos für sich selbst jeder nach seinem besondern Geschmak zu ergözen, und ohne seine Empfindungen aus der Masse des vereinigten Eindruks zu verstärken, ohne Eindrüke zu erwarten, die auf das Allgemeine des gesellschaftlichen Interesse abziehlen. [...]

Von dem Privatgebrauch der Musik, kommt zuerst die in Betrachtung, die für gesellschaftliche Tänze gemacht wird. Das

was über diese Tänze selbst anderswo gesagt wird,[106] dienet auch den Werth und den Charakter der dazu gehörigen Tonstüke zu bestimmen. Es bestehet eine so natürliche Verbindung zwischen Gesang und Tanz, daß man beyde unzertrennlich vereiniget bey allen noch rohen Völkern antrift, wo die Kunst noch in der Kindheit liegt. Daher läßt sich vermuthen, daß dieses die älteste Anwendung der Musik sey. Sie dienet freylich nicht, wie öffentliche Musik, die großen auf das Allgemeine, oder auf erhabene Gegenstände abziehlenden Kräfte der Seele in Bewegung zu sezen. Aber da die mit übereinstimmender körperlichen Bewegung begleitete Musik lebhaften Eindruk macht, der Tanz aber sehr schiklich ist, mancherley leidenschaftliche und sittlichen Empfindungen zu erweken, so wird diese Gattung der Musik nicht unwichtig, und könnte besonders auch zur Bildung der Gemüther angewendet werden. Es ist auch weder etwas geringes noch etwas so leichtes, als sich mancher einbildet, eine vollkommene Tanzmelodie zu machen. Vollkommen aber wird sie nicht blos dadurch, daß Bewegung, Takt und Rhythmus dem Charakter des Tanzes angemessen sind, sondern auch durch schildernde musikalische Gedanken oder Säze, die die Art und den Grad der Empfindung, die jedem Tanz eigen sind, wol ausdrüken. Darum gehört so viel Genie und Geschmak hiezu, als zu irgend einer andern Gattung.
Hiernächst ist die Anwendung der Kunst auf gesellschaftliche und auf einsam abzusingende Lieder zu betrachten. [...] Die Gesänge, wodurch Orpheus wilden, oder doch sehr rohen Menschen Lust zu einem wolgesitteten Leben gemacht hat, waren nur Lieder, und allem Ansehen nach solche, wo mehr natürliche Annehmlichkeit, als Kunst, herrschte. Ich meinerseits wollte lieber ein schönes Lied, als zehen der künstlichsten Sonaten, oder zwanzig rauschende Concerte gemacht haben. Diese Gattung wird zu sehr vernachläßiget, und es fehlet wenig, daß Tonsezer, die durch Ouvertüren, Concerte, Symphonien, Sonaten und dergleichen, sich einen Namen gemacht haben, nicht um Vergebung bitten, wenn sie sich bis zum Lied, ihrer Meinung nach, erniedriget haben. So sehr verkehrte Begriffe hat mancher von der Anwendung seiner Kunst.
In die lezte Stelle sezen wir die Anwendung der Musik auf Concerte, die blos zum Zeitvertreib und etwa zur Uebung im

Spiehlen angestellt werden. Dazu gehören die Concerte, Symphonien, die Sonaten, die Solo, die insgemein ein lebhaftes und nicht unangenehmes Geräusch, oder ein artiges und unterhaltendes, aber das Herz nicht beschäftigendes Geschwäz vorstellen. Dieses ist aber gerade das Fach, worin ziemlich durchgehends am meisten gearbeitet wird. Es sey ferne, daß wir die Concerte, worin Spiehler sich in dem richtigen und guten Vortrag üben, verwerfen. Aber die Concerte, wo so viel Liebhaber sich zusammen drängen, um sich da unter dem Geräusche der Instrumente der langen Weile, oder dem freyen Herumirren ihrer Phantasie zu überlassen; wo man die Fertigkeit der Spiehler ofte sehr zur Unzeit bewundert — wo man Spiehler und bisweilen auch Sänger durch übel angebrachte *Bravos* von dem wahren Geschmak abführt, und in Tändeleyen verleitet? — doch es ist besser hievon zu schweigen. Denn der Geschmak an solchen Dingen ist vielleicht unwiederruflich, entschieden. Dieses wird freylich manchem Virtuosen beleidigend vorkommen. Da er würklich ein großes Vergnügen an solchen Sachen findet, wird er kaum begreifen, daß nicht jederman dasselbe empfindet. Wir wollen ihm seine Empfindung nicht streitig machen; aber die wahre Quelle desselben wollen wir ihm mit den Worten eines Mannes von großer Urtheilskraft entdeken. „Das Vergnügen, sagt er, welches der Virtuose empfindet, indem er Concerte nach dem bunten heutigen Geschmak, höret, ist nicht jenes natürliche Vergnügen das durch die Melodie oder Harmonie der Töne erweket wird, sondern ein Vergnügen von der Art dessen, das wir empfinden, indem wir die unbegreiflichen Künste der Luftspringer und Seiltänzer sehen, die sehr schweere Sachen machen.“[107]

Doch wollen wir die Sache nicht so weit treiben, wie Plato, der alle Musik, die nicht mit Gesang und Poesie begleitet ist, verwirft.[108] Auch ohne Worte kann sie Würkung thun, ob sie gleich erst alsdenn sich in der größten Würkung zeiget, wenn sie ihre Kraft auf Werke der Dichtkunst anwendet.

Daß die Musik überhaupt alle andern Künste an Lebhaftigkeit der Kraft übertreffe ist bereits angemerkt, auch der Grund davon angezeiget worden. Aber auch blos durch die Erfahrung wird dieses genug bestätiget. Man wird von keiner andern Kunst sehen, daß sie sich der Gemüther so schnell und so unwiederstehlich bemächtige, wie durch die Musik

geschieht. Um der allgewaltigen Würkung der ehemaligen *Päane* der Griechen, oder eines bloßen unordentlichen Freudengeschreyes, nicht zu erwähnen, braucht man nur einmal eine in Poesie, Gesang, Harmonie und Vortrag vollkommene Arie, oder ein solches Duett in einer Oper gehöret zu haben. Indem Salimbeni ein solches Adagio sang, standen einige tausend Zuhörer in einer staunenden Entzükung, als wenn sie versteinert wären. Wir wollen hierüber die Beobachtungen eines der ersten Köpfe unsers Jahrhunderts anführen.
„Da ich sie singen hörte, sagt er, bemächtigte sich allmählig eine nicht zu beschreibende Wollust, meiner ganzen Seele – Bey jedem Worte stellete sich ein Bild in meinem Geiste, oder eine Empfindung in meinem Herzen dar–. Bey den glänzenden Stellen, voll eines starken Ausdruks, wodurch die Unordnung heftiger Leidenschaften gemahlt, und zugleich würklich erregt wird, verlohr sich bey mir die Vorstellung von Musik, Gesang und Nachahmung gänzlich: Ich glaubte die Stimme des Schmerzens, des Zorns, der Verzweiflung selbst zu hören; ich dachte jammernde Mütter, betrogene Verliebte, rasende Tyrannen zu hören, und hatte Mühe bey der großen Erschütterung, die ich fühlte, auf meiner Stelle zu bleiben. – Nein ein solcher Eindruk ist niemals halb; man fühlet ihn entweder gar nicht, oder man wird außer sich gerissen; man bleibet entweder ohne alle Empfindung, oder man empfindet unmäßig; entweder höret man ein blos unverständliches Geräusch, oder man empfindet einen Sturm von Leidenschaft, die uns fortreißt, und dem die Seele zu wiederstehen unvermögend ist.“[109]
Diejenigen, die an den Erzehlungen, von den wunderbaren Würkungen der Musik, die wir bey den alten Schriftstellern antreffen, zweifeln, haben entweder nie eine vollkommene Musik gehört, oder es fehlet ihnen an Empfindung. Man weiß, daß die Lebhaftigkeit der Empfindungen von dem Spiehl der Nerven, und dem schnellen Lauf des Geblüthes herkommet: daß die Musik würklich auf beyde würke, kann gar nicht geläugnet werden. Da sie mit einer Bewegung der Luft verbunden ist, welche die höchst reizbaren Nerven des Gehörs angreift, so würket sie auch auf den Körper, und wie sollte sie dieses nicht thun, da sie selbst die unbelebte Materie, nicht blos dünne Fenster, sondern so gar feste Mauern erschüttert?[110] Warum sollte man also daran zweifeln, daß sie

auf empfindliche Nerven eine Würkung mache, die keine andere Kunst zu thun vermag, oder daß sie vermittelst der Nerven eine zerrüttete fiebrische Bewegung des Geblüthes, in Ordnung bringen könne, und, wie wir in den Schriften der Parisischen Academie der Wissenschaften finden, einen Tonkünstler, von dem Fieber selbst befreyt habe? [...]
Bey diesem augenscheinlichen Vorzug der Musik über andere Künste, muß doch nicht unerinnert gelassen werden, daß ihre Würkung mehr vorübergehend scheinet, als die Würkung andrer Künste. Das was man gesehen, oder vermittelst der Rede vernommen hat, es sey, daß man es gelesen, oder gehört habe, läßt sich eher wieder ins Gedächtnis zurükrufen, als bloße Töne. Darum können die Eindrüke der Mahlerey und Poesie wiederholt werden, wenn man die Werke selbst nicht hat. Also müssen die Werke der Musik, die daurende Eindrüke machen sollen, ofte wiederholt werden. Hingegen, wo es um plözliche Würkung zu thun ist, die nicht fortdaurend seyn darf, da erreicht die Musik den Zwek besser, als alle Mittel die man sonst anwenden könnte.
Aus allen diesen Anmerkungen folget, daß diese göttliche Kunst von der Politik zu Ausführung der wichtigsten Geschäfte, könnte zu Hülfe gerufen werden. Was für ein unbegreiflicher Frevel, daß sie blos, als ein Zeitvertreib müßiger Menschen angesehen wird! Braucht man mehr als dieses, um zu beweisen, daß ein Zeitalter reich an Wissenschaft und mechanischen Künsten, oder an Werken des Wizes, und sehr arm an gesunder Vernunft seyn könne?
Es ist nicht unwahrscheinlich, daß die Musik die älteste aller schönen Künste sey: sie ist mehr, als irgend eine andere, ein unmittelbares Werk der Natur. [...] [S.784–789]

In dem leztverwiechenen Jahrhundert hat die Musik durch Einführung der Opern und der Concerte, einen neuen Schwung bekommen. Man hat angefangen die Künste der Harmonie weiter zu treiben, und mehr melismatische Verziehrungen in den Gesang zu bringen. Dadurch ist allmählig die sogenannte galante, oder freyere und leichtere Schreibart und weit mehr Mannigfaltigkeit der Takte und der Bewegungen in der Musik aufgekommen. Es ist nicht zu leugnen, daß nicht dadurch die melodische Sprache der Leidenschaften ungemein viel gewonnen habe. Auf der andern Seite kann

man aber auch nicht in Abrede seyn, daß von den Verziehrungen und den mehrern Freyheiten in Behandlung der Harmonie nach und nach ein so großer Mißbrauch ist gemacht worden, daß die Musik gegenwärtig in Gefahr steht, gänzlich auszuarten. In dem vorigen Jahrhundert und in den ersten Jahren des gegenwärtigen ist die Reinigkeit des Sazes in Absicht auf die Harmonie und die Regelmäßigkeit der melodischen Fortschreitungen auf das Höchste getrieben worden, und es kann nicht geläugnet werden, daß nicht beydes zu dem ernsthaften Kirchengesang höchst nothwendig sey. Beyde werden gegenwärtig von vielen gering geschäzt, oder gar für unnüze Pedanterey gehalten, wodurch besonders die Kirchenmusik und alle andern Gattungen, wo jeder Schritt des Gesanges ausdrükend und bedeutend seyn soll, ungemein viel leyden. Freylich hat man auch an Feuer, Lebhaftigkeit, und an den mancherley Schattirungen der Empfindung durch die Mannigfaltigkeit der neuern melodischen Erfindung, und selbst durch kluge Uebertretung der strengen harmonischen Regeln, gewonnen. Aber nur große Meister wissen diese Vortheile zu nuzen.
Daß die Musik in den neuern Zeiten, dem schönen und sehr geschmeidigen Genie, und der feinen Empfindsamkeit der Italiäner das meiste zu danken habe, ist keinem Zweifel unterworfen. Aber auch aus Italien ist das meiste, wodurch der wahre Geschmak verdorben worden, vornehmlich der Ueppigkeit der nichts sagenden und blos das Ohr küzelnden Melodien, in die Kunst gekommen. Schwerlich werden die meisten Ausländer, die in vielen Stüken gegen das deutsche Genie unüberwindliche Vorurtheile haben, unsrer Nation das Recht wiederfahren lassen, das ihr in Absicht auf die Musik gebührt. Sie werden nie mit wahrer Freymüthigkeit gestehen, daß unsre Bache, Händel, Graun, Haße in die Classe der Männer gehören, die der heutigen Musik die größte Ehre machen. Händel hat, nicht seine bewundrungswürdige Kunst, sondern blos die Ausbreitung seines Ruhmes, dem Zufall zu danken, daß er durch seinen Aufenthalt in England den Nationalstolz dieser sonderbaren Nation, intereßirt hat: hätte er alles gethan, was er würklich gethan hat, so würde seiner kaum erwähnet werden, wenn blos seine Werke, ohne seine Person nach jenem Lande gekommen wären. Graun, der an Lieblichkeit des Gesanges alle übertrift, und an Rich-

tigkeit und Reichthum der Harmonie, auch genauer Beobachtung aller Regeln, kaum irgend einem andern nachsteht, ist außer Deutschland fast gar nicht bekannt.
Ueber die Theorie der Kunst ist bis izt, wenn man das, was die Richtigkeit und Reinigkeit der Harmonie, und die Regeln der Modulation betrift, ausnihmt, wenig beträchtliches geschrieben worden. Selbst das, was die Harmonie betrift ist nicht aus zuverläßigen Grundsäzen hergeleitet worden. Das wichtigste Werk über die Theorie wird ohne Zweifel das seyn, was der Berlinische Tonsezer Hr. Kirnberger unternommen hat, wenn erst der zweyte Theil desselben wird an das Licht getreten seyn.[111] [...]

[S.792–793]

Artikel „Sonate"

Ein Instrumentalstük von zwey, drey oder vier auf einander folgenden Theilen von verschiedenem Charakter, das entweder nur eine oder mehrere Hauptstimmen hat, die aber nur einfach besezt sind: nachdem es aus einer oder mehreren gegen einander concertirenden Hauptstimmen besteht, wird es *Sonata a solo, a due, a tré etc.* genennet.
Die Instrumentalmusik hat in keiner Form bequemere Gelegenheit, ihr Vermögen, ohne Worte Empfindungen zu schildern, an den Tag zu legen, als in der Sonate. Die Symphonie, die Ouvertüre, haben einen näher bestimmten Charakter; die Form eines Concertes scheint mehr zur Absicht zu haben, einem geschikten Spieler Gelegenheit zu geben, sich in Begleitung vieler Instrumente hören zu lassen, als zur Schilderung der Leidenschaften angewendet zu werden. Außer diesen und den Tänzen, die auch ihren eigenen Charakter haben, giebt es in der Instrumentalmusik nur noch die Form der Sonate, die alle Charaktere und jeden Ausdruk annihmt. Der Tonsezer kann bey einer Sonate die Absicht haben, in Tönen der Traurigkeit, des Jammers, des Schmerzens, oder der Zärtlichkeit, oder des Vergnügens und der Fröhlichkeit ein Monolog auszudrüken; oder ein empfindsames Gespräch in blos leidenschaftlichen Tönen unter gleichen, oder von einander abstechenden Charakteren zu unterhalten; oder blos heftige, stürmende, oder contrastirende, oder leicht und sanft fortfließende ergözende Gemüthsbewegungen zu schildern.

Freylich haben die wenigsten Tonsezer bey Verfertigung der Sonaten solche Absichten, und am wenigsten die Italiäner, und die, die sich nach ihnen bilden: ein Geräusch von willkührlich auf einander folgenden Tönen, ohne weitere Absicht, als das Ohr unempfindsamer Liebhaber zu vergnügen, phantastische plözliche Uebergänge vom Fröhlichen zum Klagenden, vom Pathetischen zum Tändelnden, ohne daß man begreift, was der Tonsezer damit haben will, charakterisiren die Sonaten der heutigen Italiäner, und wenn die Ausführung derselben die Einbildung einiger hizigen Köpfe beschäftiget, so bleibt doch das Herz und die Empfindungen jedes Zuhörers von Geschmak oder Kenntnis dabey in völliger Ruhe.
Die Möglichkeit, Charakter und Ausdruk in Sonaten zu bringen, beweisen eine Menge leichter und schweerer Claviersonaten unsers Hamburger Bachs. Die mehresten derselben sind so sprechend, daß man nicht Töne, sondern eine verständliche Sprache zu vernehmen glaubt, die unsere Einbildung und Empfindungen in Bewegung sezt, und unterhält. Es gehört unstreitig viel Genie, Wissenschaft, und eine besonders leicht fängliche und harrende Empfindbarkeit dazu, solche Sonaten zu machen. Sie verlangen aber auch einen gefühlvollen Vortrag, den kein Deutsch-Italiäner zu treffen im Stande ist, der aber oft von Kindern getroffen wird, die bey Zeiten an solche Sonaten gewöhnt werden. Die Sonaten eben dieses Verfassers von zwey concertirenden Hauptstimmen, die von einem Baß begleitet werden, sind wahrhafte leidenschaftliche Tongespräche; wer dieses darin nicht zu fühlen oder zu vernehmen glaubt, der bedenke, daß sie nicht allezeit so vorgetragen werden, wie sie sollten. Unter diesen zeichnet sich eine, die ein solches Gespräch zwischen einem Melancholicus und Sanguineus unterhält, und in Nürnberg gestochen ist,[112] so vorzüglich aus, und ist so voller Erfindung und Charakter, daß man sie für ein Meisterstük der guten Instrumentalmusik halten kann. Angehende Tonsezer, die in Sonaten glüklich seyn wollen, müssen sich die Bachischen und andre ihnen ähnlichen zu Mustern nehmen.
Für Instrumentspieler sind Sonaten die gewöhnlichsten und besten Uebungen; auch giebt es deren eine Menge leichter und schweerer für alle Instrumente. Sie haben in der Cammermusik den ersten Rang nach den Singstüken, und können, weil

sie nur einfach besezt sind, auch in der kleinesten musikalischen Gesellschaft ohne viele Umstände vorgetragen werden. Ein einziger Tonkünstler kann mit einer Claviersonate eine ganze Gesellschaft oft besser und würksamer unterhalten, als das größte Concert.
Von Sonaten von zwey Hauptstimmen, mit einem blos begleitenden oder concertirenden Baß, wird im Artikel *Trio*[113] umständlicher gesprochen werden. [S. 1094–1095]

Artikel „Symphonie"

[...]
Man kann die Symphonie mit einem Instrumentalchor vergleichen, so wie die Sonate mit einer Instrumentalcantate. Bey dieser kann die Melodie der Hauptstimme, die nur einfach besezt ist, so beschaffen seyn, daß sie Verzierung verträgt, und oft so gar verlanget. In der Symphonie hingegen, wo jede Stimme mehr wie einfach besezt wird, muß der Gesang den höchsten Nachdruk schon in den vorgeschriebenen Noten enthalten und in keiner Stimme die geringste Verzierung oder Coloratur vertragen können. Es dürfen auch, weil sie nicht wie die Sonate ein Uebungsstük ist, sondern gleich vom Blatt getroffen werden muß, keine Schwierigkeiten darin vorkommen, die nicht von vielen gleich getroffen und deutlich vorgetragen werden können.
Die Symphonie ist zu dem Ausdruk des Großen, des Feyerlichen und Erhabnen vorzüglich geschikt. Ihr Endzwek ist, den Zuhörer zu einer wichtigen Musik vorzubereiten, oder in ein Cammerconcert alle Pracht der Instrumentalmusik aufzubieten. Soll sie diesem Endzwek vollkommen Genüge leisten, und ein mit der Oper oder Kirchenmusik, der sie vorhergeht, verbundener Theil seyn, so muß sie neben dem Ausdruk des Großen und Feyerlichen noch einen Charakter haben, der den Zuhörer in die Gemüthsverfassung sezt, die das folgende Stük im Ganzen verlangt, und sich durch die Schreibart, die sich für die Kirche, oder das Theater schikt, unterscheiden.
Die Kammersymphonie, die ein für sich bestehendes Ganze, das auf keiner folgenden Musik abzielet, ausmacht, erreicht ihren Endzwek nur durch eine volltönige glänzende und feurige Schreibart. Die Allegros der besten Kammersymphonien

enthalten große und kühne Gedanken, freye Behandlung des Sazes, anscheinende Unordnung in der Melodie und Harmonie, stark marquirte Rhythmen von verschiedener Art, kräftige Baßmelodien und Unisoni, concertirende Mittelstimmen, freye Nachahmungen, oft ein Thema, das nach Fugenart behandelt wird, plözliche Uebergänge und Ausschweifungen von einem Ton zum andern, die desto stärker frappiren, je schwächer oft die Verbindung ist, starke Schattirungen des Forte und Piano, und fürnemlich des Crescendo, das, wenn es zugleich bey einer aufsteigenden und an Ausdruk zunehmenden Melodie angebracht wird, von der größten Würkung ist. Hiezu kömmt noch die Kunst, alle Stimmen in und mit einander so zu verbinden, daß ihre Zusammentönung nur eine einzige Melodie hören läßt, die keiner Begleitung fähig ist, sondern wozu jede Stimme nur das Ihrige beyträgt. Ein solches Allegro in der Symphonie ist, was eine pindarische Ode[114] in der Poesie ist, es erhebt und erschüttert, wie diese, die Seele des Zuhörers, und erfodert denselben Geist, dieselbe erhabene Einbildungskraft, und dieselbe Kunstwissenschaft, um darin glüklich zu seyn. Die Allegros in den Symphonien des Niederländers Vanmaldere, die als Muster dieser Gattung der Instrumentalmusik angesehen werden können, haben alle vorhin erwähnten Eigenschaften, und zeugen von der Größe ihres Verfassers, dessen frühzeitiger Tod der Kunst noch viele Meisterstüke dieser Art entrissen hat.
Das Andante oder Largo zwischen dem ersten und lezten Allegro hat zwar keinen so nahe bestimmten Charakter, sondern ist oft von angenehmen, oder pathetischen, oder traurigen Ausdruk; doch muß es eine Schreibart haben, die der Würde der Symphonie gemäß ist, und nicht, wie es zur Mode zu werden scheinet, aus bloßen Tändeleyen bestehen, die, wenn man doch tändeln will, eher in einer Sonate angebracht werden, oder in Symphonien vor komischen Operetten einen guten Plaz haben können. [S. 1122]

Artikel „Trio“

[...]
Das eigentliche Trio hat drey Hauptstimmen, die gegen einander concertiren, und gleichsam ein Gespräch in Tönen unterhalten. Jede Stimme muß dabey intereßirt seyn, und indem

sie die Harmonie ausfüllt, zugleich eine Melodie hören lassen, die in dem Charakter des Ganzen einstimmt, und den Ausdruk befördert. Dies ist eine der schweersten Gattungen der Composition. Nicht diejenigen, die den dreystimmigen Saz[115] allein verstehen, sondern die zugleich alles, was zur Fuge und dem doppelten Contrapunkt gehöret, völlig inne, und daneben einen fließenden und ausdruksvollen Gesang in ihrer Gewalt haben, können darin glüklich seyn.

Es giebt Trios, die im strengen und gebundenen Kirchenstyl gesezt sind, und förmliche Fugen in sich enthalten: Sie bestehen insgemein aus zwey Violinen – und einer Baßstimme, und werden auch Kirchentrios genennet. Diese müssen mehr wie einfach besezt seyn, ohnedem sind sie von keiner Kraft. Die strenge Fuge, die bey feyerlichen Gelegenheiten und stark besezten Musiken, durch das Volltönige, Feyerliche und Einförmige ihrer Fortschreitung alle Menschen rührt, hat in einem Kammertrio, wo jede Stimme nur einfach besezt ist, außer auf den Kenner, dem die Kunst allenthalben willkommen ist, keine Kraft auf den Liebhaber von Gefühl; weil er durch keine Veranstaltung zu großen Empfindungen vorbereitet ist, und weil er blos auf das Einzele des Gesanges aufmerksam ist, der ihm in der Fuge nothwendig ohne Geschmak und Ausdruk vorkommen muß.

Daher erfodert das Kammertrio eine Geschiklichkeit des Tonsezers, die Kunst hinter dem Ausdruk zu verbergen. In den besten Trios dieser Art ist ein sprechender melodischer Saz zum Thema genommen, der wie in der Fuge in den Stimmen abwechselnd, aber mit mehrerer Freyheit, und nur da, wo er von Ausdruk ist, angebracht wird; oder es sind deren zwey oder drey, die oft von entgegengeseztem Ausdruk sind, und gleichsam gegen einander streiten. Singende und jedem Instrument gemäße Begleitung des Thema; freye Nachahmungen; unerwartete und wolklingende Eintritte, indem eine Stimme der andern gleichsam in die Rede fällt; durchgängig ein faßlicher und wolcadenzierter Gesang und Zwischensäze in allen Stimmen, ohne daß eine durch die andere verdunkelt werde; auch wol zur Abwechslung Schwierigkeiten und Passagen von Bedeutung, füllen den übrigen Theil des Stüks aus, und machen das Trio zu einem der angenehmsten Stüke der Cammermusik.

Gute Trios dieser Art sind aber selten, und würden noch seltener seyn, wenn der Tonsezer sich vorsezte, ein vollkommen leidenschaftliches Gespräch unter gleichen, oder gegen einander abstechenden Charakteren in Tönen zu schildern. Hiezu würde noch mehr erfodert werden, als wolklingende Melodien auf eine künstliche und angenehm ins Ohr fallende Art dreystimmig zusammen zu sezen. Nur der, welcher alle einzele Theile der Kunst mit einer fruchtbaren und lebhaften Phantasie verbände, und sich übte, jeden Zug eines Charakters oder einer Leidenschaft in den schildernden Gesprächen eines Heldengedichts, oder eines Drama, oder im Umgange, musikalisch zu empfinden, und in Tönen auszudrüken, würde eines solchen Unternehmens fähig werden, und das Trio zu der höchsten Vollkommenheit erheben.

Eben dieses läßt sich auch auf die uneigentlichen Trios, oder vielmehr dreystimmigen Sonaten von zwey Hauptstimmen mit einem blos begleitenden Baß, anwenden, die übrigens in Ansehung des Sazes wie Duette, die von einem Baß begleitet werden, anzusehen, und denselben Regeln unterworfen sind.[116] Unter diesen giebt es einige, wo die zweyte Stimme der ersten mehrentheils Terzen- oder Sextenweise folgt, oder blos die Stelle einer Mittelstimme vertritt, und in der Bewegung neben den Baß fortschreitet: diese Gattung erfodert einen überaus reizenden und ausdruksvollen Gesang in der Oberstimme, und fremde und künstliche Modulationen im Saz, ohnedem geräth sie ins Langweilige und Abgeschmakte. Niemand, als wer schon weit über die Lehrjahre der Composition hinweg ist, sollt es sich einfallen lassen, Trios zu sezen, es sey in welcher Gattung es wolle; da so gar viel dazu erfodert wird, ein gutes Trio zu machen. Unsere heutige junge Componisten sezen sich über diese Bedenklichkeiten weg. Daher werden wir von Zeit zu Zeit mit so viel schlechten Trios heimgesucht, in welchen ofte nicht einmal der reine dreystimmige Saz beobachtet ist, wo jedes Stük insgemein aus etlichen nichtsbedeutenden Solopassagen, wozu die beyden andern Stimmen eine kahle Begleitung hören lassen, zusammengesezt, und im Ganzen nicht ein Funken von Ausdruk oder Studium angetroffen wird. Welchem Zuhörer der nur die geringste Kunstwissenschaft besizt, muß nicht die Haut schaudern, wenn er hört, daß das Violoncell abwechselnd den Hauptgesang, der gar nichts baßmäßiges hat, führet, und die Violinen den Baß dazu spiehlen? Z. B.

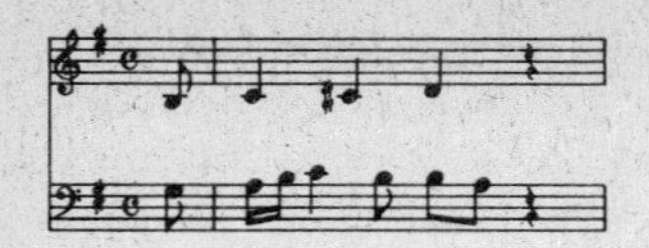

Trio bedeutet auch von zwey Menuetten, die zusammengehören, die zweyte, die dreystimmig gesezt seyn muß, nach welcher die erste, die am besten nur zweystimmig ist, wiederholet wird.[117] [S. 1180–1181]

22. Johann Friedrich Reichardt, Briefe eines aufmerksamen Reisenden die Musik betreffend. An seine Freunde geschrieben, Teil 1, Frankfurt (Main)/Leipzig 1774 (Neudruck: Hildesheim o. J.)

Erster Brief.
An den Herrn Sch. Kr.[118] *Berlin.*

[...] Kaum war ich in dieser schönen Königsstadt[119] angelanget, den begierigen Blick – der von einem Gegenstande zum andern flieht, und alles, was er bestreicht, verschlingen will – auf die vielen Schönheiten geheftet, hatte ich noch keinen Gedanken ganz ausgedacht, als ich erfuhr: über zwey Stunden gienge die Oper an, und zwar eine Haßische Oper. Muß ichs Ihnen noch sagen, daß ich weder an schöne Gebäude[120], noch irgend etwas anders[121] mehr dachte, sondern nach dem ich unsern gemeinschaftlichen Freund S.[122] umarmet hatte, sogleich nach dem Opernhause eilete? Es währete fast zwey Stunden, ehe die Oper sich anfieng, die ich aber auf keine Weise verlor, sondern mit der Besichtigung der innern Einrichtung dieses schönen und erhabenen Gebäudes zubrachte. Ernste Majestät ist der Charakter dieses Musters des edelsten Geschmacks in der Baukunst.
Plötzlich wurde ich durch eine von oben herabfallende kriegerische Musik aufgeschreckt; ich suchte sie zuerst in den an dem Vorhange des Theaters angebrachten Seiten-Nischen; sie waren aber nicht so poetisch gestellt, sondern standen in den dem Theater nächsten Bogen der obersten Reihe. Ich habe immer sagen hören, daß die Musik bey angehender

Schlacht sehr verwirrt und unharmonisch klingen soll: – denn die Furcht macht Hände und Lippen beben – diese Musik schien man hier nachzuahmen. Es währete aber nicht lange, und nun folgte eine schöne und feurige Symphonie vom verstorbnen Concertmeister Graun;[123] von welcher aber nur der erste Satz gespielet wurde. Der Vorhang ward aufgezogen, und man sahe die künstlichste und prächtigste Decoration von der Meisterhand des Turinischen Künstlers Herrn Gagliari. Aber nicht lange sahe ich darnach: denn nun fesselten mich Töne, die mich ganz zu sich hinzogen und lauter Ohr seyn machten. Es war die erste Haßische Oper, die ich vorstellen sahe, obzwar ich sie alle durch Lesung der Partituren und durch die Vergleichung derselben mit den Graunischen genau kenne. Ich will hier nicht die Schönheiten dieser Oper zergliedern, um nicht gar zu weitläuftig zu werden, sondern Ihnen nur sagen, daß sie die allerlebhafteste Wirkung auf mich that: und als einen unstreitigen Beweis der allgemeinen Wirkung bemerkte ich, daß sich fast jeder Zuhörer einige Gedanken gemerket hatte, welche beym Ausgange fast allgemein gesungen wurden. Es ist dieses eine untrügliche Probe, daß, wenn ein *Gesang* auch auf den, der nicht Kunstverständiger ist, Eindruck macht und ihm im Gedächtnisse bleibt, daß dieser *natürlich* und *ungezwungen* ist. Solchen Gesang hat Haße nicht allein, Graun und andere mehr haben ihn auch. Aber etwas, das ich allein bey Haßen gefunden habe, ist dieses: man kann den Gedanken, der einmal Eindruck gemacht hat, nie wieder vergessen. Worinn liegt die Ursache hievon? Mich dünkt hierinn: daß dieser Gedanke dem Punkte der Handlung, wo er steht, und dem Charakter der Person, die ihn singt, so vollkommen angemessen ist, daß er uns zugleich die Handlung und die Person bey jedem male, daß wir ihn denken oder singen, mit vorstellt. Hiedurch wird nun dieser Gedanke bey jeder Wiederholung immer tiefer in unser Herz gegraben, und wer kann ihn dann vergessen? Ich sage Ihnen itzt nichts mehr von der Composition dieses grossen Meisters, weil ich hernach versuchen will, *einen Vergleich* zwischen ihm und dem unsterblichen Graun anzustellen.

Wie soll ich Ihnen aber die entzückenden Töne einer Schmähling[124] und eines Conciolini beschreiben? Alles, was ich Ihnen sagen könnte, würde immer die Empfindung, die sie mir bey dem ersten male, daß ich sie hörte, eingeflösset, sehr unvollkommen ausdrücken. In Ansehung des grossen Umfanges ihrer Stimme, ihrer Leichtigkeit und Fertigkeit könnte man von ihr sagen, was der Verfasser eines sehr schönen Werkes von Voltaire sagt: *Es ist eine reisende Schwalbe, die mit Artigkeit und Leichtigkeit die Fläche eines breiten Flusses bestreicht, im Fluge trinkt und sich badet.* Ihr Gesang aber ist auch oft ausdrückend und rührend, wiewohl sie hierinnen von Conciolini übertroffen wird, dessen Gesang lauter schmelzende Zärtlichkeit ist. Porporino, der einen schönen und seltenen Contrealt singt, zeigte sich bey einem sehr guten Vortrage im Singen, auch als einen vollkommenen Akteur. Ein Verdienst, welches man so sehr selten bey Sängern und Sängerinnen antrift.

Das Orchester spielte sehr gleich, und oft mit vielem Nachdrucke; man erkennet an der seltenen Uebereinstimmung im Vortrage, daß sie fast alle aus der Schule unsers grossen Bendas und Grauns sind. Wenn ich aber ganz nach meinem Gefühle sprechen soll, so habe ich nicht genugsame Genauigkeit in Ansehung des Fortes und Pianos gefunden.

Ich muß mich hierüber deutlicher erklären.

Zur vollkommenen Genauigkeit in Ansehung des Fortes und Pianos ist nicht genug, daß man die Ritornells stark, und da, wo die Singstimme anfängt, schwach spiele: Dieses geschieht hier vollkommen gut; aber die feineren Grade des Starken und Schwachen vermißt man. Das Forte und Piano ist beydes im Adagio sehr von dem im Allegro unterschieden. Eben so wie sich der Mahler eines sehr verschiedenen Grades von Schatten und Licht bey der Vorstellung einer sanften oder traurigen Handlung, und bey einem fröhlichen Gastmahl oder bey einer wilden Schlacht bedienet. Jeder von jenen Graden hat wieder bey dem Steigen und Fallen der Singestimme seine besondern Grade. Die Bedeutung jedes Stückes, die Situation der handelnden Person, ja selbst die natürliche Stimme jedes Sängers, und so gar der Ton, aus dem die Arie geht, muß aufs genaueste erwogen werden. Hiezu gehöret aber das richtige und überaus feine Gefühl, und der unermüdete Fleiß eines Pißhändels[125], der zur grossen Bewunderung Haßens nie die Bewegung einer Arie verfehlete, und der sich die fast unglaubliche Mühe gab, zu jeder Oper, zu jedem Kirchen-Stücke, so unter ihm aufgeführt wurde, über alle

Stimmen das Forte und Piano, seine verschiedenen Grade, und selbst jeden einzelnen Bogenstrich vorzuschreiben, so daß bey der sehr gut gewählten Capelle, die zu der Zeit der Dresdener Hof hatte, nothwendig die allervollkommenste Ordnung und Genauigkeit herrschen mußte.

Von dem Anwachsen und Verschwinden[126] eines langen Tones oder auch vieler auf einander folgender Töne, welches, wenn ich mich so ausdrücken darf, die ganze Schattirung einer hellen oder dunkeln Farbe durchgehet, und welches in Mannheim[127] so meisterhaft ausgeführet wird, von diesem will ich hier gar nicht reden: denn Haße und Graun haben sich dessen niemals bedient. Woher? Das habe ich noch nicht ergrübeln können. Weshalb sie sich aber nicht des itzt so sehr zur Mode gewordenen schnell auf einander folgenden Fortes und Pianos, wo oft eine Note um die andere stark oder schwach ist, – woher sie sich dessen nicht bedient haben, kann ich mir sehr wohl aus ihrem richtigen Gefühle und feinem Geschmacke erklären. [...] [S. 2–12]

Die Woche darauf wurde eine Graunische Oper[128] aufgeführt; sie hatte sehr viel Angenehmes und Gefälliges, that aber nicht die Wirkung der Haßischen, obgleich sie fleißiger gearbeitet war, und noch besser vorgestellet wurde. Herr Agricola, der itzt die Stelle des verstorbenen Capellmeister Grauns vertritt, hatte besonders für die Kehle der Madame Schmähling eine meisterhafte Arie gemacht, und für den Herrn Conciolini hatte man eine überaus rührende Arie[129] aus der Haßischen Composition derselben Oper genommen. Beyde zeigten ihre ganze Stärke darinnen. Es waren dieser Oper auch einige Arien von der Composition des *grossen und erhabenen Verfassers der Brandenburgischen Geschichte*[130] einverleibet, unter denen eine wirklich einen hohen Geist verrieth.

Woher kam es aber bey allem diesem, daß diese Oper weniger *Effekt* that, als die Haßische?

Mich dünkt: Es war im Haße *mehr Kühnheit und Stärke im Ausdrucke, mehr Mannigfaltigkeit im Gesange,* und *mehr Klugheit wiewohl weniger Arbeit in der Begleitung.* Da dieses, meiner Meynung nach, bey allen theatralischen Arbeiten Haßens die Unterscheidungszeichen von Grauns seinen sind; so verdienen sie wohl genauer untersucht zu werden.

Wenn man sich die Mühe giebt, die Composition Haßens und Grauns von einer und derselben Oper gegen einander zu halten; so wird man finden, daß Graun in dem Ausdrucke der starken Leidenschaften, z. E. Stolz, Haß, Zorn, Wuth, Verzweifelung u.s.w. jederzeit von Haßen übertroffen wird; da er hingegen im Sanften und Rührenden jederzeit Haßen übertrift. Haße behält selbst in der Klage und in der Betrübniß einen gewissen hohen Schwung, der ihm ganz eigen ist, und kann sich nie zu der ganz einfachen, ungekünstelten Klage oder Zärtlichkeit herablassen. Graun hingegen ist in solchem Gesange so simpel und zugleich so rührend, daß ein jeder gerührter Zuhörer – und wer wird bey ihm nicht bis zu Thränen gerührt – daß ein jeder glaubt, er singe selbst, sein eigner Antheil, den er an der Betrübniß der handelnden Person nimmt, gebe ihm die Töne ein. Es scheint sich hierinnen der wahre Charakter dieser beyden grossen Männer zu mahlen: denn alle, die sie beyde lange und genau gekannt haben, sind darüber einige, daß Haße jederzeit ein hitziger Mann, in seiner Jugend ein feuriger Liebhaber war; Graun hingegen war der leutseligste Mann, der zärtlichste Freund. Haße hat eine lebhaftere und feurigere Einbildungskraft: man sieht aus den mehresten seiner Arbeiten, daß er bey dem Componiren mehr Akteur war, als Graun, sich lebhafter in die Situation seines Helden versetzte, dessen Schmerz, dessen Zorn, dessen Verzweifelung er nun in Töne übertragen sollte. [...]

[S.15–18]

[...] allein ausser dem, daß ein jeder Componist seine besondere Manier[131] zu arbeiten hat, so dachte Haße beständig an den *Effekt,*[132] und diesem widmete er unermüdeten Fleiß, und opferte ihm alles auf, was mit Beybehaltung des guten Geschmacks und richtiger Harmonie nur möglich war. Hiezu kommen nun noch eine Menge Ihrer Lebensumstände, die man alle genau untersuchen muß, wenn man Graunen nicht bey der Vergleichung mit Haßen unrecht thun will. Denn wiewohl es unstreitig ist, daß sie, beyde Genies, doch aber sehr in ihrem Genie verschieden sind; so sind dennoch viele Umstände zum Nachtheil Grauns in Ansehung seiner Theater-Composition zu erwägen, mit welchen ich Sie so viel mir möglich bekannt machen will.
Haße ward fast mit seinen ersten Arbeiten in Italien bekannt,

und wurde bald geschätzt, welches ihn nicht wenig aufmunterte; und wie viel mußte hiezu nicht hernach die Liebe seiner jetzigen Gemahlin, der Signora Faustina, dazumal einer der ersten Sängerinnen in Italien, wie viel mußte die nicht dazu beytragen! Da er nach Dresden kam, fand er da den prächtigsten Hof, den dazumal vielleicht ganz Europa hatte; genoß da einer grossen Belohnung und noch grössern Ehre. Er arbeitete frey; und durch keines Geschmack oder Willen gebunden schrieb er, wie er fühlte und wie er wollte. Schwierigkeiten für Sänger und Orchester durfte er nicht scheuen, denn er konnte sich auf sie alle verlassen. Dabey hatte er auch das stolze, Geisterhebende Vergnügen, seine Arbeiten in Italien und fast bey allen Höfen Deutschlands mit eben demselben Beyfall wie in Dresden aufgeführet zu wissen. Und so schrieb er mehr für alle seine Zeitgenossen, als für einen König.

Graun hingegen, weniger allgemein bekannt, arbeitete blos nach dem Geschmacke seines Königes; was diesem nicht gefiel, wurde ausgestrichen, wenn es auch gleich das beste Stück in der Oper war: denn gewissermaßen einförmig und eigensinnig in seinem Geschmacke gestattete er Graunen keine Freyheiten und Abwechselungen in seinen Opern, die doch zu einer angenehmen 3 Stunden langen Unterhaltung und auch oft zur Lebhaftigkeit der Vorstellung höchst nöthig sind; ja, was das allerbesonderste war, die der König an Haßen jederzeit mit vielem Vergnügen billigte. Was den Sänger und das Orchester anbelangt, so haben die größten Kenner, die beyde kannten, so sehr gut auch das Berliner jederzeit gewesen, doch immer dem Dresdener unter der Anführung des berühmten Concertmeisters Pißhändel den Vorzug gegeben. Was nun auch für Graun sehr niederschlagend seyn mußte, war dieses, daß er die Haßischen Opern an dem Hofe seines eigenen Königes mit grossem und oft grössern Beyfall, als die seinigen aufführen sahe. Und dennoch mußte er in vielen Stücken sich hüten, mit Haßen übereinzutreffen. Wenn man nun zu allen diesen Umständen noch einen Unterschied in den Genien dieser beyden grossen Männer annimmt, wird man da noch zu fragen haben, woher es kömmt, daß Haße mehr *Kühnheit und Feuer in seinem Ausdrucke* hat?

Aber auch *mannigfaltiger im Gesange* ist Haße. Hiezu kommen wieder Umstände, die da machen, daß man Haßen nicht *ganz* gerade zu mehr Erfindungskraft zuschreiben kann, als Graunen. Haße gieng sehr oft nach Italien, hörte dort jederzeit neue Werke, aus denen er, gleich der weisen Biene aus Blüthen und Blumen, den besten Saft zog, und daraus, gleich dieser, eine süsse Kost bereitete, die man mit Freuden genießt, ohne sich nach den Feldern und Blumen zu erkundigen, aus denen sie bereitet ist. Denn wenn man die Opern genau durchsieht, die zu der Zeit in Italien geschrieben und aufgeführt worden, so findet man ganze Stellen, ja ganze ähnliche Sätze, die Haße in seinen Opern gebraucht und besser als jene gebraucht hat. Denn da er sich von ihnen diesen oder jenen Gesang merkte, so bemerkte er auch zugleich mit grossem Scharfsinn, was daran zu tadeln war, dieses hernach verbessert, brauchte er ihn vollkommen gut, und hatte ihn sich dadurch gleichsam zu eigen gemacht. Graun hatte dieses Glück nicht; fast beständig an *Einem* Orte, studirte er zwar die besten Werke, aber man weiß, wie sehr bey der Musik *Hören* und *Lesen* verschieden ist; besonders in Absicht auf den Gesang, und noch mehr in Absicht auf die Wirkung. Graun konnte sich dadurch wohl zu einem der größten Harmonisten unsrer Zeit bilden, und das hat er gethan; aber zu den theatralischen Arbeiten schaft dieses nicht viel mehr Nutzen, als es dem Landschaftsmahler nutzt, die Architektur vollkommen zu verstehen. Es vergnügt uns freylich, in einer Vertiefung einen schönen Tempel zu erblicken, oder auf einem steilen Felsen, unter dessen Fuß sich ein rauschender Strom fortwelzt, das Schloß eines alten deutschen Fürsten zu sehen; aber wenn er darüber die Fluren und Thäler und Hügel und Wälder und den darüber hangenden Himmel vernachläßiget, dann wissen wir ihm wenig Dank für jene schönen Gebäude, die nur zum Contrast der lachenden Natur da stehen sollten; jetzt aber die Natur verdunkeln und öde machen. [S. 20–26]

Sechster Brief.
An Herrn R in K**[133]

[...] Ich habe diesen grossen Mann [C. Ph. E. Bach] heute von einer neuen Seite kennen gelernet, und ich bin mit neuer Hochachtung für ihn erfüllt worden. Man führte nemlich in der Petri Kirche[134] eine Paßion[135] von ihm auf, deren Charakter *Originalität, passender starker und neuer Ausdruck, anhaltende Stärke und heftiges Feuer war.* Man erkennt Bachs Original-Geist an allen seinen Werken, auch an den kleinsten Stücken; alle tragen den Stempel der Originalität; und alle sind unter hundert andern Stücken kenntlich, wiewohl in jedem Erfindung und Neuheit ist. Nirgend aber hat sich sein unerschöpflicher Geist so sehr ausgebreitet, als hier. In jedem Recitativ, in jeder Arie, in jedem Chor ist Erfindung und Neuheit, sowohl in der Harmonie als im Gesange. Und nichts unedles in allem. Es ist alles — bis auf eine geschwinde Arie, deren spielender Witz sich wohl nicht recht zur Kirche schicken möchte — ist alles edel, groß, und im erhabensten Kirchenstile; und alles ihm eigen. [S. 111—112]

Der Ausdruck in dieser meisterhaften Paßion war die mehreste Zeit so passend und stark, und dabey neu, daß dieses als ein besonderer und untrüglicher Beweis für das Originalgenie des Herrn Bachs gelten kann; wie er nemlich seine neuen und fremden Gedanken nicht mühsam sucht und weit herholt, sondern wie sie von selbst aus seiner Seele entspringen. Denn wenn der Singecomponist zu den Worten, die er vor sich hat, mit Gewalt einen neuen Ausdruck erzwingen will, und einem fremden Gedanken dazu nachgrübelt, so gehet gewiß die mehreste Zeit das Passende des Ausdrucks verlohren, und man siehet dem Gedanken, besonders wenn die Worte dazu gesungen werden, das Aengstliche und Gesuchte an. Dieses war aber hier bey Herrn Bach gar nicht der Fall; sondern ich bemerkte vielmehr, daß die Ursache der überaus seltenen Stärke, die in manchem Ausdruck war, und die viele Leute mehr in Bewunderung setzte, als daß sie es recht fühlten, daß diese blos darinnen liege, daß Herr Bach vieles weit stärker und lebhafter bey der Arbeit empfunden habe, als die mehresten Menschen im Stande sind, nach zu empfinden. Hiezu gehört gewissermassen, daß man sich in dieselbe Begeisterung zu versetzen suchen muß, in der der Componist sich bey der Arbeit befand; wozu aber nothwendig ist, daß man sich vorher auch als Zuhörer zu einem solchen Stücke zubereite; sich von der Wichtigkeit der Sache, die nun abgehandelt werden soll, überzeuge, gleich dem Componisten, ehe er zu arbeiten anfängt, und daß man sich auch gleich ihm vor aller Zerstreuung während dem Stücke hüte. Denn wenn

man nur einen Satz nicht mit derselben Aufmerksamkeit angehört hat, als die übrigen, so kann man schon nicht mehr das Werk als ein ganzes beurtheilen. Ich aber, als Zuhörer, ganz in mich und in dem Stücke versenket, habe es auch, als ganzes betrachtet, schön und vortreflich gefunden. Nach den Empfindungen und Meynungen der mehresten müßte ich nun, es aus dem Gesichtspunkte betrachtet, das davon sagen, was so viele von Young gesagt haben: Der Einzige Fehler an ihm wäre nemlich dieser, daß er ohne alle Abwechselung gar zu anhaltend und einförmig in der Stärke seiner Gedanken wäre; der Leser würde dadurch ermüdet; er wäre nicht im Stande, mehr auf einmal zu lesen, als höchstens Young im Stande war, in einer Nacht zu schreiben und zu denken. Das letzte ist falsch: denn Young hat gewiß hundertmal mehr über jeden Gegenstand gedacht, als da im Buche stehet, und als sich die mehresten Leser dabey denken. Freylich werden diese aber auch wohl wieder so gerecht seyn, und ihm ein eben so grosses Uebermaaß an Stärke der Seele und Scharfsinn zugestehen; Sie werden es auch gestehen, daß wir Deutsche nur einen Ebert kennen, der ihm hat nachdenken, oder sich vielmehr ganz in ihn hat hinein denken können.
Das heftige Feuer, so durch das Werk flammt, kann ich Ihnen gar nicht mit Worten beschreiben; Ich wurde zuweilen bis zur Wuth erhitzt; und der Ausdruck des Schmerzes und der Klage war eben so heftig und stark.
Von der Vortreflichkeit in Ansehung der Harmonie darf ich Ihnen nichts sagen; Sie kennen diesen grossen Meister schon zu gut, als daß Sie der Zergliederung einzelner Schönheiten dieses Werkes bedürfen, um ihn für einen vollkommenen Meister der Harmonie zu halten; allein so viel muß ich Ihnen davon sagen: einen Reichthum an neuen, grossen und erhabenen Zügen, und Modulationen würden Sie darinn finden, der vielleicht in keinem andern musikalischen Werke anzutreffen wäre.
Hätten Sie doch dieses grosse Meisterstück selbst hören können! Vielleicht habe ich bald das Glück, selbst bey dem Meister desselben zu seyn; und ihn auch in seiner praktischen Kunst ganz kennen zu lernen. Dann nehmen Sie es mir nicht übel, wenn Sie den ersten Platz in meinem Register von Clavierspielern verlieren: aber der Platz in meinem Herzen, der soll Ihnen ewig bleiben. [S.121–125]

Neunter Brief.
An den Herrn C. V. in M.[136]
Potsdam.

Endlich habe ich das längstgewünschte Glück gehabt, den Herrn Concertmeister Benda, den wir beyde so sehr verehren, persönlich kennen zu lernen. [...] Es ist wahr, die ächte Bendaische Spielart hat ganz etwas eigenes. Ihr Hauptcharakter ist: Adel, Annehmlichkeit, und äusserst rührend. Jenes eigene bestehet nun aber in der Führung des Bogens, welcher nicht nur recht lang und langsam auf und nieder geht, wie es die mehresten thun, die da glauben, im Bendaischen Geschmack ihr Adagio zu spielen. Der besondere Nachdruck, mit dem zuweilen eine Note herausgehoben wird; das stets vor Augen habende Verhältniß der Stärke und Schwäche nach der Höhe und Tiefe der Noten, in Vergleichung des Schattens und Lichts in der Mahlerey; die mäßigen, und mit edler Wahl gewählten Verzierungen, die nie die Kehle des Sängers übersteigen; ich meyne, daß man in einem Adagio keine Verzierungen mehr, und auch keine andere anbringen darf, als es dem guten Sänger in der Arie erlaubt ist; und endlich einige äusserst bedeutende Nachläßigkeiten in dem Zeitmasse der Noten, die dem Gesange das Gezwungene benehmen, und den Gedanken mehr dem Spieler eigen machen, daß er gleichsam scheint der eigene Ausdruck von der Empfindung des Solospielers selbst zu seyn; alles dieses bestimmt gewissermassen den Charakter des Bendaischen Adagios. Wenn man nun da eins dagegen hört, wo in jedem Tackt tausend Noten zu stehen kommen, wo kein Achtel Achtel bleibt, sondern so viel mal als möglich verdoppelt wird; wo also kein einziger edler Zug des Bogens gehört wird, und wo das Ohr des Zuhörers wohl hinlänglich ausgefüllt wird, das Herz aber völlig leer bleibt, dahingegen bey jenem der Zuhörer in die zärtlichste Empfindung versetzt, und oft zu Thränen gerührt wird – welch ein himmelweiter Unterschied! – Und wenn mich gleich jener in dem vorhergegangenen *Allegro* durch die größten Schwierigkeiten in Verwunderung gesetzt hat, und ich höre nun ein Adagio, und in diesem ganz und gar den wahren Endzweck verfehlen, muß ich da nicht jenem Meister, jenem Herzensbezwinger ganz allein meine Liebe schenken?[...] [S. 161–163]

Nun soll ich Ihnen doch auch wohl sagen, wie mir der *grosse Friedrich* als Virtuose auf seiner Flöte gefallen hat? Und das kann ich Ihnen ganz ungeheuchelt mit zwey Worten sagen: *im Adagio vollkommen gut, und im Allegro gar nicht.* Das *Adagio* spielt er mit sehr vieler Empfindung und starkem Ausdrucke. Das Tragen des Tones, die Feinheit in dem Gebrauche der Stärke und Schwäche, Manieren, die dem Adagio vollkommen angemessen sind, alles alles ist *Bendaisch* in seinem Adagio; seine *Cadenzen* sind schön und jederzeit dem Stücke angemessen. Er verdient sich hierinnen auch recht oft das *Bravo* und *Bravißimo* des Herrn Concertmeisters Benda. Das *Allegro* aber spielt er ohne Feuer, die geschwinden Noten trägt er matt und schleppend vor, und die langsamen ohne den gehörigen Nachdruck, der das Allegro auch hierinnen von dem Adagio unterscheiden muß. Ich hatte mir zwar vorgenommen, in meinen Briefen nichts zu tadeln, was eine Person allein beträfe, und nur das Lobenswürdige zum Inhalte meiner Briefe zu machen; theils um nichts überflüßiges in meinen Briefen zu haben, theils aber auch um allen Argwohn des Neides von mir abzulehnen, von dem ich, dem Himmel sey Dank, vollkommen frey bin. Allein, an einem Könige die Fehler einer Kunst zu tadeln, dieses kann nun wohl so leicht keiner für Neid erklären; wohl aber kann man daraus ersehen, daß auch nicht Furchtsamkeit die Ursache ist, weshalb ich mich des Tadels enthalte. [S. 170–172]

Zehnter Brief.
An den Herrn C. V.[137]
Potsdam.

So schön auch Potsdam in Ansehung der Bauart[138] und selbst in seinen Gegenden ist,[139] so wünschte ich, der todten Ungeselligkeit[140] wegen, die da herrschet, doch nicht da zu leben, wäre es nicht auch der Wohnsitz des Herrn Concertmeisters Benda. Nun aber wünsche ich es, ohne an die Schönheit der Gebäude und Gegenden zu denken. [...]
Sans Souci[141] und das *neue Schloß*[142] sind die Sommer-Aufenthalte des Königes. Dort hörte ich die Cammermusik, und in dieser nicht nur den König, sondern auch einen sehr angenehmen und gefälligen Sänger, Sign. Colli; ein junger Castrate, den der König seiner reinen sanften Stimme wegen,

und auch wegen seiner hübschen Gestalt sehr wohl leiden kann, und täglich bey der Cammermusik hört. Auch muß ich hier eines grossen Virtuosen auf dem Violoncell gedenken. Es ist Mons. Duport, der sich bisher in Paris aufgehalten, der aber jetzt bey dem Könige zur Oper und Cammermusik, und bey dem Prinzen von Preussen[143] als Lehrmeister Sr. Königl. Hoheit engagirt ist. Seine Geschwindigkeit der Finger, Mannigfaltigkeit und Leichtigkeit des Bogens, und in beyden die vollkommenste Sicherheit, ist unbeschreiblich. Sein Ton ist durch das Instrument rein, angenehm, und völlig gleich; er mag in der äussersten oder in der alleräussersten Höhe spielen.[...]

Der König blies wie gewöhnlich Quanzische Concerte. Wie mir sein Spielen gefallen hat, habe ich Ihnen im vorigen Briefe schon gesagt; ich nehme hier nur noch Gelegenheit, von den Arbeiten des Herrn Quanz zu sprechen, über die Herr Burney so in den Tag hinein geredet hat, ohne etwas mehr davon zu kennen, als die 3 Concerte, die er den Tag in der Cammermusik gehört hat. Und wie wenig er davon recht ordentlich bemerkt haben kann, das kann sich wohl aus seiner Unruhe erklären. Denn wie ich mir nicht anders vorstellen kann, so muß der Mann, der schon in Entzücken geräth, wenn ihm die Gräfin Thun ein Compliment macht, oder der Graf Sacken zu Tische behält, der muß jetzt, da er sich im Vorzimmer des Königs von Preussen weiß, und ihn blasen hört, ganz ausser sich gewesen seyn. Ach über den *Engländer*!

Quanz hat 300 Concerte geschrieben, und alle für einen König geschrieben. Kann es nun wohl fehlen, daß sich auf den ersten Anblick viele ähnlich zu seyn scheinen? Man untersuche sie aber nur genau, so wird man überall Verschiedenheit finden, und man wird erstaunen müssen, über die Erfindung und über das unerschöpfliche Genie dieses Mannes. Und in Ansehung des Fleisses, der Schönheit, der Harmonie und der Anlage und Ausführung jedes Satzes, wer übertrift ihn hierinnen wohl?

Seine Partituren sind alle vollkommen korrekt, und nicht nur diese Richtigkeit ist es, so man an seinen Harmonien bewundern muß, sondern die Verschiedenheit, die Mannigfaltigkeit, die selbst darinnen herrscht. Und wenn man nun die Anlage jedes einzelnen Satzes betrachtet, erst das Thema recht übersieht, hernach bemerkt, wie vortreflich dieses geführt wird, und wie alles übrige in diesem Thema schon enthalten ist; dann sieht man, mit wie vieler Ueberlegung und Sorgfalt Quanz jeden Satz überdacht hat, und nicht so, wie die mehresten neuen Componisten, hingeschrieben, was ihm auf einmal eingefallen ist. Was die bekannten Figuren anbelangt, so war es gar nicht anders möglich, als daß in vielen Aehnlichkeit seyn mußte: denn er mußte sich ja beständig nach der Fertigkeit und selbst nach dem Willen des Königes richten, und war also gezwungen, ihm seine Lieblings-Figuren oft anzubringen. In Ansehung der Begleitung hat er sich eine neue Manier gemacht, die er nemlich die Stimmen nicht immer in voller Harmonie begleiten läßt, sondern oft nur den Baß allein, oder auch die Violinen allein im *Unisono* gehen läßt; er vertheilt alsdann die Harmonie in die einzelnen durchgehenden Noten, und macht, daß dadurch die Concertstimme mehr hervorsticht, welches bey der Flöte besonders glücklich angebracht ist. Auch hat er sich in seiner Begleitung des *Scherzare* der Italiäner oft mit sehr gutem Erfolge bedient. Mit einem Worte, Quanz ist, als Instrumental-Componist betrachtet, vor sehr vielen andern zu bewundern, und auch als Schriftsteller und genauer Kenner seines Instruments und verschiedener anderer Instrumente muß man ihn bewundern. Er verdiente der Lehrmeister und Liebling Königs Friedrichs zu seyn; und der Mann, der ihn nicht gehörig hochzuachten weiß, verdient ihn nicht zu kennen.

Ich habe hier in Potsdam auch noch einen sehr geschickten *Virtuosen auf dem Fagotte* kennen gelernt, der auch zugleich ein erfindungsvoller, angenehmer Componist ist, und – welche Seltenheit! – bey der allergalantesten Schreibart auch den Satz versteht. Es ist Herr Eichner. Sein Ton ist voll und angenehm, und ohnerachtet er im Stande ist, grosse Schwierigkeiten auf seinem Instrumente zu machen, so bleibt er doch hauptsächlich bey dem singbaren und gefälligen, welches dem Instrumente eigentlich angemessen ist. [...]

[S. 173–182]

23. Johann Friedrich Reichardt, Ueber die Deutsche comische Oper nebst einem Anhange eines freundschaftlichen Briefes über die musikalische Poesie, Hamburg 1774 (Neudruck: München 1974)

[…]

Anhang eines freundschaftlichen Briefes
über die musikalische Poesie.
An Herrn Kr. B. in M.[144]

[…]

[…] Der musikalische Dichter darf sich der Bilder und der Malereyen nicht gänzlich enthalten, nur muß er sehr behutsam damit umgehen. Er muß nicht eher malen, als bis es die Situation oder die Empfindung der handelnden Person erfordert, und gerade zu Anlaß dazu giebt; und es also zum Ausdrucke oder auch Verstärkung derselben nothwendig ist: denn Sachen sind nicht für den Musiker, aber wohl die Empfindung, die sie ausdrücken. Herr Krause, als ein Verehrer von Telemann, mit allen seinen Fehlern sowohl, als seinen Verdiensten, ist in seiner Abhandlung von der musikalischen Poesie[145] zu nachsichtig für die Malereyen, ja er scheint selbst dafür eingenommen zu seyn. Er spricht von dem Rieseln des Bachs, dem Lispeln des Zephirs, dem Gesange der Nachtigall nicht anders, als wenn dieses eigentlich der Gegenstand der Musik wäre. Wiewohl er an andern Orten wieder sagt, daß nicht Witz und Einbildungskraft, sondern das Herz der Gegenstand der Musik sey. Herr Krause vermischt hier die Malereyen, die bloßes Spielwerk des Witzes sind, und nur das Ohr des Zuhörers kitzeln, und die, die eigentlich nur darauf abzielen, um die Empfindung, die damit verbunden ist, auszudrücken und zu erregen. Von der ersten Art z. E. ist dieses, wenn Telemann durch das Abknippen der Töne auf der Violine das Annageln ans Kreuz ausdrücken will, u. a. m. Diese sind geradezu zu verwerfen, und müssen für unanständig und kindisch gehalten werden.[146] Wenn aber Hiller in der Jagd, während des Sturms eine wilde, rauschende Symphonie spielen läßt,[147] so geschieht dieses nicht, um das Sausen und Brausen des Windes auszudrücken, sondern um bey dem Zuhörer dieselbe Empfindung zu erregen, die ein Ungewittersturm bey ihm erregt. [S. 113–115]

[...] Ich sage es noch einmal, das erste, so ich dem musikalischen Dichter rathe, ist dieses, daß er von den gewöhnlichen Formen der Singestücke abgehe. Er betrachte sie nur selbst, und er wird finden, daß sie fast alle nichts taugen. Die Form der Cantate ist unter den bisherigen noch die allernatürlichste. Wie lächerlich und steif ist nicht die bisherige Form unsrer Oden: denn gleich widersinnig ist es, von dem Poeten zu verlangen, daß er eine Ode von vielen Strophen ganz in einer Empfindung schreiben soll, daß die Zeilen jeder Strophe, einzeln gegen einander, Worte von eben der Bedeutung, eben der Qualität der Sylben, haben sollen; daß in der zweyten Strophe an eben derselben Stelle ein Comma, oder ein Punkt stehen soll, wo er in der ersten Zeile steht, u. s. w. als es höchst widersinnig ist, von dem Musiker zu fordern, er solle eine Musik machen, die auf alle Strophen einer Ode paßt, die nicht jene Eigenschaften habe. [...] [S. 117]

Ich freue mich immer, wenn ich jetzo Componisten sehe, die sich Mühe geben, neue, ausdrückende Sylbenmaaße eines Klopstocks in ihren Gesängen hören zu lassen: denn ich halte auch dieses für ein Mittel, auf neue Spuren zu kommen, und unserm einförmigen und schleppenden Gesange dadurch eine bessere Gestalt zu geben. Freylich kann der Dichter nicht verlangen, daß seine malerischen Sylbenmaaße, die bey ihm das einzige Mittel zum musikalischen Ausdrucke sind; daß diese der Componist zu seinem Hauptaugenmerke mache: denn dieser hat Mittel in Händen, weit höhere Grade des Ausdrucks zu erreichen, die er deshalb vernachläßigen müßte; so wie der Maler Kühnheit und Stärke seinem Pinsel rauben würde, wenn er jederzeit die Linien des Zeichenmeisters ängstlich vor Augen hätte. [S. 123–124]

24. Johann Friedrich Reichardt, Schreiben über die Berlinische Musik an den Herrn L. v. Sch. in M.,[148] Hamburg 1775

Herzensfreund!
Sie wollen sich nicht mit den einzelnen Beschreibungen der berlinischen Künstler begnügen? Ich soll Ihnen auch meine

Meynung von der berlinischen Musik überhaupt sagen? So sey denn hier, bevor ich die Gränzen Italiens betrete, mein musikalisches Glaubensbekenntniß mit wahrer Ueberzeugung und mit ganzer Seele niedergeschrieben.
Ich verehre die Werke der besten berlinischen Componisten, als diejenigen, die den wahren, edlen Endzweck der Musik erfüllen; eben so die Spielart der besten berlinischen Virtuosen.
Welches der wahre, edle Endzweck der Musik sey, ist bekannt: der Mann, der mir das Herz rührt, Leidenschaften erregt und besänftigt, und der mich auch, bey dem Ohre gefälligen Gedanken, durch Beschäfftigung des Verstandes vergnügt, der erfüllt ihn ganz.
Um zu rühren wird nicht tausendfache Mannigfaltigkeit des Gesanges erfordert: man treffe nur den wahren Ton jeder Leidenschaft, so wird sie auch erregt werden.
Desto sicherer aber, und durch überraschende Neuheit desto stärker zu rühren, hiezu gehöret gründliche Kenntniß der Harmonie, eben so auch zur Vergnügung durch Beschäfftigung des Verstandes.
Die Erfüllung dieser Bemerkungen, die mir scheinen gerade zu aus der Natur unsrer Seele genommen zu seyn, und die jedes richtige und feine Gefühl schon längst für wahr erkannt hat, ist der Charakter der berlinischen Musik.
Wie richtig trifft Graun[149] nicht den wahren Ton jeder Leidenschaft; und wie angenehm beschäfftigt er nicht den denkenden Zuhörer durch die Reinigkeit und den Fleiß seiner Harmonie?
Und welcher Mann unter jeglichem Volke kam wohl je unserm Bach[150] – mit seeleerhebendem Stolze nenn ich ihn unser – wer kam ihm wohl je an Originalität, an Reichthum der edelsten und schönsten Gedanken, und an überraschender Neuheit im Gesange und in der Harmonie gleich? –
Seine Seele ist ein unerschöpfliches Meer von Gedanken; und so wie das große Weltmeer den ganzen Erdball umfasset, und tausend Ströme ihn durchdringen, so umfaßt und durchströmt Bach den ganzen Umfang und das Innerste der Kunst.
Wer kennt nicht die geistvollen und fleißigen Arbeiten eines Quanzen, die herzrührenden, seelevollen Werke eines Benda[151], die feurigen, nervigten Stücke eines Grauns[152], die fleißigen Arbeiten eines Kirnberger, Fasch, Agricola und eini-

ger andern mehr; wer nicht die angenehmen, gefälligen Stücke eines Benda[153]? – Sie kennen sie ja alle, diese würdigen Männer, weshalb denn noch weitläuftige Zergliederung? –

Aber die Spielart der berlinischen Virtuosen? fragen Sie mich, Freund? Hätten Sie nur einmal gehört, wie Bach sein Clavier – ein Instrument, das von vielen, vielleicht mit einigem Rechte, lange schon für todt und unbeseelt gehalten wurde – wie er das beseelt, wie er den Ton jeder Empfindung, jeder Leidenschaft hinein legt, – mit einem großen Worte alles zu sagen – wie er seine ganze große Seele darinnen abbildet –

Hätten Sie nur einmal gehört, wie Benda[154], mit seinem gewaltigen Bogen das Herz seines Zuhörers, zu bestürmen, zur äußersten Wehmuth zu stimmen weiß, und wie er denn wieder Trost und süße Hoffnung in das Herz gießt, wie er uneingeschränkt das Herz seiner Zuhörer regiert. –

Hätten Sie nur einmal die liebliche Flöte Quanzens[155] gehört, wie er – treu dem Charakter seines Instruments – dem wildesten Zuhörer Sanftmuth und Heiterkeit einflößen konnte.[156] O, mein Freund, mit tausend Freuden, würden Sie auf allen den schönen Klingklang neuerer ausländischer und inländischer Virtuosen Verzicht thun, würden fühlen, wie die seelenvolle, bedeutende Spielart jener großen Männer über der neuern witzigen und ohrenkitzelnden Musik eben so weit erhaben ist, als Ihre edle Seele, Ihr gefühlvolles Herz über Ihre Sinne und Ihren Witz – wiewohl beyde äußerst fein – erhaben sind.

Und denn, mein Freund! ist es nicht auch billig, wenn wir selbst unter unsern Vergnügungen nicht ganz vergessen, daß wir denkende Geschöpfe sind?

Und hierinnen hat nun die berlinische Musik einen fast unermeßlichen Vorzug vor der Musik aller andern Nationen, und aller musikalischen Sekten aller Nationen.

Keine beut unserm Verstande so viel Unterhaltung, so viel Nahrung dar, als sie: und ich glaube, daß dieses ein Hauptzug ihres Charakters ist.

Nun wird es mir sehr leicht werden, die Frage zu beantworten, die Ihnen erst schon auf den Lippen zu schweben schien: *warum gefällt die berlinische Musik nicht allgemein?* –

Nicht jedermann findet Geschmack an Youngs Poesien, es versteht ihn auch nicht jeder, der ihn aber versteht und recht

zu lesen weiß, wie er soll, der wird gewiß äußerst von ihm gerührt, erschüttert, überzeugt oder vielmehr überwältigt.
So auch mit den Werken der besten berlinischen Componisten.
Die größte Zahl der Leser wählt lieber die Gedichte eines Jacobi; täglich sehe ich Beyspiele davon. Meine schöne Schwester hat mir Jacobi's Werke, – die ich in ihrer Art ganz allerliebst, ganz vortrefflich finde, und die mir viele süße Stunden gemacht haben, wofür ich dem lieben, edlen Manne, gerne dankte – diese hat sie mir in einem schönen mit Rosen und Jasminen gezierten Bande, von ihrer kleinen, weißen Hand gestickt, geschenkt; nun kommen oft Leute zu mir, und fast gilt dieses von den mehresten, die ziehen mir immer den Jacobi hervor, selten, daß einer nach Kant, Mendelsohn, Rousseau, oder unter den Dichtern nach Ramler, Klopstock, Utz oder Young greift.
Solch verzärtelte Leute sind nun auch die musikalischen Liebhaber größtentheils. Sie wollen nur immer angenehm gekitzelt, oder sanft eingewiegt seyn; starke Rührung, Erschütterung und Beschäfftigung des Verstandes, das ist ihre Sache nicht.
Es ist wahr, daß viele von den berlinischen Componisten eine Trockene und Dürre in ihren Arbeiten haben, die nothwendig den Zuhörer gähnen machen muß, und daher rede ich auch nur von den besten berlinischen Componisten, von den großen Männern, die eigentlich den Charakter der berlinischen Musik bestimmt haben: denn jene ahmten ihnen nach, ohne ihr Genie, ihren Geist zu haben, hielten sich also bloß am äußern ihrer Werke; beobachteten immer aufs genaueste, und bis zum Ekel, genau die Form der Stücke ihrer großen Muster, und schrieben diese und sich selbst unaufhörlich ab.
Indessen, wenn man sie nur aus ihrem rechten Gesichtspunkte betrachtet, so findet man doch wenigstens jederzeit richtigen Satz und reine Harmonie. Aber die Werke des mittelmäßigen und schlechten Componisten anderer Nationen oder auch anderer Schulen unter uns, das ist schlechterdings Unsinn, da ist weder Ordnung noch Verstand darinnen.
Sie wollen schon wieder einen Einwurf machen; Sie sagen, Sie hätten Proben davon, daß auch Leute von gutem Geschmack und richtigem Gefühle manches Bendaisches oder Bachisches Stück nicht gefallen hätte. Hörten die, das Stück

vom berlinischen Orchester spielen? Hörten Sie es von Bachen selbst, von einem seiner würdigen Schüler spielen? – Das ist der wichtige Punkt, mein Freund! Berlinische Stücke müssen auch berlinisch vorgetragen werden. Klopstocks und Ramlers Poesie recht zu lesen, dazu gehört eine andere Deklamation als Gleims und Jacobi's Lieder zu lesen: Bachen seine Arbeiten recht vorzutragen, dazu gehört ein anderes Orchester, als Wagenseil und Collizzi zu spielen.
Ich habe mich deshalb auf meiner Reise niemals gewundert, wenn bey einer Musik Bachische oder Bendaische Sachen keinen Beyfall fanden, sie gefielen mir selbst nicht, wie sie da vorgetragen wurden. Ich nehme hievon keine einzige Capelle Deutschlands[157] aus, ich habe die Leute noch nie anders widerlegt, als mit den Worten: *Ich wünschte, ihr hörtet die Stücke in Berlin.*
Hätten sie ihnen aber da nicht gefallen, denn hätte ich noch weniger gesagt; vielleicht hätte ich mich stillschweigend umgewandt, vielleicht hätte ich ihnen höchstens die beyden Worte gesagt: *Ich bedaure euch.*
Glauben Sie indessen nicht, daß ich die andern Componisten und Virtuosen verachte, weil sie nicht im berlinischen Geschmacke und Style componiren und spielen. Wenn sie nur in ihrer Art gut oder vollkommen sind.
Ich weiß es vielmehr sehr wohl, wie viel die schönen Früchte des Witzes zum Vergnügen der Zuhörer beytragen, und achte den Mann, der reich daran ist, so wie er es verdient. Daß aber die mehresten neuen Componisten, jene tausendfache Mannigfaltigkeit der Gedanken zu dem Hauptzwecke und Inhalte ihrer Stücke machen, das kann ich ohnmöglich loben. Und daß der größte Theil unserer Nation so sehr vielen Geschmack daran finden kann, daß muß meine Landsleute in meinen Augen nothwendig zu der Aehnlichkeit mit unsern Nachbarn herabsetzen, so gerne ich sie auch in allen Stücken über sie erhoben sehen möchte: – und könnten Sie dieses nicht seyn? –
Denn ich glaube, der feinere Zuhörer, wird doch gewiß das edlere Vergnügen, das durch Rührung des Herzens, und durch angenehme Beschäfftigung des Verstandes entsteht, jenen, durch Witz gewirkt, unendlich weit vorziehen.
Aber auch dem solidesten Manne vergnügt wahrer Witz. Man suche also beydes zu vereinigen: Witz aber bleibe jeder-

zeit dem Gefühle und dem Verstande untergeordnet, denn sonst geht Einheit und Charakter und Ausdruck und Richtigkeit des Stücks verloren. [S.5–15]

Die Musik hat so gut ihre verschiedene Geschlechterabtheilung, als die Poesie. So wie jene Hymne, Heldengedicht, philosophisches Gedicht, Drama, Ode, und Lied, und Schäfergedicht hat, so auch die Musik.
Wer hat je von einem Dichter verlangt, daß er in allen Arten der Dichtkunst gleich groß sein soll, oder daß ein Gedicht alle verschiedene Geschlechte der Dichtkunst in sich begreifen soll? Und wie kann man dieses dann vom Componisten verlangen?
Vernünftige Kenner thun es nicht, aber die mehresten Liebhaber begehen den Fehler. Sie unterscheiden niemals den Charakter des Stückes, so sie vor sich haben. Das Stück, so sie nun spielen wollen, soll schlechterdings in den Humor, in die Laune passen, in der sie sich just befinden.
Daher gefallen ihnen denn auch die neumodischen, buntschäckigten Sächelchen am besten, wo in einem Stücke bald ein cosackischer Tanz, bald ein englischer, bald ein polnischer, bald wieder ein Husarenmarsch, und dann wieder eine Tyrade aus einem Kirchencomponisten ausgeschrieben, um auch Bart und Mantel zu haben. –
Ich gebe es gerne zu, daß die berlinischen Componisten in der Art, dem anakreontischen Gedicht parallel, weniger geliefert haben, als die Italiener und Manheimer u. a. m., aber – um bey dem Gleichnisse zu bleiben – das Drama, die Hymne, das Heldengedicht, die hohe Ode – wie weit übertreffen sie da nicht alle andere!
Und nun betrachten Sie noch die theoretischen Schriften, die uns Berlin über die Musik geliefert hat. Kirnberger und Marpurg, wie viel haben die nicht durch ihre scharfsinnige, gründliche, und schöne Schriften für die Musik gethan? Es ist noch niemals, in keiner Sprache, ein musikalisches Werk erschienen, daß dem Kirnbergerischen Werke, von *der Kunst des reinen Satzes,*[158] gleich käme. Welche Ordnung und Unterscheidung herrschet nicht darinnen, und wie klar, wie einleuchtend alle die Wahrheiten gesagt sind!
Eben so die musikalischen Artikel in dem *Lexicon der schönen Künste und Wissenschaften*[159]: wiewohl der Verfasser bey die-

sen zuweilen den eigentlichen Gesichtspunkt zu verlieren scheint, daß sie in ein Lexicon zu stehen kommen sollen, wo meiner einfältigen Meynung nach nur ausgemachte, angenommene Wahrheiten, nicht Hypothesen und weitläuftig ausgeführte Vorschläge hingehören. Höchstens benenne man, bey Bestimmung der Grenzen, wie weit wir gekommen, mit einigen Worten, wie viel und was noch zu thun übrig ist: und vielleicht ist dieses auch schon zu viel für ein Lexicon. Eben so wie sich die berlinischen Tonkünstler in der Instrumentalmusik als Componisten und Virtuosen über alle andere erheben, so auch in ihren Anweisungen, zur Erlernung und zum rechten Gebrauch der Instrumente. [S. 16–19]

Ohne mich weiter in Untersuchungen und Beweise einzulassen, will ich nur noch eine Prophezeihung für die *berlinische Musik* hersetzen.
Unsterblich wie die Seele deiner Schöpfer, wirst auch du seyn. Es werden die Werke deiner Nachbaren, die dich höhneten, deine Verläumder und Neider, die an deinem Ruhme nageten – alle werden vergehen, werden wieder kommen und wieder vergehen, nach der Wandelbarkeit des Geschmacks: denn diesen opferten sie nur. Du aber wirst fest stehen, und wenn gleich bisweilen ein wenig erschüttert, doch immer unwandelbar dieselbe bleiben, gleich den Empfindungen und Leidenschaften der Menschen: denn du sprachst ihre Sprache.
Amen sage ich hiezu, und *Amen* sagen auch Sie und jeder Freund der *wahren, edlen Musik.* [S. 22–23]

25. Johann Friedrich Reichardt, Briefe eines aufmerksamen Reisenden die Musik betreffend. An seine Freunde geschrieben, Teil 2, Frankfurt (Main)/Breslau 1776 (Neudruck: Hildesheim o. J.)

Erster Brief.
An den Herrn Kr. B. in M.[160]
Hamburg.

Wie froh man seinen Weg beschleuniget, wenn am Ziele desselben ein längst gewünschtes Glück den Eilenden erwartet! Du weißt es, mein Bester, wie lange schon und wie sehr ich es wünschte, wie ich für Begierde brannte, den *grossen* Bach ganz kennen zu lernen. Ich habe nun das Glück gehabt, und eile, Dir so viel davon mitzutheilen, als mir die Schwäche meiner Feder vergönnet. Erwarte aber keine Ordnung in diesem Briefe, sondern lasse Dir vielmehr den überströmenden Fluß meines äußerst erfüllten Herzens gefallen. [S. 7]

Ich habe diesen grossen Mann in seiner Kunst schon von sehr verschiedenen Seiten kennen gelernet, und lerne ihn täglich genauer kennen. Oft sind es Erscheinungen, die mir an ihm ganz unerwartet kommen.
So oft ich zu H.B.[161] komme, spielt er mir drey, vier und auch mehr Sonaten von verschiedenen Zeiten seines Alters vor. In jeder erkennt man seinen Geist – der größte Beweis, daß seine Originalität nicht Affectation ist – aber auch zugleich seine grosse Mannigfaltigkeit und seinen unerschöpflichen Reichthum. Jede Sonate hat etwas besonders, wodurch sie sich von allen andern deutlich unterscheidet. Ohnmöglich wäre es mir, zu sagen, „die beyden Sonaten gehören zusammen, das ist ein Paar"; eben so wenig könnte ich sagen, daß eine die vortreflichste wäre; es müßte sich denn mein Stolz mit einmengen, den Herr Bach durch eine Clavier-Sonate[162], die ich von ihm in seiner Handschrift für mich allein erhielt, mehr geschmeichelt, mehr erhoben hat, als alle Geschenke der Grossen, und aller Sonnenschein des Glücks es zu thun vermag.
Es ist dieses wirklich eines der allereoriginellsten Stücke, die ich jemals gehört habe: und jeder, jeder, dem ich sie vorspiele, bricht, wie verabredet, in die Worte aus: *So etwas hörte ich nie!* [S. 10–11]

Ich habe Dir noch nichts von den vortreflichen *Phantasien* dieses Meisters gesagt. Seine ganze Seele ist dabey in Arbeit, welches die völlige Ruhe, und fast sollte man sagen, Leblosigkeit seines Körpers sattsam anzeiget. Denn die Stellung und Geberde, die er annimmt, indem er anfängt, behält er bey stundenlangen Phantasien unbeweglich bey.
Hier zeigt er erst recht deutlich die grosse Kenntniß der Harmonie, und den unermeßlichen Reichthum an seltnen und ungewöhnlichen Wendungen, die ihn zum größten Originalgenie bestimmen.

Auch zeigte er mir einmal seine grosse Mannigfaltigkeit an Gedanken in Veränderungen über das allerliebste, naive letzte Stück[163] aus der dritten Sonate seiner 6 Sonaten mit veränderten Reprisen.[164] Ich glaube, daß es mehr als dreyßig Veränderungen waren, die er mir darüber vorspielte.
Vor einigen Tagen ließ er mir auch eine vortrefliche Composition auf Gerstenbergs *Grazien*[165] hören, die er eben denselben Tag in Musik gesetzt hatte. Bey der besten und stärksten Harmonie war doch der Gesang den allerliebsten, reizenden Versen völlig angemessen. Welche Seltenheit!
Von der Spielart dieses Meisters darf ich Dich eben nicht unterrichten, Du kennst sie hinlänglich aus seinem vortreflichen Werke: *Die wahre Art, das Clavier zu spielen.*[166] Aber wie viel er auf seinem eigenen Claviere vermag, das wird Dich nicht in geringe Verwunderung setzen.
H.B. spielt Dir nicht nur ein recht langsames, sangbares Adagio mit dem allerrührendesten Ausdrucke, zur Beschämung vieler Instrumentalisten, die auf ihrem Instrumente mit weit weniger Mühe der Singstimme nahe kommen könnten; er hält Dir auch in diesem langsamen Satze eine sechsachtellange Note mit allen verschiedenen Graden der Stärke und Schwäche aus, und das sowohl im Baß als Discant.
Dieses ist aber auch wohl nur allein auf seinem sehr schönen *Silbermannischen Claviere*[167] möglich, für welches er sich auch besonders einige Sonaten geschrieben, in welchen das lange Aushalten eines Tones nur vorkömmt.
Eben so ist es mit der ausserordentlichen Stärke beschaffen, die H.B. zuweilen einer Stelle giebt: es ist das höchste *fortissime:* ein anderes Clavier würde in Stücken darüber gehen; und eben so mit dem allerfeinsten *pianissime,* welches ein anderes Clavier gar nicht anspricht. [S.15–17]

Ich kann diesen Brief nicht besser beschliessen, als wenn ich Dir hier ein kleines musikalisches Räthsel über den musikalischen Namen Bach herschreibe. Herr Bach beschenkte mich gestern mit einem Exemplar seiner erhabenen, geistvollen Psalmen[168], unten hatte er mir die schmeichelhafteste Versicherung seiner Freundschaft hingeschrieben, und diese auf folgende musikalische und kunstvolle Art unterzeichnet:

Hamburg, den 12ten Julius, 1774. [S. 22]

26. Johann Friedrich Reichardt, Leben des berühmten Tonkünstlers Heinrich Wilhelm Gulden, nachher genannt Guglielmo Enrico Fiorino, Berlin 1779 (Neudruck: Leipzig 1967)

[...]
Bey saurem Weine wurde nun der Plan zu einem gemeinschaftlichen Konzert bezankt. Die Alte wollte das Konzert sollte auf dem Theater gegeben werden, damit sie ihre desperaten Arien mit völliger Aktion singen könnte. Der Mann meinte aber diese Aktion und besonders seine komische Aktion, würde im Saal wo mans so wenig erwartete, und so wenig gewohnt wäre, weit mehr Effekt thun.
Gulden war auch sehr fürs Theater, denn er glaubte die kleine Figur seines Knabens würde sich da weit mehr ausnehmen. Dem wußte dann aber der alte Italiäner gar bald abzuhelfen: man dürfte nur den Stuhl auf einen Tisch setzen, und den Kleinen auf den Stuhl helfen, so wärs im Zimmer so gut und noch in die Augen fallender als auf dem Theater: da seine Tochter noch kleiner gewesen, habe sie eben so debutirt. Auch trat die Tochter der Meinung des Vaters bey: denn so sehr geübt sie auch in natürlichen Handlungen war, so wenig verstand sie sich auf die künstliche Handlung. Und es war wirklich zu verwundern, wie sie's ohne auf dem Theater gewesen zu seyn, bloß durch Hülfe ihrer Eltern soweit in den H** häuslichen Tugenden gebracht.
Der alte Bediente, der eben aus dem Hause gehend auf der Straße zu rufen anfing: *koft, wer koft Pullwehr für die Ratz, für die Zahn, für die Inerauck,* wurde zurückgerufen und ihm

der Auftrag gegeben, gelegentlich einen Saal zum Konzert auszufragen.
Nun wurde die musikalische Besetzung des Konzerts bestritten, und um so wohlfeil wie möglich davon zu kommen, wurde beschlossen zwey Violinen, einen Violoncell, eine Flöte, eine Hoboe, zwey Waldhörner, eine Trompete und Paucken zu bestellen. Die blasenden Instrumente waren der komischen Arien des Alten wegen nothwendig. Da die Frau und Tochter noch durchaus auf ein Spinet bestanden, um sich den Ton anzugeben mit dem sie anfangen sollten, so wurde dieses noch zugegeben.
Nun kams an die Bekanntmachung des Konzerts und an die Vertheilung der Billette. Es sollte ein großer Zettel mit rothen Buchstaben abgedruckt und an allen Ecken der Straßen angeschlagen, auch in allen Häusern durch den für die Ratz und für die Zahn handelnden Bedienten, vertheilt werden. Der älteste Sohn des Wirths, ein lustiger Vogel, der die ganze Gesellschaft der Tochter wegen im Hause noch soutenirte, sonst hätte sie der Vater längst zum Hause hinausgeworfen, trat eben bey dieser Berathschlagung ins Zimmer, und mußte sich hinsetzen, um nach der Vorschrift aller, einen deutschen Anschlagzettel zu fabriciren. Nach sehr häufigen Ausstreichen und Aendern stand dann folgendes Avertissement aufm Papier:
„Mit allergnädigster, allerhöchster obrigkeitlichster Bewilligung, wird künftigen Sonntag eine berühmte Gesellschaft von großen Virtuosen, die mit allgemeinem Beyfall rund um die Welt gereist, in einem großen zahlreichen Konzert sich öffentlich und für jedermann hören zu lassen, die hohe Ehre haben. Signore Picciolo, der seit vielen Jahren als der größte *Buffone* bekannt ist, und die hohe Ehre genossen mit Gunst und Gnade von allen hohen Potentaten gekrönt zu werden, wird sich in gar poßierlichen, lustigen, närrischen, lächerlichen, jedoch insgesammt moralischen Arien, in voller Aktion hören lassen.
Signora Picciola seine Gemahlinn, die den größten Antheil an jener hohen Ehre hat, wird sich in einigen schrecklichen, rasenden, abscheulich tollen Arien, ebenfals in völliger Aktion zu präsentiren die hohe Ehre haben.
Auch wird die Tochter, die an Schönheit nicht ihres Gleichen hat, und von hohen Potentaten auch nicht unbeehrt verblie-

ben, in einigen verliebten, sterbenden und wiederauflebenden Stücken die Ehre haben, ein wohlgeneigtes Publikum zu amusiren.
Endlich wird ein siebenjähriger Knabe, ein wahres Meerwunder, gar hexenmäßige Tausendkünsteleyen auf der Violine zeigen. Er wird krähen wie ein Hahn, mauen wie eine Katze, schreyen wie ein junger Esel, pfeiffen wie eine Maus und alles auf der Violine. Wer blind ist, wirds nicht gewahr, daß es eine Violine ist.
Die Person zahlet einen Thaler; hohe Standesperonen zahlen nach Belieben. Und werden wir nicht ermangeln, ein hochgeneigtes Publicum, aus Leibeskräften zu amusiren."
Nun kam die Vertheilung der Billette vor; darüber wurde nach einigen heftigen Zänkereyen mit Kopfstössen untermischt, endlich festgesetzt, daß sie sich in zwey Parthien theilen wollten: Signore Picciolo und seine Tochter eine, die andre Gulden und sein Sohn. Jede Parthie sollte hundert Billette nehmen, und so Haus für Haus gehen, sich beym Herrn des Hauses melden lassen und zugleich ein halb Dutzend Billette mit hineinschicken. Gulden sollte mit seinem Sohn seinen Weg einen Tag früher antreten, und den Tag darauf wollte Signore Picciolo mit seiner Tochter, denselben Weg noch einmal bereisen, um den harten Herzen die bey dem dünnen Gold und Silber auf den Kleidern derer Herren Gulden, unempfindlich geblieben, durch das stärker aufgetragene weiß und roth auf der Tochter Wangen, in Bewegung zu setzen. [S. 114–118]

[...] Im Hintergebäude des Hauses war ein Kaffehaus für beyderley Geschlecht, welches am Sonntage ganz ungemein mit Gästen angefüllt zu seyn pflegte. Diese Gäste hatten sich bey dem großen Tumult, durch die Hinterthür, bey der die Magd des Hauses ohne alles Geräusch die Einnahme besorgte, in den leeren Konzertsaal geschlichen. Dadurch war der Saal so voll geworden, daß unsre Helden aufhören mußten einzutreiben, und sich selbst kaum zum Flügel hindrängen konnten.
Wie nun alle die Zusammengetriebenen da stehn, grösten-theils gar nicht recht begreifen, was sie eigentlich da sehen werden! Der eine vermuthet eine Komödie, der andre ein Marionettenspiel, der dritte tanzende Hunde, oder seltne

Thiere, indem er den Knaben von hinten für einen verkleideten Affen hält, und die Tochter die in einer Ecke steif am Tische sitzt, für eine redende Seejungfer. Endlich versammlen sich nach und nach die Musikanten wieder, die sich so verloren in das nächste Wirthshaus geschlichen.
Signore Picciolo ordnet unterdessen die Pulte – Hüte an Stühle gebunden, – und Tische um den Flügel herum; reißt den Flügel, zu dem kein Schlüssel da war, mit Gewalt auf; irrt eine Weile darauf herum, das *a* zu finden, wornach die übrigen nun in aller Eil stimmen sollen, zieht darüber seine Frau zu Rathe, diese die Tochter und endlich geben sie *b* an. Darnach stimmen denn die andern nach Vermögen. Nachdem sie so eine gute halbe Stunde gestimmt, beruhigen sie sich einer den andern, *es sey gut.* Es stimmten aber warlich nicht zwey zusammen. Der Hoboeblaser aber sagte mit gravitätischer Gebehrde: Ja, wenn das so bliebe, so bald die Instrumente aber warm werden, verzieht sichs, und is alles hin.
Einer von den Zuhörern aber, der die Stelle dichte hinter den Waldhornisten hatte, der mit seinem Waldhorn über einen halben Ton zu hoch stand, konnte sich nicht enthalten, um nicht den ganzen Abend zu leiden, diesem sachte zu sagen: *sie stehn zu hoch.* Worauf dieser aber in der Meinung, er benähm' ihm die Aussicht, ganz gelassen antwortete: Lassen Sie das man gut seyn, so bald die Kerls da ihren Hokuspokus anfangen setz' ich mich nieder.
Signore Picciolo lief nun in der größten Herzensangst von einem zum andern, um eine Symphonie zu finden: es war aber keine da. Sie sahen sich deshalb genöthigt mit einer Arie anzufangen. Die Alte sollte mit einer desperaten Arie auftreten: da ihr dieses der kleine Picciolo auf den Zehen stehend, mit der rechten Hand übern Kopf zuwinkte, schrie sie ihm auf italiänisch zu, er sollte ihr zwischen den Musikannten und den Zuhörern gehörigen Platz machen. Nun wurde alles aufmerksam. Der kleine Picciolo preßte die Musikannten so viel er konnte gegen die Wand, und dann hinkte er mit gräßlichen Gebehrden gegen die Zuhörer hin, die immer nachschoben, und schrie: *Platzen sie, platzen sie.*
Diese verstanden das nicht so gleich, nahmens für die erste Vorstellung, beklatschtens und wären über den närrischen Kerl der nun anfing auf eine gar poßierliche Art böse zu werden, bald für Lachen geplatzt. Er fing aber an die vordersten

zurück zu drängen, und rief immer fort: *platzen sie, platzen sie.* Endlich verstanden sie's, zogen sich allmählich zurück, und machten der Alten einen ziemlichen Platz.
Diese kam nun mit ihrem großen breiten Fischbeinrock angeschift, und neigte sich nach hinten und vorne und nach beyden Seiten gar sehr pathetisch. Ihr Anzug bestand aus Kleidungsstücken, die ihr von verschiedenen sonst gespielten Rollen übrig geblieben waren, als aus der *Semiramis*[169], der *Ino*[170], der *Marzia im Catone*[171] u.d.g. Was sie sang war eine sehr wüthende Arie aus dem *Orlando Furioso*[172], die sie mit mehr als italiänischer Heftigkeit sang und agierte. Ihr Mann stand mit dem Notenblatte hinter ihr und souflirte: denn sie mußte beyde Hände frey haben, um in der Luft Bäume zu ergreifen, sie grausam zu zerschütteln, auszureissen und unter die Zuhörer zu werfen, auch sich nach Gelegenheit wüthend für die Brust zu schlagen, die Haare auszuraufen, u. s. w.
Die Arie hatte kaum fünf Minuten gedauert; demohngeachtet aber war die Alte so abgemattet davon, daß sie Signore Picciolo und die alte bucklichte Frau halb für todt zu einem großen Stuhle hinführen mußten. Die Alte hatte in ihrer Wuth den Flügel nicht vermißt und da sie in der Arie mehr zu schreyen als zu singen hatte, so wurd' ihr das Intoniren eben nicht schwer. Nun aber die Tochter dran sollte wurde Signore Picciolo erst gewahr daß der Flügelspieler nicht bestellt worden, und ohne Flügel wollte die Tochter nicht singen.
Eigentlich glaubte sie wohl durch diesen Ausweg für heute vom Singen, daß so eigentlich ihres Amts nicht war, loszukommen; allein der listige Vater hatte bald unter den Zuhörern einen aufgefunden, der sich zum Accompagniren bequemte. Dieser wurde aber so wenig gewahr daß der Flügel einen halben Ton tiefer stand, als die übrigen Instrumente, und spielte tapfer drauf los. Was dem Uebel noch einen guten Theil abhalf, war, daß der Flügel durchaus sehr verstimmt war, denn es hatte niemand dran gedacht ihn stimmen zu lassen, und daß also viele Töne zu den übrigen Instrumenten so zufälliger Weise accordirten.
Was aber weder zum Flügel noch zu den Instrumenten stimmen wollte, war der Gesang der Signora Picciolo. Sie irrte lange um den Ton herum, aus dem die Arie ging und schloß die Arie, ohn' ihn gefunden zu haben. Sie hatte aber mit starren Blicken aus großen weit aufgerißenen Augen, und mit

niedergeschlagenen Augen, und mit halb umschleyerten Blikken, und mit verstohlnen Blicken aus dem linken Augenwinkel hervor, so gut abzuwechseln gewußt; hatte die rothgefärbten Lippen so mannigfaltig lächeln und spielen lassen, die Schnürbrust so oft zu eng für ihren Busen gefunden, daß sie am Ende der Arie mit lautem Händeklatschen belohnt wurde. Sie verneigte sich tief, die niedergeschlagenen Augen auf ihren hervorgepreßten Busen geheftet, und wurde nocheinmal und noch stärker beklatscht.
Der alte Picciolo vergaß mit einmahl die Wuth in die ihn Gulden gesezt hatte, und hüpfte freudig der siegenden Tochter entgegen. Er raunte ihr sachte ins Ohr, die Hauptabsicht des Konzerts sey nun doch erfüllt. Die Mutter meinte aber doch, sie erzeigten der Tochter gar zu viel Ehre.
Gulden hatte während der ganzen Arie der Tochter des Picciolo, mit diesem einen gar sehr heftigen Rangstreit geführt. Er sahe die Ehre seines Virtuosen aufs empfindlichste dadurch gekränkt, daß dieser erst als der dritte auftreten sollte, und gebot dem Knaben izt gar nicht zu spielen. Diesem war das Gebot sehr willkommen, denn so wenig er sich auch für die große Menge von Zuhörern fürchtete, so wenig war ihm doch izt spielerlich zu Muthe, da seine Backen noch von den Ohrfeigen des Vaters glühten.
Picciolo aber wollte rasend werden, da all sein Bedeuten, all sein Zureden, sein Fluchen, sein Aufwiegeln der Zuhörer, nichts über den alten Gulden vermochte. Endlich aber fand dieser selbst ein bequemes Mittel sich zu überreden. Er that den Vorschlag daß seinem Knaben die gekränkte Ehre dadurch reparirt werden müßte, daß für ihn unter den Zuhörern eine besondere Collekte gesammelt würde. Nach langen Debatten wurde das zugegeben. Nun wurde der Knabe auf den Tisch gestellt, und spielte sein tausendkünstliches Solo. Kaum stand der Junge auf dem Tische, so wurde er unmäßig beklatscht. Dieses verdoppelte sich beym Ende des ersten Allegros, welches er aber aus Schaam für seine Stellung und für das Händeklatschen mit einiger Verlegenheit spielte. Wie er aber das Adagio anfing erstaunten alle, und selbst sein Vater so, daß sie verstummten. Noch nie hatte er mit so vieler Empfindung gespielt. Es klatschte auch wirklich kein einziger. Viele blieben starr ihn anblickend stehen. Einige murmelten sich sachte in die Ohren. Wohl mancher wischte sich die

Thränen ab. Er hatte wirklich alle bis auf den gemeinsten Pöbel gerührt.
Gulden begrifs nicht. Aber der alte Picciolo fühlte den Grund. Er hatte bemerkt daß der Knabe im ersten Allegro, die zehnjährige Tochter ihres Wirths einigemal anblikte, und jedesmal für Schaam über und über roth wurde. Beym Anfange des Adagio hatte er nur mit halbem Blick hingesehn, ob sie noch da sey, und dann nicht mehr hingesehen als da es zu Ende war, alsdann sie aber auch ganz offen angeblickt, und da er Thränen in ihren Augen sah, und sie beschämt niederblickte, seelig auf ihrem Gesichte verweilt.
Nun spielte er die letzte Menuett mit Variazionen worinn das ganze Paradies redend eingeführt war, aber mit weniger Lebhaftigkeit und Gaukeley als ers wohl sonst schon gespielt hatte. Das Bravorufen und Händeklatschen nahm kein Ende, bis der alte Gulden mit dem Hute des Knaben die Einsammlung begann. Die meisten gaben recht gerne ihr Schärflein dazu. Nur die, die kein Geld hatten, fandens impertinent, drückten die leeren Finger tief in den Hut, und machten groß Aufhebens über die Geldschneiderey. Wohlüberzählt kam noch für den Knaben sechs Thaler sechs Groschen zusammen.
Nun erschien Signore Picciolo in einer komischen Aktionsarie. [...] [S. 128–136]

Hermenfried hatte in seinem zwanzigsten Jahre gründliche Kenntniß der Harmonie und Fertigkeit im Komponiren. Das Klavier spielte er mit außerordentlicher Fertigkeit und Delikatesse. Er übersah den Umfang der Kunst mit scharfem Blick, und hatte einen guten bestimmten Geschmack. Aber Erfahrung fehlte ihm noch in ziemlichen Grade. Ich meyne Erfahrung als Komponist, zu der Selbstschreiben und Durchsehen und Durchstudieren großer Werke noch nicht genug ist. Man weiß, wie unendlich in der Musik Hören vom Lesen verschieden ist: wie sehr Studium des Effekts vom Studium der Harmonie verschieden ist.
Zwar hatte er in *Dresden* viel gute große Musik gehört: es war aber denn doch alles zu sehr in Einem Geschmack, in Einem Styl. Dabey lief er Gefahr, sich in die Eine Manier so hinein zu arbeiten, daß sein Genie darüber litte. Seine Arbeiten begannen auch bereits ein gewisses steifes, einförmiges Ansehen zu bekommen: er fing an, Fülle der Harmonie und

Genauigkeit des Rythmus auf Kosten des Gesanges, des Ausdrucks zu suchen.
Sein großer Meister hatte ihm schon einigemal gesagt: *wenn ich ihre Stücke nicht hörte, blos sähe, würd ich sie oft für meine eigne halten.* Darinnen lag es nun eben; das Ding sah sich oft treflich an, und klang doch ganz anders.
Es geht einem jungen Künstler, der Harmonie studiert, und nun anfängt, gründlich, fleißig und korrekt zu arbeiten, wie es jedem jungen Menschen zu gehn pflegt, der erst anfängt, Bekanntschaft mit großen, berühmten Leuten zu machen. Jener kann nicht voll, nicht gedrungen genug schreiben, um der Welt all die erlernten Künsteleyen so recht vor Augen darzulegen, damit sie ja sähe, was er alles weiß. Dieser spricht von den ersten Zusammenkünften mit einem berühmten Mann, dem ersten *gehorsamer Diener,* so er mit ihm gewechselt, ohn' Unterlaß, weiß sich viel damit, den berühmten Mann vom großen Zeh bis zur kleinen Haarlocke seiner Perücke zu kennen, beschreiben zu können. Ist jener aber erst so recht mit dem Innern seiner Kunst vertraut, fühlt er sich: hat dieser jenen großen Mann erst zu seinem Freunde, fühlt er sich in ihm, so kümmern sich beyde wenig um die Welt, ob sies sieht oder nicht. Genug er selbst weiß es, fühlt es, genießt es. Er weiß nun auch, daß viele prahlerische Künsteleyen nicht Kunst sind, daß viele grosberühmte Männer nicht edle Menschen sind, und geht oft beyden aus dem Wege.
Der Vater sah jenes ein, wußte auch, daß an seinem Sohn nichts von der guten, moralischen und wissenschaftlichen Erziehung, die er ihm gegeben, verloren gegangen, daß er ein bestimmt guter und aufgeklärter Mensch war, und trug also kein Bedenken, ihn reisen zu lassen. Er glaubte Religion, für die der junge Mann wahres, warmes Gefühl hatte, natürlich gutes, feines Gefühl, Einsicht und edle Liebe, die er warm im Herzen trug, würden ihn für Laster bewahren. Und Thorheiten? Für deren Vermeidung war der Vater eben nicht ängstlich besorgt, glaubte aber doch, auch hiervor würde ihn sein guter, betimmter Geschmack größtentheils sichern.

[S.228–231]

Ich darf mich auf seine musikalische Reise nicht besonders einlassen, obgleich ich sein sehr genaues Tagebuch vor mir liegen habe. Nur so viel im Allgemeinen.

Er suchte jeden merkwürdigen Tonkünstler genau kennen zu lernen, bat ihn um Mittheilung seiner Werke und seiner besondern Ideen bey der Arbeit.
Er suchte jede Gelegenheit auf, Musiken und vor allen Dingen gute und große Sänger zu hören, versäumte keine gute und keine schlechte Musik, gab vorzüglich auf ihre Wirkung Acht, und zog sich davon Erfahrungssätze ab.
Er besuchte die Bibliotheken, um alte musikalische Schätze und zur Aufklärung der Geschichte der Musik dienende Werke kennen zu lernen. Vorher suchte er aber immer besondere Bekanntschaft mit dem Bibliothekar, um nicht die edle Zeit mit unnützer Beschauung vieler tausend Bücher hinzuschlendern.
Er bemühte sich, die Beschaffenheit guter Orgelwerke und anderer Instrumente genau kennen zu lernen, eben so auch die Beschaffenheit zur Musik aufgeführter Gebäude.
Da jeder Mensch sah, daß nicht Geldschneiderey oder Prahlerey sein Reisegeschäft war, daß er ein bescheidner und eifrig lehrbegieriger junger Künstler war, so kamen ihm die besten Menschen entgegen, um ihm in seinen Untersuchungen behülflich zu seyn.
Der Hof war immer der letzte, warum er sich in einer großen Stadt bekümmerte. Indessen wurde er von den meisten Höfen selbst aufgesucht, und oft, ohne daß ers drauf anlegte, sehr ansehnlich beschenkt, so daß der Werth der auf seiner ganzen Reise erhaltnen Geschenke die Kosten seiner Reise übertraf. Er war bey seiner mäßigen, blos Bedürfniß befriedigenden Art zu reisen geblieben, und konnte daher das Glück genießen, die erhaltenen Geschenke zu guten, menschenfreundlichen Werken anzuwenden.
Es wurden ihm auch häufig Dienste angeboten. Er sah aber immer, daß seine äußerliche edle Gestalt, oder zu hohe Vorstellung von seinen Fähigkeiten, oder vornehme Grille den größten Antheil daran hatten, und das war ihm genug, solche Anerbietungen gradezu auszuschlagen. Er war überhaupt fest entschlossen, sich durch keine besondere Verbindung auf seinem Wege aufhalten zu lassen, auch nicht eh eine Stelle anzunehmen, als bis er sich selbst zu einer wichtigen Stelle fähig fühlte.
Auch verschafte ihm seine Kunst und sein gutes, edles, ofnes Gesicht, dem sein Charakter so ganz entsprach, die ausge-

breitetste Bekanntschaft mit allen Ständen; und er lernte daher in den wenigen Jahren seiner Reise die Welt und sich selbst mehr kennen, als tausend andere oft in ihrem ganzen Leben.

Je weniger ich von seiner Reise als Künstler reden darf, destomehr treibt's mich, von ihm als Mensch zu reden.

Er sagte oft, wenn vom Vortheil des Reisens die Rede war, der größte Vortheil seiner Reise wäre, daß er sich selbst und seine Heymath schätzen gelernt hätte. Denn er ward fest überzeugt, daß es keinen Himmelsstrich, keinen Winkel der Erde gäbe, der nicht dem aufmerksamen Beobachter und wahren zärtlichen Freunde der Natur tausendfache Gegenstände der Untersuchung, des Vergnügens und der Bewunderung darböte. Und welche unzählige Menge von Merkwürdigkeiten und Schönheiten der Natur fand er nicht bey seiner Rückkehr in seinem Vaterlande, die er in allen durchreiseten Ländern vergeblich gesucht, und vorher in seinem Vaterlande übersehen hatte. Ein Fehler der meisten jungen Leute, immer nach den entfernten Ländern sich zu sehnen, und darüber ihr Vaterland mit allen seinen Vorzügen zu vergessen, wohl gar zu verachten.

Eben so ward auch Hermenfried im Innersten seiner Seele fest überzeugt, daß es überall gute, edle Menschen gäbe: und überall nur selten solche himmlisch edle, göttlich erhabne Menschenseelen, deren Gemeinschaft und Freundschaft uns hier schon einen seligen Vorschmack des Himmels und der ewigen Seeligkeit gäben, da wir im näheren Anschauen Gottes, und in dem genauesten ewig unzertrennlichen Zusammenketten edler, gleichgestimmter Seelen unaussprechlich, unbegreiflich seelig seyn werden.

Auch fühlte er in sich selbst mehr Trieb und Kraft und Liebe zum Guten, als er bey vielen in der Ferne angebeteten Männern gefunden hatte. Denn nichts hatte ihm auf seinen Reisen mehr Kränkung, mehr wahre Betrübniß verursacht, als die traurige und leider so häufige Erfahrung, daß oft die größten Gelehrten, die größten Künstler, selbst oft die eifrigsten Tugendlehrer, in ihrem Leben die elendesten, verächtlichsten Menschen sind. Man stelle sich seine Bestürzung, seine Beschämung vor, wenn er mit heißer Begierde, mit fliegenden Schritten dem persönlichen Anschauen eines Mannes entgegeneilte, den er als einen großen Dichter, oder tiefsinni-

gen Weltweisen, oder seltnen Künstler schon von seinen ersten Jünglingsjahren an mit tiefer Verehrung, mit innigster Liebe gedacht, genannt hatte; wenn er nun vor ihm stand, und hofte auf seinem Gesichte edle, göttliche Ruhe der Seelen, kläreres, freudigeres Anschauen Gottes, reine, feurige Gottesliebe, Menschenliebe, Bruderliebe, bescheidene Zufriedenheit mit sich selbst, edlen Stolz auf Würde der Menschheit zu sehen, von seinen Lippen zu vernehmen – und dann Tumult, Aufruhr, Krieg der Leidenschaften, Haß, Neid, Verfolgung, Habsucht, kriechende, kindische Eitelkeit sah, hörte – o wie verächtlich ihm dann die elenden Menschen ohnerachtet all ihres Wissens, all ihrer Fähigkeit, all ihrer Geschicklichkeit wurden! Weit verächtlicher, als die unglücklichen, bejammernswürdigen Seelen, die nie Anlaß fanden, sich aus dem Schlamme zu erheben, die Fürstentyranney und teufliche Politik und elende Erziehung in Niedrigkeit und Finsterniß niedertreten und fesseln; oder die durch falsche, dem Schwachen überredende Lehre, durch giftige, süße Worte ins Verderben gelockt, gestürzt, und nun im Laster betäubt hinträumen, hintaumeln. –
Selten, nur selten fand er unter denen in der Ferne als Weise, als Dichter, als Künstler verehrten, geliebten Männern solche Menschen, die er auch bey näherer Bekanntschaft als Menschen verehren und lieben konnte: die nicht, wie die meisten Gelehrten und Künstler, nur aus Prahlerey oder Gewinnsucht forschten und schrieben, sondern denen es eifrigst und herzlich um die Erforschung und Ausbreitung des wahren Guten, wahrhaftig Nützlichen und edel Vergnügenden zu thun war; die nicht nur Gelehrte und Künstler waren, sondern auch ihre Pflichten als Menschen, Hausväter und Väter liebten und erfüllten.
Und nur sehr wenige, sehr wenige unter den angebeteten großen Männern hatten das hohe Verdienst, größer noch als Menschen zu seyn, als sie es als Gelehrte, Dichter und Künstler waren. Aber welches Entzücken, welche Seligkeit war ihm auch der Gedanke an diese wenigen Edlen!
Destomehr wahrhaftig gute und edle und glückliche Menschen fand er aber unter denen noch unverdorbnen Landleuten, die in einiger Entfernung von großen Städten wohnten. Dieses und seine inbrünstige Liebe für die Schönheit der Natur verursachte, daß er sich auf seinen Reisen den Frühling

und Sommer über nur wenig in großen Städten aufhielt; die meiste Zeit brachte er auf dem Lande zu, welches er dann auch nach allen Seiten durchwanderte. [...] [S. 233–240]

27. Johann Jakob Engel, Ueber die musikalische Malerey, Berlin 1780[173]

An den Königl. Kapellmeister Herrn Reichardt.

Liebster Freund!
So viel ich sehe, wird die Untersuchung die Sie mir aufgegeben, auf folgende vier Fragen hinauslaufen:
Erstlich: Was heißt Malen?
Zweytens: Was für Mittel hat die Musik zum Malen?
Drittens: Was ist sie durch diese Mittel im Stande zu malen?
Viertens: Was soll sie malen und was soll sie nicht malen?

Die Beantwortung dieser Fragen, wenn man sie völlig gründlich geben will, führt hie und da in sehr feine, fast spizfindige Untersuchungen: Ich will diesen Spizfindigkeiten ausweichen, nur das, was mir unumgänglich nöthig scheint, voranschicken, und zum Praktischen eilen.
Malen heißt: Einen Gegenstand, nicht durch bloß willkührliche verabredete Zeichen für den Verstand andeuten, sondern ihn durch natürliche Zeichen vor die sinnliche Empfindung bringen. Das Wort: Löwe erweckt bloß eine Vorstellung in meinem Verstande; das Gemälde eines Löwen stellt mir das sichtbare Phänomen wirklich vor die Augen. Das Wort: Brüllen hat bereits etwas Malerisches; der Bendaische Ausdruck in der *Ariadne*[174] ist die vollständigere Malerey des Brüllens.
In der Poesie zwar wird das Wort noch etwas anders gebraucht. Ein Dichter heißt um so mehr ein Maler;
Erstlich: Je mehr er mit seinen Vorstellungen ins Besondere, ins Individuelle geht; je mehr er ihnen durch nähere Bestimmung Sinnlichkeit und Lebhaftigkeit giebt. Die Sprache liefert ihm meistens nur allgemeine Notionen für den Verstand, die erst der Zuhörer oder Leser in Bilder der Einbildung verwandeln muß; der Dichter kommt, durch nähere Bestimmung jener Notionen, der Einbildung zu Hülfe, und erweckt sie, sich die Bilder aus einem bestimmtern Gesichtspunkte, mit einer vorzüglichen Kraft und Deutlichkeit, zu denken.

Zweytens: Je mehr er das Mechanische, Klang der Wörter und Fall des Sylbenmaßes, mit dem innern Sinn der Rede in Uebereinstimmung bringt. Anders: Je mehr er Aehnlichkeit mit dem vorzustellenden Gegenstande selbst, in die sinnliche Empfindung der Zeichen legt, die diesen Gegenstand andeuten. Oder noch anders: Je mehr er seine bloß willkührlichen Zeichen den natürlichen nähert.

In der Musik fällt der erste Verstand des Worts: Malerey weg, und nur der zweyte bleibt. Die Töne der Musik sind keine willkührlichen Zeichen; denn es ist nichts, was man sich dabey denken wollte, verabredet; sie thun ihre Wirkung nicht durch etwas, sondern durch sich selbst, als solche und solche Eindrücke auf unser Gehör: Der Tonsetzer hat nichts Allgemeines zu individualisiren; er hat keine Notionen des Verstandes dadurch, daß er sie specieller machte, zu verschönern. Allein er kann durch seine Töne, als durch natürliche Zeichen, Vorstellungen anderer verwandten Gegenstände erwecken; kann uns durch sie diese Gegenstände, wie der Maler die seinigen durch Farben, andeuten wollen: Und dann muß er thun, was der Dichter, als Maler in der zweyten Bedeutung, that; er muß seine Töne so nachahmend machen, und ihnen mit dem Gegenstande selbst so viel Aehnlichkeit geben, als möglich.

Diese Malerey nun ist entweder *vollständig* oder *unvollständig.* Jene bringt uns das ganze Phänomen vor die Empfindung; diese nur einzelne *Theile* oder *Eigenschaften* desselben.

Die vollständige Malerey findet sichtbar nur da statt, wo der Gegenstand selbst hörbar ist, und sich mit abgemessenem Ton und Rhythmus verträgt.

Was die unvollständige Malerey betrift; so kann

Erstlich der Gegenstand ein aus Eindrücken verschiedener Sinne zusammengeseztes Phänomen seyn, wo Hörbares mit Sichtbarem u. s. w. vermischt ist. Der Tonkünstler erweckt in der Phantasie die Vorstellung des Ganzen, indem er das Hörbare nachahmt. So malt er eine Schlacht, ein Gewitter, einen Ocean.

Zweytens kann zwar der Gegenstand ganz und gar nichts Hörbares enthalten; aber er trift mit den hörbaren Tönen in gewissen allgemeinen Eigenschaften zusammen, die der Phantasie einen leichten Uebergang von diesen auf jenen verschaffen.

Es giebt nehmlich Aehnlichkeiten, nicht bloß zwischen Gegenständen einerley Sinnes, sondern auch verschiedener Sinne. Langsamkeit und Geschwindigkeit z. B. finden sich eben sowohl in einer Folge von Tönen, als in einer Folge von sichtbaren Eindrücken. Ich will alle dergleichen Aehnlichkeiten *transcendentelle* Aehnlichkeiten nennen.
Solche transcendentelle Aehnlichkeiten nun spürt der Tonsetzer auf, und malt den schnellen Lauf einer *Atalante,* den freylich nur die Mimik vollständig nachahmen kann, durch die geschwinde Folge seiner Töne wenigstens unvollständig. Kann er damit die Nachahmung des Keuchens vereinigen; so hat er zugleich den hörbaren Theil des Phänomens dargestellt; er hat zwiefach gemalt.
Hierdurch nun werden die Gegenstände, die der Tonsetzer malen kann, schon gar sehr vervielfältigt. Viele Gegenstände der andern, besonders des an Begriffen ergiebigsten äußern Sinnes, des Gesichts, fallen durch ihre transcendentellen Aehnlichkeiten mit den Tönen, unter die musikalische Nachahmung.
Zugleich erklärt sichs aber, wenigstens schon zum Theil: Warum die musikalische Nachahmung insgemein nur so unbestimmt, warum es, ohne Hülfe der Worte, so schwer ist, den malenden Tonsetzer zu verstehen. Die Nachahmung geschicht fast immer nur unvollständig, nur Theilweise, nur nach allgemeinen Eigenschaften; es mag nun äußerer sinnlicher Gegenstand, oder innere Empfindung nachgeahmt werden. Denn die Empfindung wird gleichfalls nur allgemein nachgeahmt; individualisirt kann sie nur durch bestimmte Vorstellung des sie erweckenden Gegenstandes werden. [...]
Die sämmtlichen transcendentellen Aehnlichkeiten, welche zu dieser Nachahmung dienen, hier anzuführen, wäre eben so überflüssig, als es unmöglich wäre. Die Natur geht hier so sehr ins Feine, daß kaum die spizfindigste Untersuchung ihr nachgrübeln kann. Doch haben diejenigen, welche dem Ursprung der Sprachen nachgeforscht, unter andern eine berühmte Secte alter Weltweisen[175], schon manche, auch für diese Theorie brauchbare, Idee geliefert.
Eben diese alte Weltweisen erinnern mich, daß es noch ein andres wichtiges Mittel zu unsrer unvollständigen Malerey giebt. Nehmlich der Tonsetzer malt noch.
Drittens: indem er weder einen Theil, noch eine Eigenschaft

des Gegenstandes selbst, sondern den Eindruck nachahmt, den dieser Gegenstand auf die Seele zu machen pflegt. Durch dieses Mittel erhält die musikalische Nachahmung ihren weitesten Umfang. Denn nun brauchts an dem Gegenstande selbst auch jener Eigenschaften nicht mehr, die ich transcendentelle Aehnlichkeiten nannte. Auch sogar die Farbe wird malbar. Denn der Eindruck einer sanften Farbe hat etwas Aehnliches mit dem Eindruck eines sanften Tons auf die Seele. [S. 67–75]

[...] Die Mittel zur musikalischen Malerey sind also, meiner Kenntniß nach,
Erstlich: Die Wahl der *Tonart.* Wir haben harte und weiche.
Zweytens: Die Wahl des *Tons,* aus welchem das Stück gehen soll. Jede der zwölf Dur- und Molltonleitern unterscheidet sich von den übrigen durch verschiedene eigene Intervalle, und bekommt dadurch einen eignenen Charakter. C dur und As dur gehn in ihrem Charakter am meisten von einander ab, weil die Fortschreitungen ihrer Tonleitern am meisten verschieden sind; [...]
Drittens: Die *Melodie.* Es ist sehr wichtig, ob die Töne in engen oder in weiten, in leichten oder in schweren Verhältnissen fortschreiten, ob in einförmig langen oder in kurzen, oder in vermischten Noten. Eben so: Ob die Vermischung nach sichtbarer Ordnung oder mit anscheinender Unregelmäßigkeit geschieht, ob die Verzierungen einfach, oder mannichfaltig und reich sind, u. s. w. [...]
Viertens: Die *Bewegung.* Darunter ist begriffen: gleiche oder ungleiche, lange oder kurze Tactart; geschwinde oder langsame, einförmige oder abwechselnde und mannichfaltige Bewegung in verschiedenen Stimmen; gleiche oder ungleiche, oft auch gegen einander laufende Bewegung, u. s. w.
Fünftens: Der *Rhythmus.* Die Perioden und ihre Abschnitte sind entweder lang oder kurz, gleich oder ungleich.
Sechstens: Die *Harmonie,* die Zusammensetzung mit einander klingender Töne zu unmittelbarem oder mittelbarem Wohlklange. Hier kommt in Betrachtung: Die Art der Zusammensetzung einfacher oder mannichfaltiger, leichterer oder schwererer Verhältnisse; die Art der Fortschreitung dieser zusammengesezten Verhältnisse, die in einer unendlichen Zahl von Ausweichungen geschehen kann; die Trägheit oder

Schnelligkeit in den Ausweichungen; die Fülle oder Leere, Klarheit oder Dunkelheit, Reinigkeit oder Unreinigkeit der Harmonie, die oft nur scheinbare Unreinigkeit ist, u. s. w.
Siebentens: Die Wahl der *Stimme.* Tiefe, hohe, Mittelstimme, solche und solche Mischung der Stimmen, thut jedes eine andere Wirkung.
Achtens: Die Wahl der *Instrumente* nach ihren eigenen sehr verschiedenen Charakteren, und die Art der Vermischung der Instrumente.
Neuntens: Die *Stärke* und *Schwäche,* die Nüancirung derselben durch ihre verschiedenen Grade und die Art der Nüancirung.
Wie durch den Gebrauch dieser Mittel, so weit er reicht, der Tonsetzer die innern Empfindungen und Bewegungen der Seele malen könne, wird durch folgende Betrachtungen deutlich werden.
Zuerst: Alle leidenschaftlichen Vorstellungen sind mit gewissen entsprechenden Bewegungen im Nervensystem unzertrennlich verbunden, werden durch Wahrnehmung dieser Bewegungen unterhalten und verstärkt. Aber nicht allein entstehn im Körper diese entsprechenden Nervenerschütterungen, wenn vorher in der Seele die leidenschaftlichen Vorstellungen erweckt worden, sondern auch in der Seele entstehn die leidenschaftlichen Vorstellungen, wenn man vorher im Körper die verwandten Erschütterungen bewirkt. Die Einwirkung ist gegenseitig; eben der Weg, der aus der Seele in den Körper führt, führt zurück aus dem Körper in die Seele. Durch nichts aber werden diese Erschütterungen so sicher, so mächtig, so mannichfaltig bewirkt, als durch Töne. Daher bedient sich auch die Natur vorzüglich der Töne, um die unwillkührliche Sympathie, die sich unter Thieren einerley Gattung findet, zu bewirken. Das Schreyen des leidenden Thiers setzt die Nerven des nicht leidenden in eine ähnliche Erschütterung, welche in der Seele des leztern die ähnliche Empfindung erweckt, die daher den Namen des Mitleidens führt. Das Nehmliche gilt von der Mitfreude.
Zweytens: Jede Art leidenschaftlicher Vorstellungen unterscheidet sich durch die Fülle, den Reichthum der mehrern darinn vereinigten Vorstellungen; durch die größere Mannichfaltigkeit des Vielen, was in jeder verbunden ist; durch die größere oder geringere Uebereinstimmung dieses Man-

nichfaltigen, woraus eine größere oder geringere Schwierigkeit entsteht, die ganze Vorstellung zu fassen und zu durchdenken; durch die langsamere oder schnellere Folge der Vorstellungen auf einander; durch die engern oder weitern Schritte, da bald mehr bald weniger Zwischenvorstellungen übersprungen werden; durch die größere oder geringere Gleichförmigkeit des Fortgangs, da die einen immer langsam, die andern immer geschwinde in ihrem Fortgange sind, und wieder andre, äußerst unregelmäßig, bald ihren Lauf anhalten, bald mit größerer Geschwindigkeit wieder fortsetzen, u.s.w.

Um nur einige Beyspiele zu geben, so sind erhabne Vorstellungen von vielem schweren Inhalt; der Gang ist langsam: fröhliche Vorstellungen sind von leichtem faßlichen Inhalt; der Gang ist munter, die Sprünge nicht groß: Angst arbeitet sich mit großer Geschwindigkeit, aber unterbrochen, durch eine Menge mißhelliger Ideen hindurch; Wehmuth schleicht mit langsamen und verweilenden Schritten durch Ideen fort, die in nahen Verbindungen stehen.

Aus diesen Bemerkungen erklärt sich

Erstlich: Wie die Musik die innern Empfindungen der Seele malen, nachahmen könne? Sie wählt Töne von so einer Wirkung auf die Nerven, welche den Eindrücken einer gegebenen Empfindung ähnlich ist; wählt zu diesem Endzwek Instrument, Höhe und Tiefe der Töne. Wenn die Töne einer Franklinschen Harmonika[176] einen Menschen von nur etwas empfindlichen Nerven unwiderstehlich zur Wehmuth hinreissen; so erweckt dagegen der Schall der Trompete und das Rollen der Pauken eben so unwiderstehlich zu freudig erhabnen Empfindungen. Und wenn die höhern Töne für alle muntern, fröhlichern; die mittlern für alle weichern, sanftern Empfindungen schicklicher sind: So sind es die tiefen wieder für alle traurigen, schauervollen, lügübern. [...]

Aber noch unendlich besser malt die Musik die Empfindungen, indem sie in die Vorstellung von diesen entsprechenden Nervenerschütterungen und besonders in die Folge derselben, durch eine weise Wahl des Tons, der Tonart, der Harmonie, Melodie, Taktart, Bewegung, alle die oben bemerkten Analogieen mit den Empfindungen bringt, der Harmonie mehr oder weniger Reichthum oder Armuth, Leichtigkeit oder Schwierigkeit giebt, die Melodie durch nähere oder entferntere Verhältnisse fortschreiten läßt, die Bewegung schneller oder langsamer, gleichförmiger oder ungleichförmiger macht, u. s. w.

Zweytens erklärt sich, warum der Musik die Malerey der Empfindungen am besten gelinge. Sie wirkt hier nehmlich mit allen ihren Kräften zusammengenommen; gebraucht hier mit eins alle ihre Mittel; concentrirt hier ihrer aller Wirkung. Dieses wird fast nie der Fall seyn, wenn sie nur die Gegenstände malt, welche Empfindung veranlassen. Die leztern kann sie fast immer nur durch einzelne, schwache, und entfernte Aehnlichkeiten, die erstern durch eine Menge sehr bestimmter Aehnlichkeiten andeuten.

Drittens erklärt sich, warum gleichwohl auch diese Malerey der Empfindungen noch unvollständig bleibe? Wie schon oben bemerkt worden, so wird die Empfindung nicht anders individualisirt, als durch bestimmte Vorstellung des sie erweckenden Gegenstandes. Darinn aber bleibt die Musik immer unendlich zurück. Sie kann, durch vereinigte Kraft aller ihrer Mittel, nur Klassen, Arten, wenn gleich schon untere, bestimmtere Arten von Empfindungen angeben: Das mehr Specielle, das Individuelle, was erst aus der besondern Beschaffenheit und Beziehung des Gegenstandes erkannt werden muß, bleibt eben deswegen, weil sie diese besondere Beschaffenheit und Beziehung nicht zugleich andeuten kann, ebenmäßig unangedeutet.

Aus den beyden letztern Bemerkungen, die ich richtig und einleuchtend glaube, folgen nun sogleich die zwey Regeln;

Die erste: Daß der Musiker immer lieber Empfindungen, als Gegenstände von Empfindungen malen soll; immer lieber den Zustand, worinn die Seele und mit ihr der Körper durch Betrachtung einer gewissen Sache und Begebenheit versezt wird, als diese Sache und Begebenheit selbst. Denn man soll mit jeder Kunst dasjenige am liebsten ausführen wollen, was man damit am besten, am vollkommensten ausführen kann. Besser also immer, daß man in einer Gewittersymphonie, dergleichen in verschiedenen Opern vorkömmt, mehr die innern Bewegungen der Seele bey einem Gewitter, als das Gewitter selbst male, welches diese Bewegungen veranlaßt. [...] Die Hillerische Gewittersymphonie in der Jagd[177] hat schon aus diesem Grunde einen ungezweifelten Vorzug vor der Philidorischen.

Es giebt aber noch einen andern, und wie ich glaube, wichtigern Grund dieser Regel. Denn da die Musik eigentlich für die Empfindung geschaffen ist; da bey ihr auf diesen Zweck alles hinwirkt: so kann es nicht fehlen, daß der Tonsetzer, auch wenn er blos einen Gegenstand zu malen vorhat, nicht gewisse Empfindungen angebe, in welche sich die Seele einläßt und welche sie zu verfolgen wünscht. Nun aber wird sich fast immer finden, daß über dem Bestreben des Tonkünstlers, eine Sache oder Begebenheit nachzuahmen, die Seele auf eine widrige Art von Empfindung auf Empfindung verschlagen und in der ganzen Folge ihrer Vorstellungen irre gemacht wird.
Die Zweyte Regel ist: daß der Tonsetzer keine solche Reyhe von Empfindungen muß malen wollen, die von einer andern Reyhe von Begebenheiten oder Betrachtungen abhängig, und deren Folge unbegreiflich oder gar widersinnig ist, so bald man nicht zugleich diese andere Reyhe denkt, von welcher jene eben abhängt. Ich will mich näher erklären.
Setzen sie, daß das schönste accompagnirte Recitativ eines Hasse ohne die Singstimme, oder noch besser vielleicht, daß ein Bendaisches Duodram ohne die Rollen, bloß vom Orchester ausgeführt werde; was würden Sie in dem besten, mit dem feinsten Geschmak und der richtigsten Beurtheilung geschriebenen Stücke zu hören glauben? Ganz gewiß die wilden Phantasieen eines Fieberkranken. Warum das aber? Offenbar, weil die Folge von Ideen oder Begebenheiten, aus welcher allein die Folge der Empfindungen konnte begriffen werden, aus dem Ganzen weggenommen worden. [...]
Eine Symphonie, eine Sonate, ein jedes von keiner redenden oder mimischen Kunst unterstüztes musikalisches Werk — sobald es mehr als bloß ein angenehmes Geräusch, ein liebliches Geschwirre von Tönen seyn soll — muß die Ausführung Einer Leidenschaft, die aber freylich in mannigfaltige Empfindungen ausbeugt, muß eine solche Reyhe von Empfindungen enthalten, wie sie sich von selbst in einer ganz in Leidenschaft versenkten, von außen ungestörten, in dem freyen Lauf ihrer Ideen ununterbrochenen Seele nach einander entwickeln. Wenn ich eine noch nicht bekannt gewordene Theorie von den verschiednen Ideenreyhen und ihren Gesetzen hier voraussetzen dürfte; so würd ich sagen, daß die Ideenreyhe keine andere als die lyrische seyn muß.

Ich komme zu dem, was Sie vorzüglich von mir erwarten: zur Bestimmung der Regeln für die Singkomposition. Hier muß ich vor allen Dingen die Stimme von der Begleitung unterscheiden. Zuerst von jener.
Alles, was ich hier zu sagen habe, beruht auf den Unterschied von Malerey und Ausdruk, den man zwar längst gemacht, aber wie ich fürchte, noch nicht ganz ins Licht gesezt hat.
Eine bloße Idee des Verstandes ohne Beziehung auf unsre Begehrungskraft; die bloße kalte Vorstellung einer Sache, wie sie ist, ohne mitverbundene Vorstellung, ob sie gut oder böse sey? ob sie irgend einer der Neigungen unsrer Natur schmeichle oder zuwiderlaufe? ist kein ästhetischer für die schönen Künste schicklicher Gedanke; kein solcher, den der wahre Dichter schreiben, und am wenigsten, den er für die Musik schreiben wird. In jedem wahrhaftig poetischen, und noch mehr in jedem musikalischpoetischen, Gedanken muß also zweyerley können unterschieden werden: die Vorstellung des Gegenstandes, und die Vorstellung der Beziehung, welche dieser Gegenstand auf unser Begehrungsvermögen hat, da wir ihn schätzen oder verachten, lieben oder hassen, darüber zürnen, erschrecken, oder uns freuen, ergötzen, uns davor fürchten oder uns darnach sehnen, u. s. w.
Mit einem Worte: in jedem solchen Gedanken muß zweyerley können unterschieden werden: das Objektive und das Subjektive.
Um aller Verwirrung und Mißdeutung zuvorzukommen, erinnre ich: daß das, was ursprünglich Subjektives war, Objektives werden kann. Die Vorstellung einer Empfindung nehmlich, sey es eines Andern oder unsre eigne Empfindung, kann Ursache einer neuen Empfindung werden; manchmal einer verschiednen, sogar entgegengesezten Empfindung. Die Freude eines Andern kann mich zum Zorn reizen; es kann mich betrüben, in mir selbst ein Wohlgefallen an etwas, das meine Vernunft nicht billigt, gewahr zu werden. In diesen Fällen ist die Freude und das Wohlgefallen das Objektive; der Zorn und die Betrübnis das Subjektive.
Nun heißt man Malen in der Singmusick: das Objektive darstellen; hingegen das Subjektive darstellen heißt man nicht mehr Malen, sondern Ausdrücken.
Im Grunde zwar fällt beydes unter unsern obigen Begrif von Malerey. Ausdruk könnte man erklären durch Malerey des

Subjektiven, Malerey der Empfindung. Doch mögt ich nicht gerne sagen: Empfindung; eben weil das, was Empfindung ist, nicht immer das Subjektive ist, nehmlich die jezt in der Seele herrschende Empfindung. – Subjektives, sagte ich oben, kann zu Objektivem werden; eben so, sage ich jezt, kann Ausdruk zu Malerey werden. Nehmlich, wenn Empfindung Gegenstand einer Empfindung ist, und der Musiker drückt jene, den Gegenstand aus, nicht diese; so malt er. Oder wenn ein Gegenstand gewöhnlicher Weise eine solche und solche Empfindung, in dem jetzigen Fall aber eine verschiedene, vielleicht ganz entgegengesezte wirkt, und der Tonsetzer hat jene für diese gegriffen, so hat er nicht ausgedrückt, sondern gemalt.

Hiedurch nun, hoffe ich, ist die Regel völlig bestimmt und erklärt, die man dem Singkomponisten so oft wiederholt hat: Er soll ausdrücken, nicht malen.

Bewiesen braucht diese Regel kaum zu werden. Denn [...] Was soll der Gesang anders seyn, als die lebhaftste, sinnlichste, leidenschaftlichste Rede? Und was sucht nun der Mensch in Leidenschaft vor allem andern mit der Rede? Was ist ihm das Wichtigere? Ganz gewiß nicht, die Natur des Gegenstandes bekannt zu machen, der ihn in Leidenschaft sezt, sondern sich dieser Leidenschaft selbst zu entschütten, sie mitzutheilen. Darauf arbeitet alles bey ihm, Ton der Stimme, Gesichtsmuskeln, Hände und Füße.

Also: nur Ausdruk erreicht den Zwek des Gesanges; Malerey zerstört ihn.

Wie aber, wenn zuweilen Malerey und Ausdruk zusammenfielen? Das will sagen: Wie, wenn zuweilen Malerey des Objektiven für Ausdruk des Subjektiven gelten; wenn wohl gar zuweilen der Ausdruk des Subjektiven ohne Malerey des Objektiven nicht geschehen könnte?

Dieses aber ist wirklich so oft der Fall, daß ich wünschte, man mögte obige Regel lieber anders fassen; man mögte, statt zu sagen: der Singkomponist soll nicht malen, sondern ausdrücken, lieber nur so sagen: Der Singkomponist soll sich hüten, wider den Ausdruk zu malen. Denn daß er gemalt hat, ist an sich noch kein Fehler; er kann es und darf es: nur dann wirds Fehler, wenn er das Unrechte, oder wenn er am unrechten Ort gemalt hat.

Die Einsicht hierinn beruht auf einem Unterschied in unsren

Empfindungen, der vielleicht noch zu wenig bemerkt worden. Ich weiß ihn, in der Geschwindigkeit, nicht besser anzugeben, als wenn ich sage: bey der einen Art von Empfindungen verschmilzt, verliert sich das Subjektive ins Objektive; die Leidenschaft befriedigt sich nicht anders, als indem sie das Objekt so viel umfaßt, wie möglich; die ganze Seele demselben so viel nachbildet, als möglich: bey der andern Art von Empfindungen steht Subjektives und Objektives einander deutlich entgegen; die Leidenschaft befriediget sich dadurch, daß sie die Seele in eine der Natur des Objekts ganz entgegenstehende Fassung sezt. Da durch diesen Unterschied die Empfindungen anders abgetheilt werden, als sie es in irgend einer der bekannten Klassifikationen sind, so wage ich eine neue Benennung, um mich kürzer ausdrücken zu können. Jene Art von Empfindungen will ich die homogenen, diese die heterogenen nennen.
Beyspiele werden alles deutlicher machen. – Bewunderung eines großen oder erhabenen Gegenstandes, ist eine homogene Empfindung. Das betrachtende Subjekt nimmt so viel, wie möglich, die Natur und Beschaffenheit des betrachteten Objektes an; die Stimme wird voll, die Brust erweitert sich, sagt Home, wenn man große Gegenstände denkt. Denkt man erhabne, so richtet man das Haupt empor, erhebt Stimme und Hände. Das Subjekt sucht sich auf alle Art dem Objekt nachzubilden.
Bey der Verehrung, der Anbetung ist das schon anders. Hier sezt sich das Subjekt dem Objekt entgegen; fühlt seine Schwäche, Niedrigkeit, Kleinheit, Unvollkommenheit im Verhältnisse gegen dieses Objekt: das Haupt beugt sich; Stimme und Hände sinken nieder.
Eben so und noch mehr mit der Furcht. Die Größe, die Stärke, die im Objekt wahrgenommen wird, ist gegen das Subjekt gerichtet; je größer, je stärker also jenes, desto nichtiger, desto schwächer dieses: je voller, erhabener, prächtiger die Malerey seyn würde; desto schwächer, gesunkner, kleinlauter ist der Ausdruk.
Daraus ergiebt sich nun sogleich die Regel: bey homogenen Empfindungen ist Malerey Ausdruk; bey heterogenen zerstört Malerey den Ausdruk.

Aber darum darf nun doch der Tonkünstler, auch wo ihm wirklich die Malerey erlaubt ist, nicht ins Wilde hinein malen. [...]

Erstlich: An dem zu malenden Objekt können sich mehrere musikalisch malbare Prädikate finden: Der Tonsetzer muß Acht geben, daß er nur diejenigen fasse, die in der jedesmaligen Ideenreyhe von der Seele beachtet werden. An dem Begriffe Meer z.B. können, in der jetzigen Verbindung der Gedanken, vielleicht nur die Gefahren, die Tiefe, der weite Umfang in Betrachtung kommen: es wäre der offenbarste Fehler wider den Ausdruk, wenn man in diesem Fall das sanfte Schlagen der Wellen malte. Wenn ich mich von so vielen Jahren her recht erinnere; so ist Hasse in der schon oben angeführten Arie der *S. Elena*[178] von diesem Fehler nicht frey geblieben. Die Dehnung, die er in den Zeilen:

Questo è il suol, per cui passai
Tanti regni e tanto mar[179]

dem lezten Worte, nach italienischem Gebrauch, gegeben hat, drükt ein sanftes Wallen aus, woran hier die singende Elena unmöglich denken konnte. Ueberhaupt war hier diese Idee ganz und gar nicht zu malen. Aber es ist unglaublich, wie sehr, auch bey unsern Genievollsten Tonsetzern, der italienische Singsang den Ausdruk zerstört hat.
Zweytens: Wenn an dem ganzen Begriffe nichts, als gerade so ein Prädikat, unmusikalisch malbar ist, was in der jetzigen Ideenreyhe nicht auf eine vorzügliche Art die Aufmerksamkeit reizt; so muß sich der Tonsetzer aller ausbildenden Malerey enthalten, und nur schlechtweg deklamiren.
Drittens: Aus der ganzen Reyhe von Vorstellungen muß er urtheilen, wie wichtig jede einzelne sey; wie lange, mit welchem Grade von Interesse die Seele dabey verweile, und also, wenn der Fall eintritt, die Malerey Ausdruk wird, wie tief er sich in die Malerey einlassen dürfe. Wenn er statt des Hauptbegriffs, auf den die ganze Seele sich hinrichtet, um den sich alle andern herumbauen und sich in ihm einigen, einen der Nebenbegriffe hascht, um ihn vorzüglich auszumalen: so ist das völlig eben derselbe Fehler, als wenn er einen falschen Accent sezt; ja, weil die Malerey nicht so schnell, wie ein Ton vorüberschlüpft, ein noch unangenehmerer Fehler.
Viertens: der ärgste Verstoß wider den Ausdruk wäre, wenn der Tonsetzer nicht die Idee, sondern das Wort malte; wenn er vielleicht eine Vorstellung ausbildete, die in der Rede verneint und aufgehoben wird; wenn er sich an das bloße Bild,

an die Metapher hielte, statt sich an die Sachen zu halten. – Doch vor Fehlern dieser Art sollte man gar nicht warnen; denn wer sie begehen kann, an dem ist alle Warnung verlohren. [S. 75–99]

Was ich von der Begleitung der Instrumente zu sagen habe, läuft hauptsächlich darauf hinaus: daß hier weit mehr Malerey, als in der Singstimme erlaubt ist. Daher haben auch die besten ausdrukvollsten Tonsetzer im Accompagnement ihrer Arien, und vorzüglich ihrer Recitative, nicht immer bloß den Ausdruk der Empfindung fortgesezt, sondern oft auch durch Darstellung des veranlassenden Gegenstandes ihn zu unterstützen und zu heben gesucht. Graun hat in der bekannten Arie:

> Wenn ich am Rande dieses Lebens
> Abgründe sehe, u.s.w.

prächtige Malerey des gefürchteten Richters in die Begleitung gelegt, und es ist kein Fehler; in der Singstimme hingegen ists offenbarer Fehler.
Indessen muß auch in der Begleitung die Malerey nur wesentliche, auf die Empfindung einfliessende, Prädikate des Objekts darstellen, und nicht so heterogen mit dem Ausdrucke seyn, daß sie, anstatt die Empfindung zu unterstützen, sie zerstöre. Dieses wäre z. B. der Fall, wenn eine ernsthafte Gedankenreyhe von einer komischen Malerey unterbrochen würde. [...] Es thut die widrigste Wirkung von der Welt, wenn in einem durch und durch ernsthaften und selbst erhabnen Stücke das Schlagen des Herzens mit Pizzicato begleitet, oder das Zischen der Schlangen von den Violinen nachgeahmt wird.
Wenn es in einem Briefe an Sie nicht zu unschiklich wäre, so würd ich die herausgebrachten Regeln auch noch auf Deklamation und Pantomime anwenden. Denn in der That gelten sie für alle energischen Künste. Doch diese Anwendung macht sich auch von selbst, sobald man von diesen Künsten und den Mitteln, wodurch sie wirken, nur den geringsten Begrif hat.
Ich bin mit größter Hochachtung u.s.w. [S. 102–104]

28. Musikalisches Kunstmagazin,
hrsg. von Johann Friedrich Reichardt,
Teil 1, 1. bis 4. Stück, Berlin 1782
(Neudruck: Hildesheim 1969)
[enthält u. a.:]

28.1. *[Johann Friedrich Reichardt], An junge Künstler.*

[...]
Daß aber auch in unserm gemeinsten Volke für wahren, einklängigen Volkgesang Sinn und Trieb liegt, kann jeder bemerken, der drauf Acht haben will, wie es sich die Hillerischen Liedermelodien — die mit Standfuß seinen unter all unsern Melodien, dem wahren Volkgesang am nächsten kommen — wie es sich die oft abändert und immer mehr simplifizirt, daß sie zulezt fast Volklieder werden. Liedern, die das nicht werden mögen, geben sie bald eine so lebhafte Bewegung, daß sie ihren ursprünglichen Landtänzen ähnlich werden, bald wenden und beschneiden sie sie zu Jägerhorn-Posthornstücken.
Warum aber findet auch der aufmerksamste Beobachter bey allen europäischen Völkern keine neue wahre Volklieder? Staatsverfassung thut freilich viel; die drückte aber auch sonst. Ich denke das wichtigste ist, daß das schöne Naturbedürfniß Kunst, die Kunst gar Handwerk geworden! Vom Oberkapellmeister des Fürsten bis zum Bierfiedler, der die Operette in die Bauernschenke trägt, ist ja fast alles izt nachahmender Handarbeiter für gangbaren Marktpreiß. Zum vollen Unglück sind ihrer gar so viele, daß die Konkurrenz nie unter die Käufer kommen kann, immer bey den Verkäufern ist. Daher denn auch der höchste Gipfel des izigen sogenannten Künstlers dieser ist, die gröste Summe der Narrheiten seines Bezahlers mit einmal zu befriedigen. Und dieß hat einen so allgemein fatalen Einfluß aufs ganze Volk, daß wenn auch Obrigkeit und Pächter einmal ein frohes Glück im Menschen zum Aufwallen kommen läßt, dieser nicht mehr geraden ungetrübten Sinn genug hat es aus sich selbst und nach seiner eignen Natur zu äußern, immer singt der überall fertige Spielmann aus ihm. Anstatt daß alte Jägerlieder ganz den Charakter des nachtfrohen Lauschers und Erhaschers an sich tragen, aus Fischerliedern das heimliche Wasserleben athmet, aus Hirtenliedern ruhige Heiterkeit aus-

geht, und alle lebendigen Ausdruck wahrer Freud' und wahres Leids tönen –[180].

Auch unsern Künstlern, die doch wähnen, den höchsten Gipfel der Kunst erreicht zu haben, bleibt es die schwerste Aufgabe ein Lied in wahrem Volksinn zu machen. Woher das? Wir haben nur zwey Gattungen unter unsern Künstlern – drey vier einzelne Männer ausgenommen, die wie große Männer aller Art zu keiner Gattung gehören – Der eine Theil versteht Harmonie, nichts weiter als Harmonie und hält die für alles. Der andre versteht nichts von Harmonie und will überall scheinen als verständ' er sie, müßt er sie verstehn, und überall anwenden.

Daß jene, die oft achtungswürdige Kenntnisse, zuweilen auch wohl Kunsttalent besitzen, einzelnes Studium der Harmonie für ganzes Studium der Kunst halten, und daß diese oft bey vielem Genie nichts von der Harmonie verstehn, liegt beydes in der Verworrenheit unsers Systems, und in der noch verworrenern gewöhnlichen Lehrart derselben.

Der junge, feurige Kunstmann schaudert zurück beim Anblick des chaotischen Gewebes einzelner Regeln; der kältere, der sich glücklich hindurch arbeitet mißt den Grad seiner Einsicht nach den mühvollen Jahren, die sie ihm gekostet, und hat hernach nicht Blick und wahre Kunstliebe genug vieles Erlernte für das zu halten, was es ist: nichts; hält vielmehr, geht er in die übrigen Theile der Kunst ein, alles was diesem oder jenem gelernten Wesen zuwieder läuft für Ketzerey; da es ihn doch billig auf sein erlerntes System aufmerksam machen sollte.

Dieses Uebel muß desto allgemeiner seyn, je weniger feines richtiges Gefühl, großer Blick fürs Ganze allgemein ist und je weniger die übrigen Theile der Kunst, gleich der Harmonie, in Regeln festgehalten, festgesezt werden können. Und doch muß jedem vorurtheilfreyen Menschen gerade dieses drauf führen, daß *unsre* Harmonie, deren System jedem Dumkopf anpaßt, nicht das innre wahre Wesen der Kunst ist, sondern nur ein Theil, vielleicht nur durch Spekulation gefundener auf Konvenienz gegründeter, willkührlich hinzugefügter Theil, der durch falschen Gebrauch eben so sehr die Kunst entstellt, als er bey rechter Anwendung sie wahrlich erhöhen veredeln kann. Wo es aber nicht um Hoheit und Adel zu thun ist, kömmt zusammenklingende Harmonie meist in die

Queere. Dies sagt das Herz, oft gar dem Ohr entgegen.
Ueberall, wo nur schönes Naturbedürfniß befriedigt seyn will, ist beym Künstler Verläugnung der Kunst – nicht Unwissenheit in der Kunst – höchste Kunst. Auf diesem höchsten Gipfel ist der Künstler erst wieder dem reinen unbefangenen, schönorganisirten, glücklichen, kunstsinnigen Naturmenschen gleich. Dieser kann nur Volklieder singen, jener nur sie machen.
Mit all diesem wollt' ich nun aber nicht sagen, Volklieder wären einiger Zweck und höchster Gipfel der Kunst: Kunst müsse nun das ersetzen was uns der *Mensch* versagt. Wenn Veredlung des Gefühls, Andacht, Aufschwung von der Erde unsrer Bestimmung angemeßner ist, als Erdenfröhlichkeit und Erdentrauer, die nur Mittel nicht Zweck uns seyn sollen, so sind sie auch höherer Kunstberuf.
Der Künstler, der diesen hohen, nur gefühlten geahndeten Beruf in sich spürt, der strenge alle Kräfte seiner Seele an, studiere jeden einzelnen Theil der Kunst, nutze alles Gefundene, erkenn' es dafür was es ist und wähle und verwerfe nach dem es auf ihn würket. Denn alles, auch das deutlich Erkannte, muß dem Gefühl des Künstlers unterworfen bleiben. Dies ist seine wahre Freiheit. Dies allein gibt seinen Darstellungen Wahrheit. Nur für sich muß er arbeiten, oder er arbeitet für niemanden; nur für sich und damit für Tausende.
Es bleibt ewig wahr: der Künstler kann nur das wahr darstellen, was er selbst fühlt. Wer nur Freud' und Leid fühlen kann oder mag, wie sie rein die Natur hier giebt, der kümre sich um alle Kunstregeln nicht. Jener Ausdruck ist nicht Werk der Kunst. *Halbes Studium der Kunst ist nicht näher der Natur als ganzes. Nur ganzes Studium bringt erst wieder der Natur nah.*
Nur der Blick über diese Welt hinaus wandelte schönes Naturbedürfniß in Kunst. Nur dahin würke die Kunst. Nur zu diesem Würken bieten sich Naturgefühl und Kunst freundlich die Hand. Nur unseliges Hinabsinken von der Himmelshöhe in faule Erdensümpfe hat unsre himmlische Kunst zum Erdengewerbe hinabgewürdigt. Dort Aufschwung nach der Höhe in unserm himmlichreinen hocheinfachen göttlichreichen Choralgesang. Hier wollüstiges Kützeln und Einwiegen im kindischspielenden, witzigverkräuselten armseligen Modesingsang und Klingklang.
Dieser Mangel an wahrem Kunstsinn beym Tonkünstler ver-

ursacht sehr natürlich beym Volke eben solchen Mangel an wahrem Kunstgeschmack. Daher auch bey beiden so wenig wahre Liebe und Eifer für alles was wahrhaftig schön und edel ist, daß der Künstler, der ein Herz im Leibe hat, wenn er nicht gar seine Kunst aneckelt, sich doch mit ihr verschließt, ihr in geheim huldigt, in geheim seine besten Opfer bringt und dem Publikum nur das hinwirft was er seiner und seiner Göttin unwerth achtet. *Ein* geschrieben Blatt was mir mancher wahre Künstler auf meinen Reisen aus seinem verborgnen Schatze gab, war oft unendlich mehr werth als zwanzig gestochene und gedruckte Werke desselben Mannes, zubereitet für das enge Herz seiner gnädigen Käufer und den Eisenkrämersinn seines Notenverlegers.

Diese Sklaverey für Notenhändler und Modeton zu arbeiten ist die ärgste unter allen, ist Kleinkrämerey und mergelt aus bis auf den letzten Tropfen lebenden Bluts. Die blinde rasende Wuth mit der unsre izigen Künstler sich in dies Schandgewerbe stürzen, hat uns die besten, sonst edelsten, gar Originalkomponisten geraubt. Männer, die sich sonst bis zur Affektation scheuten ihren besten Nebenkünstlern nur in Nebendingen der Form ähnlich zu seyn, geben uns izt nichts anders als Rondeaus und Adagios mit Trommelbässen.

Kommt zum Geitz nach Gold und Händegeklatsch noch die übergroße Thorheit hinzu, auch dem Alltags- Zeitung- und Journalkritiker gefallen zu wollen, dann erlischt jeder Funke von Wahrheit und Freiheit in deinen Werken. Dann darfst du nur noch selbst die Kritik zu deinem eignen Brodgewerbe machen, um der schlechteste Künstler und schlechteste Mensch zugleich zu seyn.

Willst du groß und glücklich seyn, junger Künstler, so verachte all die kleinen elenden Behelfe, die Menschen, ihrer Würde uneingedenk ersonnen und geheiligt, um sich und andern Achtung anzulügen; reiße dich von aller Kleinheit los: sey wahrhaft frey.

Dann wird nichts deines Herzens sich bemeistern als Liebe. Liebe die Göttinn deiner Kunst. Sie sang zuerst aus dem Menschen, und der ganzen lebenden, singenden Natur; sie nur singt zum Herzen wie sie aus dem Herzen singt. Allumfassende Liebe erfülle deine ganze Seele. Ueberall, wo reine Liebe dich führt, gehst du sicher dem Gipfel deiner Kunst, wie deines Glücks entgegen.

Scheu' auch gesellschaftliche Bande nicht, wenn reine Liebe dich hineinfügt. Es ist keine wahre Freiheit, wo nicht Ruhe des Gemüths ist. Und diese Ruhe findest du nur im festen, unauflöslich verwebten Bande mit dem Weibe, das deine Seele liebt. Und tausendfache neue niegeahndete Liebesgefühle leben in deiner Seele auf und befesten dein Wesen und dein Glück, wenn du dich, dein Weib in schönen lieben kleinen Menschen wiederfindest. O es ist unaussprechliche Seeligkeit unnennbarer Seelenfriede in seinem kleinen Hause eine bessere, selbstgeschafne bessere Welt zu haben, nur über meine wirthliche Hausschwelle treten zu dürfen, um jeden Mißmuth, erzeugt durch Weltverderbtheit sogleich schwinden zu sehen, jede Kraft hier frey zur Vervollkommnung meiner Lieben anwenden zu können, die ich in der größern Gesellschaft oft nicht anwenden durfte nicht konnte!
So nur erzeugt und erhält Liebe edeln Wirkungtrieb. So nur, als Mensch gewöhnt, den Ungestüm des innern Strebens zu großgutem Wirken zurückzuhalten, nicht mit Wuth – seys auch Liebeswuth– dem gewaltig fortreißenden Strom des Verderbens entgegen zu drängen, lieber sich, seinen Lieben und durch diese der Nachwelt, vielleicht auch noch seinem Zeitalter mit all seinen Kräften zu leben; so nur, dieser Weise nur, kann auch als Künstler sein Zeitalter edel verläugnen und für sich, für die, die ihm gleichen, in allen künftigen Zeiten gleichen werden und auf diesem Wege vielleicht künftig einmal für alle Großgutes wirken.
Ursprung und Zweck der Kunst ist heilig; heilig werde sie auch betrieben. Nur da, wo's drauf ankömmt den Menschen über sein schlechteres Selbst, über sein Zeitalter, über diese Erde zu erheben, da nur werde die Kunst angewand. Und da, wie kann, wie wird sie da wirken! Wie hohe Vorgefühle künftigen seligen Anschauens, wie hohe Wahrheit- Freyheitgefühle wirken und befesten! Wie Einen gegen hundert gegen alle Großen und Kleinen der Welt mit Muth und Stärke zum Angreifen und Vollenden bewafnen wenn's Wahrheit, Freiheit, Wohl der Menschheit für heut und für ewig gilt!
Nur der, der sie ganz zu vollenden vermag, werde hinzugelassen; und dessen Wirken wird auch stets heilig, edel seyn. Lebt er in einem Zeitalter und unter Menschen denen nichts heilig ist, so wird er für sie, wie sie sind, nicht Künstler seyn

wollen. Er wird für sein Herz und für die wenigen, die er im Herzen trägt arbeiten und so gewiß, sey's auch ungesehn und unerkannt, spät oder früh Veredlung der Menschheit wirken.
Roußeau! edler lieber Wahrheitforscher und Seher! Auch da mir unaussprechlich liebenswürdig wo du sie nicht sahst: denn nur übergroßer hochentflammter Eifer für Wohl der Menschheit ließ dich oft die innre Stimme deines himmlischen Genius nicht vernehmen. Gewiß, wie du den Menschen die ihnen verderblich gewordenen Künste nehmen wolltest, weil sie sie zu leicht überall mißbrauchen, gewiß sagte dir da dein Genius, was mir, früh belebt von reiner hoher Liebe für Wahrheit und für dich, mein Herz izt sagt. Aber das Elend der Menschen zog in seinen häßlichsten schrecklichsten Gestalten zu nah deiner engelzarten Seele vorüber, um ihn ganz zu vernehmen; nur halb vernahmst du ihn, wolltest nur als Ausnahme einige außerordentliche Genieen Kunst treiben lassen, da hier doch so äusserst nah die ganze Entscheidung der wichtigen Frage liegt:
Alle höhere Kunst entsprang durch Erhebung der menschlichen Seele über dies Erdenleben. Alle höhere Kunst war überall im Anfang Sprache der Menschen mit den Göttern, und dann Aushauch, laut Bild des veredelten freyen Menschen. So immer Tochter hoher edler Gefühle. Auch uns gab neubeseelter Aufschwung zum Himmel neubelebte Kunst. Wär jener der größeren Menschenwelt geworden, würd' auch diese nun groß und vollkommner seyn. Nur auf diesem hohen edlen Wege kann Kunst zur Veredlung Beseligung des Menschen angewandt werden, und auf diesem Wege *können* auch nur wahre genievolle Künstler wirken, alle andre *müssen* denn Handlanger bleiben. Alle Herabwürdigung der höheren Kunst zu kleinen unwesentlichen Erdbedürfnissen, zu üppigen Menschenfindeleyen und Narrenteidungen ist Verderb für die bessere Menschheit, kann auch nur dem schon verdorbnen Menschen nützen. Zu reiner Naturfreude bedarf der Mensch keine Kunst, so lange sein schöner Natursinn ungetrübt bleibt. Kunst befriedigt kein schönes Naturbedürfniß, trübt vielmehr da wo sie zum Verklären zu schwach ist den reinen Natursinn, der es zu befriedigen vermag.
Durchglüht dich nun, junger edler Mann, Freiheit, Wahrheit, Liebe, edler Wirkungtrieb, dann lebst du in wahrem Künstlerwesen, dann ist deine Seele voll *hoher Begeisterung.* Und

hierinn liegt alles was ich dir als Mensch und Künstler sagte und nicht zu sagen vermochte:
Strebe nach hoher Begeisterung! [S.5–7]

28.2. *[Rezension:] Thirza und ihre Söhne, ein musikalisches Drama, in Musik gesetzt und als ein Auszug zum Singen beym Klavier herausgegeben von Johann Heinrich Rolle, Leipzig 1781.*

Wie alle früheren Dramen des Herrn Rolle, beweist auch dieses, daß er ein gefälliger populärer Komponist ist, daß das Sanfte und Zärtliche ihm ganz vorzüglich eigen ist, und daß Richtigkeit des Satzes ihn von andern neuen Komponisten auszeichnet. Nur was ich bis izt noch in allen Dramen des Herrn Rolle und – warum sollt' ichs nicht sagen? – in allen mir bekannten großen musikalischen Werken vermißt habe: *das Ganze,* das find' ich auch hier nicht.[...]
Das musikalische Ganze bestehet in der genauesten Beobachtung des Ganges der Leidenschaft und in der genauesten Bestimmung und Ausführung der Charaktere.
Hiezu ist nöthig, daß der Komponist das menschliche Herz studirt habe; daß er die Natur der Leidenschaft kenne; daß er von Natur ein feines Gefühl habe, und dieses Gefühl durch jenes Studium berichtigt habe; daß er eine hinlängliche Kenntniß der Sprache und der Poesie besitze: ferner, daß er den ganzen Umfang seiner Kunst kenne und übersehe; daß er die Harmonie nicht nur mathematisch und mechanisch studirt habe, sondern auch ihre Wirkung aufs Gefühl genau kenne; daß er überhaupt seine Kunst nicht bloß mechanisch erlernt, sondern alles selbst durchgedacht, angewandt, und durch die Erfahrung bestätigt gefunden habe: endlich, daß er die Natur der Töne, der Bewegungen, der menschlichen Stimme, und aller musikalischen Instrumente aufs genaueste kenne, und vorzüglich ihre Wirkung bey der Ausführung selbst aus Erfahrung wisse.
Ist der Singekomponist dieser Mann, dann wird er zuerst das vor sich habende Subjekt genau überdenken, und dem wahren Gange der Leidenschaft selbst nachspüren, bis er ihn glaubt erkannt, gefühlt zu haben. Alsdenn wird er seinen Dichter vornehmen, und sehen, wie dieser das Subjekt be-

handelt hat. Findet er im Dichter andern Gang, als ers sich dachte, als ers fühlte, so wird er genau untersuchen, worinnen die Ursache liegt, daß er mit dem Dichter verschieden dachte, verschieden fühlte. Findet er selbst den Grund nicht, der das Verfahren des Dichters rechtfertigt, so wird er sich mit dem Dichter darüber besprechen, wird dem Dichter seine Gründe sagen, und die gegenseitigen Gründe hören. Kann ihn der Dichter von der Wahrheit und Richtigkeit seines Verfahrens nicht überführen, und will dieser auch die Bemerkungen des Komponisten nicht nutzen, so wird der Komponist durch seine Behandlung den Dichter zu verbessern suchen, er wird seinen Fehler verstecken, wozu er mancherley melodische, harmonische und rythmische Mittel in Händen hat.
Findet aber der Komponist den Dichter selbst als den Mann, der den Gang der Leidenschaften genau beobachtet hat, so wird er ihn genau studiren, und sich strenge an ihn halten. Ehe er aber zu arbeiten anfängt, wird er die Arbeit des Dichters auch erst in Absicht auf die Form des Stücks genau untersuchen, damit ihm nicht unmusikalische Form, unmusikalischer Ausdruck des Dichters zu Nebenwegen verleite, zwinge, die ihn in seinem Gange aufhalten, und zuletzt irre führen würden. Hierüber pflegen die Dichter freilich nicht allemal am verträglichsten und nachgebendsten zu seyn, ob wir ihnen gleich zum Bewegungsgrunde die Natur unserer Musik angeben können, die von der Musik, die sich der Dichter mit seiner lebhaften Einbildungskraft denken kann, ein gut Theil verschieden ist.
Der Komponist wird den Dichter weit bereitwilliger zu Aenderungen und zu gemeinschaftlicher Arbeit zu Einem Zwecke finden, wenn er vernünftige und in der Natur der Sache gegründete Dinge von ihm verlangt. Wer kanns aber itzt dem Dichter verdenken, daß er oft hartnäckig auf seiner ersten Meynung bestehet, wenn die Forderung des Komponisten Schlendrian, Mode, eigensinnigen Geschmack eines Einzigen, und dergleichen Dinge mehr, zum Grunde hat?
Wenn nun der Komponist mit dem vor sich habenden Stück zufrieden ist, dann wird er den Plan zum ganzen Stück überdenken, wird mit diesem Gedanken noch einmal das Stück lesen: die Hauptpunkte der Leidenschaft, wo sie am höchsten steigt, werden sich stark bey ihm eindrücken, er bezeichne sie.

Nun wird er das Stück noch einmal lesen mit vorzüglicher Aufmerksamkeit auf die einzelnen Theile, in welchen Graden die Leidenschaft bis zu jenem hohen Punkte steigt; er bezeichne sich wieder die Hauptgrade mit verschiedenen Zeichen von den kleinern Graden. Nun überdenke er alles noch einmal zum Ganzen: stimmt alles überein, so ist sein Plan fertig, und er wird den wahren Gang der Leidenschaft nicht verfehlen.
Ehe der Komponist nun aber zu arbeiten anfängt, hat er noch eine wichtige Betrachtung zu machen über die Charaktere der handelnden Personen. Er wird sie betrachten von Seiten ihrer herrschenden Leidenschaft und der Bestimmtheit derselben, von Seiten ihrer Würde, ihrer Wichtigkeit und Beziehung auf die Handlung, und endlich von Seiten des Einflusses, den alles dieses in den Ausgang der Handlung hat.
Er wird den Dichter eben so genau, wie dort beym Gange der Leidenschaft, in der Behandlung seiner Charaktere untersuchen, wird vorzüglich darauf sehen, ob der Dichter seinen Personen eine Hauptleidenschaft gegeben und wie er diese bestimmt hat: denn unser Singekomponist, wie wir ihn hier annehmen, kennt auch genau die Gränzen seiner Kunst, und weiß, daß sie nicht allemal die Modificationen der Empfindung und Leidenschaften auszudrücken fähig ist, wenigstens, daß der musikalische Ausdruck bey der verschiedenen Modification des jederzeit bestimmten und deutlichen Ausdrucks nicht fähig ist. Er wird sich auch hierüber mit dem Dichter zu vereinigen suchen.
Hat er nun das Schickliche und Angemessene der Charaktere bestimmt, dann fange er an zu arbeiten, und überlasse sich seinem Gefühle. Es werden ihn zuweilen einzelne Veranlassungen zu glänzenden Schönheiten, die nicht ins Ganze gehören, reizen, hinreißen wollen: ein Blick aufs Ganze, auf seinen Plan, wird diesen eitlen Reiz aber ersticken, wird das Gefühl des Künstlers beruhigen, erheben. Der junge feurige Künstler sage daher nicht, die Regel lege ihm Fesseln an, sie soll nur zum sanften Zügel dienen, das Genie dahin zu lenken, wo es am meisten hervorbringen, am stärksten wirken kann.
Dieses dünken mir die sichersten Mittel, ein musikalisches Ganze hervorzubringen. Arbeitet der Komponist so, mit der Ueberlegung und mit dem Blick aufs Ganze, dann werden

wir durch seine Musik bald in die Empfindung versetzt seyn, die das Stück eigentlich erregen soll; dann werden wir in dieser Empfindung nicht durch unschickliche Dinge unterbrochen werden, sondern sie wird ungestört anwachsen und zu dem Grade steigen können, den der Dichter zum Augenmerk hatte.

Außer diesem großen Ganzen kann der Komponist auch, gleich dem Dichter, den einzelnen Theilen seines Werks eine gewisse Vollständigkeit geben, die mit der Ordnung der Theile unter einander zum großen Ganzen sehr wohl übereinstimmt. So wie es uns bey dem dramatischen Dichter sehr ergötzt, in jeder Handlung, und oft in jeder Scene, einen bestimmten Schritt näher zum Zwecke, zu entdecken, und in diesem Schritt die Ausführung zu bemerken: so trägt es auch beym Komponisten sehr viel zu unserer hohen Ergötzung bey, jenes Bestimmte, jenes Ausführliche in seinen einzelnen Theilen, in jeder Arie, und, wo möglich, in jedem Recitativ zu bemerken. Und wir können dieses wohl zu der Vollkommenheit des Ganzen verlangen.

Noch eins: die Musik ist an sich selbst schon als Musik eine Ergötzung, ohne daß sie Empfindungen und Leidenschaft nachahmt. Sie darf uns eben nicht traurig, lustig und Erstaunen machen, und kann doch durch ein blosses angenehmes Gemisch von Tönen unser Ohr auf eine liebliche Art so kützeln, daß wir ergötzt werden. Sie kann ferner durch ihre mannigfaltige und künstliche Verhältnisse der Töne unter einander durch die Verwickelung und Auflösung derselben, auf eine angenehme Art unsern Verstand beschäfftigen, und uns dadurch auf eine edle Art ergötzen. Endlich kann sie beides verbinden. Dieß ist die Ursache, warum wir an bloßer Instrumentalmusik, die auch keine bestimmte Empfindung oder Leidenschaft ausdrückt, dennoch Vergnügen finden. Dieß ist auch die Ursache, daß Mannheimer Instrumentalmusik, die das Ohr angenehm kützelt, dem bloßen Liebhaber vorzüglich gefällt; daß sogenannte Berlinische Musik, die den Verstand beschäfftigt, dem gelehrten Kenner vorzüglich gefällt; und daß vernünftige Verbindung von beiden, dem billigen und gefühlvollen Kenner die höchste Ergötzung bey der Instrumentalmusik gewährt.

Die vernünftige Anwendung dieser an sich selbst schon ergötzenden Musik, zur Bereicherung und Vervollkommnung der Leidenschaft nachahmenden Singemusik, wird dem Komponisten nicht nur erlaubt, sondern sogar nothwenig anzurathen seyn. Nur vergesse er nie, daß die Anwendung davon vernünftig seyn muß, daß sie in Beziehung auf Leidenschaft, Person und Ort schicklich sey, und dem höheren Endzwecke untergeordnet bleibe. Der Componist, der dieser Verbindung fähig ist, gewährt uns die edelste und höchste Ergötzung, die die Tonkunst zu gewähren vermag, u.s.w.

[S.82–84]

28.3. *[Rezension:] Ariadne auf Naxos, ein Duodrama, von Georg Benda in Partitur. Leipzig bey Schwickert.*

Ein wichtiges Geschenk für jeden ächten Tonkünstler und Tonkunstfreund, der ein solches Werk in einer solchen Partitur zu benutzen und zu genießen weiß.
Mit diesem Schauspiel gab uns Benda vor sechs Jahren eine ganz neue lyrische Schauspielgattung, zu der Rousseau den Franzosen vor zwanzig Jahren schon die Idee und das poetische Muster in seinem *Pygmalion*[181] gab. Hätte damals ein Mann wie Benda diese Poesie in Frankreich musikalisch bearbeitet, und sie so aufs Theater gebracht, das Stück hätte gewiß eine sehr auffallende unvergeßliche Epoche gemacht. Benda unbekannt mit Rousseaus Idee, – denn er lebt wie alle wahrhaftig große Künstler sein eignes in sich verschlossenes Künstlerleben – Benda fiel bey uns auf dieselbe Idee, wählte ein viel interessanteres Sujet in der *Ariadne*[182], bearbeitete es mit großem Genie, brachte es auf unsre – – Schaubühnen; und was geschah? die Neugierde Aller beschaute es, und mit ihr war alles befriedigt nach gethaner Beschauung. Er hat uns noch eine *Medea*[183] gegeben, in der sich der denkende, vollendende Meister mehr noch zeigt, und beyde Stücke werden kaum alle halbe Jahr noch einmal gesehen.
Das ist die Geschichte des deutschen Theaterpublikums und der Ariadne. Hier ist die Meinige. Briefe von Gotha und Leipzig her verkündeten mir die Erscheinung der Ariadne. Da entstanden bey mir allerley Raisonnements von unnatürlicher übeltönender Vereinigung der Rede und Musik, von unzeitiger Unterbrechung der Handlung durch Zwischenspiele, von unbestimmtem, schwankendem, musikalischen Ausdruck,

von unvermeidlichen malerischen Spielereyen in Musik, von Flickwerk unvereinbar zu einem Ganzen, u. s. w. So stands bey mir, als zum erstenmal bey uns Ariadne gegeben wurde: meine Schritte nach dem Schauspielhause waren nicht die schnellsten. Die Ouvertüre hub an, und nun stellt ich mich in Positur zu beobachten: des Vorhangaufziehens war ich mir, hingerissen durch die unaussprechlich herrliche Ouvertüre, schon kaum halb bewußt; so war das Stück zu Ende, und ich stand von namenlosen Gefühlen durchdrungen, hin und hergeworfen, meiner selbst unbewußt wie angezaubert da. Das gieng mir bey den beyden folgenden Vorstellungen fast eben so. Hinterdrein, da ichs zehn zwölfmal gesehen hatte, da beobachtete ichs wol, daß an all jenen Einwürfen die die Spekulation giebt, etwas dran wäre: aber Bendas Genie hat einen solchen Zauber über das Ganze ausgegossen, daß die Wirkung seiner Musik bey jedem Menschen von Gefühl alles Raisonnement bey weitem überstimmt. Selbst Stellen, die mir hernach als tadelhaft erschienen, reißen mich noch oft beym Klavier so hin, daß ich mich aller vorhergegangenen Kritiken darüber ärgere und schäme.
Ich hoffe nicht Leser zu haben, die mit der Einrichtung dieser Gattung noch nicht bekannt sind; indeß wer weiß? – Rede und Musik sind hier vereinigt: der Schauspieler deklamirt seine Rolle – die aus lauter Monologen besteht – ohne musikalische Vorschrift. Nach geendigten Perioden, bey wichtigen Momenten der Handlung, oft auch nur nach einzelnen Ausrufungen hält er inne, die Musik tritt ein, setzt die Empfindung fort, kündigt auch wohl den folgenden Gang der Empfindung an, während dessen der Schauspieler durch Action spricht; und bey äußerst hohen Punkten der Leidenschaft, geht Musik und Rede auch wohl zugleich fort. Die Zwischenspiele sind nun meist einzelne Gedanken, in verschiedenen Tönen und Zeitmaßen. In der *Medea* hat Benda einige Stellen fortdaurend Arienmäßig behandelt, so, daß das Zwischenspiel einer solchen Stelle, ein ganzes kleines Musikstück in bleibender Bewegung mit ausgeführten Thema ist. Die wirkliche hervorstechend starke Wirkung dieser Stellen, verleitete mich in meinen beyden Duodramen *Prockris und Cephalus*[184] und *Ino*[185], häufigern Gebrauch davon zu machen, und für jede Leidenschaft, für jeden Hauptheil der Leidenschaft, ein Thema auszuführen, um so mehr Einheit

ins Ganze zu bringen. Ich habe aber bey der Aufführung nicht die Wirkung bemerkt, die ich mir davon versprach. Dem Raisonnement scheint dieß ohne Anstand vorzüglicher, dabey ists bey allem Anschein besserer, überdachterer Arbeit, gewiß leichter als für jeden Gedanken, für jeden Moment einen neuen so ausdrückenden, treffenden und musikalisch schönen Satz zu erfinden, wie es all' die Zwischenspiele in Bendas Ariadne sind. Doch ich werde zu weitläuftig, will ohnedem diesem Werke nächstens eine Abhandlung über diese Gattung einrücken; hier also nur noch die historische Nachricht, daß die Königinn von Frankreich im vorigen Jahr zweimal an unsern wahrhaftig großen Benda schrieb, und ihn bat seine Ariadne, die sie von Wien her kannte, in Paris selbst aufführen zu sehen. Das erstemal schlug er es aus, zu herzlich anhängend an seinem lieben Georgenthal[186], wo er ganz sich selbst lebt: wiederholtes Ersuchen und Zurede seiner Freunde brachten ihn endlich nach Paris hin, wo seine *Ariadne* mit sehr großem Beyfall bereits aufgeführt worden. Ich kann diese Anzeige nicht schließen ohne meine Leser zu fragen, ob sie auch schon die beyden herrlichen Singespiele unsers G. Bendas, *Romeo und Julie* und *Walder*[187] besitzen? Wo nicht so können sie für Musik gar nichts Angelegentlichers haben, als diese unbeschreiblich schönen Stücke zu suchen. [S. 86–87]

29. Musikalisches Wochenblatt auf das Jahr 1791, Hrsg. von Johann Friedrich Reichardt und Friedrich Ludwig Aemilius Kunzen, 1. bis 24. Stück, Berlin 1791
[enthält u. a.:]

29.1. *Honoré Gabriel Victor Riqueti, Comte de Mirabeau, [Aus einer Rede über die Nationalerziehung]*[188]

Es giebt noch ein Mittel auf die Menschenmasse mit Macht zu wirken, welches als ein Theil der öffentlichen Erziehung betrachtet werden kann und von der Nationalversammlung gewiß nicht vernachlässigt werden wird: ich meine die bürgerlichen und militärischen öffentlichen Feste. Bei den alten Völkern haben sie Wunder hervorgebracht: auf einen der menschlichen Natur angemessenern Zweck gerichtet, muß ihr Einfluß nur um so größer seyn. Nach den großen allgemeinen Gesetzen, auf denen die Gesellschaft beruhet, verdient vielleicht nichts so sehr die Aufmerksamkeit des Gesetzgebers.

Man muß den Menschen nicht nur wie das Werkzeug zum Ackerbau, zur Handlung oder zu den Künsten betrachten, das alle Gesetze schützen und in seinem Wirken begünstigen müssen. Man muß ihn auch als ein empfindendes Wesen betrachten, dessen Existenz man durch hohe Liebe zum Vaterlande, zu dessen Landesverfassung, zu seinen Brüdern, die in derselben Verfassung mit ihm leben, erweitern kann; man muß bedenken, daß indem man ihn fast unablässig von sich selbst abzieht, um ihn dem Vaterlande gegenüber zu stellen, und ihn selbst durch seine Vergnügungen, und durch die süsse Freiheit, die er im Schoße des Vaterlandes genießen soll, an dasselbe fesselte man sein Glück mit dem ganzen Volksglück vermehren würde und in ihm durch die patriotischen und brüderlichen Empfindungen, mit denen die Freiheitsfeste die Seelen erfüllen, alle Tugenden nähren würde.

Könnten diese Feste nicht zugleich der Schauplatz öffentlicher Belohnungen und der Talente, das gemeinsame Band eines großen Volks, die Schule des Bürgers seyn.

Welche Wirkung müßten dabei nicht Eichen- und Lorbeerkronen thun, an große Menschen, patriotische Krieger, nützliche Schriftsteller, große Künstler ausgetheilt! Hymnen von den berühmtesten Dichtern gedichtet, von jungen Bürgern und Bürgerinnen gesungen, von jener einfachen, majestätischen und rührenden Musik begleitet, die in großen Versammlungen den Enthusiasmus erzeugt; Reden, den Umständen angemessen, von Rednern gehalten, die würdig wären, vor freien Menschen, die sich um sie versammelten, zu reden? Ihr seht dann, wie der Enthusiasmus die kältesten Herzen ergreift! Wie die Augen Thränen entrollen, wie sich die Liebe zum Vaterlande und zu dem Menschengeschlecht nützlichen Tugenden – das heißt zu den einzig wahren Tugenden – der empfindsamen Jugend bemächtigt, die wahrlich nicht besser wird, ohne auch glücklicher zu werden! Getreue Darstellungen theilen diese Gemüthsbewegungen selbst denen mit, die nicht zugegen waren; jeder segnet die Gesetze, die ihm so viel unbekannten Genuß gewähren, und die Fremden strömen in Menge herbei, um die Spiele einer Nation zu sehen, die ihr Glück verdiente, wie man ehemals zu den Olympischen Spielen nach Griechenland eilte.

[Anmerkung der Herausgeber der Zeitschrift]

Sulzer sagt: „Es ist nur Ein Mittel, den durch Wissenschaften unterrichteten Menschen auf die Höhe zu heben, die er zu ersteigen wirklich im Stande ist. Dieses Mittel liegt in der Vervollkommnung und der wahren Anwendung der schönen Künste. Noch ist die höchste Stuffe in dem Tempel des Ruhms und Verdienstes unbetreten; die Stufe, auf welcher einmal der Regent stehen wird, der, aus göttlicher Begierde die Menschen glücklich zu sehen, mit gleichem Eifer und mit gleicher Weisheit die beiden großen Mittel zur Beförderung der Glückseeligkeit, die Kultur des Verstandes und die sittliche Bildung der Gemüther, jene durch die Wissenschaften, diese durch die schönen Künste, zum vollkommnen Gebrauch wird gebracht haben."[189]
Reichardt fügte dieser Stelle in seinem Kunstmagazin den Ausruf bei: Wohl der Tonkunst, die so ganz vorzüglich zu ihrer Vervollkommnung und höchsten Wirkung den Schutz der Mächtigen bedarf, und wohl dem Staate, wenn *Einer* der Mächtigen der Erde diese Stelle liest und ganz beherzigt![190]

[S. 25–26]

29.2. *Fischerlied aus Klopstock's Hermans Tod. Mit Musik von F. L. A. Kunzen*

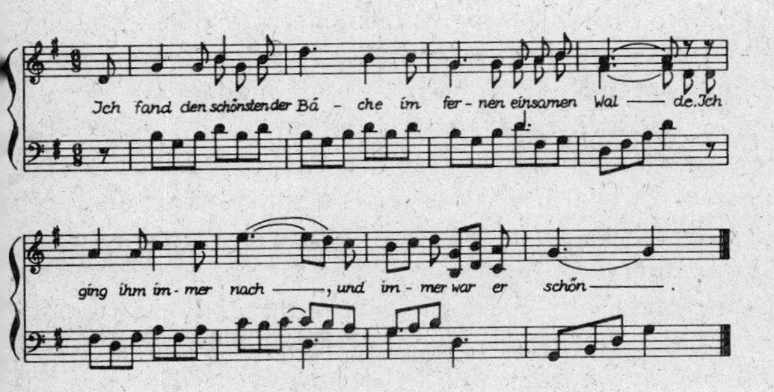

Ich fand den schönsten der Bäche
Im fernen einsamen Walde.
Ich ging ihm immer nach;
Und immer war er schön.

Oft wurd' ihm, wo er wandte,
Sein Wellchen oben weiß.
Er hatte kleine Strudel
Wie Grübchen in dem Kinn.

Sein Rauschen war Gelispel
Er murmelte,
Es waren keine Worte,
Und ich verstand ihn doch! [S. 32]

29.3. *Johann Gottlieb Carl Spazier, Über Menuetten in Sinfonien.*

[...]
Es kömmt, dünkt mich, bei der Beurtheilung eines jeden *Werks* (in dem Sinne, wie es der Aesthetiker nimmt) unstreitig auf den Zweck an, um welches willen es hervorgebracht wird. Da dieser Zweck nicht gerade das *Gemeinnützliche* betrifft, so wird die scharfsinnige Hypothese des Hrn. Hofrath Moritz – nach welcher das Schöne um sein selbst willen und in sich selbst vollendet ist, und sich in so fern von dem blos Nützlichen scheidet – sehr gut bestehen können. Also auf jeden Fall ist gewiß, daß jedes Werk der Kunst, nach allen mannigfaltigen Formen, sowohl der *Ausdruck* der herrschenden Gemüthslage dessen seyn muß, der es hervorbringt; als auch, daß es um der *gleichartigen Wirkung* willen auf andere, außer ihm, da seyn und also dieserhalb eine gewisse bestimmte innere und äussere Beschaffenheit haben muß, durch welche dieser Zweck des Kunstwerks nicht verloren geht. Ich soll also z. B. durch den Komponisten in eine bestimmte Gemüthsverfassung vermittelst eines Instrumentalstücks versetzt werden. In sofern nun jedes für sich bestehende Stück oder Ganze nach Regeln zur *Einheit* angeordnet seyn muß; in sofern kann ich auch fordern, daß alle wesentlichen oder zufälligen Theile darin zu dem erforderlichen Zwecke übereinstimmen, und daß nichts darin vorkomme, was den Haupt-

zweck störe. Oder mit andern Worten, ich kann verlangen, daß das Stück seinen *Charakter,* den es ankündigt, bis ans Ende durchführe.
Nun entsteht die Frage: ob auch Sinfonien hierunter gehören. Und ich denke, allerdings. Denn man wird doch wohl dieselben nicht in einem unbestimmten Gesause und Gebrause von zusammenverbundenen Tönen und in einem musikalischen Allerlei bestehen lassen wollen, oder sie ganz nur auf ein freies, launiges Spiel des Witzes des Komponisten einschränken? Denn wenn das wäre, so sehe ich nicht, mit welchem Rechte nicht auch alle möglichen, noch so possirlichen musikalischen Fleuretten, und alle Arten von Tänzen ihren Platz darin finden sollten? Warum nicht auch Polonoisen und Murkis und Gavotten u. dgl. darin sollten vorkommen dürfen?
Ich behaupte also, daß in Sinfonien, insonderheit größeren Orchestersinfonien, mit welchen ein Koncert eröfnet zu werden pflegt, die zur Mode gewordnen Menuetten, oder Sätze mit Menuettfiguren, wenigstens nach meinem Gefühl, nicht zulässig sind. Und das erstlich aus dem obigen Grunde. Sie sind *wider die Einheit* der Sinfonie. Nach den bisher üblichen drei Hauptsätzen, enthält der erste Theil eine einfache oder künstlich verschlungene Ausführung einer Hauptempfindung (der Freude, des Erhabenen, des Prächtigen, des Feierlichen etc.), mit welcher ein langsamerer Satz, ein Cantabile u. dgl. abwechselt, um eine gewisse Ruhe und Sanftheit der Empfindung hervor zu bringen, damit diese sich nachher um desto kräftiger in das vorige Gefühl, mit welchem die Sinfonie begann, wiederum auflöse. Es läßt sich diese Form – wenn sie nicht zu schulmäßig und kleinlich ausgeführt wird, und wenn nicht, wie leider in vielen Koncerten der Fall ist, eins von dem andern, das *Adagio* vom *Allegro,* so hart abgeschnitten ist, daß man jedesmal fragen möchte: *Adagio, que veux-tu de moi?*[191] – immer noch nach den Gesetzen der Psychologie vertheidigen. Obwohl zugleich jedem Genievollen Künstler unbenommen bleibt, diese Form in der Hauptsache umzuschaffen, so daß, z. B. bei einer feurigen Sinfonie, entweder gar kein sanfter Zwischensatz vorkommt, oder doch, daß er unmerklich zwischen durch gesponnen wird.
Sodann halte ich die Menuetten darum für effektwidrig, weil sie, wenn sie glattweg in dieser Form gearbeitet sind, schlech-

terdings zur Unzeit an den *Tanzboden* und an den Mißbrauch der Musik erinnern; und, sind sie karrikaturirt – wie dies mit den Hayd'nschen und Pleyelschen öfters der Fall ist – das *Lachen* erregen. Ist das letztere, so kann es keine Frage mehr seyn, ob Menuetten bei edlen Sinfonien, die feurig daher stürmen, oder uns in ein feierliches Gefühl versetzen sollen, zulässig sind. Aber auch das alles nicht genommen, so sind sie gar *zu kleine Massen*, die, ohne alle Veranlassung und Vorbereitung zwischen durch geworfen werden, und welche das Stetige und Fortströmende der Sinfonie nur stören und aufhalten.

[...] So lange unsre musikalische Geschmackstheorie noch nicht auf dauerhaften Principien ruht – und dermalen ist das noch nicht der Fall – so lange muß es wenigstens jedem frei stehen, sich wider eigenmächtige Änderungen, die öfters nur in der *Ueberschwenglichkeit* einzelner Künstler ihren Grund haben, aufzulehnen. [S. 91–92]

29.4. *[(...), Nachricht über Mozarts Tod]*

Prag, den 12ten Decemb. [...]

Indem ich so eben meinen Brief schließen will, erhalt' ich eine leider! sichere Nachricht, die ich Ihnen hier noch mittheile.

Mozart ist – todt. Er kam von Prag kränklich heim, siechte seitdem immer; man hielt ihn für wassersüchtig, und er starb zu Wien, Ende voriger Woche. Weil sein Körper nach dem Tode schwoll, glaubt man gar, daß er vergiftet worden. Eine seiner letzten Arbeiten *soll* eine Todtenmesse gewesen seyn, die man bei seinen Exequien aufgeführt hat. Nun er todt ist, werden wohl die Wiener erst wissen, was sie an ihm verloren haben. Im Leben hatte er immer viel mit Kabale zu thun, die er indessen wohl zuweilen durch sein Wesen *sans Souci* reitzte. Weder sein Figaro, noch sein Don Juan machten in Wien Glück; doch desto mehr in Prag. Friede sey mit seiner Asche! [S. 94]

29.5. *Honoré Gabriel Victor Riqueti, Comte de Mirabeau, Über den Werth der schönen Künste.*

Die Verbindung aller Wissenschaften und aller Künste untereinander und mit der öffentlichen Wohlfahrt, kann in unsern

Tagen nur von den flachsten Köpfen verkannt werden. Die Nation muß daher Philosophen, Litteratoren, Gelehrte, Künstler alle ehren und belohnen. Man hüte sich zu glauben, daß die blos angenehmen Künste der Sorgfalt der Politik entbehren könnten. Der Zweck des Gesellschaftvereins ist: den Genuß der Menschen zu sichern. Wie könnte man nun etwas verachten, das den Genuß vervielfältigt? Laßt uns keine Gothische, Vandalische Staatsumwälzung bewirken, wie unsre innern Feinde uns schon vorwerfen. Laßt uns bedenken, daß die Talente bei den freiesten und glücklichsten Nationen auch die größten und glänzendsten Belohnungen fanden. Der Enthusiasmus der Künste nährt den vaterländischen, und ihre Meisterwerke heiligen das Andenken der Wohlthäter des Vaterlandes. Konnten wir wollen, daß das Genie die Zeiten des Despotismus zurück wünschte? Der Despotismus fesselte, erniedrigte das Genie und machte es zu einem Werkzeuge der Knechtschaft; er wußte ihm aber geschickt zu schmeicheln, und seine Gunstbezeigungen suchten es oft in der Dunkelheit auf. Die Freiheit wird besser wirken: sie wird dem Genie nur edle Geschäfte übertragen, sie wird es zu seiner vollen Wirkungskraft erheben, sie wird über dasselbe all ihre Wohlthaten ausschütten, und wird es nicht herabwürdigen, indem sie ihm lächelt.[192] [...] [S. 102]

29.6. *Honoré Gabriel Victor Riqueti, Comte de Mirabeau, [Über die Funktion der Musik]*

Alle schönen Künste gehören dem Staate an. Alle stehen in Verbindung mit den Sitten der Bürger, mit der allgemeinen Erziehung, die die Haufen wilder Völker in Nationen verwandelt. Die Musik hat lange die Völker zum Siege geführt; aus den Lägern kam sie in die Tempel, aus den Tempeln in die Palläste der Könige, aus den Pallästen auf unsre Schaubühnen, von unsern Schaubühnen in unsre Bürgerfeste, und vielleicht gab sie den ersten Gesetzen der werdenden Staaten ihre volle Kraft. Diese Kunst, die sich auf die Ordnung in der Bewegung gründet, so fühlbar in allen Theilen des Universums, und vorzüglich in den belebten Wesen, in denen alles rythmisch geschieht, und deren Hang zur Melodie sich überall äußert; diese Kunst ist nur eine Nachahmung der Harmonie in der Natur; und wenn sie die Leidenschaften mahlt, hat sie das menschliche Herz zum Muster, daß der Gesetzgeber unter demselben Gesichtspunkt zu studieren hat: denn da finden sich ihne Zweifel die Beweggründe zu allen gesellschaftlichen Verfassungen.[193] [...] [S. 134]

30. Musikalische Monathsschrift für das Jahr 1791, hrsg. von Johann Friedrich Reichardt und Friedrich Ludwig Aemilius Kunzen, 1. bis 6. Stück, Berlin 1792 [enthält u. a.:]

30.1. *[...], Stärke des Königl. Preußischen Orchesters im Jahre 1791.*

2 Capellmeister
2 Concertmeister
2 Clavecinisten
1 Harfenist
27 Violinisten
6 Bratschisten
9 Violoncellisten
5 Contraviolonisten
4 Flöttraversisten
5 Hoboisten
3 Clarinettisten
6 Waldhornisten
5 Fagottisten
1 Serpante
2 Trompeter
4 Posaunisten
1 Pauker. [S. 19]

30.2. *Johann Friedrich Reichardt, Berichtigungen und Zusätze, zum Gerberschen Lexicon der Tonkünstler u.s.w.*

[...]

Friedrich II.

Ich mag mit Herrn G. über die Art, wie er in diesem Artikel[194] meine frühesten, frühern, spätern und spätesten Urtheile und

Erzählungen von meinen Studentenjahren an bis zum letzten Jahre meines zehnjährigen Dienstes als Kapellmeister bei diesem großen Könige, und später zusammengestellt und kommentirt hat, nicht rechten, weil es einer meiner heiligsten Grundsätze ist: über meine Werke und Schriften nie öffentlich zu streiten. Ich will diesem Artikel nur den eigentlichen und tieferen Grund beifügen, auf dem die Beharrlichkeit des Königs in seinem Geschmacke vorzüglich beruhte. Sie betraf nicht nur die Musik, sondern alle andere Dinge, deren Ausführung hier aber nicht hergehört, eben so sehr. Da der König 1740 zur Regierung kam, war er wirklich von dem damaligen Zustande der Künste und Wissenschaften sehr unterrichtet. Er hatte den größten Theil seines vorigen Lebens ganz den Wissenschaften und Künsten gewidmet. Dies konnte nun, da er den Thron mit dem Vorsatze bestieg, selbst zu regieren, und sich als Eroberer und Held Ruhm zu erwerben – wie seine Briefe und Schriften bezeugen – nicht so fortgesetzt werden. Von nun an sollten ihm die Künste und Wissenschaften nur Erholungsgenuß nach Regierungsgeschäften und Heldenarbeit gewähren. Seine königlichen Grundsätze und Beschäftigungen hinderten ihn also, die Fortschritte und Neuerungen in den Künsten und Wissenschaften eben so ernstlich und aufmerksam wie bisher zu verfolgen; sein Königssinn litt' aber nicht, daß dieses für Zurückbleiben gälte, und so mußte in ihm selbst schon die Maxime entstehen: *so soll es nun bleiben.* Hierzu kam nun aber noch, daß er damals von Männern umgeben war, die einen hohen Begriff von der Kunst hatten, die wohl wußten, daß die Tonkunst in Italien ihren höchsten Gipfel erreicht hatte, und daß Leo und Vinci, die die Periode der großen edlen Musik beschlossen, und die die angenehmere, durch mannigfaltigere Reitze ergötzende Musik anhuben, Nachahmer erweckten und in Schaaren erwecken würden, die die neuen Reitze und bald die Flittern und Purpurlumpen, die sie selbst den Reitzen wieder umhingen, für ihre alleinige Gottheit halten würden, daß jene beiden Männer mit einem Worte in ganz Italien keinen Nachfolger hätten, wie sie solche in Deutschland an Hasse und Graun wirklich hatten; und was war natürlicher, als daß diese Männer, die in eben dem großen Sinn und Geschmack Virtuosen in der Kunst waren, dem Könige große Verehrung für den damaligen Zustand der

Musik und Abscheu gegen alle Neuerungen einflößten. Quanz der in seiner Art ein sehr despotischer Regent war, hatte hieran den größten Antheil; ihn und seine Meinungen erkannte man auch in allen Aeusserungen und Urtheilen des Königs über die Kunst. Daß Quanz Hassen so vorzüglich, oft selbst zum Nachtheil Grauns in Schutz nahm, beruhte auf persönlicher Freundschaft und Aehnlichkeit der Charaktere. Sie hatten zusammen in Italien gelebt, Quanz war Zeuge des ersten Beifalls, welchen Hasse in Italien fand, ein Beifall der damals etwas mehr bedeutete als itzt, und gewiß nicht blos auf Vorurtheil sich gründete. Hasse war ihm, wie er selbst erzählt, in Italien sehr freundlich begegnet; Hasse kam bald in Dresden zu sehr hohen Ehren, welches auf Quanz nicht wenig wirken mußte, da er die Dresdner Musik zu der er vorher gehörte immer als Muster vorstellte, und vor allen in Ehren hielt; und – was auf Leben und Urtheile so großen Einfluß hat – Quanz war ihm ähnlich an Charakter, dahingegen Graun, den Quanz anfänglich mehr als Sänger wie als Komponist behandelte, mit seiner Sanftmuth vieles ertrug, was er nicht ertragen durfte und sollte. – Auf dieses Verhältniß zwischen Quanz, dem Lehrmeister des Königs, und Graun dem Kapellmeister desselben, beruhen noch in *Berlin* unvertilgbare Mißbräuche. – Genug, ohne diese Privatfreundschaft wären vielleicht Leo und Vinci schon zu ihrer Zeit in Berlin so bekannt geworden, wie es Hasse bald wurde, dem freilich die Nähe von Dresden auch zu statten kam.
Wie weit des Königs Abscheu für neue Musik, und besonders Musik der neuern Italiäner ging, die ihm durch ihre große Liebe und häufige Bearbeitung der komischen Oper höchst verächtlich geworden waren, kann man aus folgendem Urtheil des Königs ersehen, das ich seiner Originalität wegen mit seinen ganz eignen Ausdrücken hersetzen will. Da der König mich 1775 von *Königsberg* zu der Kapellmeisterstelle berief, und ich dem gewöhnlichen Vorurtheil gemäß vermeinte, es würde mir doch wohl zum Nachtheil bei ihm gereichen, daß ich noch nicht in Italien gewesen, ich mir auch fest vornahm, ihn bei der ersten Veranlassung um die Erlaubniß zu einer italiänische Reise zu bitten, und er mich nun nach Potsdam kommen ließ, war seine erste Frage, ob ich in Preußen geboren wäre, und die zweite, ob ich in Italien gewesen wäre: meinem *Nein* folgte auf den Lippen schon die

Bitte, mich hinzuschicken; kaum aber hatte ich dieses unerwartet glückliche *Nein* ausgesprochen, als der König mir mit stärkerm Ton in die Rede fiel und sagte: *das ist sein Glück; hüt' er sich für die neuen Italiener, so'n Kerl schreibt ihm wie'ne Sau.* Seine Sänger durften in den Kammerconcerten auch nie andre Arien singen als von Hasse und Graun, oder die so ganz in dem Styl dieser Meister geschrieben waren, daß man sie dafür nehmen konnte. Selbst fremde Sänger und Sängerinnen, die ihre mitgebrachte Musik sangen, bekamen sehr oft das Kompliment zu hören, daß es ihm leid thäte, daß sie ihre schöne Stimme und ihr Talent an solche Bierhausmusik *(Musique de cabaret)* verschwendeten; und wenn er sie in Potsdam aufhielt und öfterer hören wollte, schickte er ihnen wohl Graunische und Hassische Arien, und ließ ihnen einige Wochen Zeit, solche zu üben. Der italiänischen *Opera buffa*, die zuweilen, wiewohl selten, für hohe Gäste in Potsdam spielen mußte, wohnte er aus Abscheu für die neue und komische Musik äusserst selten und fast nie ein ganzes Stück hindurch bei. [S. 69—70]

Friedrich Wilhelm.

Von diesem Könige hätte in einem musikalischen Lexicon vorzüglich verdient als Gegensatz angeführt zu werden, daß er sich durchaus für keinen Geschmack in der Musik ausschließlich erklärt, sondern bisher Werke von allen Arten aus allen Schulen und Stylen aufführen läßt. Schon als *Kronprinz* ließ er eben so gerne große Händelsche Oratorien als französische Operetten in seinen Concertmusiken aufführen, hörte damals in meinen für ihn errichteten *Concerts spirituels*[195], bei denen mein Hauptbestreben dahin ging, die vortreflichen und in Berlin ganz unbekannten Arbeiten der ältern großen Italiäner bekannt zu machen, eben so gerne die *Oratorien* und andere Kirchensachen von Leonardo Leo, als das *Carmen Seculare*[196] von Philidor; machte beim Antritt seiner Regierung gleich die sehr gute Einrichtung, daß jährlich eine Oper von seinem Kapellmeister und eine daneben von einem Fremden aufgeführt werden sollte, [...] Auch hätte der König schon Glucks *Alceste*[197] aufführen lassen, wenn es bisher nicht an guten Tenorstimmen gefehlt hätte, und es nicht allem gesunden Urtheil und Geschmack zu sehr entgegen

wäre, diese Oper, mit der Gluck sogar in Italien den Versuch wagte, die *Kastraten* vom Theater zu verdrängen, und daher die männlichen Rollen in seiner *Alceste* für lauter Tenor und Baßstimmen schrieb, diese mit *Kastraten* besetzen zu lassen, und so eine ächt tragische Oper, deren Interesse auf ehelicher und elterlicher Liebe beruht, von *Kastraten* vorstellen zu sehen. Eben so sieht der König auf seinem kleinen Theater mit gleichem Vergnügen italiänische, französische und deutsche Operetten. Bei der Anwesenheit der Erbstatthalterin von Holland wurden in *Charlottenburg,* einem Königl. Lustschlosse, der *Tischler, il Falegnamo* von Cimarosa[198] durch die italiänische Operistentruppe des Königs, und *Nina* mit der französischen Musik von D'Alleirac[199] und *Claudine von Villa bella* von Göthe[200] mit meiner Musik durch die Sänger und Sängerinnen vom deutschen Nationaltheater vorgestellt.
In den Concerten des Königs spielen die Virtuosen und singen die Sänger Sachen von allen italiänischen, französischen und deutschen Komponisten ganz nach eigner Wahl. Zur Fastenzeit werden in diesen Concerten Oratorien von italiänischen und deutschen Komponisten aufgeführt, u. s. w.
Als merkwürdige Beweise der Freigebigkeit und Großmuth des Königs gegen Künstler hätte verdient angeführt zu werden: 1) daß der König allen alten Kapellisten des vorigen Königs, die auch itzt nicht mehr gebraucht werden, ihr volles Gehalt gelassen, und einigen Pensionirten sogar erlaubt hat, ihre Pension auswärtig zu verzehren. [...] 2) Daß der König ansehnliche Pensionen jährlich giebt, zur Unterstützung und Ausbildung junger fähiger Künstler: unter den Artikeln Himmel, Jonas, Möser findet man hiervon einige Belege; es könnten noch weit mehrere genannt werden. 3) Kann *ich* wohl auch das zu den merkwürdigen Beweisen der Freigebigkeit zählen, daß der König mir auf mein Gesuch einen dreijährigen Urlaub mit Beibehaltung meines vollen Königlichen Gehalts, ertheilt hat, um durch ruhigen Landaufenthalt und einige Reisen meine im vorigen Jahre durch eine tödtliche Krankheit sehr geschwächte Gesundheit ganz wieder herstellen zu können. [S. 70–71]

31. Berlinische Musikalische Zeitung historischen und kritischen Inhalts, hrsg. von Johann Gottlieb Carl Spazier, 1. bis 50. Stück, Berlin 1793
[enthält u. a.:]

31.1. *[...], Ueber Modekomponisten.*

„Dieser und jener Komponist ist zur Mode geworden" kann nichts anders heißen, als, seine Kompositionen haben eine gewisse äußere *Form* und *Manier,* die den Leuten des Tages gefällt und warum sie ihn gern hören. Die Sache selbst oder das eigentliche Schöne, das innere wesentliche Beschaffenheit hat und nicht an Zufälligkeiten gebunden ist, kann nie zur Mode werden; es ist das Eigenthum aller Zeiten. Daher man sagen kann, daß das wahrhaft Schöne und Vollkommne in jeder Kunst nie veraltet. Denn grade weil Händels Chöre z. B. immer noch gefallen und ewig gefallen werden, viele seiner Arien aber nicht, so kann man daraus abnehmen, daß er diesen letztern eine zufällige *seinem* Zeitalter angemessene Façon gegeben hat, die nicht mehr die unsrige ist. Wie es mit diesen gehet, wird es wahrscheinlich auch mit unsern Façons gehen. Unsre beliebten Figuren, Modesätze, eleganten Zuschnitte der Sinfonieen, Quartetts u. dgl. werden unsern Nachkommen wahrscheinlich auch dereinst nicht behagen wollen. – Das geht in allen Dingen so, und wird so fortgehen.
Daraus also, daß ein Komponist jetzt mehr als ein anderer gespielt und gesungen wird, würde also noch nicht viel für seine innere Vorzüglichkeit folgen; es könnte leicht eben so gut für die Einseitigkeit des Zeitalters, für den zufälligen Geschmack, für den gangbaren Ton entscheiden. Man will gewisse Modemusiken, wie man *Caca de Dauphin* wollte. Es ist etwas Neues; das Neue schmeichelt und unterhält auf eine Weile, und wird endlich und manchmal bald genug vergessen, wie leider der Dauphin selbst. Das träge, frivole Publikum – und warlich, das heutige Publikum ist recht frivol! – mag sich lieber etwas süß vorschmeicheln und vorgaukeln, als vorarbeiten und vordenken lassen, mag lieber leichte Sachen, die den Ohren wohlthun, behaglich genießen, als mitdenken und richtig mitempfinden. Es ist entweder zu ver-

wöhnt, um das einfache, durch wahre Kunst hervorgebrachte Schöne zu fühlen, und will lieber durch Bizarrerien, Instrumentalgeräusch, seltsame Modulationen erschüttert werden, wie der verwöhnte Gaumen durch Assa fötida; oder es ist zu unwissend, zu ungebildet, zu sehr an Klimpereien gewöhnt, um die höhere Bestrebungen des wahren Künstlers, dessen gezähmtes Genie nach den Regeln der Einheit arbeitet und dessen Zwecke bis an die Unsterblichkeit reichen, zu verstehen und zu würdigen.
Zu welchen Ungerechtigkeiten kann also nicht das Vertheidigen der Mode in der Musik verleiten! Mozart z. B. gebührt Verehrung, allerdings; er war ein großes Genie und hat mitunter vortrefliche Sachen geschrieben, siehe seine Zauberflöte, einige seiner Ouvertüren und Quartetts. Aber das *Gemozarte* hat jetzt schier kein Ende. Man sehe nur in Concerts, wie sich die Köpfchen der Damen wiegen, wie Mohnköpfe auf leichtem Stengel, wenn das poetisch unsinnige Ding gesungen wird:

> *Mann und Weib, und Weib und Mann (macht netto 4)*
> *Reichen an die Gottheit an (!!)*[201]

Und wie wird nicht erst *Gepleyelt*! Pleyel heute, Pleyel morgen; das ist das ewige Lyrum larum. Und doch wie matt und trivial, oder mitunter, wie seltsam bisarr sind viele der neuern Pleyelschen Sachen! Aber das hilft nichts; es wird gespielt und – verschlungen in allerhand Gestalten.
Nur Geduld! die Zeit wird schon sichten und läutern und aufbehalten, was des Aufbehaltens werth ist. [S. 148]

32. [Johann Gottlieb Carl Spazier], Etwas über Gluckische Musik, und die Oper Iphigenia in Tauris auf dem Berlinischen Nationaltheater, Berlin 1795

[...]
So sagen wir von einem Künstler, der den wahren Ton und Ausdruck der Leidenschaft, die reine Natursprache der Empfindung mehr als ein anderer zu treffen versteht, und also mehr wahre Ideen hat, es sey mehr *Musik* in seinen Arbeiten,

als in der eines andern. Je nachdem es ihm leichter wird, besondere Empfindungsarten in uns zu erregen, unsre Phantasie und unsern Witz zu beschäftigen, oder uns nur künstlich und gelehrt zu unterhalten, je nachdem bezeichnen wir noch näher seine Musik durch bestimmtere Merkmale. Und dieser Uebermacht einer Gattung von Ideen und ihrer Verbindung wegen, sagen wir, wenn wir kurz zeichnen wollen, die Musik eines Rameau und Kirnberger sey gelehrt und gründlich, aber der großen Gelahrtheit wegen steif und trocken; die Musik eines Händel groß, edel und erschütternd, obwohl wir den Mangel an Rundung der Melodie bemerken, und etwas Gothischen Geschmack in der Komposition wahrnehmen. So finden wir Grauns Musik einfach, natürlich und melodisch, wenn wir auch viel Leere und überall ermüdend gleichartigen Zuschnitt gewahr werden. Die Hassische Musik nennen wir klar, feurig und ernst; die von einem Haydn fließend, naiv und witzig; von Schulz gedacht, voll Empfindung und hoher Einfalt; von Reichardt kühn, feurig, frappant und ausdrucksvoll; G. Bendaische Musik leidenschaftlich und malerisch; die von Mozart brillant, phantasiereich, mitunter etwas gesucht und schwülstig; von Martin lieblich und empfindungsvoll; von Salieri dreist, kräftig, darstellend und begreiflich, und wie man die Charakteristik weiter treiben will.

Die Menge und Beschaffenheit der Ideen ist es aber auch nicht allein, welche uns auf den Charakter eines Komponisten leitet, sondern die Verbindungsart derselben, und die Form, in welcher sie erscheinen, so wie der Gebrauch der Kunst nach praktischen Regeln. Man wird also freilich auf noch mancherley Anderes sehen müssen: auf Wiederkehr gleichartiger Sätze; auf Reinheit, Kraft und Fülle oder Leerheit der Harmonie und auf natürliche oder gezwungene Führung derselben; auf das Fließende oder Steife der Melodie; auf Freiheit oder Aengstlichkeit im Verbinden einzelner Theile zum Ganzen; auf das Verhältniß der Vernunft zur Phantasie; auf die Bedeutung des jedesmaligen Ausdrucks; den Grad der Richtigkeit in der Darstellung des poetischen Stoffs; auf die Verbindung der rhetorischen und musikalischen Deklamation; auf Einfalt oder Reichthum der Instrumentalbegleitung und dergl. mehr. Aus diesem allen zusammengenommen, aus diesen aufgefaßten Merkmalen der Bearbeitungsart eines Künstlers, wird dann endlich das Urtheil

über seinen *musikalischen Charakter* hervorgehen, und man wird ihn genau vor andern bezeichnen können.
So giebt es denn allerdings auch eine *Gluckische Musik;* aber nur in dem so eben festgestellten Sinne. Hätte man das immer bedacht und genau genug bestimmt, so würde man sich weniger gestritten und besser verstanden haben. Denn es mag wohl seyn, daß der Wahn, als sey seit Gluck die *Musik* selbst etwas ganz Neues und Unerhörtes geworden, manchen empört und ihn in seinem Eifer für das rechtgläubige musikal. System, zum Nachtheil der unschuldigen Gluckschen Opermusik, zu weit geführt haben mag. [S. 5–8]

Außer der meisterhaften, scharfsinnigen Analyse der Oper *Alceste* von Rousseau[202] und den Streitschriften des Marmontel[203], Chabanon[204] und Framery[205] hat man von allen den vielen Schriften, die in Frankreich über Glucks Musik herauskamen, wenig, das sich durch unpartheiliche Gründlichkeit, wahre Kunstphilosophie und liberalen Sinn auszeichnete. Rousseau vorzüglich vermogte es, den *Geist* dieser Musik mit scharfem Auge des Kunstphilosophen, der den Blick ins Große nicht über den Blick ins Detail verlernt hat, zu verfolgen. Er zeigt in diesem lehrreichen, schön geschriebenen Aufsatze unwidersprechlich, daß das theatralische Produkt eines superieuren Genies sich nicht wie ein Rechenexempel beurtheilen lasse; daß man mehr als die Kunst des reinen Satzes verstehen und selbst Talent, reines Kunstgefühl, Phantasie, durch Nachdenken und insonderheit durch *Erfahrung* geschärfte Beurtheilungskraft, und genaue Kenntniß vom lyrischen Drama in seiner ganzen Ausdehnung besitzen müsse; um ein Gluckisches Werk richtig zu würdigen, in welchem Dichtkunst, Musik, Malerey, Mimik und Tanz in größtmöglichster Einheit zu Einem Zwecke hinstreben; worin alles auf Empfindung, Handlung und lebendige Darstellung kalkulirt ist; worin Manier und Form mit dem Inhalte der Ideen genau correspondiren, und wo, in der Freiheit eines selbständigen Genies – das mit dem Werke zugleich die Regel hervorbringt – neuer unbekannter oder übersehener Stoff zum Empfinden und Denken geschaffen wurde, wie ihn wenigstens bis dahin weder die vorhandenen Opern noch die Lehrbücher hatten.
Noch nie hat in Frankreich – jenem Lande, wo man von jeher

Sachen der Kunst und des Geschmacks unendlich lebhafter als in unserem kältern Deutschlande zu Herzen nahm – eine Kunststreitigkeit ein größeres und anhaltenderes Interesse erregt, als die, welche über den Charakter und Werth der Gluckischen Musik im Vergleich mit der bisherigen französischen und italienischen geführt wurde. Hier, wo bedeutende Künstler und Kunstwerke ein Nationalinteresse erhielten; wo man insonderheit das Theater mit dem Ernst einer Staatsangelegenheit behandelte und ein Theaterstück allemal erst durch die allgemeine Meinung gleichsam hindurchgähren mußte, um als ein reines Nationalwerk genossen und aufgestellt werden zu können – hier erregten die Arbeiten unsers großen Landmanns das lebhafteste Interesse. Einen solchen Weg war, mit Verläugnung des alten Herkommens und des schulgerechten Schlendrians, noch kein Opernkomponist eingeschlagen.

Man fühlte das Neue und Frappante der Manier. Man empfand das Bedeutende, den raschern natürlichern Gang der Melodieen; die Kraft der leidenschaftlichen Deklamation in den Recitativen und Arien; das Zweckmäßige in den Abkürzungen der leeren, italienischen Ritornells; das Vernünftige bey dem Vermeiden der überflüßigen Zierrathen und Wiederholungen, die die Handlung dehnen und unnatürlich machen. Man fühlte die Wirkung einer schönen überdachten Oekonomie in der Begleitung und Führung der Stimme, die der Schauspieler, nach allen Momenten der Leidenschaft mehr aus sich selbst und seiner Situation, als aus der Vorschrift des Komponisten herauszuziehen schien. Man ward überrascht von dem Ineinandergreifen des pantomimischen Tanzes und der Chöre; gerührt von dem Schmelz des süßen Naturausdrucks sanfter Empfindungen; erschüttert durch den Sturm der zusammenstürzenden Instrumente, die bis zu nöthigen Augenblicken gespart waren und sich nicht mehr einander erdrückten; aufgeschreckt öfters durch einen einzigen aufgesparten und nun herausgeschmetterten Ton, der an seiner Stelle stand. Man ward hingerissen durch den unbeschreiblichen Effekt, welchen die edle Simplicität des Gesanges, die einfache, bedeutende Bearbeitung der Stimmen und in der Modulation hervorbrachte, die in der Partitur wohl gar nichts Besonderes versprach. Man empfand zum erstenmale im Zusammenhange von Vorstellung, von Scene zu

Scene, was das ächt lyrische Drama, – das man bis dahin, wenns hoch kam, für ein schönes amüsirendes Ungeheuer gehalten hatte, das die Künste in wilder Mischung mit einander erzeugt hatten, – in seiner wahren Gestalt auf Sinne und Phantasie, auf das Herz und den Verstand gebildeter Menschen vermöge. Und man überzeugte sich nun, von welcher überwältigenden Kraft die wahre theatralische Musik in ihrer höchsten Würde und Einfalt sey, wenn sie nicht mehr leeres *Kunstspiel* ist, sondern vielmehr, in schöner Einigung mit der ihr am nächsten verwandten Dichtkunst, den verständlichen Redner der schönen Natur macht.
Aber freilich, so wie noch nie ein Mann aufstand, der in seiner Wissenschaft oder Kunst eine Bahn brach, ohne Krieg mit dem Vorurtheil, der Gewohnheit, der herrschenden Parthey – die Akademien und Hörsäle und Theater besetzt hält, – der diktatorischen Gewalt der Schule und, was das ärgste ist, mit den Leidenschaften seiner Zunftgenossen führen zu müssen, so gieng es auch dem Reformator der Oper. [...] Indessen, so sehr auch die Gegenparthey der Italiener und ihrer Anhänger – die nun einmal in Absicht der Musik ganz natürlich das Recht hat, in allen Ländern, außer Italien, die Gegenparthey zu machen – durch Kabale und Geschrey den Ruhm und Werth unsers Landsmanns nur um so mehr ins helle Licht brachte, weil dadurch die Aufmerksamkeit auf seine Werke desto mehr sich schärfte: so hemmte dieser Geist der Kabale, der diesmal, o Wunder! nicht bis ins Kabinet der königlichen Familie dringen konnte, dennoch manches Gute. [S.9–14]

Ohne Fehler geht keine große menschliche Unternehmung ab, am allerwenigsten, wenn sie mit begeisterter Phantasie unternommen wird; und wo eine Bahn gebrochen wird, da gibt es noch hinterher etwas zu ebnen. Kein Wunder daher, wenn in den Produkten großer Köpfe, und also auch in Glucks Werken, sich hin und wieder kleine Nachlässigkeiten finden, die lieber nicht da seyn sollten. Das Genie, das im Feuer der Begeisterung in große Massen von Ideen eingreift, übersieht sie oft am allerersten, weil es zuviel sieht, um Alles zu sehen. Zu einem großen Ziele schreitet der Künstler gern mit großen Schritten, überspringt noch selten kleine Brücken, welche die menschliche Vorsicht für den Geist von einem Ort

zum andern gezogen hat, und läßt das Lehrbuch, so er unter dem Arme trug, fallen wohin es will. [...]
Man kann also nicht leugnen, daß es auch in Glucks Opern hin und wieder matte und gemeine Stellen, ja sogar Verstöße wider die strenge Regel des reinen Satzes giebt. In der Vermeidung der italienischen Gesangform scheint er zuweilen zu weit gegangen zu seyn, mancher Arie daher zuviel Dürftigkeit gegeben und manchen Satz zu nackt gelaßen zu haben, der wohl mehr Ausführung zugelaßen hätte. Allein das alles wird durch die *Superiorität des Ganzen*, durch die unzähligen Schönheiten unendlich überwogen, und bey einer großen Ausführung, wie sie eigentlich seyn muß, – größtentheils so gut als gar nicht gemerkt.
Man mögte Gluck auch noch Schuld geben, daß bisweilen die Wirkung der Instrumente weniger geräuschvoll seyn mögte, und hier und dort würde mehr Schatten und Licht in seinen Werken seyn, wenn er sich überall, wie es mehrentheils zur größten Befriedigung geschehen ist, einer gewissen Sparsamkeit beflissen, und z. B. nicht alle Recitative *accompagnirt* hätte. Allein man muß bedenken, daß der Gang derselben, bey vollkommen guter Exekution, nichts an dem Raschen verliert, und daß es für das Pariser Orchester, worin kein Flügel geduldet wird, nicht möglich war anders zu schreiben, wenn die Harmonie mit dem Grundbasse fortgeführt werden sollte. [S. 18–20]

In unsern Tagen, wo es der Musik so sehr gelungen ist, sich – vielleicht zum Nachtheil des eigentlich reinen Drama – des deutschen Theaters zu bemächtigen, und der Geschmack an komischer Musik so überhand genommen hat, daß selbst das Mittelmäßige sich durchbringt, kann nichts so wohlthätig seyn, als das Publikum vor dem zu großen und leichtsinnigen Hange zu dramatischen Possen und zwecklosem theatralischen Wirrwarr, so wie vor dem kindischen Gefallen an jener miserablen Klimperey und jenem leeren Singsang zu bewahren, zu welchem es hauptsächlich die italienischen Bouffonerien verführen, und wozu es durch so manches Geschreib selbst berühmter deutscher Komponisten eine fortwährende Anleitung erhält.
Wodurch kann dies aber besser geschehen, als durch außerordentliche Ausstellung eines reinen und edlen Kunstwerks,

das reichen Stoff zur Unterhaltung für Sinn, Phantasie und Herz zugleich hat; das, bey guter Darstellung in allen Stükken, durch seine *innere Kraft* wie durch seine *imponirende Form,* worin es als große ernsthafte Oper an einem Orte erscheint, wo man dergleichen noch nie gewohnt war, die Aufmerksamkeit an sich reißt und in hohem Grade gespannt erhält. Durch oftmaliges Gefallen daran und eine Art von errichteter Bekanntschaft mit dem Geiste desselben, muß endlich der Sinn der Menschen unvermerkt vom Schlechtern und Gemeinern abgeleitet, und auf das *wahre Schöne* hingeführt werden. Denn wahrlich! wahre Schönheit hat ein so allgemeines Interesse, daß sie dem Verstande und Herzen nur nahe genug gebracht werden darf, um ihrer Wirkung nie zu verfehlen. Und das Volk, das alles tragen soll und auf das man gewöhnlich auch noch die Sünden zu wälzen pflegt, die in Akademieen der Wissenschaften, auf Lehrstühlen und in Kunstwerkstätten begangen werden, fühlt und erkennt sehr gut, was einfache Natur ist und was um seinetwillen gethan wird.

Aus diesem Gesichtspunkte nun betrachtet gereicht es der Direction des Königl. Nationaltheaters in Berlin zur wahren Ehre, grade die *Iphigenia in Tauris*[206], eine der schönsten, empfindungsvollsten Opern Glucks, aufgestellt zu haben, die in Paris, Stockholm und anderwärts die höchsten erschütterndsten Effekte hervorgebracht hat, und auch nun in Berlin, nach Umständen, über alle Erwartung vortreflich gegeben wird. [S. 22–24]

[Es folgt eine Einschätzung der Opernaufführung auf dem Berliner Nationaltheater sowie eine Analyse einzelner Szenen der Oper „Iphigenie auf Tauris“ von Gluck.]

33. Carl Bernhard Wessely, Gluck und Mozart, in: Berlinisches Archiv der Zeit und ihres Geschmacks, hrsg. von Friedrich Ludwig Wilhelm Meyer, Bd. 1, Berlin 1795

Auszug eines Schreibens.

Bevor ich es wage, den Gesichtspunkt zu bestimmen, aus welchem Mozart und Gluck, diese beiden, unstreitig größten neuern Tonkünstler zu beurtheilen sind, sey es mir erlaubt, einige allgemeine Bemerkungen über das Wesen der Musik und über diejenigen Eigenschaften derselben vorauszuschikken, welche diese Kunst vor allen übrigen charakterisiren. Das Gehör ist derjenige Sinn, auf welchen die Musik wirkt. Das Gehör ist ein wollüstiger, und eben deswegen ein dunkler Sinn. Alle Eindrücke, welche wir durch denselben empfangen, insofern es nehmlich unartikulirte Töne sind, bewürken keine deutliche Ideen, sondern wühlen nur gleichsam den Grund der Seele auf, und setzen die ganze Region der dunkeln Ideen in Aufruhr. Man sieht schon hieraus, daß die Musik *allein,* ohne Verbindung mit andern Künsten, nichts als Regungen oder höchstens Gefühle erwecken, niemals aber bestimmte Empfindungen, zu welchen, wenn auch nicht immer deutliche, doch wenigstens klare Ideen gehören, hervorbringen kann. Da nun ein *Kunstwerk* nothwendig, als solches, bestimmte Empfindungen erregen muß, so folgt ganz natürlich, daß Musik *allein,* oder mit andern Worten *Instrumentalmusik,* wohl ein Werk des Genies, und selbst des höchsten Genies seyn, niemals aber ein eigentliches *Kunstwerk* genannt werden könne. Die vollkommene Uebereinstimmung aller Theile zu einem Ganzen, die Mannigfaltigkeit in der Einheit, der nicht zu schwierige Ueberblick des Ganzen, kurz, alle diejenigen Eigenschaften, welche man von einem vollendeten Kunstwerke fordert, finden bey bloßer Instrumentalmusik in einem so geringen Grade statt, daß man die Gegenwart derselben mehr ahnet, als deutlich bemerkt. Die Musik muß sich also nothwendig mit einer andern Kunst verbinden, wenn sie *Kunstwerke* liefern will: und hierzu ist ihr von der Natur selbst die Dichtkunst angewiesen. Mit dieser Kunst vermählt kann man erst von der Musik mit Recht behaupten, daß sie Meisterin der Leidenschaften sey. Wenn die bloße Instrumentalmusik bewegt, höchstens rührt, so erschüttert uns Musik mit Poesie vereinigt, und durch das göttlichste aller Instrumente, durch die Menschenstimme unterstützt, bis im Innersten des Herzens. Bis auf den höchsten Punkt aber steigt die Wirkung der Vokalmusik unstreitig auf dem Theater: nicht allein deswegen, weil das Theater der Musik einen weit größern Spielraum darbietet, als die Kirche oder der Concertsaal, sondern auch vorzüglich, weil *dramatische Dichtkunst* gewiß die interessanteste für

den menschlichen Geist ist. Eben deswegen ist eine vollkommen gute Theatermusik, meinen Gedanken nach, der Triumph der Kunst. Der *Kunst*, sage ich, im höchsten Sinne des Wortes. Denn was man z. B. in Kirchenmusiken *Kunst* nennt, jene berechneten, nur auf den Verstand, nicht auf das Herz wirkenden, sogenannten *contrapunktischen Künste*, sind nicht *Kunstwerke*, sind, wenn ich mich so ausdrücken darf, *künstliche Werke*. Ich bin aber demohngeachtet weit davon entfernt, das Studium des doppelten Contrapunkts zu verachten. Als Mittel zu höhern Zwecken ist es nöthig, ja ich möchte beinahe sagen, unentbehrlich: dieses Studium selbst aber als höchsten Zweck der Kunst zu betrachten, dünkt mich eben so pedantisch als schädlich.
Der Komponist einer Theatermusik bedarf, außer den unentbehrlichen musikalischen Kenntnissen, Einsichten in das Wesen der dramatischen Dichtkunst, gewisse allgemeine litterarische Kenntnisse, psychologische Kenntniß des Wachsthums und der Abnahme der Leidenschaften (welche der Dichter blos andeutet, der Komponist aber darstellen muß), richtige Declamation und Recitation, und so weiter: braucht aber nicht von der Natur mit einem großen *musikalischen Genie* versehen zu seyn. Der Instrumentalkomponist hingegen bedarf aller vorhergedachten Kenntnisse nicht, muß aber schlechterdings, wenn er irgend etwas Gutes liefern will, ein *musikalisches Genie* seyn. Ich gehe noch weiter, und behaupte, so paradox es auch klingen mag: daß ein großes *musikalisches Genie* nie einen vollkommnes *Kunstwerk* (in dem Sinne, in welchem wir es vorher angenommen haben) hervorbringen werde. Hören Sie meine Gründe kaltblütig an, und dann entscheiden Sie selbst.
Ein großes Genie in einer jeden Kunst lebt und webt nur in ihr; alle seine Ideen beziehen sich auf sie; mit einem Worte, es kömmt ihm alles klein vor, was nicht unmittelbar mit ihr zusammenhängt. In der Malerey nun z. B. ist diese Eigenschaft des Genies nicht allein nicht hinderlich zur Hervorbringung eines vortrefflichen Kunstwerks, sondern sogar äußerst vortheilhaft; und zwar deswegen, weil die Malerey eine selbständige Kunst ist, welche zu ihrer vollkommensten Wirkung schlechterdings keiner andern bedarf. Lassen Sie uns aber sehen, wie es in diesem Betracht mit der Musik ist. Die Musik steht, nach meiner Meinung, nicht in gleichem Range

mit den übrigen Künsten. Dichtkunst, Malerey und Bildhauerkunst nehmen den ersten Platz ein; sie sind vollkommen selbständig; das heißt, man kann in ihnen etwas idealisch Gutes liefern, ohne auch nur im mindesten einer andern Kunst zu bedürfen. Diesen zunächst folgt erst die Musik, welche nur dann ihre höchste Wirkung äußern kann, wenn sie von der Dichtkunst unterstützt wird. Zuletzt folgt die Tanzkunst, welche ohne Musik *gar nicht* existiren kann, und selbst dann noch viel zu wünschen übrig läßt. Ich übergehe die Baukunst gänzlich, weil diese eine eigne Klasse für sich ausmacht, wo das ästhetisch-Schöne zuweilen dem practisch-Nützlichen nachstehen muß. Das große *musikalische Genie* nun, das nur in musikalischen Ideen lebt, dessen schöpferischer Geist nach nichts anderm strebt, als Gelegenheit zu finden, seine Schätze von neuen Melodieen und Harmonieen dem entzückten Ohre des Zuhörers darzubieten; wird ein solches wohl die Zeit, die Geduld finden, sich alle die oben angeführten mannigfaltigen Kenntnisse zu erwerben, welche dazu gehören, um ein vollkommnes Kunstwerk zu erschaffen? Es müßte aufhören, Genie zu seyn, wenn es das könnte. Es wird vortreffliche, genievolle, gedankenreiche, selbst hinreißende Werke hervorbringen; nie aber ein vollkommnes *Kunstwerk* liefern. Der Komponist einer vollkommen guten Theatermusik darf durchaus kein großes *musikalisches Genie* seyn; aber er muß dafür *Künstlersinn* und *allgemeines Kunstgenie* haben. Ich unterscheide nehmlich sorgfältig *allgemeines Kunstgenie* von *speciellem Genie* für irgend eine Kunst. Es giebt Menschen, welche Sinn für alles ästhetisch-Schöne haben, und eben deswegen in einer jeden Kunst, welche sie wählen, Fortschritte machen, ohne in irgend einer derselben vorzügliches Genie zu äußern. In einer jeden selbstständigen Kunst, in der Malerey, Sculptur oder Dichtkunst, wird ein solcher Mensch nie etwas von großer Bedeutung liefern. In der Musik aber, in dieser unselbstständigen Kunst, wird gerade ein solcher Mensch, welchen kein zu großes specielles Genie hindert, sich in allen angränzenden Künsten und Wissenschaften zu beschäftigen, im Stande seyn, die vollkommensten Kunstwerke zu liefern.

Sind Sie hierin meiner Meinung, so ist die Parallele zwischen Gluck und Mozart bald gezogen. Mozart ist eins der größten *musikalischen Genies*, die je gelebt haben. Gluck ist einer der

größten *Künstler,* die es je gab. Mozarts ungeheurer Reichthum an neuen Gedanken, seine glücklichen Melodieen, seine beständig abwechselnden, reizenden harmonischen Wendungen, kurz, sein unermeßliches Genie, machen ihn zu einem Gegenstande der höchsten Bewunderung für Welt und Nachwelt. Alle seine Werke aber tragen den Stempel des *musikalischen Genies;* das heißt, sie sind von der musikalischen Seite vortrefflich, von andern Seiten aber unvollkommen. Seine Opern wimmeln, neben den unnachahmlichsten musikalischen Schönheiten, von Fehlern gegen den richtigen Ausdruck, gegen Theatereffect, gegen Declamation und Recitation. Gluck dagegen ist beinahe arm an *musikalischen* Gedanken; Glucks harmonische Wendungen sind fast immer die nehmlichen; Glucks Melodien sind so äusserst einfach, daß sie öfters ins Unangenehme, Psalmodische fallen. Welch ein unnachahmlich großes Kunstwerk ist aber nicht dennoch seine *Iphigenie in Tauris*! Kein Gedanke, der nicht richtig ausgedrückt, kein Wort, das nicht richtig deklamirt, kein Accent, der nicht richtig gesetzt wäre! Wie viel Einheit in der ganzen Composition! Mit einem Worte, welch ein vollkommenes, abgerundetes Ganze bildet diese Oper!
Mozart wurde von seinem allmächtigen Genie unaufhörlich fortgerissen, und konnte daher nie die Zeit finden, sich kritische Kenntnisse zu erwerben, und sie richtig anwenden zu lernen. Gluck hingegen, bey seinem nicht zu läugnenden Mangel an *musikalischem Genie,* arbeitete seine Opern mit kaltem Blute und unermüdetem Fleiße aus; ließ sich blos von seinem universellen Genie leiten, und brachte auf diese Art Kunstwerke hervor, welche seinen Namen der Unsterblichkeit überliefern. [S. 435–440]

34. [Carl Friedrich Zelter], Ueber die Aufführung der Gluckschen Oper Alceste, auf dem Königlichen Operntheater zu Berlin von 1796, in: Deutschland, hrsg. von Johann Friedrich Reichardt, Bd. 2, Berlin 1796

[...]
[...] Bei der Zusammensetzung eines so großen Ganzen als die tragische Oper ist wird eine geschickte Abwechselung

zum unerläßlichen Bedürfniß. Diese besteht aber bei weitem nicht bloß in der Verschiedenheit der Melodieen allein; noch auch allein in dem Gebrauche der Harmonie, des Satzes und der verschiedenen Instrumente. Es ist lange nicht hinlänglich, daß ein Komponist alle diese Mittel aus dem Grunde verstehe, ihre Handhabung und Zusammensetzung kenne, er muß auch die seltene Gabe der Aufopferung von der Natur empfangen haben, wenn ein vollkommnes Werk entstehen soll, – denn davon ist hier die Rede. Wem das Gute gut genug ist, mit dem will ich nicht streiten. – Ein gerührter Mensch beruhigt sich, wenn von fernher nur die Saite angeschlagen wird, die sein Gefühl mitklingen machen soll, und das kann manchmal durch einen einzigen Ton, eine einzige Bewegung geschehen. Wenn aber die Natur allein gehuldigt werden soll; wenn viele zusammen das Nehmliche auf die nehmliche Art; wenn sie eine dargestellte Leidenschaft gehörig empfinden, das individuelle Leiden des Leidenden, die Freude des Fröhlichen genießen sollen, so muß der Künstler seine liebsten Mittel verläugnen lernen; er muß sich nicht von seinen Einfällen und Gedanken verleiten lassen, wie ein schwacher Vater von seinen verzogenen Kindern: wozu freilich ein scharfer Verstand und feine Kritik gehört, die das Theil weniger Künstler sind. Das Genie ist eine höchst ehrwürdige Gottheit, die da schafft und mit himmlichem Feuer durchglüht; und uns zur Anbetung *zwingt:* allein mit aller ihrer Gewalt ist sie nicht im Stande, die stille Kritik zu verdrängen. Diese bleibt ewig auf ihrem Platze. Sie schweigt so lange das Genie tobt, aber sie giebt ein heimliches unbestechliches Gefühl, das [sich] wohl auf die Seite drücken aber niemals verdrängen läßt, und wenn jenes Feuer verflogen ist, oder uns aufgezehrt hat, übt noch die Kritik ihr Richteramt ehrbar und unbescholten. Sie giebt zuletzt ihren Seegen, drückt ihre Siegel auf, und wo sie es thut, da ist Natur und Unsterblichkeit.

Glucks Arien, daß ich sie so nenne, sind über mein Lob hinaus, und was ich Ihnen sagen mag: sie sind das schönste was ich mir dencken kann, auch mein Gefühl bei Einzelheiten anstoßen sollte. [...]

Glucks Satz ist nicht so nachläßig, als diejenigen glauben, die ihn deswegen verachten; er verdient sogar mehr Aufmerksamkeit, als viele seiner Nachfolger ihn würdigen, die sich wohl gar vorstellen, Glucks Vorzug liege in seiner Unkorrektheit. Was Glucken hie und da an Reinigkeit abgeht, ersetzt ein Zusammenfluß von Umständen, die das Ohr in die Empfindung überleiten und womit er überaus glücklich seine Ohren zu bestechen weiß. Was seine Musik auch für Kenner interessant macht, ist sein guter Gebrauch der Dissonanzen; das Leidenschaftliche seiner Melodien, die einen deutschen ernsthaften Gang haben, beruht grossentheils auf den Gebrauch der Dissonanzen, die er wahrscheinlich nach deutschen Mustern gebrauchen lernen. Die Regeln der Harmonie hat er genommen wie er sie gefunden, und so ausgeübt wie es die Zeit zulassen wollen, ohne zu untersuchen, warum ein obligates Intervall so oder anders resolviren müsse. Man kann ihn also von dieser Seite keiner Beurtheilung aussetzen. Dem ungeachtet ist ihm das Vielstimmige sehr gelungen, und man sieht aus seinen Chören und andern vielstimmigen Sachen, daß dieser Satz wirklich von großer Bedeutung sei, wenn er gehörig gebraucht wird. Von seinen Melodien scheint keine ganz original zu seyn, man findet sie Stellenweise beim Kaiser, Leo und Händel, auch bei alten französischen Komponisten. Eine Vergleichung mit irgend einem Komponisten ist deshalb so unmöglich, weil er unter allen der erste gewesen, der auf eine schöne Zusammenstimmung des ganzen Drama mit solchem Glücke hingearbeitet hat. Er steht auf seiner Stelle ganz allein, und wenn ihn auch irgend ein Zeitalter von der Zahl der musterhaften Komponisten ausschließen wollte, so bleibt er doch für Leute von allgemeinem und feinem Kunstgeschmack in seiner Art ein Mann von unverkennbarem Genie. [S. 286–291]

35. […], Über das grosse Mozartsche Theaterkonzert im Berlinischen Opernhause, in: Deutschland, hrsg. von Johann Friedrich Reichardt, Bd. 2, Berlin 1796

Aus dem Briefe eines Künstlers vom 20sten März, 1796.

Sie wissen gewiß aus den Zeitungen, daß der König, aus Achtung für das große Talent des verewigten Mozart, dessen hinterlassener Wittwe, bei ihrem Aufenthalte in Berlin, die Erlaubnis gegeben, mit dem Königl. Orchester und den Kö-

nigl. Opernsängern, Kompositionen ihres Mannes im Opernhause öffentlich aufzuführen. Das ziemlich große Gebäude war so voll als es nur je bei einer Vorstellung war, und Madame Mozart muß eine für Berlin sehr ansehnliche Einnahme gehabt haben.
Das Konzert fing mit der Ouvertüre aus der Zauberflöte an. Sie wurde vortrefflich ausgeführt und das Orchester zeigte sich dabei in seiner größten Würdigkeit; unser neuer Kapellmeister Herr Himmel gab das Tempo vor dem Flügel ohne Geräusch und, nach meinem Gefühle, sehr richtig an, und so blieb es auch bis ans Ende. Dann sang Madam Righini eine schwere Arie von Mozart mit einer obligaten Violine sehr gut; dann blies Herr Ritter ein Fagottkonzert aus g dur, sehr schön; dann sang Mademoiselle Schmalz eine Bravourarie von Naumann sehr brav, und so war der erste Theil zu Ende. Im zweiten Theile wurde ein Auszug aus Mozarts letzter Arbeit, die Oper: *La clemenza di Tito* gegeben. Die Ouvertüre ist nicht von großer Bedeutung, hat mancherlei Bekanntes und selbst wenig von dem wilden Feuer, welches ein Hauptzug in Mozarts mir bekannten Kompositionen ist. Dann folgten die Arien, Duo's, Terzetten, Finales und Chöre, ohne Wahl aufeinander. Es sangen Madame Righini, Madame Schick, Mademoiselle Schmalz, Madam Mozart, Herr Fischer und Herr Hurka, jedes nach seiner Ihnen bekannten Art, das heißt: schön, gut und vortrefflich, je nachdem auch wohl die Komposition Gelegenheit dazu gab.
Es ist ein großer Verlust, den die Musik durch den viel zu frühen Tod Mozarts erlitten hat. Was hätte nicht aus diesem Manne noch werden müssen, über den alle Musen ihre Gunst mit Verschwendung ausgegossen zu haben scheinen – wenn einst noch die Grazien hinzugetreten wären? Seine Kompositionen kommen mir vor, wie ein heiterer Himmel an einem recht kalten Winterabende; alles daran funkelt und flimmert von den schönsten Sternen mancher Art, große und kleine, die unter sich wieder alle Arten und Formen und Figuren bilden, und woran man sich nicht satt sehen würde – wenn einen nicht die kalte Luft dahin triebe. Wer sich an Mozarts Arbeiten das Herz erwärmen wollte; wer eine zusammenhängende Stuffenfolge von Empfindungen, eine entstehende und wachsende Leidenschaft suchen und sein eignes Leiden daran hängen wollte; kurz wer Zartheit, Sentiment und steigendes

Interesse bei ihm erwartet, für den ist Mozart kein Mann, und also auch kein Singekomponist. Wer sich aber den Text einer Arie als einen Faden, woran eine Schnur der rarsten Perlen und Edelsteine groß und klein und minder schätzbar, und die weiter keine Anforderung auf ästhetische Gruppirung machen, denken mag, der gehe hin und höre Mozarts Singemusik. Nur aus diesem letzten Umstande kann ich mir erklären, wie ein und der nehmliche Mann einen so ungezählten Wust von schlechten Versen, die den Geschmack, selbst des ungebildetsten Haufens empören müssen, ohne Gram absingen und die schönsten Farben daran verschwenden konnte, die Natur und Kunst nur ihren Geweihten reicht. Ihnen brauch' ich wohl nicht zu erinnern, daß das hier Gesagte nicht etwa auf den Text der Oper *Tito* gehen solle, allein man sieht auch hier wie sich Mozart gewöhnt gehabt, Verse überhaupt zu behandeln. Ich habe einen magern Klavierauszug dieser Oper vor mir liegen, der Mozarts Arbeit gerade so darstellt wie man einen Schattenriß von einer Landschaft machen würde; nicht als ob ich damit sagen möchte: der Klavierauszug sei darum schlechter als er ist, er ist sogar recht gut, allein Mozarts Musik ist nicht gut um Klavierauszüge daraus zu machen.
Und so gefiel mir diese Musik, fürs erste als ein bloßes Konzert, wobei auf Intension und Ausdruck gar nicht gesehen seyn sollte, und dann als ein aus tausend angenehmen Mannigfaltigkeiten zusammen gesetztes Ding, das auf lauter kleine Augenblicke vergnügt, unterhält, reizt und – verschwindet. Hier eine Hoboe, da ein Klarinett, dort ein paar Waldhörner, Flöten, Fagotten und dergleichen, die alle lauter Verschiedenheiten produciren, die von der Absicht des Komponisten nichts verrathen als einen geistvollen unruhigen Genius, der sich tummelt und tanzt, und darüber zuletzt in sich selbst zusammenfällt, wenn die übersatte Imagination in dem endlosen Reiche der Möglichkeiten lange genug ohne Schutz und Führer umhergeirrt hat. [S. 363–367]

36. Ludwig Tieck / Wilhelm Heinrich Wackenroder, Phantasien über die Kunst, für Freunde der Kunst, Hamburg 1799 (Neudruck: Leipzig 1975)

Zweyter Abschnitt.

Anhang einiger musikalischen Aufsätze von Joseph Berglinger.[207]

[...]

II. Die Wunder der Tonkunst.

Wenn ich es so recht innig genieße, wie der leeren Stille sich auf einmal, aus freyer Willkühr, ein schöner Zug von Tönen entwindet, und als ein Opferrauch emporsteigt, sich in Lüften wiegt, und wieder still zur Erde herabsinkt; – da entsprießen und drängen sich so viele neue schöne Bilder in meinem Herzen, daß ich vor Wonne mich nicht zu lassen weiß. – Bald kommt Musik mir vor, wie ein Vogel Phönix, der sich leicht und kühn zu eigener Freude erhebt, zu eignem Behagen stolzierend hinaufschwebt, und Götter und Menschen durch seinen Flügelschwung erfreut. – Bald dünkt es mich, Musik sey wie ein Kind, das todt im Grabe lag, – ein röthlicher Sonnenstrahl vom Himmel entnimmt ihm die Seele sanft, und es genießt, in himmlischen Aether versetzt, goldne Tropfen der Ewigkeit, und umarmt die Urbilder der allerschönsten menschlichen Träume. – Und bald, – welche herrliche Fülle der Bilder! – bald ist die Tonkunst mir ganz ein Bild unsers Leben: – eine rührend-kurze Freude, die aus dem Nichts entsteht und ins Nichts vergeht, – die anhebt und versinkt, man weiß nicht warum: – eine kleine fröhliche grüne Insel, mit Sonnenschein, mit Sang und Klang, – die auf dem dunkeln, unergründlichen Ocean schwimmt. –
Fragt den Tonmeister, warum er so herzlich fröhlich sey auf seinem Saitenspiel. „Ist nicht", wird er antworten, „das ganze Leben ein schöner Traum? eine liebliche Seifenblase? Mein Tonstück desgleichen." –
Wahrlich, es ist ein unschuldiges, rührendes Vergnügen, an Tönen, an reinen Tönen sich zu freuen! Eine kindliche Freude! – Wenn andre sich mit unruhiger Geschäftigkeit betäuben, und von verwirrten Gedanken, wie von einem Heer fremder Nachtvögel und böser Insekten, umschwirrt, endlich ohnmächtig zu Boden fallen; – o, so tauch' ich mein Haupt

in dem heiligen, kühlenden Quell der Töne unter, und die heilende Göttin flößt mir die Unschuld der Kindheit wieder ein, daß ich die Welt mit frischen Augen erblicke, und in allgemeine, freudige Versöhnung zerfließe. – Wenn andre über selbsterfundene Grillen zanken, oder ein verzweiflungsvolles Spiel des Witzes spielen, oder in der Einsamkeit mißgestaltete Ideen brüten, die, wie die geharnischten Männer der Fabel, verzweiflungsvoll sich selber verzehren; – o, so schließ' ich mein Auge zu vor all' dem Kriege der Welt, – und ziehe mich still in das Land der Musik, als in das *Land des Glaubens,* zurück, wo alle unsre Zweifel und unsre Leiden sich in ein tönendes Meer verlieren, – wo wir alles Gekrächze der Menschen vergessen, wo kein Wort- und Sprachengeschnatter, kein Gewirr von Buchstaben und monströser Hieroglyphenschrift uns schwindlich macht, sondern alle Angst unsers Herzens durch leise Berührung auf einmal geheilt wird. – Und wie? Werden hier Fragen uns beantwortet? Werden Geheimnisse uns offenbart? – Ach nein! aber statt aller Antwort und Offenbarung werden uns luftige, schöne Wolkengestalten gezeigt, deren Anblick uns beruhigt, wir wissen nicht wie; – mit kühner Sicherheit wandeln wir durch das unbekannte Land hindurch, – wir begrüßen und umarmen fremde Geisterwesen, die wir nicht kennen, als Freunde, und alle die Unbegreiflichkeiten, die unser Gemüth bestürmen, und die die Krankheit des Menschengeschlechtes sind, verschwinden vor unsern Sinnen, und unser Geist wird gesund durch das Anschaun von Wundern, die noch *weit unbegreiflicher* und erhabener sind. Dann ist dem Menschen, als möcht' er sagen: „Das ist's, was ich meyne! Nun hab' ich's gefunden! Nun bin ich heiter und froh!“ –

Laß sie spotten und höhnen, die andern, die wie auf rasselnden Wagen durch's Leben dahin fahren, und in der Seele des Menschen das Land der heiligen Ruhe nicht kennen. Laß sie sich rühmen ihres Schwindels, und trotzen, als ob sie die Welt mit ihren Zügeln lenkten. Es kommen Zeiten, da sie darben werden.

Wohl dem, der, wann der irdische Boden untreu unter seinen Füßen wankt, mit heitern Sinnen auf luftige Töne sich retten kann, und nachgebend, mit ihnen bald sanft sich wiegt, bald muthig dahertanzt, und mit solchem lieblichen Spiele seine Leiden vergißt!

Wohl dem, der, (müde des Gewerbes, Gedanken feiner und feiner zu spalten, welches die Seele verkleinert,) sich den sanften und mächtigen Zügen der Sehnsucht ergiebt, welche den Geist ausdehnen und zu einem *schönen Glauben* erheben. Nur ein solcher ist der Weg zur allgemeinen, umfassenden Liebe, und nur durch solche Liebe gelangen wir in die Nähe göttlicher Seligkeit. — —

Dies ist das herrlichste und das wunderbarste Bild, so ich mir von der Tonkunst entwerfen kann, — obwohl es die meisten für eitle Schwärmerey halten werden. —

Aber aus was für einem magischen Präparat steigt nun der Duft dieser glänzenden Geistererscheinung empor? — Ich sehe zu — und finde nichts, als ein elendes Gewebe von Zahlenproportionen, handgreiflich dargestellt auf gebohrtem Holz, auf Gestellen von Darmsaiten und Messingdraht. — Das ist fast noch wunderbarer, und ich möchte glauben, daß die unsichtbare Harfe Gottes zu unsern Tönen mitklingt, und dem menschlichen Zahlengewebe die himmlische Kraft verleiht. —

Und wie gelangte denn der Mensch zu dem wunderbaren Gedanken, Holz und Erz tönen zu lassen? Wie kam er zu der köstlichen Erfindung dieser über alles seltsamen Kunst? — Das ist ebenfalls wiederum so merkwürdig und sonderlich, daß ich die Geschichte, wie ich sie mir denke, kürzlich hersetzen will.

Der Mensch ist ursprünglich ein gar unschuldiges Wesen. Wenn wir noch in der Wiege liegen, wird unser kleines Gemüth von hundert unsichtbaren kleinen Geistern genährt und erzogen, und in allen artigen Künsten geübt. So lernen wir durch's Lächeln, nach und nach, fröhlich zu seyn, durch's Weinen lernen wir traurig seyn, durch's Angaffen mit großen Augen lernen wir, was erhaben ist, anbeten. Aber so wie wir in der Kindheit mit dem Spielzeuge nicht recht umzugehen wissen, so wissen wir auch mit den Dingen des Herzens noch nicht recht zu spielen, und verwechseln und verwirren in dieser Schule der Empfindungen noch alles durch einander.

Wenn wir aber zu Jahren gekommen sind, so verstehen wir die Empfindungen, sey es nun Fröhlichkeit, oder Betrübniß, oder jede andre, gar geschickt anzubringen, wo sie hingehören; und da führen wir sie manchmal recht schön, zu unsrer eigenen Befriedigung, aus. Ja, obwohl diese Dinge eigentlich nur eine gelegentliche Zuthat zu den Begebenheiten unsers gewöhnlichen Lebens sind, so finden wir doch so viel Lust daran, daß wir die sogenannten Empfindungen gern von dem verwirrten Wust und Geflecht des irdischen Wesens, worin sie verwickelt sind, ablösen, und sie uns zum schönen Angedenken besonders ausführen, und auf eigene Weise aufbewahren. Es scheinen uns diese Gefühle, die in unserm Herzen aufsteigen, manchmal so herrlich und groß, daß wir sie wie Reliquien in kostbare Monstranzen einschließen, freudig davor niederknieen, und im Taumel nicht wissen, ob wir unser eignes menschliches Herz, oder ob wir den Schöpfer, von dem alles Große und Herrliche herabkommt, verehren.

Zu dieser Aufbewahrung der Gefühle sind nun verschiedene schöne Erfindungen gemacht worden, und so sind alle schönen Künste entstanden. Die Musik aber halte ich für die wunderbarste dieser Erfindungen, weil sie menschliche Gefühle auf eine übermenschliche Art schildert, weil sie uns alle Bewegungen unsers Gemüths unkörperlich, in goldne Wolken luftiger Harmonieen eingekleidet, über unserm Haupte zeigt, – weil sie eine Sprache redet, die wir im ordentlichen Leben nicht kennen, die wir gelernt haben, wir wissen nicht wo? und wie? und die man allein für die Sprache der Engel halten möchte.

Sie ist die einzige Kunst, welche die mannigfaltigsten und widersprechendsten Bewegungen unsers Gemüths auf *dieselben* schönen Harmonieen zurückführt, die mit Freud' und Leid, mit Verzweiflung und Verehrung in gleichen harmonischen Tönen spielt. Daher ist *sie* es auch, die uns die ächte *Heiterkeit* der Seele einflößt, welche das schönste Kleinod ist, das der Mensch erlangen kann; – jene Heiterkeit meyn' ich, da alles in der Welt uns natürlich, wahr und gut erscheint, da wir im wildesten Gewühle der Menschen einen schönen Zusammenhang finden, da wir mit reinem Herzen alle Wesen uns verwandt und nahe fühlen, und, gleich den Kindern, die Welt wie durch die Dämmerung eines lieblichen Traumes erblicken. – –

Wenn ich in meiner Einfalt unter freyem Himmel vor Gott glückselig bin, – indeß die goldnen Strahlen der Sonne das hohe blaue Zelt über mir ausspannen, und die grüne Erde rings um mich lacht, – da ist's am rechten Ort, daß ich mich auf den Boden werfe, und in vollen Freuden dem Himmel lautjauchzend für alle Herrlichkeit danke. Was aber thut alsdann der sogenannte Künstler unter den Menschen? Er hat mir zugesehen, geht, innerlich erwärmt, stillschweigend daheim, läßt sein sympathetisches Entzücken auf leblosem Saitenspiel weit herrlicher daherrauschen, und bewahrt es auf, in einer Sprache, die kein Mensch je geredet hat, deren Heimath niemand kennt, und die jeden bis in die innersten Nerven ergreift. –

Wenn mir ein Bruder gestorben ist, und ich bey solcher Begebenheit des Lebens eine tiefe Traurigkeit gehörig anbringe, weinend im engen Winkel sitze, und alle Sterne frage, wer je betrübter gewesen als ich, – dann, – indeß hinter meinem Rücken schon die spottende Zukunft steht, und über den schnell vergänglichen Schmerz des Menschen lacht, – dann steht der Tonmeister vor mir, und wird von all' dem jammervollen Händeringen so bewegt, daß er den schönen Schmerz daheim auf seinen Tönen nachgebehrdet, und mit Lust und Liebe die menschliche Betrübniß verschönert und ausschmückt, und so ein Werk hervorbringt, das aller Welt zur tiefsten Rührung gereicht. – Ich aber, wenn ich längst das angstvolle Händeringen um meinen todten Bruder verlernt habe, und dann einmal das Werk seiner Betrübniß höre, – dann freu' ich mich kindlich über mein eignes, so glorreich verherrlichtes Herz, und nähre und bereichere mein Gemüth an der wunderbaren Schöpfung. –

Wenn aber die Engel des Himmels auf dieses ganze liebliche Spielwerk herabsehen, das wir *die Kunst* nennen, – so müssen sie wehmütig lächeln über das Kindergeschlecht auf der Erde, und lächeln über die unschuldige Erzwungenheit in dieser Kunst der Töne, wodurch das sterbliche Wesen sich zu ihnen erheben will. – – [S. 147–159]

IV. Fragment aus einem Briefe Joseph Berglingers.

– Neulich, lieber Pater, am Festtag, hab' ich einen köstlichen Abend genossen. Es war ein warmer Sommerabend, und ich ging aus den alten Thoren der Stadt hinaus, als eine muntere Musik aus der Ferne mit ihren lockenden Tönen mich an sich spielte. Ich ging ihr durch die Gassen der Vorstadt nach, und ward am Ende in einen großen öffentlichen Garten geführt, der mit Hecken, Alleen und bedeckten Gängen, mit Rasenplätzen, Wasserbecken, kleinen Springbrunnen und Taxuspyramiden dazwischen, gar reichlich ausgeziert, und mit einer Menge buntgeschmückter Leute belebt war. In der Mitte, auf einer grünen Erhöhung, lag ein offenstehender Gartensaal, als der Mittelpunkt des Gewimmels. Ich ging auf dem Platze vor dem Saale, wo es am vollsten war, auf und nieder, und mein Herz ward hier von den fröhlichsten und heitersten Empfindungen besucht.

Auf grünem Rasen saßen die Spieler, und zogen aus ihren Blasinstrumenten die muntersten, lustigsten Frühlingstöne hervor, so frisch, wie das junge Laub, das sich aus den Zweigen der Bäume hervordrängt. Sie füllten die ganze Luft mit den lieblichen Düften ihres Klanges an, und alle Blutstropfen jauchzten in meinen Adern. Wahrlich, so oft ich Tanzmusik höre, fällt es mir in den Sinn, daß diese Art der Musik offenbar die beteudenste und bestimmteste Sprache führt, und daß sie nothwendig die eigentlichste, die älteste und *ursprüngliche* Musik seyn muß.

Neben mir, in den breiten Gängen, spazierten nun alle verschiedenen Stände und Alter der Menschen einher. Da war der Kaufmann von seinem Rechentische, der Handwerksmann von seiner Werkstatt hergekommen; und etliche vornehme junge Herren in glänzenden Kleidern strichen leichtsinnig zwischen den langsameren Spaziergängern durch. Manchmal kam eine zahlreiche Familie mit Kindern jeder Größe, die die ganze Breite des Ganges einnahm; und dann wieder ein siebenzigjähriges Ehepaar, das lächelnd zusah, wie die Schaar der Kinder auf dem grünen Grase in trunkenem Muthwillen ihr junges Leben versuchte, oder wie die erwachsenere Jugend sich mit lebhaften Tänzen erhitzte. Ein jeder von allen hatte seine eigne Sorge in seiner Kammer daheim gelassen; keine Sorge mochte der andern gleich seyn, – hier aber stimmten Alle zur Harmonie des Vergnügens zusammen. Und wenn auch freylich nicht jedem von der Musik und all' dem bunten Wesen wirklich im Innern so erfreulich zu Muthe seyn mochte als mir, – so war für mich doch diese ganze lebendige Welt in einen Lichtschimmer der Freude aufgelöst, – die Oboen- und Hörnertöne schienen mir wie glänzende Strahlen um alle Gesichter zu spielen, und es dünkte mich, als säh' ich alle Leute bekränzt oder in einer Glorie gehen. – Mein Geist, verklärt durch die Musik, drang

durch alle die verschiedenen Physiognomieen bis in jedes Herz hinein, und die wimmelnde Welt um mich her kam mir wie ein Schauspiel vor, das ich selber gemacht, oder wie ein Kupferstich, den ich selber gezeichnet: so gut glaubte ich zu sehen, was jede Figur ausdrücke und bedeute, und wie jede das sey, was sie seyn sollte.
Diese angenehmen Träume unterhielten mich eine ganze Zeitlang fort, – bis sich die Scene veränderte.
Die helle Wärme des Tages ergoß sich allmählig in die dunkle Kühlung der Nacht, die bunten Schaaren zogen heim, der Garten ward dunkel, einsam und still, – zuweilen schwebte ein zärtliches Lied vom Waldhorn wie ein seliger Geist in dem milden Schimmer des Mondes daher, – und die ganze, zuvor so lebendige Natur war in ein leises Fieber melancholischer Wehmuth aufgelöst. Das Schauspiel der Welt war für diesen Tag zu Ende, – meine Schauspieler nach Hause gegangen, – der Knäuel des Gewühls für heute gelöst. Denn Gott hatte die lichte, mit Sonne geschmückte Hälfte seines großen Mantels von der Erde hinweggezogen, und mit der andern schwarzen Hälfte, worin Mond und Sterne gestickt sind, das Gehäuse der Welt umhängt, – und nun schliefen alle seine Geschöpfe in Frieden. Freude, Schmerz, Arbeit und Streit, alles hatte nun Waffenstillstand, um morgen von neuem wieder loszubrechen: – und so immer fort, bis in die fernsten Nebel der Zeiten, wo wir kein Ende absehen. –
Ach! dieser unaufhörliche, eintönige Wechsel der Tausende von Tagen und Nächten, – daß das ganze Leben des Menschen, und das ganze Leben des gesammten Weltkörpers nichts ist, als so ein unaufhörliches, seltsames Brettspiel solcher weißen und schwarzen Felder, wobey am Ende keiner gewinnt als der leidige Tod, – das könnte einem in manchen Stunden den Kopf verrücken. – Aber man muß durch den Wust von Trümmern, worauf unser Leben zerbröckelt wird, mit muthigem Arm hindurchgreifen, und sich an der *Kunst*, der Großen, Beständigen, die über alles hinweg bis in die Ewigkeit hinausreicht, mächtiglich festhalten, – die uns vom Himmel herab die leuchtende Hand bietet, daß wir über dem wüsten Abgrunde in kühner Stellung schweben, zwischen Himmel und Erde! – – – [S. 174–180]

V. Das eigenthümliche innere Wesen der Tonkunst, und die Seelenlehre der heutigen Instrumentalmusik.

Der Schall oder Ton war ursprünglich ein grober Stoff, in welchem die wilden Nationen ihre unförmlichen Affecten auszudrücken strebten, indem sie, wenn ihr Inneres erschüttert war, auch die umgebenden Lüfte mit Geschrey und Trommelschlag erschütterten, gleichsam um die äußere Welt mit ihrer inneren Gemüthsempörung in's Gleichgewicht zu setzen. Nachdem aber die unaufhaltsam-wirkende Natur die ursprünglich in Eins verwachsenen Kräfte der menschlichen Seele, durch viele Säkula hindurch, in ein ausgebreitetes Gewebe von immer feineren Zweigen aus einander getrieben hat; so ist, in den neueren Jahrhunderten, auch aus *Tönen* ein kunstreiches System aufgebaut, und also auch in diesem Stoff, so wie in den Künsten der Formen und Farben, ein sinnliches Abbild und Zeugniß, von der schönen Verfeinerung und harmonischen Vervollkommnung des heutigen menschlichen Geistes, niedergelegt worden. Der einfarbige Lichtstrahl des Schalls ist in ein buntes, funkelndes Kunstfeuer zersplittert, worin alle Farben des Regenbogens flimmern; dies konnte aber nicht anders geschehen, als das zuvor mehrere weise Männer in die Orakelhöhen der verborgensten Wissenschaft hinunterstiegen, wo die allzeugende Natur selbst ihnen die Urgesetze des Tones enthüllte. Aus diesen geheimnißreichen Grüften brachten sie die neue Lehre, in tiefsinnigen Zahlen geschrieben, an's Tageslicht, und setzten hiernach eine feste, weisheitvolle Ordnung von vielfachen einzelnen Tönen zusammen, welche die reiche Quelle ist, aus der die Meister die mannigfaltigsten Tonarten schöpfen.

Die *sinnliche* Kraft, welche der Ton von seinem Ursprunge her in sich führt, hat sich durch dieses gelehrte System eine verfeinerte Mannigfaltigkeit erworben.

Das Dunkle und Unbeschreibliche aber, welches in der Wirkung des Tons verborgen liegt, und welches bey keiner andern Kunst zu finden ist, hat durch das System eine wunderbare Bedeutsamkeit gewonnen. Es hat sich zwischen den einzelnen mathematischen Tonverhältnissen und den einzelnen Fibern des menschlichen Herzens eine unerklärliche Sympathie offenbart, wodurch die Tonkunst ein reichhaltiges und

bildsames Maschinenwerk zur Abschilderung menschlicher Empfindungen geworden ist.
So hat sich das eigenthümliche Wesen der heutigen Musik, welche, in ihrer jetzigen Vollendung, die jüngste unter allen Künsten ist, gebildet. Keine andre vermag diese Eigenschaften der Tiefsinnigkeit, der sinnlichen Kraft, und der dunkeln, phantastischen Bedeutsamkeit, auf eine so räthselhafte Weise zu verschmelzen. Diese merkwürdige, enge Vereinigung so widerstrebend-scheinender Eigenschaften macht den ganzen Stolz ihrer Vorzüglichkeit aus; wiewohl eben dieselbe auch viele seltsame Verwirrungen in der Ausübung und im Genusse dieser Kunst, und viel thörichten Streit unter Gemüthern, welche sich niemals verstehen können, hervorgebracht hat.
Die wissenschaftlichen Tiefsinnigkeiten der Musik haben manche jener speculirenden Geister herangelockt, welche in allem ihren Thun streng und scharf sind, und das Schöne nicht aus offener, reiner Liebe, um sein selbst willen, aufsuchen, sondern es nur des Zufalls halber schätzen, daß besondre, seltene Kräfte daran aufzureiben waren. Anstatt das Schöne auf allen Wegen, wo es sich freundlich uns entgegenbietet, wie einen Freund willkommen zu heißen, betrachten sie ihre Kunst vielmehr als einen schlimmen Feind, suchen ihn im gefährlichsten Hinterhalt zu bekämpfen, und triumphiren dann über ihre eigne Kraft. Durch diese gelehrten Männer ist das innere Maschinenwerk der Musik, gleich einem künstlichen Weberstuhle für gewirkte Zeuge, zu einer erstaunenswürdigen Vollkommenheit gebracht worden; ihre einzelnen Kunststücke aber sind oftmals nicht anders als in der Mahlerey vortreffliche anatomische Studien und schwere academische Stellungen zu betrachten.
Traurig anzusehn ist es, wenn dies fruchtbare Talent sich in ein unbeholfenes und empfindungsarmes Gemüth verirrt hat. In einer fremden Brust schmachtet alsdann das phantastische Gefühl, das unberedt in Tönen ist, nach der Vereinigung, — indeß die Schöpfung, die Alles erschöpfen will, mit solchen schmerzlichen Naturspielen nicht ungern wehmüthige Versuche anzustellen scheint.
Demnach hat keine andre Kunst einen Grundstoff, der schon an sich mit so himmlischen Geiste geschwängert wäre, als die Musik. Ihr klingender Stoff kommt mit seinem geordneten

Reichthume von Akkorden den bildenden Händen entgegen, und spricht schon schöne Empfindungen aus, wenn wir ihn auch nur auf eine leichte, einfache Weise berühren. Daher kommt es, daß manche Tonstücke, deren Töne von ihren Meistern wie Zahlen zu einer Rechnung, oder wie die Stifte zu einem musivischen Gemählde, bloß regelrecht, aber sinnreich und in glücklicher Stunde, zusammengesetzt wurden, – wenn sie auf Instrumenten ausgeübt werden, eine herrliche, empfindungsvolle Poesie reden, obwohl der Meister wenig daran gedacht haben mag, daß in seiner gelehrten Arbeit, der in dem Reiche der Töne verzauberte Genius, für eingeweihte Sinne, so herrlich seine Flügel schlagen würde.

Dagegen fahren manche, nicht ungelehrte, aber unter unglücklichem Stern gebohrne, und innerlich harte und unbewegliche Geister täppisch in die Töne hinein, zerren sie aus ihren eigenthümlichen Sitzen, so daß man in ihren Werken nur ein schmerzliches Klaggeschrey des gemarterten Genius vernimmt.

Wenn aber die gute Natur die getrennten Kunstseelen in *eine* Hülle vereinigt, wenn das Gefühl des Hörenden noch glühender im Herzen des tiefgelehrten Kunstmeisters brannte, und er die tiefsinnige Wissenschaft in diesen Flammen schmelzt; dann geht ein unnennbar-köstliches Werk hervor, worin Gefühl und Wissenschaft so fest und unzertrennlich in einander hangen, wie in einem Schmelzgemählde Stein und Farben verkörpert sind. –

Von denjenigen, welche die Musik und alle Künste nur als Anstalten betrachten, ihren nüchternen und groben Organen die nothdürftig sinnliche Nahrung zu verschaffen, – da doch die Sinnlichkeit nur als die kräftigste, eindringlichste und menschlichste Sprache anzusehn ist, worin das Erhabene, Edle und Schöne zu uns reden kann, – von diesen unfruchtbaren Seelen ist nicht zu reden. Sie sollten, wenn sie es vermöchten, die tiefgegründete, unwandelbare *Heiligkeit,* die dieser Kunst vor allen andern eigen ist, verehren, daß in ihren Werken das feste Orakelgesetz des Systems, der ursprüngliche Glanz des Dreyklangs, auch durch die verworfensten Hände nicht vertilgt und befleckt werden kann, – und daß sie *gar nicht vermag* das Verworfene, Niedrige und Unedle des menschlichen Gemüths auszudrücken, sondern an sich nicht mehr als *rohe* und *grelle* Melodieen geben kann,

denen die sich anhängenden irdischen Gedanken erst das Niedrige leihen müssen.
Wenn nun die Vernünftler fragen: wo denn eigentlich der Mittelpunkt dieser Kunst zu entdecken sey, wo ihr eigentlicher Sinn und ihre Seele verborgen liege, die alle ihre verschiedenartigen Erscheinungen zusammenhalte? – so kann ich es ihnen nicht erklären oder beweisen. Wer das, was sich nur von innen heraus fühlen läßt, mit der Wünschelruthe des untersuchenden Verstandes entdecken will, der wird ewig nur Gedanken über das Gefühl, und nicht das Gefühl selber, entdecken. Eine ewige feindselige Kluft ist zwischen dem fühlenden Herzen und den Untersuchungen des Forschens befestigt, und jenes ist selbst ein selbstständiges verschlossenes göttliches Wesen, das von der Vernunft nicht aufgeschlossen und gelöst werden kann. – Wie jedes einzelne Kunstwerk nur durch dasselbe Gefühl, von dem es hervorgebracht ward, erfaßt und innerlich ergriffen werden kann, so kann auch das Gefühl überhaupt nur vom Gefühl erfaßt und ergriffen werden: – gerade so, wie, nach der Lehre der Mahler, jede einzelne Farbe nur vom gleichgefärbten Lichte beleuchtet ihr wahres Wesen zu erkennen giebt. – Wer die schönsten und göttlichsten Dinge im Reiche des Geistes mit seinem Warum? und dem ewigen Forschen nach Zweck und Ursache untergräbt, der kümmert sich eigentlich nicht um die Schönheit und Göttlichkeit der Dinge selbst, sondern um die Begriffe, als die Gränzen und Hülfen der Dinge, womit er seine Algebra anstellt. – Wen aber, – dreist zu reden, – von Kindheit an, der Zug seines Herzens durch das Meer der Gedanken, pfeilgrade wie einen kühnen Schwimmer, auf das Zauberschloß der Kunst allmächtig hinreißt, der schlägt die Gedanken wie störende Wellen muthig von seiner Brust, und dringt hinein in das innerste Heiligthum, und ist sich mächtig bewußt der Geheimnisse, die auf ihn einstürmen. –
Und so erkühn' ich mich denn, aus meinem Innersten den wahren Sinn der Tonkunst auszusprechen, und sage:
Wenn alle die inneren Schwingungen unsrer Herzensfibern, – die zitternden der Freude, die stürmenden des Entzückens, die hochklopfenden Pulse verzehrender Anbetung, – wenn alle die Sprache der Worte, als das Grab der innern Herzenswuth, mit *einem* Ausruf zersprengen: – dann gehen sie unter fremdem Himmel, in den Schwingungen holdseliger Harfen-

saiten, wie in einem jenseitigen Leben in verklärter Schönheit hervor, und feyern als Engelgestalten ihre Auferstehung. –

Hundert und hundert Tonwerke reden Fröhlichkeit und Lust, aber in jedem singt ein andrer Genius, und einer jeden der Melodieen zittern andre Fibern unsres Herzens entgegen. – Was wollen sie, die zaghaften und zweifelnden Vernünftler, die jedes der hundert Tonstücke in Worten erklärt verlangen, und sich nicht darin finden können, daß nicht jedes eine nennbare Bedeutung hat, wie ein Gemählde? Streben sie die reichere Sprache nach der ärmern abzumessen, und in Worte aufzulösen, was Worte verachtet? Oder haben sie nie ohne Worte empfunden? Haben sie ihr hohles Herz nur mit Beschreibungen von Gefühlen ausgefüllt? Haben sie niemals im Innern wahrgenommen das stumme Singen, den vermummten Tanz der unsichtbaren Geister? oder glauben sie nicht an die Mährchen? –

Ein fließender Strom soll mir zum Bilde dienen. Keine menschliche Kunst vermag das Fließen eines mannigfaltigen Stroms, nach allen den tausend einzelnen, glatten und bergigten, stürzenden und schäumenden Wellen, mit *Worten* für's *Auge* hinzuzeichnen, – die Sprache kann die Veränderungen nur dürftig *zählen* und *nennen*, nicht die aneinanderhängenden Verwandlungen der Tropfen uns sichtbar vorbilden. Und eben so ist es mit dem geheimnißvollen Strome in den Tiefen des menschlichen Gemüthes beschaffen. Die Sprache zählt und nennt und beschreibt seine Verwandlungen, in fremdem Stoff; – die Tonkunst strömt in uns selber vor. Sie greift beherzt in die geheimnißvolle Harfe, schlägt in der dunkeln Welt bestimmte, dunkle Wunderzeichen in bestimmter Folge an, – und die Saiten unsres Herzens erklingen, und wir verstehen ihren Klang.

In dem Spiegel der Töne lernt das menschliche Herz sich selber kennen; sie sind es, wodurch wir das *Gefühl fühlen* lernen; sie geben vielen in verborgenen Winkeln des Gemüths träumenden Geistern, lebendes Bewußtseyn, und bereichern mit ganz neuen zauberischen Geistern des Gefühls unser Inneres.

Und alle die tönenden Affekten werden von dem trocknen wissenschaftlichen Zahlensystem, wie von den seltsamen wunderkräftigen Beschwörungsformeln eines alten furchtbaren Zauberers, regiert und gelenkt. Ja, das System bringt, auf merkwürdige Weise, manche wunderbar neue Wendungen und Verwandlungen der Empfindungen hervor, wobey das Gemüth über sein eignes Wesen erstaunt, – so wie etwa die Sprache der Worte manchmal von den Ausdrücken und Zeichen der Gedanken neue Gedanken zurückstrahlt, und die Tänze der Vernunft in ihren Wendungen lenkt und beherrscht. –

Keine Kunst schildert die Empfindungen auf eine so künstliche, kühne, so *dichterische*, und eben darum für kalte Gemüther so erzwungene Weise. Das *Verdichten* der im wirklichen Leben verloren herumirrenden Gefühle in mannichfaltige feste Massen, ist das Wesen aller Dichtung; sie trennt das Vereinte, vereint fest das Getrennte, und in den engeren, schärferen Gränzen schlagen höhere, empörtere Wellen. Und wo sind die Gränzen und Sprünge schärfer, wo schlagen die Wellen höher als in der Tonkunst?

Aber in diesen Wellen strömt recht eigentlich nur das reine, *formlose* Wesen, der Gang und die Farbe, und auch vornehmlich der tausendfältige *Übergang* der Empfindungen; die idealische, engelreine Kunst weiß in ihrer Unschuld weder den *Ursprung*, noch das *Ziel* ihrer Regungen, kennt nicht den Zusammenhang ihrer Gefühle mit der wirklichen Welt.

Und dennoch empört sie bey aller ihrer Unschuld, durch den mächtigen Zauber ihrer *sinnlichen Kraft*, alle die wunderbaren, wimmelnden Heerschaaren der *Phantasie*, die die Töne mit magischen Bildern bevölkern, und die formlosen Regungen in bestimmte Gestalten menschlicher Affekten verwandeln, welche wie gaukelnde Bilder eines magischen Blendwerks unsern Sinnen vorüberziehn.

Da sehen wir die hüpfende, tanzende, kurzathmende Fröhlichkeit, die jeden kleinen Tropfen ihres Daseyns zu einer geschlossenen Freude ausbildet.

Die sanfte, felsenfeste Zufriedenheit, die ihr ganzes Daseyn aus *einer* harmonischen, beschränkten Ansicht der Welt herausspinnt, auf alle Lagen des Lebens ihre frommen Überzeugungen anwendet, nie die Bewegung ändert, alles Rauhe glättet, und bey allen Übergängen die Farbe vertreibt.

Die männliche, jauchzende Freude, die bald das ganze Labyrinth der Töne in mannichfacher Richtung durchläuft, wie das pulsirende Blut warm und rasch die Adern durchströmt,

— bald mit edlem Stolz, mit Schwung und Schnellkraft sich wie im Triumph in die Höhen erhebt.
Das süße, sehnsüchtige Schmachten der Liebe, das ewig wechselnde Anschwillen und Hinschwinden der Sehnsucht, da die Seele aus dem zärtlichen Schleichen durch benachbarte Töne sich auf einmal mit sanfter Kühnheit in die Höhe schwingt und wieder sinkt, — aus einem unbefriedigten Streben sich mit wollüstigem Unmuth in ein andres windet, gern auf sanft-schmerzlichen Akkorden ausruht, ewig nach Auflösung strebt, und am Ende nur mit Thränen sich auflöst.
Der tiefe Schmerz, der bald sich wie in Ketten daherschleppt, bald abgebrochene Seufzer ächzt, bald sich in langen Klagen ergießt, alle Arten des Schmerzes durchirrt, sein eigenes Leiden liebend ausbildet, und in den trüben Wolken nur selten schwache Schimmer der Hoffnung erblickt.
Die muthwillige, entbundene fröhliche Laune, die wie ein Strudel ist, der alle ernsthaften Empfindungen scheitern macht, und im fröhlichen Wirbel mit ihren Bruchstücken spielt, — oder wie ein grottesker Dämon, der alle menschliche Erhabenheit und allen menschlichen Schmerz durch possenhafte Nachäffung verspottet, und gaukelnd sich selber nachäfft, — oder wie ein unstät schwebender luftiger Geist, der alle Pflanzen aus ihrem festen irrdischen Boden reißt und in die unendlichen Lüfte streut, und den ganzen Erdball verflüchtigen möchte.
Aber wer kann sie alle zählen und nennen, die luftigen Phantasieen, die die Töne wie wechselnde Schatten durch unsre Einbildung jagen?
Und doch kann ich's nicht lassen, noch den letzten höchsten Triumph der Instrumente zu preisen: ich meyne jene göttlichen großen Symphoniestücke, (von inspirirten Geistern hervorgebracht,) worin nicht eine einzelne Empfindung gezeichnet, sondern eine ganze Welt, ein ganzes Drama menschlichen Affekten ausgeströmt ist. Ich will in allgemeinen Worten erzählen, was vor meinen Sinnen schwebt.
Mit leichter, spielender Freude steigt die tönende Seele aus ihrer Orakelhöhle hervor, — gleich der Unschuld der Kindheit, die einen lüsternen Vortanz des Lebens übt, die, ohne es zu wissen, über alle Welt hinwegscherzt, und nur auf ihre eigene innerliche Heiterkeit zurücklächelt. — Aber bald gewinnen die Bilder um sie her festern Bestand, sie versucht ihre

Kraft an stärkeres Gefühl, sie wagt sich plötzlich mitten in die schäumenden Fluthen zu stürzen, schmiegt sich durch alle Höhen und Tiefen, und rollt alle Gefühle mit muthigem Entzücken hinauf und hinab. – Doch wehe! sie dringt verwegen in wildere Labyrinthe, sie sucht mit kühn-erzwungener Frechheit die Schrecken des Trübsinns, die bittern Quaalen des Schmerzes auf, um den Durst ihrer Lebenskraft zu sättigen, und mit einem Trompetenstoße brechen alle furchtbaren Schrecken der Welt, alle die Kriegsschaaren des Unglücks von allen Seiten mächtig wie ein Wolkenbruch herein, und wälzen sich in verzerrten Gestalten fürchterlich, schauerlich wie ein lebendig gewordenes Gebirge über einander. Mitten in den Wirbeln der Verzweiflung will die Seele sich muthig erheben, und sich stolze Seligkeit ertrotzen, – und wird immer überwältigt von den fürchterlichen Heeren. – Auf einmal zerbricht die tollkühne Kraft, die Schreckengestalten sind furchtbar verschwunden, – die frühe, ferne Unschuld tritt in schmerzlicher Erinnerung, wie ein verschleyertes Kind, wehmüthig hüpfend hervor, und ruft vergebens zurück, – die Phantasie wälzt mancherley Bilder, zerstückt wie im Fiebertraum, durch einander, – und mit ein paar leisen Seufzern zerspringt die ganze lauttönende lebenvolle Welt, gleich einer glänzenden Lufterscheinung, in's unsichtbare Nichts.

Dann, wenn ich in finsterer Stille noch lange horchend da sitze, dann ist mir, als hätt' ich ein Traumgesicht gehabt von allen mannigfaltigen menschlichen Affekten, wie sie, gestaltlos, zu eigner Lust, einen seltsamen, ja fast wahnsinnigen pantomimischen Tanz zusammen feyern, wie sie mit einer furchtbaren *Willkühr*, gleich den unbekannten, räthselhaften Zaubergöttinnen des Schicksals, frech und frevelhaft durch einander tanzen.

Jene wahnsinnige Willkühr, womit in der Seele des Menschen Freude und Schmerz, Natur und Erzwungenheit, Unschuld und Wildheit, Scherz und Schauder sich befreundet und oft plötzlich die Hände bieten: – welche Kunst führt auf ihrer Bühne jene *Seelenmysterien* mit so dunkler, geheimnißreicher, ergreifender Bedeutsamkeit auf? –

Ja, jeden Augenblick schwankt unser Herz bey *denselben* Tönen, ob die tönende Seele kühn alle Eitelkeiten der Welt verachtet, und mit edlem Stolz zum Himmel hinaufstrebt, –

oder ob sie alle Himmel und Götter verachtet, und mit frechen Streben nur einer einzigen irrdischen Seligkeit entgegendringt. Und eben diese *frevelhafte Unschuld,* diese furchtbare, orakelmäßig-zweydeutige Dunkelheit, macht die Tonkunst recht eigentlich zu einer Gottheit für *menschliche Herzen.* ——

Aber was streb' ich Thörichter, die Worte zu Tönen zu zerschmelzen? Es ist immer nicht, wie ich's fühle. Kommt ihr Töne, ziehet daher und errettet mich aus diesem schmerzlichen irrdischen Streben nach Worten, wickelt mich ein mit Euren tausendfachen Strahlen in Eure glänzende Wolken, und hebt mich hinauf in die alte Umarmung des allliebenden Himmels! [S. 181—204]

VI. Ein Brief Joseph Berglingers.

[...]

Die Kunst ist eine verführerische, verbotene Frucht; wer einmal ihren innersten, süßesten Saft geschmeckt hat, der ist unwiederbringlich verloren für die thätige, lebendige Welt. Immer enger kriecht er in seinen selbsteignen Genuß hinein, und seine Hand verliert ganz die Kraft, sich einem Nebenmenschen wirkend entgegenzustrecken. — Die Kunst ist ein täuschender, trüglicher Aberglaube; wir meynen in ihr die letzte, innerste Menschheit selbst vor uns zu haben, und doch schiebt sie uns immer nur ein schönes *Werk* des Menschen unter, worin alle die eigensüchtigen, sich selber genügenden Gedanken und Empfindungen abgesetzt sind, die in der thätigen Welt unfruchtbar und unwirksam bleiben. Und ich Blöder achte dies Werk höher, als den Menschen selber, den Gott gemacht hat.

Es ist entsetzlich, wenn ich's bedenke! Das ganze Leben hindurch sitz' ich nun da, ein lüsterner Einsiedler, und sauge täglich nur innerlich an schönen Harmonieen, und strebe den letzten Leckerbissen der Schönheit und Süßigkeit herauszukosten. — Und wenn ich nun die Botschaften höre: wie unermüdet sich dicht um mich her die Geschichte der Menschenwelt mit tausend wichtigen, großen Dingen lebendig fortwälzt, — wie da ein rastloses Wirken der Menschen gegen einander arbeitet, und jeder kleinen That in dem gedrängten Gewühl, die *Folgen,* gut und böse, wie große Gespenster

nachtreten, – ach! und dann, das Erschütterndste, – wie die erfindungsreichen Heerschaaren des Elends dicht um mich herum, Tausende mit tausend verschiedenen Quaalen in Krankheit, in Kummer und Noth, zerpeinigen, wie, auch außer den entsetzlichen Kriegen der Völker, der blutige Krieg des Unglücks überall auf dem ganzen Erdenrund wüthet, und jeder Sekundenschlag ein scharfes Schwerdt ist, das hier und dort blindlings Wunden haut und nicht müde wird, daß tausend Wesen erbarmenswürdig um Hülfe schreyen! – – Und mitten in diesem Getümmel bleib' ich ruhig sitzen, wie ein Kind auf seinem Kinderstuhle, und blase Tonstücke wie Seifenblasen in die Luft: – obwohl mein Leben eben so ernsthaft mit dem Tode schließt.
Ach! diese unbarmherzigen Gefühle schleifen mein Gemüth durch eine verzweiflungsvolle Angst, und ich vergehe vor bitterer Schaam vor mir selbst. Ich fühl', ich fühl' es bitterlich, daß ich nicht verstehe, nicht vermag, ein wohlthätiges, Gott gefälliges Leben zu führen, – daß Menschen, die sehr unedel von der Kunst denken, und ihre besten Werke verachtend mit Füßen treten, unendlich mehr Gutes wirken, und gottgefälliger leben als ich!
In solcher Angst begreif' ich es, wie jenen frommen ascetischen Märtyrern zu Muthe war, die, von dem Anblicke der unsäglichen Leiden der Welt zerknirscht, wie verzweifelnde Kinder, ihren Körper lebenslang den ausgesuchtesten Kasteyungen und Pönitenzen preisgaben, um nur mit dem fürchterlichen Übermaaße der leidenden Welt in's Gleichgewicht zu kommen.
Und wenn mir nun der Anblick des Jammers in den Weg tritt, und Hülfe fordert, wenn leidende Menschen, Väter, Mütter und Kinder, dicht vor mir stehen, die zusammen weinen und die Hände ringen, und heftiglich schreyen vor Schmerz, – das sind freylich keine lüsternen schönen Akkorde, das ist nicht der schöne, wollüstige Scherz der Musik, das sind herzzerreißende Töne, und das verweichlichte Künstlergemüth geräth in Angst, weiß nicht zu antworten, schämt sich zu fliehn, und hat zu retten keine Kraft. Er quält sich mit Mitleid, – er betrachtet unwillkührlich die ganze Gruppe als ein lebendig gewordenes Werk seiner Phantasie, und kann's nicht lassen, wenn er sich auch in demselben Momente vor sich selber schämt, aus dem elenden Jammer ir-

gend etwas Schönes und kunstartigen Stoff herauszuzwingen.

Das ist das tödtliche Gift, was im unschuldigen Keime des Kunstgefühls innerlich verborgen liegt. – Das ist's, daß die Kunst die menschlichen Gefühle, die fest auf der Seele gewachsen sind, verwegen aus den heiligsten Tiefen dem mütterlichen Boden entreißt, und mit den entrissenen, künstlich zugerichteten Gefühlen frevelhaften Handel und Gewerbe treibt, und die ursprüngliche Natur des Menschen frevelhaft verscherzt. Das ist's, daß der Künstler ein Schauspieler wird, der jedes Leben als Rolle betrachtet, der seine Bühne für die ächte Muster- und Normalwelt, für den dichten Kern der Welt, und das gemeine wirkliche Leben nur für eine elende, zusammengeflickte Nachahmung, für die schlechte umschließende Schaale ansieht. –

Was hilft's aber, wenn ich mitten in diesen entsetzlichen Zweifeln an der Kunst und an mir selber krank liege, – und es erhebt sich eine herrliche Musik, – ha! da flüchten alle diese Gedanken im Tumulte davon, da hebt das lüsterne Ziehen der Sehnsucht sein altes Spiel wieder an; da ruft und ruft es unwiderstehlich zurück, und die ganze kindische Seligkeit thut sich von neuem vor meinen Augen auf. Ich erschrecke, wenn ich bedenke, zu welchen tollen Gedanken mich die frevelhaften Töne hinschleudern können, mit ihren lockenden Syrenenstimmen, und mit ihrem tobenden Rauschen und Trompetenklang. –

Ich komme ewig mit mir selber nicht auf festes Land. Meine Gedanken überwälzen und überkugeln sich unaufhörlich, und ich schwindle, wenn ich Anfang und Ende und bestimmte Ruhe erstreben will. Schon manchesmal hat mein Herz diesen Krampf gehabt, und er hat sich willkührlich, wie er kam, wieder gelöst, und es war am Ende nichts als eine Ausweichung meiner Seele in eine schmerzliche Molltonart, die am gehörigen Orte stand.

So spott' ich über mich selbst, – und auch dies Spotten ist nur elendes Spielwerk.

Ein Unglück ist's, daß der Mensch, der in Kunstgefühl ganz zerschmolzen ist, die Vernunft und Weltweisheit, die dem Menschen so festen Frieden geben soll, so tief verachtet, und sich sogar nicht hineinfinden kann. Der Weltweise betrachtet seine Seele wie ein systematisches Buch, und findet Anfang

und Ende, und Wahrheit und Unwahrheit getrennt in bestimmten Worten. Der Künstler betrachtet sie wie ein Gemählde oder Tonstück, kennt keine feste Überzeugung, und findet alles schön, was an gehörigem Orte steht.
Es ist, als wenn die Schöpfung alle Menschen, so wie die vierfüßigen Thiere oder Vögel, in bestimmte Geschlechter und Klassen der geistigen Naturgeschichte gefangen hielte; jeder sieht alles aus seinem Kerker, und keiner kann aus seinem Geschlechte heraus. –
Und so wird meine Seele wohl lebenslang der schwebenden Aeolsharfe gleichen, in deren Saiten ein fremder, unbekannter Hauch weht, und wechselnde Lüfte nach Gefallen herumwühlen. [S. 207–215]

IX. Symphonien.

[...]
[...] Denn die Tonkunst ist gewiß das letzte Geheimniß des Glaubens, die Mystik, die durchaus geoffenbarte Religion. Mir ist es oft, als wäre sie immer noch im Entstehn, und als dürften sich ihre Meister mit keinen andern messen. [...]
[S. 254–255]

Die Musik, so wie wir sie besitzen, ist offenbar die jüngste von allen Künsten; sie hat noch die wenigsten Erfahrungen an sich gemacht, sie hat noch keine wirklich klassische Periode erlebt. Die großen Meister haben einzelne Theile des Gebietes angebaut, aber keiner hat das Ganze umfaßt, auch nicht zu einerley Zeit haben mehrere Künstler ein vollendetes Ganzes in ihren Werken dargestellt. Vorzüglich scheint mir die Vokal- und Instrumentalmusik noch nicht genug gesondert, und jede auf ihrem eignen Boden zu wandeln, man betrachtet sie noch zu sehr als ein verbundenes Wesen, und daher kömmt es auch, daß die Musik selbst oft nur als Ergänzung der Poesie betrachtet wird.
Die reine Vokalmusik sollte wohl ohne alle Begleitung der Instrumente sich in ihrer eignen Kraft bewegen, in ihrem eigenthümlichen Elemente athmen: so wie die Instrumentalmusik ihren eignen Weg geht, und sich um keinen Text, um keine untergelegte Poesie kümmert, für sich selbst dichtet, und sich selber poetisch kommentirt. Beyde Arten können rein und abgesondert für sich bestehn.

Wenn sie aber vereinigt sind, wenn Gesang, wie ein Schiff auf Wogen, von den Instrumenten getragen und gehoben wird, so muß der Tonkünstler schon in seinem Gebiete sehr mächtig seyn, er muß mit fester Kraft in seinem Reiche herrschen, wenn es ihm nicht begegnen soll, daß er entweder aus hergebrachter Gewohnheit, oder selber unwillkührlich eine von diesen Künsten der andern unterordnet. In den theatralischen Produkten tritt dieser Fall nur zu häufig ein: bald werden wir gewahr, wie alle Mannichfaltigkeit der Instrumente nur dazu dient, einen Gedanken des Dichters auszuführen, und den Sänger zu begleiten: bald aber Poesie und Gesang unterdrückt wird, und der Componist sich nur daran freut, auf seinen Instrumenten sich in wunderbaren Wendungen hören zu lassen.

Ich wende mich aber von der übrigen Kunst weg, und will hier nur ausdrücklich von der Instrumentalmusik sprechen.

Man kann das menschliche Organ der Sprache und des Tons auch als ein Instrument betrachten, in welchem die Töne des Schmerzes, der Freude, des Entzückens und aller Leidenschaften nur einzelne Anklänge sind, die Haupt- und Grundtöne, auf denen alles, was dies Instrument hervorbringen kann, beruht. Strenge genommen, sind diese Töne nur abgerissene Ausrufungen, oder fortgehende Klänge der strömenden Klage, der mäßigen Freude. Glaubt man, daß alle menschliche Musik nur Leidenschaften andeuten und ausdrücken soll, so freut man sich, je deutlicher und bestimmter man diese Töne auf den leblosen Instrumenten wiederfindet. Viele Künstler haben ihre ganze Lebenszeit darauf verwandt, diese Deklamation zu erhöhen und zu verschönern, den Ausdruck immer tiefer und gewaltsamer emporzuheben, und man hat sie oft als die einzig wahren und großen Tonkünstler gerühmt und verehrt.

Aus dieser Gattung der Musik haben sich auch verschiedene Regeln entwickelt, die jeder unbedingt annimmt, der gern für geschmackvoll angesehn seyn will. Man dringt darauf, alle Ausmahlungen, alle Verzierungen, alles, was dem edlen, einfachen Vortrage entgegensteht, aus dieser ächten Musik zu verbannen.

Ich will dergleichen hier nicht tadeln, und die eigentliche Vokalmusik muß vielleicht ganz auf den Analogieen des menschlichen Ausdrucks beruhen: sie drückt dann die

Menschheit, mit allen ihren Wünschen und Leidenschaften, idealisch aus, sie ist, mit einem Worte, Musik, weil der edle Mensch selber schon in sich alles musikalisch empfindet.
Diese Kunst scheint mir aber bey allem diesem immer nur eine bedingte Kunst zu seyn; sie ist und bleibt erhöhte Deklamation und Rede, jede menschliche Sprache, jeder Ausdruck der Empfindung sollte Musik in einem mindern Grade seyn.
In der Instrumentalmusik aber ist die Kunst unabhängig und frey, sie schreibt sich nur selbst ihre Gesetze vor, sie phantasirt spielend und ohne Zweck, und doch erfüllt und erreicht sie den höchsten, sie folgt ganz ihren dunkeln Trieben, und drückt das Tiefste, das Wunderbarste mit ihren Tändeleyen aus. Die vollen Chöre, die vielstimmigen Sachen, die mit aller Kunst durch einander gearbeitet sind, sind der Triumph der Vokalmusik; der höchste Sieg, der schönste Preis der Instrumente sind die Symphonien.
Die einzelnen Sonaten, die künstlichen Trio's und Quartett's sind gleichsam die Schulübungen zu dieser Vollendung der Kunst. Der Componist hat hier ein unendliches Feld, seine Gewalt, seinen Tiefsinn zu zeigen; hier kann er die hohe poetische Sprache reden, die das Wunderbarste in uns enthüllt, und alle Tiefen aufdeckt, hier kann er die größten, die grotteskesten Bilder erwecken und ihre verschlossene Grotte öffnen, Freude und Schmerz, Wonne und Wehmuth gehn hier neben einander, dazwischen die seltsamsten Ahndungen, Glanz und Funkeln zwischen den Gruppen, und alles jagt und verfolgt sich und kehrt zurück, und die horchende Seele jauchzt in dieser vollen Herrlichkeit.
Diese Symphonien können ein so buntes, mannigfaltiges, verworrenes und schön entwickeltes Drama darstellen, wie es uns der Dichter nimmermehr geben kann; denn sie enthüllen in räthselhafter Sprache das Räthselhafteste, sie hängen von keinen Gesetzen der Wahrscheinlichkeit ab, sie brauchen sich an keine Geschichte und an keine Charakter zu schließen, sie bleiben in ihrer rein-poetischen Welt. Dadurch vermeiden sie alle *Mittel*, uns hinzureißen, uns zu entzücken, die Sache ist vom Anfange bis zu Ende ihr Gegenstand: der Zweck selbst ist in jedem Momente gegenwärtig, und beginnt und endigt das Kunstwerk.
Und dennoch schwimmen in den Tönen oft so individuell-anschauliche Bilder, so daß uns diese Kunst, möcht' ich sa-

gen, durch Auge und Ohr zu gleicher Zeit gefangen nimmt. Oft siehst Du Syrenen auf dem holden Meeresspiegel schwimmen, die mit den süßesten Tönen zu Dir hinsingen; dann wandelst Du wieder durch einen schönen, sonnglänzenden Wald, durch dunkle Grotten, die mit abentheuerlichen Bildern ausgeschmückt sind; unterirrdische Gewässer klingen in Dein Ohr, seltsame Lichter gehn an Dir vorüber.
Ich erinnere mich noch keines solchen Genusses, als den mir die Musik neulich auf einer Reise gewährte. Ich ging in das Schauspiel, und *Macbeth* sollte gegeben werden. Ein berühmter Tonkünstler hatte zu diesem herrlichen Trauerspiele eine eigne Symphonie gedichtet,[208] die mich so entzückte und berauschte, daß ich die großen Eindrücke aus meinem Gemüthe immer noch nicht entfernen kann. Ich kann nicht beschreiben, wie wunderbar allegorisch dieses große Tonstück mir schien, und doch voll höchst individueller Bilder, wie denn die wahre, höchste Allegorie wohl wieder eben durch sich selbst die kalte Allgemeinheit verliert, die wir nur bey den Dichtern antreffen, die ihrer Kunst nicht gewachsen sind. Ich sah in der Musik die trübe nebelichte Haide, in der sich im Dämmerlichte verworrene Hexenzirkel durch einander schlingen und die Wolken immer dichter und giftiger zur Erde herniederziehn. Entsetzliche Stimmen rufen und drohn durch die Einsamkeit, und wie Gespenster zittert es durch all' die Verworrenheit hindurch, eine lachende, gräßliche Schadenfreude zeigt sich in der Ferne. – Die Gestalten gewinnen bestimmtere Umrisse, furchtbare Bildungen schreiten bedeutungsvoll über die Haide herüber, der Nebel trennt sich. Nun sieht das Auge einen entsetzlichen Unhold, der in seiner schwarzen Höhle liegt, mit starken Ketten festgebunden; er strebt mit aller Gewalt, mit der Anstrengung aller Kräfte sich loszureißen, aber immer wird er noch zurückgehalten: um ihn her beginnt der magische Tanz aller Gespenster, aller Larven. Wie eine weinende Wehmuth steht es zitternd in der Ferne, und wünscht, daß die Ketten den Gräßlichen zurückhielten, daß sie nicht brechen möchten. Aber lauter und furchtbar lauter wird das Getümmel, und mit einem erschrekkenden Aufschrey, mit der innersten Wuth bricht das Ungeheuer los, und stürzt mit wildem Sprunge in die Larven hinein, Jammergeschrey und Frohlocken durch einander. Der Sieg ist entschieden, die Hölle triumphirt. Die Verwirrung

verwirrt sich nun erst am gräßlichsten durch einander, alles flieht geängstigt und kehrt zurück: der Triumphgesang der Verdammlichen beschließt das Kunstwerk.
Viele Scenen des Stücks waren mir nach dieser großen Erscheinung trüb' und leer, denn das Schrecklichste und Schauerhafteste war schon vorher größer und poetischer verkündigt. Ich dachte immer nur an die Musik zurück, das Schauspiel drückte meinen Geist und störte meine Erinnerungen, denn mit dem Schlusse dieser Symphonie war es für mich völlig geschlossen. Ich weiß keinen Meister und kein Tonstück, das diese Wirkung auf mich hervorgebracht hätte, in dem ich so das rastlose, immer wüthigere Treiben aller Seelenkräfte wahrgenommen hätte, diesen fürchterlichen, schwindel erregenden Umschwung aller musikalischen Pulse. Das Schauspiel hätte mit diesem großen Kunstwerke schließen sollen, und man könnte nichts Höheres in der Phantasie ersinnen und wünschen; dann war diese Symphonie die poetischere Wiederholung des Stücks, die kühnste Darstellung eines verlohrnen, bejammernswürdigen Menschenlebens, das von allen Unholden bestürmt und besiegt wird.
Es scheint mir überhaupt eine Herabwürdigung der Symphoniestücke zu seyn, daß man sie als Einleitungen zu Opern oder Schauspielen gebraucht, und der Name *Ouvertüre* daher auch als gleichbedeutend angenommen ist. Man sollte fast glauben, daß jene unbedeutendern Componisten darin eigentlich am richtigsten gefühlt hätten, daß sie ihre Ouvertüre nur aus den verschiedenen Melodien bestehen lassen, die sie in der Oper selbst wieder vorbringen und hier nur lose verknüpfen. Denn bey andern geschieht es nur gar zu oft, daß wir die höchste Poesie im voraus genießen.
Zu den gewöhnlichen Schauspielen sollte man nie besondere Symphonien schreiben, denn wenn sie nur einigermaßen passen sollen, so wird die Tonkunst dadurch von einer fremden Kunst abhängig gemacht. Wozu überhaupt Musik hier? Auf dem alten Englischen Theater hörte man nur einige Trompetenstöße vorher, – man sollte dies wieder einführen, oder wenigstens die Musik eben so unbedeutend seyn lassen, als es die meisten unsrer Schauspiele sind.
Schöner wäre es wohl, wenn unsere großen Schauspiele oder Opern mit einer kühnen Symphonie geschlossen würden. Hier könnte der Künstler denn alles zusammenfassen, seine

ganze Kraft und Kunst aufwenden. Dies hat auch unser größter Dichter empfunden; wie schön, kühn und groß braucht er die Musik als Erklärung, als Vollendung des Ganzen in seinem Egmont! Schon beginnt sie in feinen, langsamen, klagenden Tönen, indem die Lampe erlischt: sie wird muthiger, geistiger und wunderbarer bey der Geistererscheinung und dem Traume, – das Stück schließt, ein Marsch, der sich schon ankündigte, fällt ein, der Vorhang fällt, und eine *Siegssymphonie* beschließt das erhabene Schauspiel.[209] – Diese Siegssymphonie wäre für den wahren Tonkünstler eine große Aufgabe; hier könnte er das Schauspiel kühn wiederholen, die Zukunft darstellen, und den Dichter auf die würdigste Art begleiten.

Beschluß der Aufsätze Joseph Berglingers. [S.256–269]

Anmerkungen

Der Herausgeber sah sich außerstande, alle einer näheren Erläuterung bedürfenden Begriffe und Sachverhalte in diesem Anmerkungsteil zu berücksichtigen. Oftmals bot die Quelle keinerlei Anhaltspunkte, den Verfasser oder den Titel eines angeführten musikalischen oder literarischen Werkes zu ermitteln. Ein Beispiel: J. J. Engel zieht zur Erläuterung einer ästhetischen These (siehe Dokument 27) zwei Verse einer Graun-Arie heran. Der Versuch, sie einer der nahezu vierzig Opern des Berliner Komponisten zuzuordnen, glich jener berühmten Suche nach der Nadel im Heuhaufen. Sie blieb unauffindbar.

1 Um das dialogische Prinzip der nachfolgenden Kontroverse Marpurg – Agricola (Dokumente 1–4) beizubehalten, ergab sich gegenüber der im Abschnitt „Chronologie und Bibliographie des Berliner Musikschrifttums von 1748 bis 1799" auf der Basis des jeweiligen Erscheinungsjahres festgelegten Reihenfolge der Theoretica eine andere Anordnung dieser Dokumente.

2 Gemeint ist die Generalbaßbezifferung.

3 Abwertende Bezeichnung für eine einfache Baßbegleitung in ständig wiederkehrenden gebrochenen Oktaven (Murkys, Murkybässe).

4 Hier als Gegensatzbildung zu „guter Geschmack" benutzt, besonders im Sinne von „unzeitgemäß", „veraltet", „unmodern", „überladen", „verworren".

5 Möglicherweise ein Hinweis auf A. Stradellas 1675 in Rom aufgeführtes Oratorium „San Giovanni Battista".

6 Oper von Händel, 1705 in Hamburg uraufgeführt.

7 Abwertende Bezeichnung für die Füllstimmen im homophonen Satz ohne eigenständige melodische Entwicklung.

8 Es handelt sich vielleicht um Ch. Nichelmanns „Sei brevi Sonate da Cembalo massime all'uso delle Dame" (gedruckt Nürnberg 1745 oder 1749).

9 Fehlerhafte Bezifferung der Generalbaßstimme.

10 Arie der Licida aus dem 2. Akt des Dramma rappresentanto „L' Olimpiada" von P. Metastasio, mehrfach vertont, u. a. von A. Caldara (1733), G. B. Pergolesi (1737). – Siehe die von Marpurg vorgenommene Übertragung dieser Verse ins Deutsche in der vorliegenden Auswahl.

11 Vermutlich L. Ch. Mizlers 1738 gegründete „Sozietät der musikalischen Wissenschaften".

12 Agricola meint wohl die 1666 gegründete „Accademia dei Filarmonici" in Bologna.
13 Pseudonym J. F. Agricolas.
14 Anspielung auf J. Swift, der 1745 in Dublin in geistiger Umnachtung gestorben war.
15 Oper von Rameau, 1739 in Paris uraufgeführt.
16 Rameaus Oper „Hippolyte et Aricie" wurde 1733 in Paris erstmals gespielt.
17 Die Uraufführung von Rameaus „Les Indes galantes" erfolgte 1735 in Paris.
18 Marpurgs deutsche Übersetzung der Arie „Gemo in un punto", siehe Anm. 10. Eine zweite Übersetzungsvariante wurde hier weggelassen.
19 (ital.) sguardare: anschauen; sforzarsi: sich zwingen; fragolare: zerbrechen; smozzicare (?): stutzen.
20 Siehe Anm. 15.
21 Kleinere Klavierwerke mit programmatischen Überschriften.
22 Oper von Rameau, 1737 in Paris uraufgeführt.
23 Marpurgs Suiten erschienen 1741 in Paris bei Le Clerc unter dem Titel „Pièces de clavecin".
24 (franz.) les aventuriers: die Abenteurer.
25 Von Agricola abwertend im Sinne einer geklügelt und pedantisch gearbeiteten Komposition gebraucht.
26 (franz.) le coucou: der Kuckuck.
27 J. Mattheson, Critica Musica, Teil 1, Hamburg 1722, S. 93.
28 Pseudonym F. W. Marpurgs.
29 Gemeint ist die Sonate h-Moll aus C. Ph. E. Bachs „Sei Sonate per Cembalo" (sog. „Württembergische Sonaten"), Wq 49, Nürnberg 1744.
30 Text nach der 3. Auflage, Breslau 1789.
31 (franz.) pincemes, pincé: Mordent.
32 (franz.) battement: Triller bzw. Mordent.
33 (franz.) flattemens, flatté: Vibrato.
34 (franz.) doublez, doublé: Doppelschlag.
35 Trommelbässe: Bezeichnung für eine durch ständiges schnelles Wiederholen desselben Tones gebildete einfache Baßbegleitung.
36 Quantz nennt die Mathematik, „sammt denen unter ihrem Bezirke stehenden Wissenschaften", sowie die Weltweisheit, Dichtkunst und Redekunst.
37 Erklärung siehe weiter unten im Text, § 76 ff.
38 Im vorangehenden Kapitel erläutert Quantz, wie ein Instrumentalist zu beurteilen sei.
39 Verzierungen im Sinne notierter Ausschmückungen einer melodischen Linie.

40 *Fußnote im Original:* Obgleich einige wenige Deutsche, durch Nachahmung des italiänischen Geschmackes, diesen Fehler, welcher nur in der komischen Musik eine Schönheit ist, abgeleget haben: so ist er jedoch doch, auch zu itziger Zeit, noch nicht gänzlich ausgerottet.

41 Ein lautenartiges Saiteninstrument.

42 Als Handstück eigentlich kurzes Charakterstück für Klavier, in diesem Falle aber wohl weiter gefaßt, auch Klaviersonate und -fantasie.

43 Verzierungen in der Instrumentalmusik.

44 Siehe Anm. 3.

45 Siehe Anm. 35.

46 Mit Flügel (Kielflügel) ist im 18. Jahrhundert grundsätzlich das Cembalo gemeint.

47 Spielmanier auf dem Clavichord, bei der durch wiegende Bewegung des Fingers auf der niedergedrückten Taste Schwankungen von Tonhöhe und Tonstärke der erregten Saite entstehen.

48 Im Jahre 1737 hatte Telemann eine achtmonatige, außerordentlich erfolgreiche Reise nach Paris unternommen.

49 C. Ph. E. Bach, Versuch über die wahre Art das Clavier zu spielen, Teil 1, Berlin 1753.

50 J. J. Quantz, Versuch einer Anweisung die Flöte traversiere zu spielen, Berlin 1752.

51 E. G. Baron, Historisch-theoretisch und practische Untersuchung des Instruments der Lauten, Nürnberg 1727.

52 Zit. bei J. Ch. Gottsched, Versuch einer Critischen Dichtkunst, Leipzig 1751, S. 140. In der ersten Auflage, Leipzig 1730, ist diese Textstelle nur lateinisch zitiert.

53 (lat.) Stimmen, und außerdem nichts.

54 *Fußnote im Original:* [...] Die Einheit der Melodie, dieser Grundsatz, worauf der Verfasser so groß thut, ist ein Unding. Er spricht doch von Stücken, die harmonisch sind, und von keinen Monodien; von Stücken, darinnen die Stimmen nicht mit gleicher Verbindung arbeiten? Allerdings. Die in solchen Stükken herrschende Stimme, der die andern alle nur zur Begleitung dienen, heißt die *Hauptstimme,* und die darinen befindliche Melodie folglich die *Hauptmelodie.* Enthalten aber die übrigen Stimmen keine Melodien? Ebenfals. Sie ragen aber nicht hervor, indem sie sich nur auf die Hauptmelodie beziehen. Was soll denn nun die Einheit der Melodie für ein Ding seyn? In allen Stücken, sie seynd mit gleicher oder ungleicher Verbindung ausgearbeitet, finden sich so viele verschiedne Melodien, als Stimmen da sind. Das was Herr Rousseau Einheit der Melodie nennet, ist längst bey uns, und auch vielleicht in Frankreich, aber unter einem andern und zwar unter dem eigentlichen und

rechtmässigen Nahmen der Hauptmelodie oder des Hauptgesanges bekannt gewesen. [...]

55 (lat.) Darüber streiten die Gelehrten, und noch vor Gericht dauert der Prozeß an. (Horaz.)

56 Eine italienische Wandertruppe unter Leitung eines gewissen Bambini hatte im Sommer 1752 Pergolesis „La serva padrona" und einige andere Intermezzi in Paris erfolgreich aufgeführt und damit den sog. Buffonistenstreit ausgelöst.

57 *Fußnote im Original:* Er ist der Verfasser von einer Abhandlung, worinnen er zu beweisen gesuchet hat, daß die Künste und Wissenschaften der Gesellschaft unendlich nachtheiliger, als nützlich sind. Diese Abhandlung hat den Preiß der Academie zu Dijon erhalten, eine Probe von der Gründlichkeit der mehresten Köpfe von unsern Provincialacademien. Diese paradoxe Meinung, die gerade der Unwissenheit und Dummheit Recht spricht, ist von vielen treflichen Gelehrten wider den Herrn Rousseau gründlich widerlegt worden.

58 (lat.) Glüht denn Zorn so heiß in himmlischen Seelen! (Vergil.)

59 Im Altfranzösischen kann „feste" bedeuten: Fest, Feiertag, Scherz, Spaß.

60 C. Ph. E. Bach wandte sich mit seinen sog. Reprisen-Sonaten, Wq 50, gegen eine Praxis, bei Wiederholungen innerhalb eines Instrumentalsatzes willkürliche Veränderungen vorzunehmen.

61 Möglicherweise eine Anspielung auf ein Gedicht von A. Haller.

62 Von J. Ph. Sack 1749 in Berlin gegründete Gesellschaft, die öffentliche und private Konzerte veranstaltete.

63 Von J. G. Janitsch in Rheinsberg gegründete, 1740 in Berlin als „Freitags-Akademien" fortgeführte Kammerkonzerte.

64 Von Ch. F. Schale noch vor der „Musikübenden Gesellschaft" ins Leben gerufene musikalische Liebhabervereinigung.

65 Pseudonym, wahrscheinlich für F. W. Marpurg.

66 Pseudonym, wahrscheinlich für F. W. Marpurg.

67 Vorrangig zur theoretisch-mathematischen Demonstration der Saitenlängen- und Tonverhältnisse benutztes einsaitiges Lehrinstrument.

68 Pseudonym, wahrscheinlich für F. W. Marpurg.

69 Pseudonym, wahrscheinlich für F. W. Marpurg.

70 Die von Moldenit angeblich erfundenen zusätzlichen tiefen und hohen Töne auf der Flöte hatten in Berlin eine lebhafte Diskussion entfacht. Vgl. Historisch-Kritische Beyträge zur Aufnahme der Musik, hrsg. von F. W. Marpurg, Berlin 1754 ff., Bd. 1, S. 68 ff.; Bd. 3, S. 544; Bd. 4, S. 153 ff.

71 Handlesekunst, vermeintliche Fähigkeit, aus Bau und Linien der Hand Charakter und Schicksal zu deuten.

72 (lat.) Frühzeitig brennt, was eine Brennessel bleiben will.

73 (lat.) Gefälligkeit schafft Freunde, Wahrheit bringt Haß.
74 (lat.) Was Du tust, sollst Du umsichtig tun, und bedenke das Ende.
75 Pseudonym, wahrscheinlich für F. W. Marpurg.
76 Ch. G. Krause, Von der musikalischen Poesie, Berlin 1753.
77 J. J. Breitinger, Critische Dichtkunst, Zürich 1740.
78 J. Ch. Gottsched, Versuch einer Critischen Dichtkunst, Leipzig 1730.
79 T. Rémond de Saint-Mard, Réflexions sur la poésie, La Haye 1733.
80 *Fußnote im Original:* Man sehe des Herrn Hertels Sammlung musikalischer Schriften, erstes Stück. – Vgl. J. F. Löwen, Anmerkungen über die Odenpoesie; in: J. W. Hertel, Sammlung Musikalischer Schriften, Leipzig 1757, Teil 1, S. 1 ff.
81 Von J. F. Agricola 1757 komponierter Psalm für vier Stimmen und Orchester (gedruckt 1759).
82 J. F. Gräfes vierteiliges Odenwerk erschien in den Jahren 1737 bis 1743.
83 (lat.) In Grenzen möchten wir nachsichtig sein.
84 Siehe Anm. 3.
85 Es handelt sich um die dritte Strophe des Studentenliedes (Nr. 80 der Sammlung).
86 G. Ph. Telemann.
87 Generalbaß.
88 J. A. Scheibe, Critischer Musikus, Leipzig 1745, S. 589, Fußnote.
89 Nach dem deutschen Astronomen und Astrologen Calvisius (1556–1615).
90 J. G. I. Breitkopf führte 1755 den Notendruck mit beweglichen und zerlegbaren Typen ein. Geschätzt wurden vor allem die Eleganz und Klarheit des Druckbildes.
91 (lat.) Hier war der Ort nicht.
92 Siehe Dokument 10.6.
93 Gemeint ist D. Alberti (um 1710 bis um 1740), Mitbegründer eines vereinfachten homophonen Klavierstils.
94 Siehe Anm. 42.
95 Siehe Dokument 7, Drittes Hauptstück.
96 Der musikalische Patriot. Eine Wochenschrift, Braunschweig 1741/42.
97 *Fußnote im Original:* Man sieht bisweilen Trio, wo die erste Stimme die übrigen vollkommen verdunkelt, so daß die andern ohne Gesang und Zusammenhang sind. In diesen Fehler fallen insonderheit die Componisten am meisten, die vornemlich die Stimme und das Instrument, so sie selber spielen, in einem recht glänzenden Lichte zeigen wollen. Sie bedenken aber nicht, daß

die, welche die andere Stimmen haben, in solchen Fall unmöglich mit der gehörigen Empfindung spielen können. Wie soll man gut spielen, wenn in der ganzen Stimme, die man hat, nichts von dem Affekt, und dem wahren Ausdruck des Stücks liegt, und dieses allein in einer einzigen Stimme zusammengebracht ist?

98 Die musikalischen Artikel von „A–M“ stammen von Kirnberger; von Artikel „Modulation“ bis „Präludium“ lieferte J. A. P. Schulz unter Mithilfe Kirnbergers die Materialien; von „Präludium“ bis „S“ – außer „System“ und erste Hälfte von „Rezitativ“ – nur noch geringe Mitwirkung von Kirnberger, ab „S“ Schulz allein tätig.

99 Über Rousseaus musiktheoretische Grundsätze siehe Dokument 10.2.

100 *Randvermerk im Original:* S. Musik.

101 *Randvermerk im Original:* S. Singen.

102 *Randvermerk im Original:* S. Musik.

103 *Randvermerk im Original:* S. Mahlerey in der Musik.

104 *Randvermerk im Original:* S. Lied. S. 715.

105 *Randvermerk im Original:* S. Choral, Kirchenmusik, Motette, Oratorium.

106 *Randvermerk im Original:* S. Tanz.

107 *Fußnote im Original:* S. *Letter to Lord K.* in Fränklins *Experiments and observ. on Electricity.* S. 467.

108 *Randvermerk im Original:* De Leg. L. II. – neuere deutsche Übersetzung vgl. Platon, Gesetze, Leipzig 1916, 2. Buch, S. 65 ff.

109 *Fußnote im Original: Rousseau dans la Julie. T. 1. p.48.* – Diese Textstelle findet sich ins Deutsche übertragen in J.-J. Rousseau, Julie oder Die neue Heloise, Bd. 1, Berlin 1922, S. 183f.

110 *Fußnote im Original:* Man sehe hierüber die besondern Beobachtungen, die Rousseau in seinem *Dictionaire de Musique* im Art. Musik gesammelt hat.

111 *Fußnote im Original:* Der erste Theil ist vor etwa 2 Jahren unter dem Titel: *d. Kunst des reinen Sazes in der Musik* herausgekommen. – J. Ph. Kirnberger, Die Kunst des reinen Satzes in der Musik, aus sicheren Grundsätzen hergeleitet und mit deutlichen Beyspielen erläutert, Berlin/Königsberg 1774/79.

112 Gemeint ist C. Ph. E. Bachs Sonate c-Moll für zwei Violinen und Basso continuo, Wq 161a, entstanden 1749, gedruckt 1751.

113 Siehe Text weiter unten.

114 Von dem griechischen Lyriker Pindaros (etwa 518–446 v. u. Z.) praktizierte Gedichtform in frei gegliederten, schwungvollen Strophen.

115 *Randvermerk im Original:* S. Dreystimmig.

116 *Randvermerk im Original:* S. Duett.
117 *Randvermerk im Original:* S. Menuet.
118 Nach Faller „an den Herrn Sch[riftsteller] Kr[euzfeld] in Königsberg" geschrieben. Vgl. M. Faller, Johann Friedrich Reichardt und die Anfänge der musikalischen Journalistik, Kassel 1929, S. 19.
119 *Fußnote im Original:* Der Verfasser *hat hier die Ehre* zu versichern, daß er nunmehr von keiner grossen Stadt, sie sey auch so schön sie immer wolle, mehr entzückt werde. Nachdem er viele grosse Städte gesehen, und in allen häufiges Unglück und unzähliche Unordnung gefunden, so ist er darüber mit seinem Freunde Rousseau einig geworden, daß alle Pracht, alle Vergnügungen der grossen Städte nichts gegen eine grüne Flur, nichts gegen einen frohen Aerndtetanz sind, daß alle Kunst von tausend Händen nichts ist beym Reitz der lachenden Natur. Und wer dieses in Weiße- und Hillerischem Gesange gesungen nicht fühlet, den *findet er herzlich zu bedauren.*
120 *Fußnote im Original:* Es ist wahr, *Berlin* besitzt Gebäude, denen an *Schönheit* und *Geschmack* wenig Gebäude aller anderer grossen Städte gleich kommen. *Das grosse Schloß, das Opernhaus, die katholische Kirche, die Petri Kirche, das Zeughaus, und viele Paläste,* sind alle Muster des *edelsten,* des *reichsten* und *schönsten Geschmacks.*
121 *Fußnote im Original:* Der *Thiergarten,* der aus verschiedenen Arten von Holze bestehet, und kleine Tannenwälder, Fichtenwälder, Eichenwälder, Buchenhaine u. a. m. in sich enthält, dieser ist eine sehr grosse Zierde der Stadt. Die von Schwänen bewohnte Spree fließt ihm seitwärts vorbey, und läßt seine Tannen und Fichten sich in ihrem hellen Flusse spiegeln. Unzähliche ausgehauene Gänge und einige Wasserbehälter verdoppeln seine Schönheit, und zeugen, daß die Kunst hier der Natur freundschaftliche Hand geboten. Leider aber zeugen auch noch viele ungenutzte Schönheiten, daß der Kunst, der sonst so hülfreichen Kunst, die Hände gebunden sind. Um die grossen Schönheiten des Thiergartens mit einem Worte zu beschreiben, so muß ich sagen, er verdiente von Ramlern besungen zu werden. Er würde ihm durch seine kühle Schatten dafür dankbarer seyn, als ihm der Held vieler seiner vortreflichen Oden ist, der jenem Römer seinen Sänger nicht beneiden dürfte, wenn er den Verewiger seiner Heldenthaten nur ganz kennete.
122 Möglicherweise Leutnant Ch. F. v. Szervansky; siehe Anm. 148.
123 *Fußnote im Original:* Herr Burney hat sich in seinem *musikalischen Tagebuche* wider diesen schätzbaren Mann sehr versündigt. Er findet in seinen Symphonien nicht das Feuer, das ich sorgfältigerer Beobachter noch in sehr wenigen andern Sym-

phonien gefunden habe; aber sie müssen auch so vorgetragen werden, wie ich sie von ihm selbst anführen gehört habe; auch will Hr. B. seine Violin-Concerte nicht für Meisterstücke gelten lassen, die es doch wirklich in ihrer Art sind. An Erfindung – eben dem Punkte, worinn ihn die, die ihn ganz kennen, am meisten bewundern – an Erfindung, sagt er, fehlt es ihm gänzlich. Hat denn Hr. B. etwas von seinen Sachen gehört? – Wahrhaftig nicht. So wie er alle seine Urtheile nach den Worten jedes, den er traf, abschrieb, so ward ihm gewiß auch dieses gesagt, und von einem Neider jenes grossen Mannes gesagt.

124 *Fußnote im Original:* Mad. Schmähling, oder itzt vielmehr Madame Mara, hat sich in den fünf Jahren, die sie in Berlin ist, ungemein verbessert. Ihre Stimme, ihr Vortrag, ihre Aktion, alles ist zu ihrem grossen Vortheile verändert worden. Ihre Stimme, die sonst eine gewisse Klarheit hatte, die fast ins scharfe, ins spitzige übergieng, ist itzt weicher und angenehmer geworden. [...]

125 *Fußnote im Original:* Pißhändel war zur Zeit, da Haße noch in Dresden war, Concertmeister daselbst.

126 *Fußnote im Original:* Man erzählet, daß, da Jomelli dieses in Rom zum erstenmale hören ließ, die Zuhörer sich bey dem *crescendo* allmählich von den Sitzen erhoben, und bey dem *diminuendo* erst wieder Luft schöpften, und merkten, daß ihnen der Athem ausgeblieben war. Ich habe diese letztere Wirkung in *Mannheim* an mir selbst empfunden.

127 Die Mannheimer Orchesterpraxis wurde im 18. Jahrhundert in Deutschland als vorbildlich angesehen. Vgl. Ch. F. D. Schubart, Ideen zu einer Ästhetik der Tonkunst, Wien 1806, S. 103.

128 Es handelt sich mit ziemlicher Sicherheit um C. H. Grauns „Demofoonte“.

129 *Fußnote im Original:* Und dennoch sagte man, es wäre deshalb geschehen, weil die Graunische den König gar zu sehr rührete.

130 Gemeint ist Friedrich II., der 1746 drei Arien zu Grauns „Demofoonte“ komponiert hatte.

131 *Fußnote im Original:* Freylich wäre die Manier Grauns dem feurigen Genie Haßens zuwider: Denn wenn dieser den rechten Punkt einer Handlung erst gefaßt; die Scene oft gelesen, und sie nun, fast ohne daran zu denken, zu singen anfängt, ihm die Begeisterung die Töne eingiebt, und die Feder ergreift, dann ist der Strom seiner Gedanken viel zu heftig, als daß er sich so tacktweise abtheilen liesse, um erst Tackt vor Tackt, Zeile vor Zeile die Harmonie dem Gesange beyzufügen.

132 *Fußnote im Original:* Man muß erstaunen, wenn man diesen verehrungswürdigen Mann über das Theater sprechen hört. Niemals, glaube ich, hat ein Componist mehr Erfahrung gehabt,

als er, niemals einer die Wirkung mehr und glücklicher studiret. Und dieses ist auch wohl dasjenige, worinnen er sich am mehresten von allen andern Componisten unterscheidet, worinnen er der vollkommenste ist, der je geschrieben. Denn seine geringsten Arbeiten thun oft grössere Wirkung, als die besten und sorgfältigsten Werke anderer Componisten.

133 Nach Faller, a. a. O., S. 19, C. G. Richter (1728–1809), Organist und Klavierlehrer in Königsberg.

134 Eine der fünf Hamburger Hauptkirchen, an der C. Ph. E. Bach die Stellung eines Musikdirektors innehatte.

135 Es handelt sich aller Wahrscheinlichkeit nach um C. Ph. E. Bachs 1770 in Hamburg entstandene und seitdem mehrfach aufgeführte Passionskantate „Die letzten Leiden des Erlösers", Wq 233.

136 Nach Faller, a. a. O., S. 19, F. A. Veichtner (1741–1822), der als Violinist in Mitau im Dienst des Herzogs Ernst Johann von Kurland stand.

137 Siehe die vorige Anmerkung.

138 *Fußnote im Original:* Potsdam ist sehr reich an schönen Gebäuden; man findet fast auf allen Strassen Gebäude, die nach den Zeichnungen der schönsten Italiänischen Gebäude aufgeführet worden. Allein nur das Aeussere ist schön daran. Im Innern ist weder Schönheit noch Bequemlichkeit; und man erstaunt nicht wenig, wenn man in einen Pallast eingehet, und drinnen eine kleine finstre Treppe findet, die Thüren oft ohne Schlösser, und die Zimmer höchst unförmlich, und in diesen die geringsten Handwerker und Soldaten. Und wenn es nun auch zu der Bewohnung der neuen Gebäude, die immer noch gebaut werden, denn auch an jenen Leuten fehlen wird, dann kann man es so machen, wie es der Vorgänger dieses Königes mit den neuen Häusern in Berlin machte, ehe sie bewohnt waren. Er ließ des Abends Lichter drinnen anzünden, damit es ein Fremder oder auch wohl er selbst für bewohnt halten möchte.

139 *Fußnote im Original:* Die Gegend um Potsdam herum ist schön und von vieler Mannigfaltigkeit; die Stadt selbst liegt auf einer Insel, die völlig mit Wasser umgeben ist, welches denn auch mitten durch die Stadt fliesset. Auf beyden Seiten sind hohe Berge, die theils mit Holz bewachsen, theils aber auch frey sind, und von denen man nicht nur die Stadt selbst aus einem sehr schönen Augenpunkte, sondern auch weite Gegenden betrachten kann. Die angenehmsten Flächen von Wiesen und Feldern und Hölzern wechseln mit den Bergen ab, und machen den Einwohnern die schönsten Spatziergänge.

140 *Fußnote im Original:* Man muß sich verwundern, daß, da doch zwey Höfe sich hier aufhalten, nemlich der König, und der

Cronprinz, dennoch die Lebensart so ungesellig und todt ist. Vielleicht sind aber eben jene daran schuld. Von den Hofleuten scheut sich einer für den andern, und haßt einer den andern, und die Stadtleute selbst haben oft Ursache, sich für jene zu scheuen, und ihren Umgang zu fliehen.

141 *Fußnote im Original:* Dieses ist ein kleines, geschmackvolles Sommergebäude, welches auf einer Anhöhe liegt, und einen Garten hat, von dem sich nicht sowohl sagen läßt, daß viel Kunst darinnen ist, als daß die *schönste Natur* darinnen herrscht. [...]

142 *Fußnote im Original:* Das *neue Schloß* ist ein Muster in der reichen und verschwenderischen Bauart. Es ist inwendig und auswendig alles königlich. Mich dünkt aber, es ist äusserlich gar zu sehr überhäuft mit Verzierungen, die man mit nichts anders entschuldigen kann, als wenn man es wie ein *königliches Gartenhaus* ansieht. Die Aussicht aus diesem schönen Gebäude ist vortreflich und höchst mannigfaltig. Diese grosse Mannigfaltigkeit, die die Natur von selbst schon in die Gegend gelegt, hat der König noch durch Kunst sehr glücklich vermehrt. Er hat auf einem etwas entfernten Berge, der mit jungen Birken bewachsen ist, Rudera von Gebäuden im römischen, antiquen Geschmack hin bauen lassen, die ganz vortreflich gegen die lachende Natur abstechen, und sie erheben.

143 Prinz Heinrich, der spätere preußische König Friedrich Wilhelm II.

144 Nach Faller, a. a. O., S. 22, C. G. Bock (1746–1829), ein Freund aus Reichardts Königsberger Studienzeit, war zunächst Kammersekretär in Marienwerder, dann Kriegsrat.

145 Siehe Anm. 76.

146 *Fußnote im Original:* Matheson hat diese läppische Spielereyen noch viel weiter getrieben, indem er nicht nur auf so kindische Weise für das Ohr gemalet hat, sondern sogar einmal in der Musik fürs Auge malte. Was that er? Er fand in seiner Poesie das Wort Regenbogen; um diesen nun in seiner Composition zu bezeichnen, setzte er in der Partitur die Stimmen durch Pausen so, daß sie in der Form eines Bogens zu stehen kamen, und um ihm auch die ganze Gestalt des Regenbogens zu geben, schrieb er die Noten mit blauer, gelber, grüner, rother und violetter Farbe. O über das alte Kind!

147 Vgl. J.A. Hiller, Singspiel „Die Jagd“, 2. Akt, Sinfonie, Allegro di molto, Klavier-Auszug, Leipzig 1771.

148 Nach Faller, a. a. O., S. 23, Leutnant von Czervansky in Mewe, ein Jugendfreund Reichardts.

149 *Fußnote im Original:* Der Capellmeister.

150 *Fußnote im Original:* Carl Philipp Emanuel Bach.

151 *Fußnote im Original:* Franz Benda, der jetzige Concertmeister des Königs in Preussen.
152 *Fußnote im Original:* Der Concertmeister.
153 *Fußnote im Original:* Joseph Benda, ein Bruder des Concertmeisters.
154 *Fußnote im Original:* Ich meyne hier besonders den Herrn Concertmeister Franz Benda, man darf aber auch nur seinen Bruder Herrn Joseph Benda, und seinen jüngsten Sohn Herrn Carl Benda, hören, um sich von der Wahrheit dieses Urtheils zu überführen.
155 *Fußnote im Original:* Im praktischen Theil der Kunst dieses großen Mannes ersetzt uns Herr Lindner aufs rühmlichste den Verlust, den wir durch Quanzens Tod erlitten.
156 *Fußnote im Original:* Ich mag die guten Schüler und würdigen Nachfolger dieser großen Männer hier nicht alle nennen, ihre Namen sind bekannt genung; der mittelmäßigen und schlechten Nachahmer, werde ich aber noch weit weniger erwähnen: denn sie verdienen nicht gekannt zu werden.
157 *Fußnote im Original:* Die Gothaische Capelle ist die einzige, die ich nicht genugsam kenne.
158 Siehe Anm. 111.
159 J. G. Sulzer, Allgemeine Theorie der Schönen Künste, Leipzig 1771/74.
160 Siehe Anm. 144.
161 Herr Bach = C. Ph. E. Bach.
162 Sonate f-Moll, Wq 57,6 (entstanden 1763 in Berlin), 1781 als dritte Sonate in der Sammlung „Clavier-Sonaten nebst einigen Rondos fürs Fortepiano, für Kenner und Liebhaber“ veröffentlicht.
163 *Fußnote im Original:* Es ist überschrieben *Allegro moderato mà innocentemente.*
164 Die Sammlung „Sechs Sonaten für Clavier mit veränderten Reprisen“, Wq 50, wurde 1760 in Berlin gedruckt.
165 Solokantate „Die Grazien“, Wq 200,22.
166 Siehe Anm. 49.
167 Ein aus der Werkstatt G. Silbermanns stammendes Clavichord hatte C. Ph. E. Bach 1781 verkauft.
168 Zwei vertonte Psalmen C. Ph. E. Bachs, Wq 205 und 206, noch in Berlin komponiert (um 1761).
169 „Semiramide“, Drama scritto von P. Metastasio (1729), u. a. vertont von L. Vinci (1729), N. Jommelli (1741), J. A. Hasse (1744), Ch. W. Gluck (1748).
170 Melodrama von J. F. Reichardt, 1779 in Leipzig uraufgeführt.
171 „Catone in Utica“, Dramma rappresentanto von P. Metastasio (1728), u. a. vertont von L. Vinci (1728), J. A. Hasse (1731), C. H. Graun (1744), J. Ch. Bach (1761).

172 Opern dieses Titels schrieben u. a. D. Purcell (1705), G. A. Ristori (1714), A. Vivaldi (1726).
173 Text nach J. J. Engel, Kleine Schriften, Berlin 1795, S. 65 ff.
174 J. A. Bendas Melodrama „Ariadne auf Naxos" wurde 1775 in Gotha uraufgeführt.
175 *Fußnote im Original:* Die Stoiker. S. Tiedemanns System der Stoischen Philos. Th. 1. S. 147 ff. – Vgl. D. Tiedemann, System der stoischen Philosophie, Teil 1, Leipzig 1776, S. 147 ff.
176 Im Jahre 1763 erfand B. Franklin in London die Glasharmonika.
177 Siehe Anm. 147.
178 Arie „Sacri orrori, ombre felici" aus dem Oratorium „Sant' Elena al calvario" (1746) von J. A. Hasse.
179 (ital.) Dieses ist die Sonne, für die ich so viele Meere und Königreiche durchwandert habe.
180 *Fußnote im Original:* [...] Ich kann mich hier des Wunsches nicht erwähren, daß uns doch Herr Schulze wahre Volkgesänge mehr gäbe! Nur sehr wenigen Tonkünstlern ist hiezu die Natur so hold, die Kunst so unterthan als ihm.
181 Rousseaus Scène lyrique „Pygmalion" wurde 1770 in Lyon uraufgeführt.
182 Siehe Anm. 174.
183 J. A. Bendas Melodrama „Medea" erlebte 1775 in Leipzig seine erste Aufführung.
184 Das Melodrama „Cephalus und Prokris" von J. F. Reichardt wurde 1777 in Hamburg uraufgeführt.
185 Siehe Anm. 170.
186 Ort in der Nähe Gothas.
187 Reichardt bezieht sich wahrscheinlich auf die 1777 in Gotha bei C. W. Ettinger und 1778 in Leipzig bei Dyk herausgegebenen Klavierauszüge beider Werke, die auch mit ansprechenden Titelkupfern ausgestattet sind.
188 *Fußnote im Original:* Diese Rede ist eben erst in Paris herausgekommen und in Berlin bei Rottmann zu haben.
189 Sulzer, Allgemeine Theorie, a. a. O., Teil 1, Vorrede, S. V f.
190 J. F. Reichardt, Musikalisches Kunstmagazin, Teil 1, Berlin 1782, S. 47.
191 In Abwandlung des Satzes von Fontenelle „Sonate, que me veux-tu?" („Sonate, was willst du von mir?").
192 Mirabeau, Discours ... sur l'education nationale, Paris 1791, S. 22 ff.; deutsche Übertragung (nicht identisch mit der in der vorliegenden Textauswahl) in: Mirabeau, Discurs über die Nationalerziehung, Berlin/Stettin 1792, S. 35 ff.
193 Mirabeau, Peint par lui-même, Teil 4, Paris 1791, S. 237.
194 E. L. Gerber, Artikel „Friedrich II.", in: Historisch-Biographi-

sches Lexicon der Tonkünstler, Teil 1, Leipzig 1790/92, S. 445 ff.

195 Von Reichardt 1783 nach Pariser Vorbild in Berlin initiierte Konzertreihe.

196 „Carmen saeculare“, Oratorium von F.-A. D. Philidor, 1779 in London uraufgeführt.

197 Oper von Ch. W. Gluck, 1767 in Wien uraufgeführt.

198 „Il falegname“, Oper von D. Cimarosa, 1780 in Neapel uraufgeführt.

199 „Nina, ou la folle par amour“, Oper von N.-M. Dalayrac, 1786 in Paris uraufgeführt.

200 Singspiel von J. F. Reichardt nach einem Text von Goethe, 1789 in Berlin uraufgeführt.

201 Duett Pamina, Papageno, aus W. A. Mozarts Oper „Die Zauberflöte“, 1. Aufzug, 14. Auftritt.

202 J.-J. Rousseau, Lettre à M. Burney sur la musique, avec fragments d'observations sur l'Alceste italien de M. le chevalier Gluck (entstanden um 1777).

203 J. F. Marmontel, Essai sur les révolutions de la musique en France, Paris 1777.

204 M.-P.-G. de Chabanon, Lettre ... sur les propriétés musicales de la langue française, in: Mercure du France, 1773.

205 N. E. Framerey, Lettre à l'auteur du Mercure, 1776.

206 Glucks Oper „Iphigenie auf Tauris“ wurde am 24. Februar 1795 in Berliner Nationaltheater aufgeführt.

207 Die Aufsätze I bis V stammen von Wackenroder, die Aufsätze VI bis IX von Tieck.

208 Tieck bezieht sich hier wohl auf Reichardts Schauspielmusik zu „Macbeth“, die am 28. Dezember 1787 im Berliner Nationaltheater zum ersten Male aufgeführt wurde.

209 J. F. Reichardt komponierte 1791 zu Goethes „Egmont“ eine Bühnenmusik.

Weiterführende Literatur

Das vorliegende Literaturverzeichnis enthält eine größere Auswahl von zeitgenössischen Quellen (außer Berliner Musikschrifttum) und von Darstellungen zur Musikgeschichte, Musikästhetik und Musikkritik des 18. Jahrhunderts, zur Berliner Musikkultur dieses Zeitraums sowie spezielle Untersuchungen zu den Autoren, die in dieser Dokumentation mit Texten vertreten sind.

Abert, H., Wort und Ton in der Musik des 18. Jahrhunderts, in: Archiv für Musikwissenschaft V (1923), S. 31 ff.

Adlung, J., Anleitung zu der musikalischen Gelahrtheit, Erfurt 1758

Arnheim, A., Zur Geschichte der Liebhaberkonzerte in Berlin im 18. Jahrhundert, in: Jahresberichte der Gesellschaft zur Pflege altklassischer Musik, Berlin 1912/13

–, Mitteilungen aus der Berliner Musikkritik im 18. Jahrhundert, in: Jahresberichte der Gesellschaft zur Pflege altklassischer Musik, Berlin 1915/16

Balet, L./Gerhard, E., Die Verbürgerlichung der deutschen Kunst, Literatur und Musik im 18. Jahrhundert, Dresden 1979

Barr, R., Carl Friedrich Zelter. A Study of the Lied in Berlin during the Late 18th and Early 19th Centuries, Diss. Wisconsin 1968

Beaujean, J., Christian Gottfried Krause. Sein Leben und seine Persönlichkeit im Verhältnis zu den musikalischen Problemen des 18. Jahrhunderts als Ästhetiker und Musiker, Dillingen 1930

Becker, H./Green, R. D., Artikel „Berlin“, in: The New Grove Dictionary of Music and Musicians, hrsg. von S. Sadie, Bd. 2, London/Washington/Hong Kong 1970, S. 565 ff.

Becking, G., Zur Frage der musikalischen Romantik, in: Deutsche Vierteljahrsschrift für Literaturwissenschaft und Geistesgeschichte II (1924), S. 581 ff.

Benary, P., Die deutsche Kompositionslehre des 18. Jahrhunderts, Leipzig 1960

Bieder, E., Ueber Friedrich Wilhelm Marpurgs System der Harmonie, des Kontrapunkts und der Temperatur, Diss. Berlin 1923

Bimberg, S./Kaden, W., u. a. (Hrsg.), Handbuch der Musikästhetik, Leipzig 1979

Birke, J., Christian Wolffs Metaphysik und die zeitgenössische Literatur- und Musiktheorie: Gottsched, Scheibe, Mizler, Berlin 1966

Bitter, C. H., Carl Philipp Emanuel und Wilhelm Friedemann Bach und deren Brüder, 2. Bde., Berlin 1868 (Neudruck: Leipzig 1973)

Borris-Zuckermann, S., Kirnbergers Leben und Werk und seine Bedeutung im Berliner Musikkreis um 1750, Kassel 1933
Bose, F., Anna Amalia von Preussen und Johann Philipp Kirnberger, in: Musikforschung X (1957), S. 129ff.
Brachvogel, A. E., Geschichte des Königlichen Theaters zu Berlin, Berlin 1877/79
Braun, W., Musikkritik. Versuch einer historisch-kritischen Standortbestimmung, Köln 1972
Bücken, E., Der galante Stil. Eine Skizze seiner Entwicklung, in: Zeitschrift für Musikwissenschaft VI (1923/24), S. 418ff.
–, Die Musik des Rokokos und der Klassik, Wildpark-Potsdam 1929
Burney, C., Tagebuch seiner Musikalischen Reisen, 3 Bde., aus dem Englischen übersetzt, Hamburg 1772/73 (Neudrucke: Kassel/Basel usw. 1967; Leipzig 1976, RUB 620)
Cohen, P., Theorie und Praxis der Clavierästhetik Carl Philipp Emanuel Bachs, Diss. Hamburg 1973
Cramer, C. F. (Hrsg.), Magazin der Musik, 4 Bde., Hamburg 1784/89 (Neudruck: Hildesheim 1970)
Dammann, R., Der Musikbegriff im deutschen Barock, Köln 1967
Dolinski, K., Anfänge der musikalischen Fachpresse in Deutschland, Diss. Berlin 1940
Eggebrecht, H. H., Das Ausdrucksprinzip im musikalischen Sturm und Drang, in: Deutsche Vierteljahrsschrift für Literaturwissenschaft und Geistesgeschichte XXIX (1955), S. 323ff.
Engelhardt, R., Untersuchungen über die Einflüsse Johann Sebastian Bachs auf das theoretische und praktische Wirken seines Schülers Johann Philipp Kirnbergers, Diss. Erlangen 1974
Engelke, R., Neues zur Geschichte der Berliner Liederschule, in: Festschrift Hugo Riemann, Leipzig 1909, S. 456ff.
Erny, R., Entstehung und Bedeutung der romantischen Sprachmusikalität in Hinblick auf Tiecks Verhältnis zur Lyrik, Diss. Heidelberg 1957
Faller, M., Johann Friedrich Reichardt und die Anfänge der musikalischen Journalistik, Kassel 1929
Fischman, N., Estetika F. E. Bacha, in: Sowjetskaja musyka XXVIII (1964), S. 59ff.
Forkel, J. N., Musikalisch-Kritische Bibliothek, 3 Bde., Gotha 1778/79
–, Allgemeine Geschichte der Musik, 2. Bde., Leipzig 1788 und 1801
Freystätter, W., Die musikalischen Zeitschriften seit ihrer Entstehung bis zur Gegenwart. Chronologisches Verzeichnis der periodischen Schriften über Musik, Amsterdam 1967
Friedländer, M., Das deutsche Lied im 18. Jahrhundert, 2 Bde., Stuttgart 1902

Frotscher, G., Die Ästhetik des Berliner Liedes in ihren Hauptproblemen, in: Zeitschrift für Musikwissenschaft VI (1923/24), S. 431 ff.
Goldschmidt, H., Die Musikästhetik des 18. Jahrhunderts und ihre Beziehungen zu seinem Kunstschaffen, Zürich/Leipzig 1915
Gradenwitz, P., New Trends about 1750: Mannheim – Berlin – Hamburg, in: Of German Music. A Symposium, hrsg. von H.-H. Schönzeler, London/New York 1976
Graf, M., Composer and Critic. 200 Years of Musical Criticism, New York 1946
Grunsky, K., Musikgeschichte des 18. Jahrhunderts, 2 Bde., Berlin/Leipzig 1914
Guttmann, O., Johann Karl Friedrich Rellstab. Ein Beitrag zur Musikgeschichte Berlins, Diss. Berlin 1910
Hartung, G., Johann Friedrich Reichardt als Schriftsteller und Publizist, Diss. Halle 1964
Hase, H. von, Beiträge zur breitkopfischen Geschäftsgeschichte: Friedrich Wilhelm Marpurg und Breitkopf, in: Zeitschrift für Musikwissenschaft II (1919/20), S. 459 ff.
Havlová, M., Galant-empfindsame Kontrapunkte. Illustrationen zur Musiksoziologie des 18. Jahrhunderts, Diss. Berlin 1983
Heister, H.-W., Beiträge zur Theorie des Konzerts. Untersuchungen zu Publikum, Rezeptionsweise und Ästhetik des Konzertwesens, Diss. Berlin (West) 1977
Helm, E. E., Music at the Court of Frederick the Great, Norman (Oklahoma) 1960
–, The „Hamlet"-Fantasy and the Literary Element in C. P. E. Bach's Music, in: The Musical Quarterly LVIII (1972), S. 277 ff.
Hertich, E., Joseph Berglinger. Eine Studie zu Wackenroders Musiker-Dichtung, Berlin 1969
Hiller, J. A., Wöchentliche Nachrichten und Anmerkungen die Musik betreffend, 3 Bde., Leipzig 1766/70 (Neudruck: Hildesheim 1970)
Hoffmann, F., Johann Jakob Engel als Ästhetiker und Kritiker, Diss. Breslau 1922
Hoffmann-Erbrecht, L., Der „Galante Stil" in der Musik des 18. Jahrhunderts, in: Studien zur Musikwissenschaft XXV (1962), S. 252 ff.
Holtzmann, S., Carl Friedrich Zelter im Spiegel seines Briefwechsels mit Goethe, Weimar 1957
Kaden, Ch., Musiksoziologie, Berlin 1984
Kielholz, J., Wilhelm Heinrich Wackenroder: Schriften über die Musik, Bern 1972
Knepler, G., Geschichte als Weg zum Musikverständnis. Zur Theorie, Methode und Geschichte der Musikgeschichtsschreibung, Leipzig 1977, RUB 725

Koch, H., Die deutschen musikalischen Fachzeitschriften des 18. Jahrhunderts, Diss. Halle 1924
Koldewey, P., Wackenroder und sein Einfluß auf Tieck, Diss. Göttingen 1904
Kretzschmar, H., Allgemeines und Besonderes zur Affektenlehre, in: Jahrbuch der Musikbibliothek Peters XVIII (1911), S. 63ff.
Krome, F., Die Anfänge des musikalischen Journalismus in Deutschland, Diss. Leipzig 1896
Kruse, R., Zelter, Leipzig 1915
Ledebur, K. von, Tonkünstler-Lexicon Berlins von den ältesten Zeiten bis auf die Gegenwart, Berlin 1861
Leo, J., Johann Georg Sulzer und die Entstehung seiner „Allgemeinen Theorie der schönen Künste“, Berlin 1907
Loewenthal, S., Die Musikübende Gesellschaft zu Berlin und die Mitglieder Johann Philipp Sack, Friedrich Wilhelm Riedt und Johann Gabriel Seyfarth, Diss. Basel 1928
Mainka, J., J. A. P. Schulz und die musikalische Entwicklung im Zeitalter vom „Sturm und Drang“, Habil-Schrift Berlin 1970
Marks, P. F., The Rhetorical Element in Musical „Sturm und Drang“. Christian Gottfried Krauses „Von der musikalischen Poesie“, in: The Music Review XXXIII (1972), S. 93ff.
Markus, S. A., Musikästhetik. Ein Beitrag zur Geschichte der Nachahmungsästhetik und Affektenlehre sowie der idealistischen Musikästhetik in Deutschland, Teil 1, Leipzig 1967
Mattheson, J., Das neu-eröffnete Orchestre, Hamburg 1713
—, Das beschützte Orchestre, Hamburg 1717
—, Critica musica, Hamburg 1722/25
—, Der vollkommene Capellmeister, Hamburg 1739 (Neudruck: Kassel/Basel 1954)
—, Grundlage einer Ehren-Pforte, Hamburg 1740 (Neudruck: Kassel/Basel usw. 1969)
Mekeel, J., The Harmonic Theories of Kirnberger and Marpurg, in: Journal of Music Theory IV (1960), S. 129ff.
Mersmann, H., Ein Programmtrio Karl Philipp Emanuel Bachs, in: Bach-Jahrbuch XIV (1917), S. 137ff.
Miesner, H., Aus der Umwelt Philipp Emanuel Bachs, in: Bach-Jahrbuch XXXIV (1937), S. 132ff.
—, Porträts aus dem Kreise Philipp Emanuel und Wilhelm Friedemann Bachs, in: Musik und Bild, Festschrift Max Seiffert, Kassel 1938, S. 101ff.
Morgenroth, A., Carl Friedrich Zelter, Diss. Berlin 1922
Mozart, L., Versuch einer gründlichen Violinschule, Augsburg 1756 (Neudruck: Leipzig 1956)
Müller, J.-P., La technique de l’accompagnement dans la musique de XVIIIe siècle tirée du traité de C. P. E. Bach „Versuch über die

wahre Art das Clavier zu spielen“ (Berlin 1762), in: Revue Belge de Musicologie XXIII (1969), S. 3ff.
Müller, W., Das Ausdrucksproblem in der Klaviermusik C. Ph. E. Bachs, Diss. Saarbrücken 1959
Neumann, F., The French Inégales, Quantz, and Bach, in: Journal of the American Musicological Society XVIII (1965), S. 313ff.
Newman, W. S., Kirnberger's Method for Tossing off Sonatas, in: The Musical Quarterly XLVII (1961), S. 517ff.
The New Oxford History of Music, Bd. 7: The Age of Enlightenment 1745–1790, London 1973
Ottenberg, H.-G., Die Entwicklung des theoretisch-ästhetischen Denkens innerhalb der Berliner Musikkultur von den Anfängen der Aufklärung bis Reichardt, Leipzig 1978
–, Carl Philipp Emanuel Bach, Leipzig 1982, RUB 923
Preussner, E., Die bürgerliche Musikkultur. Beiträge zur deutschen Musikgeschichte des 18. Jahrhunderts, Hamburg 1935
Pröpper, R., Die Bühnenwerke Johann Friedrich Reichardts, 2 Bde., Bonn 1965
Quantz, A., Leben und Werke des Flötisten Johann Joachim Quantz, Berlin 1877
Raskin, A., Johann Joachim Quantz. Sein Leben und seine Kompositionen, Diss. Cologne 1923
Rebling, E., Die soziologischen Grundlagen der Stilwandlung der Musik in Deutschland um die Mitte des 18. Jahrhunderts, Diss. Berlin 1935
Reich, N. B., A Translation and Commentary of Selected Writings of Johann Friedrich Reichardt, Diss. New York 1973
Reich, W., Karl Friedrich Zelter, Zürich 1940
Reilly, E. R., Further Musical Examples for Quantz's „Versuch“, in: Journal of the American Musicological Society XVII (1964), S. 157ff.
–, Quantz and his Versuch. Three Studies, New York 1971
Riemann, H., Handbuch der Musikgeschichte, Bd. 2, Teil 3: Die Musik des 18. und 19. Jahrhunderts, Leipzig 1913
Riethmüller, A., Mannheimer Kompositionsstil und die zeitgenössische Ästhetik, in: Kongreßbericht zum Colloquium Musica bohemica et europaea, Brno 1972, S. 243ff.
Ritzel, F., Die Entwicklung der „Sonatenform“ im musiktheoretischen Schrifttum des 18. und 19. Jahrhunderts, Diss. Frankfurt (Main) 1967
Rummenhöller, P., Die musikalische Vorklassik. Kulturhistorische und musikgeschichtliche Grundrisse zur Musik im 18. Jahrhundert zwischen Barock und Klassik, München/Kassel usw. 1983
Sachs, C., Musikgeschichte der Stadt Berlin bis zum Jahre 1800, Berlin 1908

Salmen, W., Johann Friedrich Reichardt. Komponist, Schriftsteller, Kapellmeister und Verwaltungsbeamter der Goethezeit, Freiburg i. Br./Zürich 1963
Sasse, D., Artikel „Berlin“, in: Die Musik in Geschichte und Gegenwart, Bd. 1, Kassel/Basel 1949/51, Sp. 1705 ff.
Schäfke, R., Quantz als Ästhetiker, in: Zeitschrift für Musikwissenschaft VI (1923/24), S. 213 ff.
–, Geschichte der Musikästhetik in Umrissen, Tutzing ²1964
Scheibe, J. A., Der Critische Musicus, Hamburg 1737/40 (Neudruck: Hildesheim 1966)
Schenk-Güllich, D., Anfänge der Musikkritik in frühen Periodika. Ein Beitrag zur Frage nach den formalen und inhaltlichen Kriterien von Musikkritiken der Tages- und Fachpresse im Zeitraum von 1700 bis 1770, Diss. Erlangen/Nürnberg 1972
Schering, A., Christian Gottfried Krause. Ein Beitrag zur Geschichte der Musikästhetik, in: Zeitschrift für Ästhetik und allgemeine Kunstwissenschaft II (1907), S. 548 ff.
–, Musikästhetik der deutschen Aufklärung, in: Zeitschrift der Internationalen Musikgesellschaft VIII (1907), S. 263 ff. und S. 316 ff.
–, Aus der Geschichte der musikalischen Kritik in Deutschland, in: Jahrbuch der Musikbibliothek Peters XXXV (1928), S. 9 ff.
–, Carl Philipp Emanuel Bach und das „redende Prinzip“ in der Musik, in: Jahrbuch der Musikbibliothek Peters XLIV (1938), S. 13 ff.
Schmid, E. F., Carl Philipp Emanuel Bach und seine Kammermusik, Kassel 1931
Schneider, L., Geschichte der Oper und des Königlichen Opernhauses in Berlin, Berlin 1852
Schönewolf, K., Ludwig Tieck und die Musik, Diss. Marburg 1925
Schottländer, J.-W., Zelters Beziehungen zu den Komponisten seiner Zeit, in: Jahrbuch der Sammlung Kippenberg VIII (1930), S. 134 ff.
Schröder, C., Carl Friedrich Zelter und die Akademie. Dokumente und Briefe zur Entstehung der Musik-Sektion in der Preussischen Akademie der Künste, Berlin 1959
Schubart, Ch. F. D., Ideen zu einer Ästhetik der Tonkunst, Wien 1806 (Neudruck: Leipzig 1977, RUB 673)
Schwartz, R., Zur Charakteristik Zelters, in: Jahrbuch der Musikbibliothek Peters XXXVI (1929), S. 71 ff.
Serauky, W., Die musikalische Nachahmungsästhetik im Zeitraum von 1700 bis 1850, Münster 1929
Server, H., Friedrich Wilhelm Marpurg (1718–1795). Musik Critic in a Galant Age, Diss. Yale 1969
–, Marpurg versus Kirnberger, Theories of Fugal Composition, in: Journal of Music Theory XIV (1970), S. 206 ff.
Sieber, P., Johann Friedrich Reichardt als Musikästhetiker. Seine

Anschauungen über Wesen und Wirkung der Musik, Strassburg 1930
Sondheimer, R., Die Theorie der Sinfonie und die Beurteilung einzelner Sinfoniekomponisten bei den Musikschriftstellern des 18. Jahrhunderts, Leipzig 1925
Stege, F., Die deutsche Musikkritik des 18. Jahrhunderts unter dem Einfluß der Affektenlehre, in: Zeitschrift für Musikwissenschaft X (1927/28), S. 23 ff.
Stuckenschmidt, H. H., Artikel „Musikkritik“, in: Die Musik in Geschichte und Gegenwart, Bd. IX, Kassel/Basel usw. 1961, Sp. 1130 ff.
Summer, F., Haydn and Kirnberger. A Documentary Report, in: Journal of the American Musicological Society XXVIII (1975), S. 530 ff.
Telemann, G. Ph., Singen ist das Fundament zur Music in allen Dingen. Eine Dokumentensammlung, Leipzig 1981, RUB 845
Trainer, J., Ludwig Tieck. From Gothic to Romantic, The Hague 1964
Tumarkin, A., Der Ästhetiker Johann Georg Sulzer, Leipzig 1933
Unger, H.-H., Die Beziehungen zwischen Musik und Rhetorik im 16. bis 18. Jahrhundert, Würzburg 1941
Victor, W., Carl Friedrich Zelter und seine Freundschaft mit Goethe, Berlin/Weimar 1958
Vogler, G. J., Betrachtungen der Mannheimer Tonschule, 3 Bde., Mannheim 1778/81 (Neudruck: Hildesheim 1974)
Vrieslander, O., Carl Philipp Emanuel Bach als Theoretiker, in: Von neuer Musik, Köln 1925, S. 222 ff.
Wege, E., Der Liederkomponist und Musikschriftsteller Johann Gottlieb Karl Spazier, in: Beiträge zur Musikwissenschaft V (1963), S. 113 ff.
Weissmann, A., Berlin als Musikstadt. Geschichte der Oper und des Konzerts 1740–1910, Berlin/Leipzig 1911
Wili, H., Johann Georg Sulzer. Persönlichkeit und Kunstphilosophie, Diss. Fribourg 1954
Wucherpfennig, H., Johann Friedrich Agricola, Diss. Berlin 1922
Zoltai, D., Ethos und Affekt. Geschichte der philosophischen Musikästhetik von den Anfängen bis zu Hegel, Berlin/Budapest 1970

Personenregister

Im vorliegenden Personenregister sind lediglich die Namen derjenigen Autoren mit Kurzbiographien kommentiert, die sich musiktheoretisch und -kritisch innerhalb der Berliner Musikkultur der zweiten Hälfte des 18. Jahrhunderts betätigt haben (biographische Angaben sowie Schreibweise der Namen hauptsächlich nach Riemann Musiklexikon, hrsg. von W. Gurlitt, Personenteil, 2 Bde., Mainz 1959).

Inhalt

Universal
Bibliothek

BELLETRISTIK

IRENEUSZ IREDYŃSKI

Leb wohl, Judas...

Zwei Dramen und zwei Kurzromane

Aus dem Polnischen von R. Buschmann, D. Scholze · Herausgegeben von D. Scholze · Mit einem Essay „Ein Schlüssel zu Iredyńskis Werk" von K. Karasek · Band 1020 (Sonderreihe) · Broschur 2,50 M

I. Iredyński (geb. 1939) gehört jener berühmten „Generation 56" an, von der die polnische Literatur in eine neue, prägende Etappe ihrer Nachkriegsentwicklung geführt wurde. Mit seinen um 1960 erschienenen Gedichten und Erzählungen wurde er zu einem Idol der jungen Generation und zu einer Art Wunderkind der Literatur. Aufgrund nonkonformistischer Neigungen vollzog Iredyński in seinen Arbeiten wie im privaten Bereich mitunter skandalöse Wendungen. Im Gespräch geblieben ist er dank seinem wirklichen literarischen Talent. In allen seinen Romanen und Stücken fallen die zupackenden, funkelnden Dialoge auf, die sich namentlich auf der Bühne zu wahren Wortkaskaden formieren. Auf satirisch-groteske Weise erkunden seine Werke den Freiraum, den ein Mensch im größeren sozialen Zusammenhang gewinnen kann, und sie fragen, um welchen Preis.

Universal Bibliothek

KUNSTWISSENSCHAFTEN

WERNER KRAUSS

Die Innenseite der Weltgeschichte

Ausgewählte Essays über Sprache und Literatur

Herausgegeben und mit einem Vorwort von H. Bergmann · Band 1017 · Broschur 2,50 M

In der Literaturwissenschaft der DDR verkörpert Werner Krauss (1900–1976) die Tugend der Literaturgeschichte: Kennerschaft, durch Philosophie kultivierte, energische und souveräne Empirie. Seine Geschichtlichkeit ist Lust, nicht Pflicht. Daher die Plastizität der Essays, ihr vitales Temperament, ihr Witz, daher der Charme radikalen Erkenntnisinteresses. Mit den Essays „Über den Standort einer Sprachbesinnung“ und „Über den Zustand unserer Sprache“, dem ersten Kapitel aus dem legendären, im Zuchthaus Plötzensee geschriebenen „Gracián“-Buch, Arbeiten zur Aufklärung wie „Der Jahrhundertbegriff im 18. Jahrhundert“, sowie dem „Überblick über die französischen Utopien“ und der fundamentalen Studie „Karl Marx im Vormärz“ vereint diese Sammlung nach Thema, Tendenz und Stil charakteristische Arbeiten des bedeutenden Lehrers und Anregers, des Altmeisters der Romanistik unseres Landes.

Universal Bibliothek

KUNSTWISSENSCHAFTEN

WOLFGANG KIESSLING
Exil in Lateinamerika

Kunst und Literatur im antifaschistischen Exil 1933–1945
Band 4

2. verbesserte Auflage · Mit 55 Abbildungen · Band 847 (Sonderreihe) · Broschur 5,– M

Bei Konzentration auf die Länder Mexiko, Uruguay und Argentinien bietet der Verfasser eine geschlossene Darstellung des antifaschistischen Exils auf dem Subkontinent. Er zeigt Arbeits- und Existenzprobleme unter den politischen Bedingungen der einzelnen Länder und macht Leben und Schicksale der Exilierten (Arendt, Kisch, Heinrich Mann, Merker, Renn, Seghers, Uhse, Zech u. a.) sowie die Entstehungsgeschichte von literarischen Werken deutlich.
Bei der 2. verbesserten Auflage wurden neue Forschungsergebnisse, teils erweiternd (u. a. ein umfangreiches Kapitel über Stefan Zweig), teils korrigierend in den Band integriert, neues Bildmaterial hinzugefügt.